ZOMERLIEFDE

Van dezelfde auteur

Tuin der vrouwen
Volg de stroom
Droom van mij

Patricia Gaffney

Zomerliefde

the house of books

Eerste druk, november 2004
Tweede druk, februari 2005

Oorspronkelijke titel
The Goodbye Summer
Uitgave
HarperCollins*Publishers*

Vertaling
Annemarie Verbeek
Omslagontwerp
Marlies Visser
Omslagdia
Getty Images/Skip Brown
Opmaak binnenwerk
Mat-Zet, Soest

ISBN 90 443 1212 X
D/2005/8899/4
NUR 302

Voor het liefdevolle, vriendelijke, toegewijde personeel van Brooke Grove Retirement Village, vooral dat van The Meadows en van Sharon Nursing Home. Bedankt voor het wegnemen van mijn schuldgevoel en jullie vele, vele sympathieke gebaren.

Dankbetuiging

Nogmaals dank aan zuster McComas, die me nooit in de steek laat.

Ik ben Maya Ginsberg zeer dankbaar voor haar waardevolle adviezen op het gebied van muziekonderwijs.

Bedankt, Carl P.E. dos Santos, voor je vriendelijkheid en deskundigheid en dat je deze scepticus overtuigd hebt dat niet alle parachutisten stapelgek zijn.

Veel liefs en dankbaarheid voor Mary Alice Kruesi vanwege Finney, het geschenk dat blijft geven.

En de warmste dank en liefde aan Aaron Priest voor alles.

1

De eerste keer dat Caddie Winger de naam Wake House hoorde, was toen ze haar grootmoeder hielp haar onderbroek over het gips om haar been te trekken.

Het was oma's tweede dag uit het ziekenhuis. 'Als ik nu in Wake House zat,' zei ze, terwijl ze plat op de bank lag en haar nachtpon preuts met haar handen voor haar schoot bijeenhield, 'zou iemand dit doen die wist wat ze moest doen.'

'Wat voor huis? Een weekhuis?'

'Wake House. Dat gebouw in Calvert Street tegenover de dinges. De dinges waar je met papieren naartoe gaat. Om ze te laten tekenen.'

'De notaris? Stop je goeie voet hierin, oma. Heb je het over dat oude huis met die toren en al die veranda's? Volgens mij is dat een pension.'

'Dat was vroeger. Nu is het een bejaardentehuis.'

'O, daar hoef je toch niet heen, ik kan prima voor je zorgen.'

'Aú.'

'Ik leer er iedere dag iets bij.'

Oma die het over een verzorgingstehuis had, stel je voor. De rest van de ochtend piekerde Caddie over wat dat te betekenen kon hebben. Toen de oude dame aan de overkant dement werd en haar kinderen haar in een verzorgingstehuis lieten opnemen, was oma sprakeloos. 'Schiet me maar liever dood als je me zo graag kwijt wilt, begrepen? Neem me mee de tuin in en schiet er maar op los.' Caddie had aangenomen dat het onderwerp verzorgingstehuis voor altijd taboe was.

Maar die middag bracht oma Wake House zomaar weer te berde.

Ze zaten op de veranda aan de voorkant, oma onderuitgezakt in haar gehuurde rolstoel met haar gebroken been op een kussen op het lage keukenkrukje. Caddie stond achter haar en vlocht haar haar. Oma had lang, mooi, lichtgrijs haar en een, voor het met de jaren zachter was geworden, lang, mager, scherp getekend gezicht. Ze vond het heerlijk als mensen zeiden dat ze op Virginia Woolf leek. Niemand voegde er ooit aan toe: 'Als ze negenenzeventig was geworden in plaats van dat ze de rivier in was gelopen.'

'Hoe-heet-ze-ook-weer is er overleden,' zei ze, de soezerige stilte verbrekend.

'Wie is waar overleden, oma?'

'In Wake House. Hoe-heet-ze, je weet wel. Roze haar, dinsdagavonden.'

Hm. In oma's boeddhistische periode, toen ze een keer in de week een zangavond hield, kwam er zo nu en dan een oudere dame die haar haar roze verfde. 'Mevrouw Pringle?'

'Inez Pringle, dank je.'

'Is ze in Wake House overleden?'

Oma haalde haar schouders op. 'Je moet ergens doodgaan.'

Caddie boog zich over haar heen om te zien of ze een grapje maakte. Haar ogen waren gericht op iets in de achtertuin – Caddie volgde haar blik naar de lege plek op het platgedrukte gras waar *George Bush Verliefd* had gestaan. Zo had ze haar been gebroken: ze was van de ladder gevallen terwijl ze een laatste cowboylaars bovenop haar ruim twee meter hoge tuinsculptuur in de vorm van een fallus zette. Oma was kunstenares.

'Meen je dat?' vroeg Caddie.

Het was even stil. 'Wat?' vroeg oma dromerig.

Caddie glimlachte en ging verder met vlechten. Hoe moesten ze het wassen? In dit oude huis was maar een badkamer, boven, en voorlopig kon oma niet langer dan tien minuten aan de gootsteen staan. Misschien zo'n droogshampoo, die scheen...

'Van Wake House? Ja, nou en of. Bel ze maar, Caddie, en vraag eens wat het kost om daarheen te gaan.'

Oma mocht pas over veertig minuten weer een pijnstiller. Ze had haar been op twee plaatsen gebroken, maar gelukkig waren het schone breuken, zodat het herstel weliswaar langdurig en vervelend zou zijn, maar niet riskant of gevaarlijk. Maar ze was wel kribbig van de pijn. Dat was alles wat Caddie kon bedenken als reden voor oma's plotselinge belangstelling om ergens anders te herstellen dan thuis in Early Street waar ze al vijftig jaar woonde.

'Wake House. Ik vind het zelfs mooi klinken.'

'Echt?' Het deed Caddie denken aan een begrafenisonderneming.
'Het is niet zo'n, zo'n muk...muk...'
'McVerpleegtehuis,' gokte Caddie.
'Volgens Inez was het hip.'
'Hip.' Caddie kreeg ineens een ingeving. 'Heeft dit met de belasting te maken?'
'Ik weet niet waar je het over hebt en ik wil er niet over praten. Behalve om te herhalen dat ik kunstenaar ben en geen boekhouder.'
Het moest de belasting wel zijn. Oma bezwoer dat ze had betaald, maar dat was niet zo. Caddie zou er niet eens van op de hoogte zijn geweest als ze niet in haar bureau had moeten kijken toen oma in het ziekenhuis lag. Ze had haar oma's chequeboek nodig en in plaats daarvan had ze een wirwar van papieren, confetti, een stortvloed van rekeningen, strookjes, reçuutjes, losse controlestrookjes aangetroffen – en het aangifteformulier van de inkomstenbelasting waar oma aan begonnen was, maar dat ze nooit afgemaakt had. De uiterste inzenddatum was al lang verstreken. Caddie was nog steeds bezig orde in de warboel te scheppen.
'Goed, we zullen er niet over praten, maar denk aan wat de dokter heeft gezegd, dat íedereen een tijdje uit zijn doen is na een ongeluk, oma. Dat het niet wil zeggen dat je dement aan het worden bent.'
'Ik ben niet dement.'
'Dat zeg ik!'
'Iedereen kan zich vergissen. Maar ik wil er niet over praten,' herinnerde ze zich en deed haar mond dicht.
Maar niet lang. 'In Wake House heb je vast allerlei rolstoelhellingen, niet zoals hier waar je overal je nek kunt breken. Elektrische rolstoelen, mensen die je masseren.'
'O, allemachtig.'
'Ze hebben vast een lift. Ik ben bejaard, ik verdien het beste. Dit is niks.'
'Nog maar een halfuur tot aan je volgende pil, dan zul je je wel beter voelen. Zal ik wat op de piano spelen? Je kunt het door het raam horen.'
'Zoek het eens op in de Gouden Gids. Of nog beter, neem me er mee naartoe – ik heb er altijd al naar binnen gewild.'
'Oma, ik weet dat je het niet wilt, maar als je gewoon naar boven zou gaan, dan wordt het allemaal een stuk simpeler. Dat denk ik echt.'
'O nee.'
'Dan ben je in de buurt van de badkamer – je weet zelf wat een hekel je er aan hebt om vier of vijf keer per dag de trap op te gaan. En je zou in je

eigen bed kunnen slapen in plaats van op die uitgezakte bank. Je hoeft niet iedere keer weg als een van mijn leerlingen naar les komt. Je zou een bel of een fluitje kunnen gebruiken als je iets nodig had en ik zou het helemaal niet erg vinden om naar boven te komen. Het zou het zo veel –'

'Nee! Ik heb je al gezegd dat ik niet boven wil zitten.'

'Maar waarom?'

'Daarom.'

'Waarom?'

'Als je eenmaal naar boven gaat, kom je nooit meer naar beneden. Ik heb het duizenden keren zien gebeuren.'

'Oma, je hebt alleen maar je been gebroken.'

'Oké, ik heb mijn besluit genomen. Wake House. Ik heb de familie gekend, weet je.'

Misschien kon Caddie een van oma's pillen nemen tegen de hoofdpijn die ze voelde opkomen. 'Heb je de familie Wake gekend?' vroeg ze terwijl ze haar stijve rug rekte.

'Nou ja, niet kennen in de zin van in de salon zitten en thee drinken en komkommersandwiches eten.' Ze grinnikte om zichzelf. 'De hele stad kende de familie Wake, ik niet alleen. De ouwe was eigenaar van de Bank of Michaelstown, die op de hoek van Maryland en Antietam stond.'

'Daar staat hij nog steeds.'

'Ja, maar hij is niet meer van de Wakes. Dat waren de hoge pieten hier, net als de, de – Hyannisport – '

'Kennedy's.'

'Kennedy's, tot de ouwe al zijn geld kwijtraakte. Daarna verdwenen ze gewoon. Ze droogden op en waaiden weg.'

'Evenzogoed denk ik nog steeds dat als je naar bed zou gaan en je twee weken lang niet zou bewegen, in je eigen bed, je een goed begin zou maken. Met je genezing. Denk eraan dat de dokter gezegd –'

Haar grootmoeder stak haar duimen in haar oren en wriemelde met haar vingers terwijl ze een gezicht trok.

'Nou ja, zeg,' zei Caddie beledigd – maar toen zag ze de twee jongens op het trottoir. Buurjongens; ze kende ze van gezicht, maar wist niet hoe ze heetten. Ze bleven voor het huis stilstaan toen ze oma's gekke gezicht opmerkten. De een had een skateboard op zijn schouder en de ander een zwijgende boombox, als kleine mannen die thuiskwamen van hun werk, peinsde Caddie, alleen met speelgoed in plaats van harken of houwelen op hun schouders. 'Hoi!' riep ze met een vrolijke glimlach en zwaaide. 'Alles goed?'

'Miniboeven,' zei oma te hard.
'Stil.' Ze vonden de oude mevrouw Winger toch al een heks. 'Hoe gaat het?' riep Caddie opgewekt. 'Alles goed?'
De ene met het skateboard hief ten slotte zijn hand op in een soort agressieve groet.
'Een fijne dag nog!'
Ze botsten tegen elkaar op terwijl ze met stoere stappen verder liepen.
'Oma, waarom –'
'Schavuiten.'
'Je weet niet eens of het ze wel zijn!'
'Als zij het niet zijn, dan is het een van hun kam, je weet wel, kam...'
'Kameraden. Kamergenoten.'
George Bush Verliefd was niet oma's enig artistieke creatie in de voortuin, allesbehalve zelfs. Het begon eruit te zien als een speeltuin of een wassenbeeldenmuseum. Haar kunstwerken die de meeste aandacht trokken waren *Aarden Baarmoeder* en het lange, cilindrische *Hartstochtelijken Verenigd.* Geheimzinnige aanvullingen die oma woest en Caddie wanhopig maakten verschenen 's nachts op of nabij de sculpturen, dingen als rondgestrooide maandverbanden of gebruikte condooms en op een keer had iemand een toiletbril over de kop van oud ijzer van *Godin van de Vruchtbaarheid* gehangen. De sculpturen waren niet populair in Early Street, maar ze waren legaal – daar waren de buren achtergekomen na een hoop klachten bij de politie, de gemeente, de buurtwacht.
'Wat ik nodig heb is een katapult.' Oma keek met fonkelende, tot spleetjes vernauwde ogen de jongelui na. 'Zaag een tak met een zijtak voor me af. Ik meen het. Als een vrouw thuis al niet veilig is.'
Finney, oma's Jack Russell, krabde aan de hordeur omdat hij naar buiten wilde. 'Oké,' zei Caddie, 'maar alleen aan je riem.' Anders rende hij alles achterna dat maar bewoog.
'Jane, zet hem eens op mijn schoot.'
'Weet je dat zeker?' vroeg Caddie zonder aarzeling. Ze was al lang geleden gestopt oma te verbeteren wanneer ze haar bij de naam van haar dochter – Caddies moeder die al vierentwintig jaar dood was – noemde. 'Krijg je dan geen pijn in je been?'
'Ben je gek.' Ze tikte op het glasvezel dat om haar been zat onder haar spijkerrok. 'Ik voel helemaal niets.'
'Weet je, als je naar een tehuis als Wake House zou gaan, dan kun je Finney waarschijnlijk niet houden,' zei Caddie terwijl ze de hond op de

schoot van haar grootmoeder zette. Hij was nog maar tweeënhalf en nog steeds een verschrikking, maar als oma hem aaide, bleef hij uren achtereen stilzitten.

'Misschien wel, misschien niet. Volgens Inez hebben ze katten.'

Caddie kreeg een duidelijk beeld van Finney die in een huis met katten woonde. Apocalyps.

'Nu moet je eens goed naar me luisteren, Caddie Winger. Je bent... o, verdorie.'

'Wat?'

'Hoe oud ben je in godsnaam?'

'Tweeëndertig.'

'Dat wist ik. Dat wíst ik.'

'Natuurlijk wist je dat.' Ze legde de laatste hand aan het haar van haar oma, gaf haar een snelle knuffel, liep om haar heen en ging op de balustrade van de veranda zitten. De zon was lekker warm op haar rug. Het voorjaar begon nu echt op gang te komen. Ze sloeg een bij weg. Het was een zachte, befloerst blauwe middag; in de tuinen van de buren kwamen tulpen en azalea's op en de kornoelje stond in bloei. In oma's tuin piepte felgroen, piekerig zacht gras uit de sculpturen van aarde, alsof het *Chia Pets* waren.

'We zijn op je verjaardag naar de bioscoop geweest,' herinnerde oma zich.

'Ja.'

'Nou, dat is nog eens leuk, op je verjaardag met je oma naar de film.'

'Ik dacht dat je het leuk vond.' Caddie had zich een beetje zorgen gemaakt over het ruwe taalgebruik; het was een gangsterfilm.

'Ik vond het prima. Maar daar gaat het niet om.' Ze zweeg even en fronste haar voorhoofd terwijl ze zich probeerde te herinneren waar het dan wél om ging.

Verjaardagen waren altijd een wat gevoelig punt bij Caddie, en niet alleen vanwege de voor de hand liggende reden. Een film met oma vond ze prima, want haar oma had de neiging om haar voor verrassingen te zetten. Het ergste was een echte surpriseparty op haar zestiende verjaardag. Als er één meisje was dat je niet moest overvallen met een surpriseparty, dan was het wel Caddie op haar zestiende. Nou ja, Caddie op iedere leeftijd, maar op haar zestiende was het gewoon wreed. Oma had het met de beste bedoelingen gedaan, niet uit wreedheid – dat nooit – maar op de een of andere manier had ze de hand weten te leggen op een lijst van al Caddies klasgenoten en had hen uitgenodigd om taart en ijs te komen halen, 'cadeaus niet verplicht, maar wel welkom!' Ze moesten allemaal opspringen en 'Verrassing!' roepen zodra ze binnenkwam, na haar orkestrepetitie.

Er kwamen vier mensen opdagen. Ze dacht nooit meer aan de tenenkrommende details en kon zo nu en dan zelfs glimlachen bij de herinnering hoe oma in haar saffraankleurige sari het zielige feestje vanaf de zijlijn gadesloeg, haar handen met nerveuze welwillendheid ineengeslagen, terwijl ze toekeek en glimlachte en zag wat ze wilde zien.

Dat was het eigenlijk kort samengevat, die verjaardag. Zoals Caddie haar zestiende verjaardag zag, was dat haar kindertijd die één langdurig, pijnlijk gevoel van gêne was geweest, in een notendop. En zoals gewoonlijk was het de schuld van haar oma, die er tegelijkertijd helemaal niets aan kon doen.

'Waar het om gaat,' herinnerde oma zich, 'hoe lang is het geleden dat je een afspraakje had? Een echte afspraak, geen vioolrepetitie met die Adolphe Menjou-figuur.'

'Als je Morris bedoelt, hij zat naast me in het orkest en bovendien is hij homo.'

'Daar gaat het om. Ik ben een remmende factor voor je. Ik zie het nu heel duidelijk; het kwam in het ziekenhuis bij me op.'

Caddie lachte flauwtjes. 'Allemachtig, wat moet jij stoned zijn geweest van die pijnstillers, want dat is belachelijk.'

'Bekijk jezelf eens. Het is allemaal mijn schuld.'

'Wat is er met me?' Ze droeg haar grijze broek en haar zwarte trui, die onder de witte haartjes van Finney zat. Maar alles in huis zat onder Finney's haartjes, het leek wel alsof er lijm aan zat.

Ze had het nooit moeten vragen, want oma schoof heen en weer in haar rolstoel op zoek naar een gemakkelijkere houding en ging haar vervolgens vertellen wat er met haar was. 'Je ziet er niet uit als andere meisjes. Ik kijk de laatste tijd een hoop tv, dus ik weet waar ik het over heb.'

'Ja, soaps in het ziekenhuis, dat is niet –'

'Je doet je best niet. Je bent onzichtbaar. Moet je je haar eens zien, het lijkt wel alsof je het zelf knipt. Het heeft geen flair. Blondjes horen meer lol te hebben, maar niet als ze hun best er niet voor doen. Jij bent blond. Heb jij lol?'

'Ik heb ontzettend veel lol.'

'Hoe lang ben je?'

Caddie zuchtte. 'Een meter tachtig.'

'Een meter tachtig!' riep ze uit, alsof het volkomen nieuw voor haar was. 'Eén meter tachtig lang en moet je je nou eens zien. Ga rechtop zitten, met je schouders naar achteren. Laat je borsten zien, ik weet dat je ze hebt.'

'Gatsie!' Caddie sprong van de balustrade en draaide haar grootmoeder de rug toe. 'Hou toch eens op met dat gekat,' jammerde ze terwijl ze mee lachte met oma's kortademige ha-ha. 'Wat is er toch in je gevaren?'

Maar toch wel typisch dat oma het woord 'onzichtbaar' gebruikte. Toen Caddie klein was, was net doen of niemand haar kon zien haar favoriete spelletje. En later zat er in haar achterhoofd, als een aanstekelijk refrein, altijd een versie van *Ik had wel door de grond kunnen zakken* of *Ik wou dat de aarde me kon opslokken.* Misschien had oma gelijk; misschien was ze er zo goed in geslaagd dat niemand haar, op haar tweeëndertigste, kon zien.

'Er is helemaal niks in me gevaren, ik heb het licht gezien. Ik ga naar Wake House en jij gaat naar een hoe-heet-het, patioflat, waar knappe mannen over het balkon hangen om naar de meisjes in het zwembad beneden te kijken. Iedereen is alleenstaand, niemand heeft werk.'

'Oké, geen tv meer voor jou.'

'Je denkt dat je eenzaam zult worden. Daarom ben je ertegen.' Wanneer ze zich op een bepaald punt richtten, konden oma's ogen akelig doordringend zijn. 'Je bent nooit alleen geweest, dus ben je bang.'

'Wel waar. Toen ik mijn doctoraal in muziek wilde halen.'

'Dat was twee jaar,' schamperde ze, 'en je was niet ver weg, hè? Hoe vond je het eigenlijk?'

'Leuk. Ik vond het wel leuk.'

'Ja, dat zal wel.'

'Wat bedoel je daarmee? Wat bedoel je met "ja, dat zal wel"?'

'Het zal wel dat je er de tijd van je leven had.'

'Nee, dat was niet zo. Ik bedoel...' Ze wist niet meer aan welke kant van de discussie ze stond.

Oma's oude gerimpelde gezicht betrok. 'Caddie, lieverd, ik ben de oude dame, jij niet. Ik ben degene die niet hoort te willen dat er iets verandert.'

'Nee, zo zit het niet.' Ze sloeg haar armen om zich heen. 'Ik wil genoeg veranderingen. Maar van mezelf – ik snap niet waarom jíj iets moet doen.'

Caddie zag er de humor niet van in, maar om de een of andere reden moest haar oma lachen. Ze liet haar kortademige lach weer horen, ha-ha-ha, terwijl Finney op haar schoot op en neer ging. 'O, jee.' Ze duwde haar knokkel onder haar bril om een traan weg te vegen. 'Ik heb het maar over een paar maanden, hoor.'

'O. Een paar maanden?'

'Terwijl mijn been geneest. Ik kan hier beneden niet eens plassen.'

'Dat weet ik, daarom kun je beter naar boven –'

'O, schat, ik ben ineens zo moe. Rijd me eens naar binnen, ik moet gaan liggen.'

Er werd niets meer over het bejaardentehuis gezegd en Caddie was er tamelijk zeker van dat er niets meer over gezegd zou worden. Oma kon zich steeds slechter concentreren, vooral na het ongeluk. Caddie gaf haar haar pijnstiller, hielp haar op de bank, liep de keuken in en probeerde zachtjes te doen terwijl ze uien hakte voor een ovenschotel. Haar oma bracht haar in de war met haar gepraat over weggaan, maar niet erger dan dat ze zichzelf in de war bracht. Wat wilde *zíj* eigenlijk? Een normaal leven, zou ze gezegd hebben, haar onbereikbare doel sinds ze negen was. En oma bood het haar aan, in ieder geval tijdelijk – een kans om écht onzichtbaar te zijn. Dan kon ze een vriend of vriendin mee naar huis nemen zonder dat ze zich zorgen hoefde te maken dat haar oma het groepje dat over was van haar naturistenclub zou uitnodigen of dat er Koptische symbolen in vingerverf op de deur zouden staan of dat ze Finney voor de lol beige had geverfd. Caddie zou niet door de grond willen zakken. Alleen zijn was niets vergeleken met dat. En bovendien hoefde je niet alleen te zijn om eenzaam te zijn.

Ze aten zonder veel te zeggen. Oma keek naar *Het Rad van Fortuin* terwijl Caddie de afwas deed, opruimde en de hond eten gaf. Toen ze de kamer weer binnenging om oma te helpen naar bed te gaan, trof ze haar aan met de telefoon op haar schoot.

'Wie ben je aan het bellen?'

'Sst.' Ze klemde de telefoon tussen haar wang en haar schouder en stak haar linkerpols in de lucht. 'Maar goed dat ik dit omgedaan heb' – ze liet een elastiekje springen – 'want jij zou er helemaal niet aan gedacht hebben.'

'Aan wat?'

'Sst.' Ze legde haar vinger op haar lippen en trok een moeilijk gezicht terwijl ze luisterde. 'O, allemachtig. Nou, dit is een slecht begin.'

'Wie is dat?'

Ze schraapte haar keel en sprak op haar inspreektoon. 'Goedenavond, u spreekt met Frances Winger. Belt u me zo snel mogelijk terug.' Ze noemde haar nummer en wilde ophangen. Veranderde van gedachten. 'En eerlijk gezegd, ook al is dit de administratie, dan vind ik nog dat jullie er een mens aan het roer zouden moeten hebben staan en geen onpersoonlijk apparaat. Ook 's avonds niet.'

'Oma, met wie bel je?'

'Als jullie een tehuis zijn, moet je ook huiselijk zijn.'

'O jee.'

Oma hing kordaat op.

'Hoe ben je aan het nummer gekomen?' Het telefoonboek lag in de keuken.

'Via inlichtingen.' Ze glimlachte zelfvoldaan. Ze plukte aan haar rok en drapeerde hem over haar gips. 'We gaan er morgen heen, eens kijken wat voor tent het is.'

'Wake House.'

'Wake House.'

'En het is maar tijdelijk?'

'Het is maar tijdelijk. Heb ik je al verteld dat ik de familie Wake gekend heb? Nou ja, niet kennen in de zin van...'

⸎ 2 ⸎

Calvert Street liep door het hart van wat eens Michaelstown was, Marylands meest leefbare plaats, een straat afgezet met esdoorns en enorme villa's die hun beste tijd hadden gehad. In letterlijke zin: het waren geen particuliere woningen meer, maar appartementengebouwen of advocatenkantoren, verzekeringsmaatschappijen, stichtingen. Wake House viel in de categorie landhuis, vermoedde Caddie, met zijn mansardedak en dikke, drie verdiepingen hoge toren aan de ene kant. Gelukkig was de gevel nooit gemoderniseerd of gerenoveerd, zoals bij enkele van zijn buren. Was het een mooi oud gebouw? Ze wist het eigenlijk niet. Het zag er een beetje te zwaarwichtig uit. En het was het soort huis waarbij ze besefte dat ze geen zier van architectuur wist, het jargon niet kende. Was dat een koepel, dat kleine, bolle, huisachtige uitsteeksel op het dak? Was dat betonnen hekachtige ding een borstwering of waren het kantelen? Of tinnen?

Binnen helden de vloeren en gingen de deuren uit zichzelf dicht omdat er geen rechte hoeken waren, waarschijnlijk een nachtmerrie voor mensen die brandpreventie- en gezondheidsmaatregelen probeerden op te leggen en te handhaven. Buiten was het mooiste onderdeel een veranda die langs de hele voorzijde liep – een brede, koele, perfecte veranda vol schommelstoelen en schommelbanken, precies het soort veranda dat een bejaardentehuis hoort te hebben. Oma vertelde dat de veranda vroeger veel breder was, maar dat toen ze Calvert Street in de jaren vijftig gingen verbreden, ze hem bijna doormidden hadden gezaagd; nu hield het gazon op bij een korte, steile helling die gestut werd door een stenen muur vanaf het trottoir.

Het kostte een hele dag om oma te verhuizen en ongeveer acht ritjes heen en weer in Caddies oude Pontiac, die een enorme kofferbak en achterbank had. 'Laat haar maar meenemen wat ze wil, wat dan ook,' had mevrouw Brenda Herbert gezegd. Zij was de eigenares van Wake House, een forsgebouwde vrouw van middelbare leeftijd met een vriendelijk gezicht en een zware stem. 'Wat wij willen is dat Frances zich hier thuis voelt.' Ja, maar waar moest alles héén? Oma had een prachtige ruime kamer op de eerste verdieping, met de originele eikenhouten vloer en precies de juiste hoeveelheid pensionachtige meubelen, maar tenzij ze er ergens – zoals in de kelder – plaats voor vonden, zouden ál haar spullen er iets kleins en benauwends van maken in plaats van iets ruims en lichts.

Godzijdank had ze in ieder geval gelijk gehad dat er een lift in Wake House was. Hij zag er anachronistisch uit in de honderd jaar oude ontvangsthal, als een computer in een antiekwinkel. Ze ging op en neer, in haar rolstoel, toezichthoudend terwijl Caddie kist na kist met voorwerpen naar binnen sjouwde. Kleren waren het probleem niet, een paar koffers waren voldoende. Het waren oma's kunstbenodigdheden: haar waterverf en olieverf en penselen, krijt, waskrijt, allerlei soorten potjes, blikjes en tubes; vellen papier, doeken, haar ezel, paletten en verfdozen; haar kalligrafieset, etsspullen, houtbeitels en glassnijder. Ze had de troost van hun nabijheid nodig, dat begreep Caddie, zoals sommige mensen boeken nodig hadden of foto's van hun geliefden of hun Hummelverzameling. Maar oma's artistieke ambities stonden al geruime tijd op een laag pitje; al bleef ze een heel jaar in Wake House, ze zou al die voorraden nooit op krijgen.

Tijdens haar vierde tochtje van de auto naar het huis ontmoette Caddie een mevrouw onder de kroonluchter in de ontvangsthal. 'Goedendag, hoe maakt u het? Mijn naam is Doré Harris, wat een genóegen om u en uw grootmoeder te mogen verwelkomen in Wake House.' Door de koninklijke manier waarop ze haar hand uitstak, raakte Caddie enigszins in de war. Brenda was de eigenares; wie was deze dame? Ze had een lijzige zuidelijke tongval en hoog opgekamd zilvergrijs haar, en iets in haar houding wees erop dat zíj de gastvrouw was.

'O, hoe maakt u het?' zei Caddie. 'Woont u hier?'

'Ja, o, ja. Sinds mijn aanval.' Ze legde even haar hand op haar hart onder een lichtblauwe twinset en sloeg haar ogen neer met een trieste, dappere glimlach. 'We weten nooit wat voor verrassinkjes het leven voor ons in petto heeft, nietwaar, Caddie? Er wordt al een hele week druk gepraat; iedereen is zo opgewonden over het feit dat je oma kunstenares is. Ik kan niet wachten om alles over haar werk te horen. De mensen hier zijn lief, heel lief, de meesten dan, maar je mist toch een bepaald soort conversatie, je begrijpt wel wat ik bedoel.'

O jee, dacht Caddie. Doré Harris zag er niet uit als iemand die oma haar type zou vinden. Of andersom. Ze zag eruit als iemand die oma bij de politie zou aangeven.

De volgende keer dat ze zwoegend de trap opging, hees een kleine, verschrompelde, voorovergebogen man met o-benen zich met behulp van zijn stok uit zijn schommelstoel en kwam naar haar toe gehobbeld. 'Lorton is de naam, Charles Lorton.' Ze wilde hem helpen, hem een arm geven of zo, omdat hij er zo breekbaar uitzag, een aapje van een man, maar ze hield een zware doos tegen haar borst en had geen hand vrij.

Blijkbaar had hij hetzelfde gevoel over haar. 'Is er niemand die je kan helpen met al die spullen? Wat moet je trouwens verder nog naar binnen sjouwen?' Hij kwam tot aan haar sleutelbeenderen. Hij legde zijn handen op zijn wandelstok en glimlachte. Hij had geen haar, alleen sproeten en vlekken op zijn glimmende hoofd. 'Ik ben de oudste hier.'

'Echt?'

'Ja, maar dat is niet zo'n geweldige eer als je er bij stilstaat. Maar mensen kunnen er gewoon niet aan voorbijgaan; ze zetten maar kaarsen op je taart en zingen je toe alsof je een klein kind bent. Hoe oud is je oma ?'

'Negenenzeventig, maar niet zeggen dat ik het gezegd heb.'

'Piepjong. Ze zit hier nog wel een tijdje als ik allang weg ben.'

Haar armen deden pijn, anders zou ze uitgelegd hebben dat oma alleen maar bleef tot haar been genezen was. Ze hoorde de liftdeur binnen piepend opengaan en zei tegen meneer Lorton dat ze het leuk vond hem ontmoet te hebben.

Een vrouw die uit de kamer naast die van oma kwam, zei: 'Jij bent zeker de jongedame van Frances. Ik ben mevrouw Harris – je mag me Maxine noemen.'

Caddie begroette haar en zei dat ze bijna zeker wist dat ze net een mevrouw had ontmoet die ook Harris heette, Doré meende ze, en of ze misschien –

'Geen familie!' zei deze mevrouw Harris op bitse toon. 'Absoluut niet.' Ze was klein en gedrongen, met een grijzend zwart pagekapsel en een rechte pony, als Mamie Eisenhower. 'Ze snurkt toch niet, hè?'

'Wie, oma?'

'Ik vraag het niet graag, maar ik kan een speld horen vallen. Het is een vloek, geen zegen. Cornel, de man die precies boven me woont, op de tweede verdieping, snurkt als een gek. En hij loopt ook heen en weer als hij niet kan slapen. Ik kan het allemaal horen. Ik heb oren als een kat.'

'Nou,' zei Caddie, 'oma zal in ieder geval niet heen en weer lopen. Ha ha.'

Maxine Harris had donkere, argwanende ogen. Ze trok haar lippen op. 'Hm,' zei ze bedenkelijk.

Er stak een bries op terwijl Caddie haar laatste tochtje naar de auto maakte, het soort droge harde wind dat van buiten zitten eerder een beproeving dan een genoegen maakt. Goed zo, dacht ze, misschien zou dat de veranda vrijmaken van getuigen. Ze hoefde nog maar één ding binnen te brengen: oma's naakte, bijna levensgrote standbeeld van Michelangelo's *David*. Het was gemaakt van klei over een mal van kippengaas, dus het was niet zo zwaar, en het was geschilderd in de kleur van gezond jong vlees, zonder ook maar een vijgenblad bij wijze van versiering. En niets om het mee te bedekken terwijl Caddie het naar binnen droeg, geen trui, geen zakdoek. Ze sloeg haar armen om Davids middel en droeg hem met zijn hoofd naar voren naar binnen, terwijl ze net deed alsof ze voortgejaagd werd door de wind.

Er zaten nog twee mensen op de veranda: een grote, slordige man met een hondengezicht en een radio tegen zijn oor gedrukt en een vrouw in een rolstoel. Caddie probeerde er snel voorbij te lopen, maar de oude man legde zijn radio neer en riep: 'Hé, wat heb je daar?'

Gesnapt.

'Hé, hoe maakt u het, leuk u te ontmoeten, ik heet Caddie – nou, ik zal dit eerst maar eens –'

'Hallo, hallo, ik ben Bernie. Hé, wat is dat voor ding? Het lijkt wel een naakte vent. Is dat een naakte vent? Waarom breng je die naar binnen?'

De vrouw in de rolstoel legde haar ene hand op haar ene wiel en bracht hem toen naar haar andere wiel, heen en weer, tot ze praktisch tegenover Caddie stond. Haar rechterhand lag met de palm naar boven op haar schoot en toen ze glimlachte, ging er maar één kant van haar mond omhoog. 'Hoi, Caddie – ik heet Susan. Hoe oud is je oma?' vroeg ze moeizaam en lispelend, alsof haar tong te groot voor haar mond was. Ze had kort bruin haar en een twinkeling in haar ogen en ze zag er veel jonger uit dan de anderen die Caddie tot dan toe had ontmoet, nog maar veertig of zo.

'Ha, ha, o nee, oma is kunstenares, dit is haar, eh, haar...' Ze kon niet op het woord komen. Wat was David eigenlijk? Hij had jarenlang naast de kast in een hoek van oma's slaapkamer gestaan; Caddie zag hem niet eens meer, en oma gebruikte hem als hoedenrek.

'Haar muze?' opperde Susan.
'Ja! Haar muze. Precies.' Ze glimlachte dankbaar en ging ervandoor.

Brenda's kantoor moest vroeger wel een bibliotheek zijn geweest, want twee van de muren waren betimmerd en tegen de andere twee stonden boekenkasten die tot aan het plafond reikten. Het lag aan Caddies verbeelding dat de kamer naar pijptabak rook – er werd niet gerookt in Wake House, maar het was niet moeilijk om iemand als de oude Wake, degene die al het geld was kwijtgeraakt, voor te stellen in een diepe leunstoel bij de gaskachel met een glas cognac, rookcirkels blazend terwijl hij *Field and Stream* of de *Wall Street Journal* zat te lezen.

Maar in werkelijkheid zat Brenda achter een grijs metalen bureau voor een paar tuindeuren papieren over oma in een dossier door te bladeren. 'Is alles overgebracht?' vroeg ze toen ze Caddie in de deuropening zag staan. 'Kom even zitten, je moet wel doodop zijn. Maar we zijn zo blij met Frances hier. Ik hoop echt dat ze het hier fijn zal vinden. En haar plaats zal vinden.'

'Nou, dat hoop ik ook.'

Misschien had ze dat een beetje te nadrukkelijk gezegd. Brenda hield op met ritselen en legde haar kin op haar handen die ze ineenstrengelde terwijl ze haar ellebogen op het bureau plantte. Haar haar was in een zakelijke pagestijl geknipt en ze droeg het achter haar oren, terwijl ze haar pony uit haar ogen hield door haar onderlip naar voren te steken en het haar weg te blazen. De blik die ze op Caddie richtte was verontrustend vriendelijk.

'Wake House is niet echt een verzorgingstehuis, weet je. Het is ook niet echt begeleid wonen, technisch gesproken, want daar hebben we het personeel niet voor. Om nog maar te zwijgen van het huis zelf.' Ze trok een gezicht. 'Een nachtmerrie!'

Caddie lachte. 'Dat kan ik me voorstellen, maar daarom vindt oma het zo leuk – ze vindt het net een ouderwets pension.'

'Nou, aan de ene kant is dat het ook, maar aan de andere kant ook niet.' Ze trok haar schouders op en sloeg met haar gebalde vuisten tegen haar kin. 'Wat wij doen is eenvoudige ouderenzorg en eenvoudige verpleegzorg. En dat is voor mensen van alle leeftijden, de verpleegzorg, ze hoeven niet oud te zijn. Waar we niet de faciliteiten voor hebben, of het personeel of de deskundigheid of de bevoegdheid – dat moet door de overheid bepaald worden, snap je, door de gezondheidsinspectie, toewijzingsprocedures –'

'O ja, dat zal wel.'

'Waar we, jammer genoeg, niet de faciliteiten voor hebben is mensen met Alzheimer of dementie.'

'O, maar... oma is de laatste tijd een beetje vergeetachtig, dat klopt, en ze heeft wat moeite met woorden en namen, maar volgens de dokter komt het waarschijnlijk door het ongeluk. Ze is buiten westen geraakt toen ze van de ladder viel – ik schrok me een hoedje.' Ze was volop bezig geweest met een muziekles toen ze buiten iets hoorde, iets als het gepiep van autoremmen. Achteraf had ze bedacht dat het het gekrijs van de viool van haar leerling was. Het deed nog steeds pijn wanneer ze bedacht dat het oma was die gilde van schrik toen ze van de ladder viel – en als hun buurvrouw, mevrouw Tourneau, het niet had zien gebeuren en naar haar toe gerend was, wie weet hoe lang oma helemaal alleen bewusteloos in de tuin zou hebben gelegen met haar gebroken been.

Brenda had een luide, hartelijke stem. Het beviel Caddie niets dat ze hem temperde en zei: 'Door een ongeval kan het proces van dementie soms opgewekt of versneld worden, net als beroertes bij oudere mensen. Ik zeg niet dat Frances dement is – en bovendien ben ik geen dokter, ik ben alleen maar de gastvrouw. Maar afgezien van de vergeetachtigheid, de moeite met woorden, Caddie, wat vind je van de omvang, de enorme hoeveelheid –'

'Spullen?'

'Spullen!'

'Maar u had gezegd dat ze mee mocht nemen wat ze maar wilde – en ze is kunstenares,' zei Caddie ernstig, 'ze heeft al haar spullen nodig, ze is een heel creatief mens. En, ha, u zou haar huis eens moeten zien, ik bedoel, als u denkt dat...' O jee.

'Het eindeloos verzamelen van bezittingen, Caddie, het onvermogen om het kaf van het koren te scheiden, het nooit dingen weg kunnen gooien, om, om –'

'Dat weet ik, maar ze is altijd zo geweest. Mijn grootmoeder is een heel' – hoe moest ze het zeggen – 'excentriek mens, heel ongewoon, heel anders dan andere mensen, dat is ze altijd geweest.'

'Heb je altijd bij haar gewoond?'

'Vrijwel. Mijn moeder overleed toen ik negen was, maar toen woonde ik al bij oma. Toen ik tien was, gaf ze haar baan op – ze gaf toen al dertig jaar tekenen en handvaardigheid op scholen – en werd zelf kunstenares. Maar geen conventionele en daarmee bedoel ik niet de normale manier waarop kunstenaars onconventioneel zijn, ik bedoel, ze was echt... ze ging er echt volledig in op.'

'Had ze succes?'

'Nou nee. Nee. Helemaal niet. Als u geld en zo bedoelt. Bekendheid en respect.' Ze schudde triest haar hoofd. 'Maar ze gelooft dat zelfexpressie het allerbelangrijkste is, dus ze heeft zich nooit druk gemaakt over erkenning. Nou ja – ze vindt het leuk om aandacht te krijgen, dat klopt, ze vindt het echt leuk als mensen haar kunst opmerken.'

Ze wist niet waarom, misschien kwam het door de belangstellende en meelevende uitdrukking op Brenda's gezicht, maar iets bracht Caddie ertoe om eerlijk tegen haar te zijn. 'Om eerlijk te zeggen, ik weet het gewoon niet. Ik weet niet hoeveel ervan te herleiden is naar oma's aangeboren excentriciteit, want dat is ze al zo lang ik me kan herinneren, en hoeveel ervan iets anders is, niet zo normaal. Dementie. O, wat heb ik een hekel aan dat woord.'

'Dat weet ik.'

'Het is zo'n dunne scheidslijn. Bij de meeste mensen merk je het waarschijnlijk meteen zodra ze wazig beginnen te worden, maar bij oma is het niet zo simpel. Maar – zij is degene die hierheen wilde komen. Het was haar idee, niet het mijne. Als je dement was, dan zou je het leven waar je van hield toch niet met opzet willen veranderen? Ze was gelukkig in ons huis. Ze heeft er haar dochter en toen mij opgevoed. Het is haar thuis. Maar ze is hier vol vertrouwen heen gekomen, omdat ze verzorgd wil worden. Vindt u niet dat dat betekent dat er niets met haar aan de hand is? Ik wel, dat vind ik echt.'

'Nou, goed, dat wordt dan ons vertrekpunt.' Brenda stond op. 'We zullen maar aannemen dat je gelijk hebt en zien hoe het verder gaat.'

'En het is trouwens toch maar tijdelijk,' herinnerde Caddie zich, 'tot haar been beter is. De dokter heeft geen tijd genoemd, hij heeft alleen maar gezegd dat het langer dan normaal zou duren vanwege haar hoge leeftijd.'

'Nou ja, ook al duurt het een jaar, we kunnen er zeker van zijn dat ze niet door haar kunstbenodigdheden heen raakt.'

Brenda ging haar voor het kantoor uit en de gang door naar de ontvangsthal. Caddie begon de vergane glorie steeds leuker te vinden, zelfs het drukke behang met pioenrozen en de donkere, schouderhoge lambrisering. De stoffige kroonluchter hing boven haar hoofd als een enorme tros druiven en er zaten nog meer lampen in wandhouders aan de muren boven lange, bruingeschilderde banken die eruitzagen als kerkbanken. Aan weerszijden leidden open schuifdeuren naar identieke salons die de Rode Salon en de Blauwe Salon genoemd werden. Mensen gingen naar de Blauwe Salon voor handenarbeid en tekenen, voor gym, om te bridgen, voor bewonersvergaderingen en dat soort dingen. De Rode Salon– die eigenlijk lichtgeel was met veelkleurige oosterse kleden op de versleten houten vloer, al stond er wel een bank van rood brokaat en een bijpassende fauteuil voor de open haard – was de officiële salon. Daar moest je stil zijn, een boek lezen, schaken of dammen, rustig bezoek ontvangen. In beide salons hing een hoop kunst aan de muren, waaronder een aantal opgezette vissen in de Blauwe Salon, haaien of marlijnen en wat dies meer zij, en voor oma was dat de ware reden voor haar verhuizing, dat en de biljarttafel. 'Hé, ik kan ook míjn schilderijen ophangen!' had ze verheugd uitgeroepen tijdens hun eerste rondleiding door het tehuis en Brenda had gezegd, ja, waarom niet, ze zouden het prachtig vinden om het werk van een échte kunstenares aan de muren van Wake House te hebben hangen. Caddie had geknikt en geglimlacht en geen woord gezegd.

De voordeur stond wagenwijd open en er was geen hordeur; een vlieg vloog naar binnen, gevolgd door een bij. Dreunende voetstappen klonken op de houten veranda; een man met wit haar en een boos gezicht achter een dikke bril met een zwart montuur kwam de hoek om gehinkt en ging naar binnen. Hij had een slobberige broek aan met bretels, een wit overhemd en een vlinderdas. Zijn schouders waren op een roofzuchtige manier voorovergebogen, als een halfgeplukte maar nog steeds gevaarlijke vogel, en Caddie was blij toen hij haar negeerde en recht op Brenda af schoot.

'O, het plan is dus nu om ons uit te vriezen? Ik dacht dat het de bedoeling was om ons uit te koken toen je die verdomde ramen dicht liet schilderen.'

'Ah, Cornel, ook een goeiedag.'

'Jij vindt het een goede dag? O ja? Nou, dan moet je niet op de tweede verdieping wonen. Dan moet je niet om halfacht vanochtend onder de douche hebben gestaan toen het warme water opraakte.'

'O, jee.'

'Halfacht 's ochtends. Vind je het onredelijk om ervan uit te gaan dat er nog wel warm water is tot halfacht 's ochtends? Of moet ik in mijn nadagen nóg vroeger opstaan om verdomme onder de douche te kunnen?'

'Sorry, Cornel, maar er was vanochtend blijkbaar een run op de douches.'

'Dat is niet het probleem, het probleem is de boiler. Er zijn tien mensen die zich op dezelfde tijd proberen te wassen en er is een boiler die groot genoeg is om water op te warmen voor ongeveer acht mensen. Dát is het probleem. En wat ga je er nou aan doen?'

'Nou, ik denk dat we allemaal –'

'Een systeem, dat heb je nodig. In de eerste plaats gaan de mannen onder de douche vóór de vrouwen, anders werkt het hele idee niet. Ik kan mevrouw Harris hóren, mevrouw Doré Harris, en ik weet toevallig dat zij verdomme iedere dag een kwartier onder de douche staat. Wat moet een vrouw van die leeftijd een kwartier lang van zich af wassen? En zij is niet de enige. Mevrouw Brill, die ziet eruit als een verstandige vrouw, maar toevallig vandaag –'

Brenda onderbrak hem op joviale toon. 'Kijk eens, Cornel, we hebben een nieuwe bewoonster en ik weet dat je haar heel leuk zult vinden, want ze is kunstenares. Cornel Montgomery, dit is Caddie Winger, haar grootmoeder is Frances Winger, ze ligt boven een dutje te doen –'

'Ben jij nieuw?' zei Cornel beschuldigend, terwijl hij dieper voorover-boog en Caddie van top tot teen bekeek. 'Goeie God, ze worden met de dag jonger. Wat doen we, vragen we meer geld als ze onder de vijftig zijn? Nu zijn het er al drie –'

'Nee, ik ben niet –'

'En als je het mij vraagt haal je er de stijl van het huis mee naar beneden. Niet om beledigend te zijn en niet dat er al zo veel stijl was –'

'Zij niet, Cornel,' zei Brenda met stemverheffing.

'Wat?'

'Haar grootmoeder.'

'O. Grootmoeder. Waar is ze?'

'Boven – Frances Winger, je ziet haar wel bij het eten.'

'Wie van de twee is de kunstenares?'

'Frances.'

'En wie is dit dan?'

'Caddie,' zei Caddie. 'Aangenaam kennis te maken.'

Ze gaven elkaar een hand. De zijne was droog en hard. Zijn lippen waren zo dun dat het moeilijk te zien was of hij glimlachte of niet. 'Aangenaam.'

'Cornel is een van onze oudste bewoners,' zei Brenda, terwijl ze hem op zijn schouder klopte. 'Bijna een medeoprichter van Wake House.'

'Ja, en wat een lol. *Sleep* House noemen we het hier.'

'Hij is ook onze vaste mopperpot.'

Een lange, tenger uitziende jongen in een verkreukelde pyjama kwam de hoek om gestapt vanuit een gang die Caddie niet eerder had opgemerkt. Hij bleef staan toen hij hen zag. 'O jee. Gezelschap,' mompelde hij. De abruptheid waarmee hij tot stilstand kwam, bracht hem blijkbaar uit zijn evenwicht; hij deed twee schokkerige stappen achteruit en kwam met een klap tegen de muur, zodat een ingelijste luchtfoto van Wake House van zijn spijker viel, op de parketvloer terechtkwam en brak. Het glas vloog in het rond.

Cornel lachte, een verrassend aangenaam geluid. 'Dit is Magill,' zei hij tegen Caddie, 'hij is een van de jongelui – we hebben er twee van. Maar we vinden hem wel aardig, hij bezorgt ouderdom een goede naam.'

'Blijf staan,' instrueerde Brenda toen Magill, die op zijn blote voeten liep, een van zijn dunne benen optrok alsof hij over het glas wilde stappen. Was hij dronken? Hij had een blauw oog en een felle blauwe plek op zijn slaap. En hij was helemaal geen jongen, zag Caddie, hij was een volwassen man; baardstoppels vormden een schaduw over zijn ingevallen wangen en er zat een bebloed stukje wc-papier op een snee in zijn kin.

'Nee, blijf staan,' overstemde Brenda zijn gemompelde verontschuldigingen op gebiedende toon, terwijl ze naar voren schoot om hem bij zijn arm te pakken. 'Kijk uit, schat, kijk uit. Hierlangs, let op waar je je voeten zet.' Ze hield een arm om zijn middel en een op zijn onderarm, terwijl ze hem naar de plek onder de kroonluchter bracht waar Caddie en Cornel stonden. Hij droeg kniebeschermers, van grijs vinyl met klittenband aan de achterkant, het soort beschermers dat skateboarders droegen. Was hij aan het skateboarden geweest? In zijn pyjama?

Cornel zei: 'Dit is Caddie nog iets –'

'Winger.'

'Ze heeft haar oma gebracht. We hebben bijna weer een volle bak.'

Magill bracht zijn hand naar zijn haar, dat zwart was, om het glad te strijken en streek het naar de andere kant, als de kuif van een kardinaalvogel, plat op het andere. 'Hoi.'

'Hoi. Aangenaam kennis te maken.'

'Insgelijks. Ik weet zeker dat je oma het wel naar haar zin zal hebben.'

'Dat denk ik ook.'

Hij had een lome, lieve glimlach. Of misschien was het sluw. 'Maar zorg ervoor dat ze Brenda niet tegen de haren in strijkt, hoor,' zei hij op vertrouwelijke toon. 'Anders...' Hij draaide zijn hoofd en gebaarde snel en stiekem naar zijn opgezette en bloeddoorlopen oog. 'Ze is nogal een driftkop. Ik weet het, je zou het nooit zeggen. En meestal is er niets aan de hand, maar je moet haar niet dwarszitten.'

Caddie keek hem met open mond aan.

Cornel barstte in een schaterlach uit; hij boog voorover en kletste op zijn dijen. Brenda rolde met haar ogen en gniffelde mee.

'O,' zei Caddie, zo blij dat het een grapje was. 'Juist.'

'Regel één,' zei Brenda, 'neem wat deze meneer zegt nooit serieus. Oké, ik moet gaan. Misschien ben je hier nog, Caddie, als ik terugkom – ik ben ongeveer een uurtje weg.'

'Waar ga je naartoe?' wilde Cornel weten.

'Naar de bank.'

'Ha. Troggel ze maar flink wat af.'

'Dat was ik ook van plan.' Ze zwaaide terwijl ze zwierig de deur uit stapte.

Caddie zei tegen Cornel en Magill dat ze het leuk vond hen ontmoet te hebben en zij zeiden het terug. Ze vormden een vreemd stel, dacht ze, terwijl ze vanaf de uitgesleten eikenhouten trap naar beneden keek. Ze stonden in de hal en keken haar na – de oudere man met zijn armen over elkaar geslagen en zijn benen schrap gezet om het gewicht van de jongere man te kunnen dragen, die tegen zijn schouder leunde en met opgetrokken wenkbrauwen naar Caddie keek, met de sluwe, lieve glimlach om zijn lippen.

'Nou, ik geloof dat je alles nu wel hebt. We kunnen verder niets meer doen tot we nog wat boekenkasten erbij krijgen, oma. Dan pas kun je verdergaan met uitpakken.'

Oma hing onderuit in haar rolstoel bij de balkondeuren die, als ze niet vergrendeld en dichtgeschilderd waren, zouden zijn uitgekomen op een klein balkon dat op de voortuin en Calvert Street uitkeek. 'Dit vind ik het fijnste.'

'Wat?'

Ze draaide zich om en knipperde slaperig met haar ogen. Ze waren nu heldergrijs, bijna doorschijnend in het late middaglicht. 'Dit licht. Ik kan mijn ezel hier opzetten. Het is beter dan het licht thuis.'

'O, leuk.'

'En kijk eens, ik heb een gemakkelijke stoel,' vervolgde ze alsof Caddie de kamer nooit eerder gezien had, 'en een grote kast, een bureau, en moet je die badkamer zien, die is enorm.'

'Ik weet het. Het is heel leuk.'

'Geen kamergenoot. Ik was bang dat ik een kamergenoot zou krijgen.'

'Nee, ik geloof dat mensen alleen op de tweede verdieping een kamergenoot hebben. En alleen de mannen.'

'Ik wilde zo dolgraag die torenkamer. Maar dit is ook wel goed.'

'Ja, dat weet ik, oma.' De torenkamer was de elegantste slaapkamer hier, meer een suite eigenlijk, met een aangrenzende woonkamer. Hij stond momenteel ook leeg. Maar Brenda zei dat een vrouw die over een paar weken zou komen, hem al gereserveerd had.

'Het geeft niet,' zei oma schouderophalend. 'Hij was trouwens te duur ook.'

'Ja, dat is zo.' Bijna twee keer zo veel als deze kamer en het zou toch allemaal al krap worden. Oma had haar pensioen en AOW en daarmee kon ze haar maandelijkse bijdrage aan Wake House voldoen, maar iets onvoorziens of extra's zou van Caddies spaargeld betaald moeten worden en dat was al niet veel.

'Wie is dat?' zei oma van bij het raam. 'Waar is mijn bril?' Ze vond hem aan het kettinkje om haar nek. Caddie ging kijken naar wie ze keek.

Een keurig geklede, donkere dame met grijs haar dat ze in een knot in haar nek droeg, liep achter een looprek over het pad door de voortuin. Haar zwart-witte pumps pasten bij haar tas die aan haar pols heen en weer zwaaide wanneer ze het looprek vooruitduwde. Bovenaan het trapje naar het trottoir bleef ze staan. Waarom maakte ze geen gebruik van de helling? Iemand moest haar helpen, stond Caddie net te denken toen de oude dame het looprek in haar rechterhand nam, de reling met haar linkerhand pakte en met stijve, langzame, ervaren bewegingen veilig op het trottoir terechtkwam. Daar bleef ze een ogenblik staan om op adem te komen en haar tas weer in haar elleboogholte te schuiven. Haar lage, hellende boezem ging onder haar glanzende, donkerblauwe blouse in een laatste, diepe zucht op en neer voor ze begon te lopen – *duwen*, stap, stap. Een azalea onttrok haar aan het zicht tot ze bij de hoek kwam, één huis verder. Ze wachtte tot het licht groen werd en duwde zichzelf uit het zicht.

'Zij ziet er aardig uit. Ik vraag me af of ze bij jou op de verdieping woont.'

'Ken je die twee ouwe meiden met dezelfde achternaam?'

'De dames Harris,' zei Caddie. 'Maxine en Doré. Maar ze zijn geen familie van elkaar, vertelde Maxine me nadrukke –'

'Ze zijn met dezelfde man getrouwd geweest.'

'Néé.'

'Ja.' Oma was net zo dol op roddels als de meeste mensen, kunstenares of niet. 'Het is allemaal koren op de molen,' zei ze dan, alsof de bijzonderheden van iemands echtscheiding of borstimplantaten een directe invloed op haar werk hadden. 'Het kleintje had hem als eerste.'

'Maxine?'

'En toen die verwaande.'

'Doré.'

'Die het kleintje Mi-Fa noemt.' Oma gniffelde zachtjes, alleen haar schouders schokten.

'Ik snap het niet.'

'Do, re, mi, fa –'

'O. Wat is er met de echtgenoot gebeurd?'

'Dood.'

'En ze zitten allebei hier. Is dat niet gek?'

'Ze zeggen nooit een woord tegen elkaar.'

'Wie heeft je dat allemaal verteld?'

'Dat meisje, die bezigheidstherapeute of hoe ze het ook noemt.'

'Claudette?'

'Ja. En die andere in de rolstoel, Susan en nog iets, zij heeft een beroerte gehad. Ze is bibliothecaresse en ze heeft een vriend die Stan heet, hij komt haar altijd opzoeken.'

Wauw, die Claudette was een bron van informatie. 'En die man in zijn pyjama? Magill – ik weet niet of het zijn voor- of achternaam is.'

Oma trok een peinzend gezicht terwijl ze het zich probeerde te herinneren. 'O – die magere knul, hij heeft een ongeluk gehad, gevallen of zo. Nu verliest hij steeds zijn evenwicht en hij kan niet eten. Daarom is hij zo mager.'

Iemand klopte op de deur. Hij ging vijf centimeter open; er verscheen een neus en een zachte stem zei: 'Joehoe?'

'Kom binnen,' riep Caddie, terwijl ze oma's rolstoel draaide zodat ze met haar gezicht naar de deur zat. Hij ging verder open en een vrouw, nee, twee vrouwen kwamen binnen, dicht naast elkaar en met een verlegen glimlach.

'Hallo,' zei de langste. 'Ik hoop dat we niet storen. We wilden alleen maar even gedag zeggen. Ik heet Bea Copes –'

'Ik heet Edgie Copes,' zei de kleinere.

'Nou, ik ben Frances Winger, dit is Caddie, mijn kleindochter. Ik hoop dat jullie twee niet met dezelfde man getrouwd zijn.'

Ze giechelden. Bea, een kaarsrechte, oude vrouw met vierkante kaken, die haar witte haar in gevlochten rondjes op haar hoofd droeg, zei: 'O nee, nee, we zijn zussen.'

'We zitten hier nu bijna een jaar,' zei Edgie. 'We hebben het zo naar onze zin. We wonen precies boven u, op de mannenverdieping – allemaal mannen op ons na.' Haar ogen dansten van de ondeugd daarvan.

'We blijven maar heel even.'

'We wilden u alleen maar verwelkomen en als er iets is dat u nodig heeft of wilt weten –'

'En om u dit kleine niemendalletje te brengen.'

'O,' zei Caddie, terwijl ze naar voren liep om het plantje van Bea over te nemen. 'Kijk, oma.'

'Het is niets, gewoon een kaaps viooltje –'

'Bea heeft groene vingers, die kan alles laten groeien.'

'Ik wist niet wat u mooi zou vinden of al had, of hoeveel ruimte u zou hebben.' Bea's ogen flitsten door de volgestouwde kamer en werden een halve seconde groter toen ze over de naakte David in de hoek gleden. 'Maar ik dacht dat iedereen wel een kaaps viooltje kon gebruiken.'

'Zet hem maar op de vensterbank, Caddie,' zei oma, 'daar zal hij wel mooi staan.'

De gezusters Copes leken niet op elkaar; Edgie was poezeliger, een vrouwelijker soort vrouw dan Bea, die Caddie deed denken aan de boerin op het schilderij van Grant Wood. En toch zou ze geraden hebben dat ze zussen waren als het haar niet was verteld, al was het maar vanwege het feit dat hun stem dezelfde cadans had en dat ze met hetzelfde plattelandse accent van Maryland spraken. En nog iets anders ook, iets eerbiedigs in hun houding, de manier waarop hun grijze hoofden naar elkaar negen om iets te zeggen of om te luisteren.

Ze wilden niet blijven, ze zagen dat Frances het druk had, ze waren alleen maar langsgekomen om gedag te zeggen en Frances te verwelkomen, Edgie had haar arm gebroken toen ze tweeënzeventig was en hij was perfect genezen, ze wilden bij het avondeten alles horen over het ongeluk van Frances, het was zo leuk Caddie ontmoet te hebben, ze hoopten haar snel weer te zien –

Ze waren weg.

'Nou, die waren heel aardig,' zei Caddie. 'Hè?'

'Wanneer is het avondeten eigenlijk?'

'Om halfzeven. Een beetje vroeg voor jou.'

'Ik heb helemaal niet meer gedut, ik was veel te opgewonden.'

'Ben je moe? Wil je nu proberen te slapen? Ik kom je rond zessen halen, Brenda heeft gezegd dat de mensen dan iedere dag in de Blauwe Salon gaan zitten om een beetje te kletsen voor het eten. We zouden –'

'Ik zal je zeggen wat ik wil doen – hier blijven zitten en kijken hoe de zon ondergaat. Als ik wegsukkel, is dat prima.'

'Oké, maar –'

'En dan wil ik op eigen houtje naar de Blauwe Salon om met iedereen kennis te maken die ik nog niet ontmoet heb, wat ik me amper voor kan stellen, omdat ik vandaag al zeshonderd mensen heb ontmoet.'

'Ja, dat zal wel. Ik ook, het is –'

'En dan wil ik mijn avondeten en naar bed. Dat is het wat mij betreft – en in de tussentijd wil ik dat jij naar huis gaat. Nu.'

'Nou, ik wilde niet blijven voor het avondeten, maar alleen voor het halfuurtje voor het eten. Om je te helpen, je weet wel, om –'

'Ik heb geen hulp nodig.'

'Maar het is je eerste avond en ik dacht gewoon – ik wilde vlak voor het eten wegglippen.' De drukste tijd, met oma in de capabele handen van zo veel mensen, eten op tafel, alles een beetje hectisch. Zodat ze het nauwelijks zou merken dat Caddie weg was.

'Nee, glip nu maar weg. Ik bedoel, ga naar huis. Je bent uitgeput.'

'Nee, nietwaar, ik ben helemaal niet moe.'

'Nou, ik wel. Ga je nu?' Ze draaide haar stoel naar het raam.

'O, nou ja. Goed dan.' Oma's dikke grijze vlecht hing op haar rug, licht tegen het zwart van de rolstoel. Caddie trok er zachtjes aan. Haar oma was niet zo'n knuffelaarster. Maar Caddie boog zich toch voorover en drukte haar lippen op oma's zachte wang. Haar ogen prikten toen ze volliepen met tranen.

Oma zag het. 'Nou, godallemachtig.' Ze vond Caddies hand en drukte hem hard en schokkerig. 'Doe niet zo gek. Ik ben vast over een maand weer terug.'

'Dat weet ik.' Ze veegde over haar gezicht.

'En ik ben maar een kwartiertje rijden bij je vandaan.'

'Ik weet het. Dus ik bel zodra ik thuis ben, oké?'

'Caddie –'

Ze lachte. 'Het was een grapje.'

Oma gaf haar een stomp op de arm. 'Ga nu maar, dag. Doe iets geks terwijl ik uit de weg ben. Ik bedoel, doe iets wilds. Spring uit de band zolang je de kans hebt.' Ze wierp een sceptische blik op Caddies schoenen – verstandige zwarte platte – en toen op haar gezicht. 'Probeer het in ieder geval.'

'Ik hou van je, oma.'

'Insgelijks.'

Caddie wierp haar een kushand toe en liep achteruit.

'Caddie!'

'Mm?'

'Nog één ding. Mis me niet!'

'Je niet missen?'

'Dit is een bevel!'

Ze lachte, maar haar gezicht betrok toen ze zag dat haar grootmoeder niet glimlachte. 'Goed, mevrouw. U bent de baas.'

'En zo is dat.'

'Maar ik kan niets garanderen,' fluisterde Caddie en deed de deur dicht.

3

Oma volgde een soort quasi-macrobiotisch dieet sinds ze ergens had gelezen dat ze daarmee haar leven met zeven tot negen jaar zou verlengen. Maar alleen als ze ermee begon terwijl ze in de twintig was; dat deel was haar ontgaan en Caddie durfde het haar niet te vertellen. Terwijl ze langs de plaatselijke supermarkt reed, drong het tot Caddie door dat yin en yang nu de zorgen van de kok in Wake House waren, niet de hare, en dat ze kon eten waar ze zin in had. Wat dan ook! Ze stopte en kocht een half pond zalm en verse dille, een enorme aardappel voor in de oven, ingrediënten voor een salade (waaronder tomaten die, macrobiotisch gesproken, nooit ergens bij pasten) en een halve liter van haar favoriete ijs, chocolade-amandel, die ze thuis nooit kreeg, omdat oma diverticulose had en geen noten mocht. Ze zou zichzelf opvrolijken met een feestmaal. Met wijn. En een paar tijdschriften – het enige dat ze thuis te lezen had waren boeken waarmee je een beter mens kon worden. Spring uit de band, had oma gezegd. Doe iets wilds. Nou ja, dacht Caddie, terwijl ze het raampje van de auto opendeed en de radio hard zette. Dat moet dan maar.

Ze had Finney in haar slaapkamer opgesloten, zodat hij niet in de weg zou lopen terwijl ze oma's spullen verhuisde, maar had hem voor het laatste ritje vergeten vrij te laten. Zodra ze de deur opendeed, schoot hij tussen haar benen door, de overloop over, de trap af en begon aan zijn gebruikelijke scheurrondje: hal, eetkamer, keuken, woonkamer en maar rond tot hij buiten adem was. Toen begon hij te blaffen.

In haar afwezigheid had hij haar kamer overhoop gehaald. Wraak. Rommel uit haar prullenbak, voornamelijk gebruikte tissues, lag her en der over de vloer; hij was in haar kast gekropen, had al haar schoenen eruit gesleurd en de helft van een van haar gymschoenen opgegeten. Het bed was overhoop gehaald, het was een bende alsof hij zijn vriendjes had uitgenodigd voor een orgie. Ze had geen zin om meteen op te ruimen. Ze liep naar beneden om zijn riem te pakken.

'Braaf, hoor,' zei ze toen hij zijn lang opgehouden behoefte deed op het gras tussen de straat en het trottoir voor het huis van mevrouw Tourneau. Je kon zeggen wat je wilde over Finney's slechte gewoontes en hij had er een miljoen, maar hij was in ieder geval zindelijk. Daarna sleepte hij haar mee een straatje om, hijgend en haast stikkend aan het eind van zijn riem, wanneer hij niet eindeloze minutenlang doodstil stond om aan iets fascinerends en onzichtbaars te snuffelen.

Toen ze weer thuis was, nam ze een lange, warme douche en trok een spijkerbroek en een oud, zacht flanellen overhemd aan. Dezelfde mini-openbaring die ze had toen ze langs de supermarkt reed, deed zich weer voor toen ze probeerde te beslissen wat voor muziek ze zou opzetten terwijl ze haar avondeten, haar feestmaal, klaarmaakte. Ze kon van alles draaien. Jazz, bijvoorbeeld. Oma had er een hekel aan, dus maakte ze er grapjes over: hoe moderner de jazz, hoe sarcastischer de grapjes. Ha! dacht Caddie, met een licht gevoel in haar borst, en zette *Bitches Brew* op.

Ze luisterde haar voicemail af terwijl ze haar fles sauvignon blanc van negen dollar ontkurkte. De moeder van Larry Fish had zijn vioolles van morgen afgezegd; ze was zijn afspraak bij de orthodontist vergeten. 'Grrr,' zei Caddie tegen de hond. 'Dat is tegen de regels.' Om de paar maanden stuurde ze foldertjes rond waarin ze de afzegprocedure verduidelijkte: minimaal achtenveertig uur van tevoren. Maar zag maar eens kans om mevrouw Fish te laten betalen voor die gemiste les. 'Daar gaat dertig dollar,' zei ze tegen Finney. O, geweldig – ging ze nu al tegen de hond praten? De rest van de boodschappen waren verzoeken om een nieuwe afspraak, een legitieme afzegging en Rayanne Schmidt die belde om te melden dat ze Dr. Pepper op haar elektrische keyboard had gemorst en hem niet meer durfde aan te zetten.

Ze kon net zo goed in de eetkamer gaan zitten, besloot Caddie. Het zag er een beetje triest uit, één eenzaam bord aan het hoofd van de tafel. Maar oma en zij aten altijd in de keuken en ze ging het vanavond anders doen. Met de traditie breken. Wat kon het haar schelen – ze zou ook kaarsen aansteken.

Haar grootmoeder was nu waarschijnlijk wel klaar met eten. Als ze niet meteen naar haar kamer was gegaan, zat ze nu misschien in een van de salons thee te drinken en te kletsen en was ze bezig nieuwe vrienden te maken. Mensen die niet bang voor oma waren, vonden haar echt aardig. Maar hoe zou zij hen vinden? Caddie zag haar nog niet zo snel bevriend raken met de Harris-vrouwen. Of zelfs met de zusjes Copes, die ze te lief zou vinden. Ze zou Cornel, de oude mopperpot, waarschijnlijk wel aardig vinden. En Magill, zijn vriend, de grapjas die de fotolijst had gebroken. Zou ze oma bellen, gewoon om te kijken hoe het ging? Nee – nee, besloot ze, het was veel beter als ze vanavond alleen waren en leerden zonder elkaar te kunnen.

De telefoon ging. Ik wist het, dacht ze, ik had als eerste moeten bellen...

'Hoi, Caddie. Mag ik je iets vragen – wat vind je van Angela Ann Noonenberg?'

'Angie?'

'Ja, met mij. Angela Ann – hoe vind je dat klinken?'

'Nou eh... goed, het klinkt heel leuk. Heet je zo?' Angie was haar beste vioolleerlinge en zat nog maar op de middelbare school.

'Nee. Nou, wat vind je van Angela May Noonenberg?'

'Oké, welke van de twee is je naam?'

'Geen van tweeën, ik heb maar één voornaam. Mam vindt dat ik drie namen zou moeten hebben, maar ik weet het niet.'

'Mm...'

'Je weet wel, voor de missverkiezing. Ik zei dat ze daar zeventien jaar geleden aan had moeten denken.'

'Dus je hebt er gewoon een naam bij genomen?'

'Ja, dat kan makkelijk. Je gaat hem gewoon gebruiken, je schrijft hem op al je spullen en voor je het weet is hij ingeburgerd of zo. Volgens mam is het hartstikke legaal.'

Angie was afgelopen herfst Miss Appelbloesem geweest en daarvoor Miss Junior Druif, maar zij en mevrouw Noonenberg, een voormalige schoonheidskoningin, hadden grote dingen in gedachten, te beginnen met Miss Michaelstown in december. 'Maar ik begrijp het niet,' zei Caddie. 'Waar heb je drie namen voor nodig?'

'Mam denkt dat ik zo meer kans heb, of als ik Heather zou heten. Sinds 1995 zijn er al twee Heathers Miss Amerika geweest. Maar Mary Ann Mobley is de beroemdste aller tijden, op Vanessa Williams na, dus denken we dat drie namen een goed idee is. Nou, welke vind je het mooist, Angela Ann of Angela May?'

'Ik denk Angela Ann. Mijn tweede naam is Ann.'

'Echt?'

'Catherine Ann Winger.'

'Wauw, dat wist ik niet eens. Oké, Ann, dat wordt het. Nou, moet je horen, je zult woensdag kwaad op me worden.'

'O jee.' Ze klemde de telefoon tussen haar wang en schouder, zodat ze een sjalotje kon hakken. 'Ik weet dat het niet meevalt om in deze tijd van het jaar te oefenen, alles begint uit te –'

'Ja, nee, dat niet, ik heb wel hard geoefend, ik bedoel redelijk hard, al is het een echt moeilijk stuk.'

'Langzaam, maar zeker.' Angie had *Meditatie* uit *Thaïs* gekozen voor het talentenjachtgedeelte van de missverkiezing en het was een uitdaging voor haar.

'Ja, maar hoe die muziek nog langzamer kan – maar nee, weet je nog waar we het de laatste keer over gehad hebben? Tegen het einde? Over mijn nagels!'

'O ja. Je zei dat je ze zou knippen.'

'Ja, maar als ik ze nu knip, dan zien ze er zo stom uit voor het schoolbal. Ik knip ze meteen erna, goed?'

Ze schraapte de snijplank schoon en begon aan een champignon. 'Oké, maar dit is wel een kritiek moment, Angie. Je begint aan een nieuw, moeilijk stuk –'

'Dat ik niet eens mooi vind.'

'– en je moet er correct mee beginnen. Als je nagels te lang zijn, ga je je een slechte techniek eigen maken en vervolgens tijd verdoen met het weer afleren. Maar je moet het zelf weten.'

'Gatver, ik heb er zo'n hekel aan als je dat zegt.'

Ze lachte. 'Oké, sorry.' Angie had al vier jaar privé-vioollessen bij haar en er was maar weinig dat Caddie niet wist van haar dramatische tienerleven. 'Wat is er met *Meditatie*? Vorige week vond je het nog perfect.'

'Het is zo, het is gewoon zo, God, truttig of zo.'

'Het is wel grijs gespeeld, maar het is nog steeds mooi. Vind je niet? En bekendheid kan een voordeel zijn bij een publiek dat niet zo veel van de klassieken weet. Maar we kunnen overgaan op Brahms, de Hongaarse Dans, als je dat interessanter vindt.'

'Nee hoor, laat maar.'

'Weet je het zeker? Je klinkt niet erg enthousiast.'

'Nee, laat maar – eh, ik moet op gaan hangen, ik wilde alleen maar weten wat je van Angela Ann vond, dus eh – ciao.'

'Ciao.'

Leerlingen als Angie maakten het lesgeven zo leuk. Volwassenen konden ook heel bevredigend zijn, maar Angie was een van haar weinige leerlingen onder de achttien die uit zichzelf naar haar toe kwam, niet omdat ze van haar ouders moest. Ze was misschien geen wonderkind (als dat zo was, hoefde Caddie haar niets te leren), maar ze had echt talent, absoluut aanleg om beroeps te worden. Het enige dat ze nodig had was concentratie.

Toen het eten op tafel stond, legde Caddie een servet, een linnen servet, op haar schoot. Op mij, toostte ze, terwijl ze naar haar spiegelbeeld in het eetkamerraam keek. En op oma. Ze mocht haar niet missen, maar ze hoopte dat ze een heel leuke eerste avond zou hebben.

Mmm, de zalm was perfect, al zei ze het zelf, en de dillesaus die ze zonder recept in elkaar had gedraaid was fantastisch. Ze kon goed koken, al had ze weinig gelegenheid om te oefenen. Als oma niet macrobiotisch at, dan hield ze van ouderwets eten, gerechten uit de jaren vijftig, veel simpele, zware ovenschotels met gebonden soep. Ze verheugde zich erop om nieuwe recepten uit te proberen terwijl oma weg was.

Misschien kon Caddie een etentje geven. Wie zou ze uitnodigen? Ze kende niet veel alleenstaande mannen. Ze zou Morris kunnen uitnodigen, de man naast wie ze vroeger in het stadsorkest zat, en hij kon de persoon meenemen met wie hij tegenwoordig omging. Ellen en Mark, haar getrouwde vrienden, al gingen ze nooit meer ergens heen nu ze een baby hadden... Ze had een nieuwe pianoleerlinge die leuk leek. Maar ze was jonger, half in de twintig, en ze zag er leuk en vlot uit, dus had ze waarschijnlijk voortdurend afspraakjes. Bovendien, waarom zou ze naar een etentje willen komen met Caddie, twee homoseksuele mannen en een getrouwd stel?

Ze zuchtte en schoof een stukje aardappel van de ene kant van haar bord naar de andere. Waarom zat ze eigenlijk in haar eentje bij romantisch kaarslicht in de eetkamer, alsof ze het verdiende? Nu ze niet meer rammelde van de honger, voelde ze zich opgelaten. En verveelde ze zich. De tafelgesprekken tussen haar oma en haar waren misschien niet sprankelend of inspirerend, maar ze spraken over wat ze die dag gedaan hadden, roddelden over Caddies leerlingen; oma had altijd wel een eigen mening over iets in het nieuws. Ze woonden al bijna heel Caddies leven bij elkaar, maar ze waren nooit als een oud getrouwd stel geworden, zwijgend en ongeïnteresseerd, of zo op elkaars diepste gevoelens afgestemd dat woorden overbodig waren. Oma vond het heerlijk om te praten. En Caddie, die bij iedereen verlegen was, was het niet bij haar, dus uiteindelijk kreeg haar grootmoeder ongeveer alles te horen wat ze dacht. Op duizend manieren waar Caddie zich nog niet eens helemaal bewust van was – maar ze nam aan dat het niet lang zou duren – waren ze van elkaar afhankelijk.

Goed, maar ze ging hier niet zitten kniezen. Daar ging dit feestmaal om en ze verdíende het wel. Dokter Kardashian had er al die twee jaar dat ze zich hem kon veroorloven op gehamerd. 'Als je niet lief voor jezelf bent, Caddie, wie dan wel?' Het was allemaal terug te voeren naar haar moeder, zo luidde zijn theorie, die Caddie, door haar in de steek te laten, had opgezadeld met een diepgaand gevoel dat ze nergens recht op had. Jammer dat er geen medicijn tegen was.

Behalve dan om lief voor zichzelf te zijn. Wat ze in de praktijk besloot te brengen door de afwas over te slaan, op de bank te gaan liggen en haar modebladen te lezen terwijl ze haar ijs uit de beker at.

Ze voelde zich altijd ouder dan de vrouwen uit vrouwenbladen. Niet slimmer, zeker niet; ze voelde zich als een twaalfjarige, een naïeveling vergeleken met hen, maar vanuit haar gezichtspunt alsof ze van een andere generatie was, van een andere planeet kwam. Ze begreep de taal niet eens. Wie waren die mensen die nadachten over wat voor kleur bruin hun mascara was? Wie bestudeerde die zo heel weinig van elkaar verschillende tinten beige in de kunstige foto's van strepen foundation en kleine bergjes poeder? En als je het níet deed, als je ze oversloeg als best interessant, maar niets met jou persoonlijk te maken hebbend, net als de koppen in een roddelkrant, wat zei dat dan over je vrouwelijkheid en vooral over je kansen om ooit nog eens bij de club te horen van vlotte, ingewijde, vrouwenbladen lezende vrouwen? Als je bijna altijd vond dat het meisje op de 'voor'-foto er beter uitzag dan op de 'na'-foto?

Maar Caddie was gek op tests. Ze deed ze allemaal: de persoonlijkheidstests, de gezichtsvormtests, de lichaamstaaltests. Ze bleek altijd Natuurliefhebstertje of Gevoelig Hartje, Beste Vriendin, Moeder Aarde, maar nooit Seksgodin of Flirt of Kattenkop te zijn. Haar Quetelet Index was eenentwintig, wat mager was, maar probeer maar eens medeleven op te roepen over het feit dat je te dun bent. Je was een roepende in de woestijn.

'Wat is het beste punt van uw uiterlijk?' Daar was altijd een test van. Als je vond dat het je ogen waren, moest je ze 'accentueren', waarschijnlijk met nieuwe tinten mascara. Caddie vond haar grote, onschuldig uitziende blauwgrijze ogen haar beste punt, puur en alleen op basis van de opmerking 'Je hebt mooie ogen' van een jongen met wie ze een keer was uitgegaan toen ze nog studeerde. Dus had ze aan oma gevraagd 'Wat vind je van mijn ogen?' en die had geantwoord: 'Je hebt Winger-ogen. We kijken allemaal verdwaasd.'

Wat haar slechtste punt betrof – ze voelde zich net zo ongelukkig over haar lichaam als de meeste mensen, dus was het een lange lijst: grote voeten, handen met dikke aderen, sproeten, een lichte huid die niet bruin werd, vuilblond haar dat maar een beetje hing, kleine borsten, niet genoeg achterwerk. Zo kon ze nog wel een tijdje doorgaan. Blijkbaar zagen mannen de tekortkomingen nooit waar vrouwen zich zo druk over maakten, dat beweerden de bladen tenminste en om dat te bewijzen citeerden ze dan echte mannen die dingen zeiden als: 'Persoonlijk zie ik graag de rand van een slipje door de kleding van een meisje heen, dat vind ik sexy.'

Ze stond op omdat ze zich rusteloos voelde. Ze had zin om iets te doen, iets te veranderen en het was te laat om haar kapster op te bellen en te zeggen dat ze alles eraf wilde hebben. Niet dat ze dat zou hebben gedaan. Impulsiviteit was niet een van haar ondeugden; ze verbeterde zelfs mensen die zeiden: 'Alles met mate' in 'Het meeste met mate.' Maar ze was vanavond in zo'n gekke bui om een positieve stap in de richting van iets te zetten.

Deze kamer. Oma's woonkamer. Caddie vond het verschrikkelijk. Ze kon niet op de bank gaan zitten zonder eerst Paulo en Francesca weg te halen, twee bijna levensgrote poppen die haar grootmoeder op de naaimachine had gemaakt, en ze kon geen leerling binnenlaten zonder eerst te kijken of oma de poppen niet in suggestieve houdingen had gezet. *Eruit.* Ze tilde ze op en liep ermee naar boven. Ze moesten op oma's bed maar doen wat ze niet konden laten tot ze thuiskwam.

Dat was gemakkelijk. Het haardscherm zou een stuk lastiger worden, want het was de chromen grille van een Cadillac El Dorado uit 1979 die haar oma bij de schroothandel vandaan had gehaald. Er zaten nog steeds dode insecten op, of de opgedroogde vlekken die lang geleden door dode insecten waren achtergelaten, en Caddie mocht ze niet wegpoetsen, want dat was 'het mooiste' ervan. De grille was zwaar en moeilijk te hanteren en ze kwam vast te zitten bij de hoek tussen de bijkeuken en de trap naar de kelder, maar het lukte haar om het monster weg te werken in een hoek bij de verwarmingsketel. Ze zou er een grote, krullerige varen voor zetten, of wat siernetels, iets lichts en kleurigs en levends.

Daarna: oma's schilderijen, vreemde sculpturen en religieuze iconen aan de muren en op de tafels en de piano. Caddie had niet genoeg eigen spullen om ze te vervangen, *nog niet*, maar zelfs bloemen zouden al een verbetering zijn. En ze had nog wat foto's en tekeningen die ze had gekocht toen ze met haar doctoraal bezig was en haar eigen flatje had. Ze lagen op zolder – ze ging naar boven en pakte ze, stofte ze af en nam ze mee naar beneden. Morgen zou ze ze aan de roomwitte muren hangen. En wat felgekleurde kussens kopen voor op de bank ter vervanging van de poppen. Wat pioenrozen binnenhalen die in de zijtuin stonden te bloeien. Ze zag het al voor zich – ze was goed in het visualiseren – en het zou er zo veel leuker uitzien. Gelukkig was het tapijt net zo neutraal als de muren, dus pasten twee zo verschillende stijlen als die van oma en van haar allebei bij de kamer.

Maar daarmee nam ze aan dat ze een stijl had. Misschien had ze die niet, of alleen een stijl bij toeval: alles wat niet oma's stijl (zwierig, aandachttrekkend, bewust buitenissig) was, was automatisch haar stijl (rustig, conservatief, zo onopvallend dat het saai was). Ze had een beeld in haar hoofd van een weegschaal tussen hen in en het was haar taak om hem in evenwicht te houden. Of een wip, en ze moest haar kant zwaarder maken, anders zou oma haar hoog de lucht in schieten, net als die grote jongen die je omhoogschiet en in de lucht laat hangen tot hij begint te grinniken en zijn knieën buigt en je zo hard terug laat komen, bonk, dat je hele wervelkolom trilt van de klap. Het was Caddies taak om de excentriciteit van haar oma te compenseren met haar gewoonheid en zo was het al zolang als ze zich kon herinneren. Kijk maar, de familie Winger is normaal, want ik ben niet gek! Zij wel, maar ik niet!

De meeste vrouwen kregen een eigen stijl – theoretiseerde ze, maar wist het niet uit ervaring – door naar hun moeder te kijken terwijl ze klein waren en vervolgens de stijl van hun moeder te accepteren of te verwerpen naarmate ze ouder werden. Wat Caddie zich kon herinneren van haar moeder was weinig, maar levendig; ze droeg hippiekleren en rookte sigaretten; ze tikte altijd met haar voet of trommelde met haar vingers of liet haar knie op en neer wippen; ze had lang blond haar dat ze over een oog liet vallen en Caddie wilde het altijd naar achteren strijken als een gordijn, zodat ze meer kon zien, het geheim ontsluieren. Maar haar moeder was er niet vaak geweest en ze was gestorven toen Caddie negen was, te jong om haar stijl echt te begrijpen. Daarna kon Caddie alleen maar oma's stijl observeren en die had ze verworpen. Ze verwierp hem nog steeds, maar ze had hem niet vervangen door iets interessants van zichzelf.

Maar ze was nog jong en ze was bezig een nieuwe start te maken. Ze had ook niet de slag te pakken van het alleen wonen, maar het was nog maar haar eerste avond. Iedere vrijdagmiddag stonden er contactadvertenties in de *Michaelstown Monitor.* Ze pakte de krant, haalde haar pen tevoorschijn, schonk een tweede glas wijn in en ging bij de telefoon zitten.

De afkortingen waren geen geheim meer voor haar; ze wist wat een d. kn.j. m. was en een spont. j.vr., een ongeb. zw. j. m. Ze las de contactadvertenties iedere week en zo nu en kwam ze in de verleiding om erop te reageren. Ze had het nooit gedaan, maar als ze het toch ging doen, dan zou het vanavond gebeuren. Actie. 'Ik heb zin om te veranderen,' zei ze tegen Finney die op haar schoot in zijn slaap met zijn pootjes lag te trekken. 'Ik ben een wilde vrouw.'

Jammer dat de vrouwen in de contactadvertenties altijd interessanter klonken dan de mannen. Waren ze gewoon betere schrijvers? Het schrijven van contactadvertenties was zonder enige twijfel een vorm van kunst, maar er zat meer achter. De mannen hadden het over hun lengte en gewicht, de lengte en het gewicht dat ze wensten van de vrouwen die reageerden, de leeftijdscategorie die ze konden verdragen, het type persoonlijkheid dat ze moesten hebben. Terwijl vrouwen vriendelijker en ruimdenkender leken. Gemakkelijker in de omgang. Hier was een ongeb. bl. j.vr. die 'slim, gevat, sensueel en spontaan' was, die 'houdt van uitgaan, etentjes, hard werkt/speelt, op mijn gemak in spijkerbroek en glitters'. Zou zij geen leuke vriendin zijn? Veel leuker dan die man die op zoek is naar een 'ongeb. bl. j. vr. met hoge morele waarden, zonder kinderen'. De mannen wilden altijd 'slanke' vrouwen, was haar opgevallen – een punt in haar voordeel.

Ze had met de gedachte gespeeld om haar eigen contactadvertentie te schrijven, maar ze kwam altijd uit op 'Eenzame, wanhopige oude vrijster zou wel gered willen worden', en daar zou waarschijnlijk weinig reactie op komen. Of... 'Lange, ongebonden vrouw, blond, gemakkelijk in de omgang; hoogopgeleid, niet cynisch. Zoekt kennismaking met een aardige normale man tussen 25 en 50 (maar daarbuiten is bespreekbaar). Hoeft niet knap of lang te zijn; wel graag met werk; met een goed hart en eerzame bedoelingen. Voor vriendschap, eventueel samenwonen.'

Weinig aanbod in de mannenafdeling deze week. Deze klonk het best: 'Aantrekkelijke ongeb. bl. man, zelfstandig ondernemer, goede gesprekspartner, serieus maar met gevoel voor humor, houdt van politiek, lange wandelingen, oude films. Z.k.m. intelligente dito vrouw met wie ik van het leven kan genieten.'

'Met wie' in plaats van 'waarmee'. Nou nou.

Als ze hier langer dan tien seconden over nadacht, zou ze niet meer durven. Ze haalde haar creditkaart uit haar tas – twee dollar en negenentwintig cent per minuut – nam de hoorn van de haak en toetste het nummer in.

'Hallo, je spreekt met Byron,' zei een zware, opgenomen stem. 'Fijn dat je op mijn advertentie reageert. Wil je een boodschap achterlaten en me iets over jezelf vertellen? En vergeet niet je nummer achter te laten, zodat ik je kan terugbellen.'

Gatsie, moest ze haar telefoonnummer aan een volkomen vreemde geven? Nou ja, als het zo moest...

'Eh, hallo, met Caddie. Hallo, Byron. Ik vond je heel aardig klinken in je advertentie. Ik hoopte eigenlijk dat we zouden kunnen praten en, je weet wel, zien of we bij elkaar passen... ik heb dit nooit eerder gedaan. Ha, ha, dat zeggen ze vast allemaal! Ik denk dat ik nu moest vertellen hoe ik eruitzie, dat is wat...' Dat is wat mannen altijd willen weten. 'Ik ben een meter tachtig. Ik ben aan de magere kant. Slank. Tenger. Ik heb blondachtig haar, streperig blond, tot op mijn schouders... blauwe ogen... ik heb een goede houding. O, ik ben tweeëndertig. Ik ben ook zelfstandig onderneemster, net als jij, dus – en ik heb mijn eigen auto. Ik woon momenteel alleen... ik ben gemakkelijk in de omgang, denk ik, niet echt veeleisend of zo.' Ze slaakte een diepe, stille zucht.

'Ik ben op zoek naar een aardige man, je weet wel, iemand om mee om te gaan. Tot we elkaar beter leren kennen. En dan, nou ja, dat zien we wel. Een langdurige vriendschap, dat zou ik príma vinden.' Haar lacht klonk nerveus en dommig. Tijd om te stoppen; ze moest net zo weinig van haar eigen geluid hebben als Byron waarschijnlijk. Ze liet haar nummer achter en hing op.

'Aaah!' gilde ze en Finney sprong overeind. Ze moest hem vangen en troosten voor ze, op zachtere toon, verderging: 'Aah, aah, aah!'

Dat deed ze nooit meer, dan ging ze nog liever naar een singlesbar. Ze werd liever afgewezen vanwege stomme dingen als kleine borsten of geen kont dan zich op te hangen met haar eigen woorden. In haar eigen zwaard gevallen. *Goede houding!* 'Ik ben het best in persoonlijke vernedering,' zei ze tegen de hond en ging voor de laatste keer met hem uit.

Ongelooflijk genoeg ging de telefoon toen ze terugkwam. Ze rende er op af en probeerde 'hallo' te zeggen zonder buiten adem te klinken.

De onmiskenbare stem van Byron, zwaar en enigszins nasaal, als een Engelsman maar zonder het accent, zei: 'Hallo, spreek ik met Cattie?'

'Caddie, ja, hallo – Byron?'

'Ik hoop dat ik niet te laat bel.'

'Nee, nee, helemaal niet. Hoe gaat het ermee?'

'Goed, dank je. Je zei dat dit de eerste keer is dat je op een contactadvertentie reageert?'

'Ja, en het is behoorlijk zenuwslopend. Ik weet niet eens wat je moet dóen.'

'Het is een kunstmatig sociaal gebeuren, dat is waar, maar tegelijkertijd is het heel beschaafd, vind je niet? Je kunt een hoop gedoe in het begin al vermijden, aardig wat tijd besparen.'

'Ja, dat lijkt me ook.'

'Afspraakjes maken is in de aard der zaak rommelig, echt een onafwendbaar onhandige aangelegenheid. Ik heb me nooit ook maar enigszins vernederd gevoeld door de contactadvertentieprocedure, heb nooit gedacht dat ik daardoor het etiket "wanhopig" of iets dergelijks opgeplakt zou krijgen.'

'O nee, natuurlijk niet.' Hij niet, blijkbaar. Maar voor haar was het anders, zij was wanhopig. 'Heb je al veel succes gehad?'

'Dat hangt van je definitie van succes af. Als het trouwen en nog lang en gelukkig leven is, dan moet ik nee zeggen.'

'Nee, ik wilde niet –'

'Als het het rustige gezelschap is van twee intelligente mensen die al dan niet verwante zielen zijn, dan zijn de resultaten enigszins bemoedigender geweest. Zeg me eens, Carrie, wat doe jij voor de kost?'

'*Caddie*. Ik ben muzieklerares. Ik geef piano en viool.'

'Juist.' Zijn toon was zo neutraal dat ze geen idee had wat hij ervan vond.

'En wat doe jij voor de kost?' Ze voelde zich duizelig van nervositeit; ze wilde giechelen; ze moest zich ervan weerhouden om er 'Brian?' aan toe te voegen.

'Ik ben management consultant. Ik ontwerp systemen voor onkosten- en inventarisbeheersing voor kleine bedrijven.'

'O. Dat klinkt interessant.'

'Wat zijn je hobby's?'

Het was net een sollicitatiegesprek, maar dan met een zwart scherm tussen haar en de vragensteller. 'Eh, nou, muziek natuurlijk, ik luister naar allerlei soorten muziek. Ik heb vroeger in het Michaelstown Community Orchestra gespeeld, maar ik moest ermee ophouden–'

'Ik hou wel van muziek, maar ik ben zelf aardig toondoof, moet ik zeggen. Nog iets?'

'Nou, lezen. Ik ben zelfs lid van een online-leesclub, we doen een boek per maand, meestal een roman, mensen uit het hele land. Lees jij graag?'

'Heel graag, maar ik vrees dat ik de laatste tijd geen tijd voor fictie heb. Wanneer ik vrij ben lees ik iets dat aan mijn werk refereert. Het is spijtig.'

'Ja. Eh, en wandelen, ik heb een hond, dus… en ik hou van de natuur. Ik kan goed koken. Tuinieren – ik leg ieder jaar een moestuin aan. Dansen, ik zou op een dag graag willen reizen, ik wil graag naar Griekenland en Italië, de Galapagoseilanden – nou ja, in ieder geval, ik denk dat dit de belangrijkste dingen zijn.'

Hij had een droge doceerstem, zonder veel variatie. 'Waar sta jij in de naaste-verwantenhiërarchie?' vroeg hij.

De naaste-verwantenhiërarchie… 'O, ik ben enig kind.'

'Juist. Ik ben de oudste van drie.'

'Geloof jij daar in, volgorde van geboorte en zo?'

Zijn adem kwam er snuivend uit. 'Jazeker.'

'Ik heb er nooit zo over nagedacht, maar het is vast en zeker heel onthullend. Qua karakter en… zo. Wat zijn jouw hobby's?' Ze kneep haar ogen dicht, een gewoonte die ze had als ze wenste dat ze ergens anders was.

'Ik hou van tentoonstellingen van antieke auto's. Ik heb een prikkeldraadverzameling. Ik handbal en ik speel golf. Goed, even kijken…' Kennelijk vinkte hij dingen op een lijstje aan. 'Je zei dat je momenteel alleen woont?'

Daar voelde ze zich een beetje oneerlijk in, bang dat het misschien klonk alsof ze tijdelijk zonder inwonende vriend zat. Wat bepaald een verkeerde indruk zou wekken. 'Eerlijk gezegd woon ik samen met mijn grootmoeder, maar ze heeft een ongeluk gehad en nu is ze voor haar genezing naar een verzorgingstehuis gegaan. Een paar maanden. Dus ik ben nu alleen.'

'Aha. Je woont bij je grootmoeder en je bent tweeëndertig?'

Ze vond Byron eigenlijk niet zo aardig, moest ze toegeven, maar ze had in het bijzonder moeite met de manier waarop hij die vraag had geformuleerd. 'En hoe oud ben jij?' was haar wedervraag. 'In je advertentie noem je dat niet.'

'Negenendertig. Net.'

Het was even stil. Ze had geen andere vragen en ze wist bijna zeker hij ook niet.

Hij schraapte zijn keel. 'Ik heb ontdekt dat het beter is om er snel en duidelijk een punt achter te zetten als er blijkbaar, zoals ze dat noemen, geen vonk overspringt en dus –'

'O, dat vind ik ook het beste,' onderbrak Caddie hem, 'dan heb je het maar gehad.' Het einde naderde snel en ze wilde niet gedumpt worden door Byron, dit was een wederzijds afzien van verder contact. 'Maar het was leuk je gesproken te hebben. Veel succes en zo. Ik hoop dat je iemand vindt –'

'Ja, insgelijks. Dag.'

Ze legde haar hoofd op haar schoot en kreunde een tijdje zachtjes. Het had erger kunnen zijn, hij had wel een stalker kunnen zijn. Dat kon hij in theorie nog wel zijn en dit kon de manier zijn waarop hij zijn slachtoffers op het verkeerde been zette, door ze af te wijzen. Maar iets zei haar dat ze voor de rest van haar leven veilig was voor Byron.

Hij had gelijk dat afspraakjes maken in de aard der zaak rommelig was en een onafwendbaar onhandige aangelegenheid. In dat opzicht leek samenwonen met oma veel op verkering. Dus Caddie hoorde er nu wel aan gewend te zijn – aan afspraakjes – of in ieder geval haar verdedigingsmechanismen in werking te hebben gesteld. Maar de enige die ze tot dusver vervolmaakt had, was ineenkrimpen.

Of misschien niet; misschien was ze tweeëndertig en woonde ze nog bij haar oma omdat het verdedigingsmechanisme dat ze werkelijk vervolmaakt had het vermijden van afspraakjes was. Haar liefdesleven, voor zover er al sprake van was, was een opeenvolging van gênante momenten, voor haar of voor haar partner, dat deed er niet echt toe. Neem Barry. Hij was impotent en Caddie was zo blij dat ze eindelijk iemand ontmoet had die seksueel onhandiger of in ieder geval onervarener was dan zij, dat ze het niet erg had gevonden. Ze zou eindeloos met Barry omgegaan zijn, maar ze waren uit elkaar gegroeid, hij vernederd, zij irritant begripvol en bemoedigend. Dat was haar liefdesleven in een notendop – de Barry-periode. Ze was niet erg sociaal vaardig, maar vergeleken met de mannen tot wie ze zich aangetrokken voelde, was ze Grace Kelly. Grace Kelly? Ze kon niet eens een moderne analogie bedenken en dat was ongetwijfeld een groot deel van haar probleem.

Ik zal ophouden oma de schuld te geven van mijn onvolkomenheden.

Meer dan gegrilde zalm, meer dan de woonkamer opnieuw inrichten, meer dan mannen van contactadvertenties bellen, was dat het gezondste goede voornemen dat ze kon doen. Ik meen het. Ze zwoer het in bed, hardop, terwijl ze in slaap probeerde te vallen. Finney legde zijn kop op haar scheenbeen en knipperde met zijn ogen naar haar in het donker. 'Je mist oma, hè?' vroeg ze zachtjes. 'Wil je haar een keer opzoeken? Vandaag of morgen?' Hij schoot overeind en duwde zijn kop onder haar arm. 'Maar ze hebben katten. Kátten,' herhaalde ze om hem te testen en ja hoor, hij spitste zijn oren. 'Dan moet ik eerst Brenda bellen en vragen of ze de kust veilig wil maken. Ze hebben regels. Régels.' Niets.

O God, o God, ze begon een oude dame te worden die tegen haar hond praatte. 'Ga in oma's kamer slapen,' beval ze terwijl ze Finney met haar heup van het bed probeerde te schuiven. 'Vooruit. Je mag hier niet eens komen.' Hij kwam met een beledigde plof op de grond terecht en zijn nagels maakten een glijdend, schichtig geluid toen hij de kamer uit liep. Een paar minuten later kwam hij op zijn tenen teruggelopen en sprong zo stilletjes op het voeteneinde van het bed dat ze haar ogen open moest doen om zich ervan te vergewissen dat hij er zat.

Wat een eerste avond. Maar ze had het niet slecht gedaan, zo in haar eentje, vond ze; ze had zichzelf verwend, haar persoonlijke ruimte veranderd, een paar goede voornemens voor de toekomst gemaakt. Waar het niet zo goed was gegaan, was het deel waarbij ze contact zocht bij anderen, het deel dat ze niet in eigen hand had. Ze zag hoe de schaduwen van het maanlicht over de muur kropen; ze hoorde de klik van haar digitale wekker toen p.m. in a.m. overging. 'Mis me niet,' had oma haar bevolen. Eerlijk gezegd lukte het op dat gebied ook niet zo geweldig.

4

Misschien moest ze een dakloze in huis nemen.

Het idee kwam een week later bij haar op, toen ze een enorme lading saaie kleren bij St. Agnes' Zo-Goed-Als-Nieuw in Maryland Street afleverde. Al die vrouwenbladen hadden in ieder geval één ding bereikt: het genadeloos leeghalen van haar truttige kleerkast en het voornemen om er alleen nog maar vlotte, moderne vervangers in te hangen.

Maar toen ze het reçuutje van de vrijwilligster met het bleke gezicht aannam, kreeg ze bedenkingen. Wat was het eigenlijk egoïstisch en oppervlakkig! Ze hoorde een arm persoon in huis te nemen in plaats van geld aan nieuwe kleren uit te geven, vooral omdat haar huis vrijwel leeg stond. Michaelstown had niet zo veel daklozen, dat dacht Caddie tenminste niet, maar er moesten er toch wel een paar zijn. Een arme vrouw die een hoop akelige dingen had meegemaakt, zou een prettig onderkomen waar ze kon bijkomen vast verwelkomen – of misschien zelfs een gezin, een alleenstaande moeder die probeerde te werken en tegelijkertijd haar kinderen op te voeden...

Maar zoals zo veel van Caddies altruïstische opwellingen – bij het Vredescorps gaan, vegetariër worden, analfabeten leren lezen en ga zo maar door – zou ook hier weinig van terechtkomen. Waar het haar aan ontbrak was de uitvoering. Ze raakte verstrikt in de organisatie van haar goede ideeën. Zoals, in welke slaapkamer moest haar dakloze familie slapen? Zouden de kinderen stil zijn terwijl ze haar muzieklessen gaf? Als de moeder werkte, zou ze dan verwachten dat Caddie op ze paste? En als de moeder en zij helemaal niet met elkaar konden opschieten? Ze reed naar huis met haar bewijs voor de belastingdienst dat ze een schenking had gedaan en voelde zich een oppervlakkig, frivool mens.

Laat in de middag, toen ze thuiskwam van een wandeling met de hond, zag ze mevrouw Tourneau bij de forsythia in de zijtuin op de loer staan. Ze had een roestig snoeimes in haar hand, maar dat was een voorwendsel. Ze riep 'Caddiiieee' toen Caddie ferm het pad op kwam gelopen en net deed of ze haar niet zag. Finney, die haar echt niet had gezien, ging over tot een oorverdovend gekef, woedend omdat ze hem had laten schrikken. 'Stil,' beval Caddie, 'hou op', en liet zich door hem mee naar de zijtuin sleuren.

'Wat een heerlijke juni, hè? Niet te nat, niet te droog.' Mevrouw Tourneau maakte een paar piepende knippen met het snoeimes in de lucht voor ze tot de kern van de zaak kwam. 'Blijft Frances eigenlijk in dat tehuis? Ik zag je haar spullen wegbrengen. Het is jammer, je zult haar wel missen, maar het is vast het beste.'

Caddie bukte zich om Finney's riem uit de kornoelje te plukken. Ze zag mevrouw Tourneau voor zich, met haar neus tegen de ruit gedrukt om maar niets te missen. 'Nee, dat waren mijn kleren, mevrouw Tourneau. Ik hou een kleine voorjaarsschoonmaak.' Ze zat op haar hurken om Finney bij zijn halsband vast te houden zodat hij niet naar de benen van mevrouw Tourneau kon happen. Hij deed het uit liefde, niet uit agressie; hij was dol op haar, hoewel ze zijn genegenheid niet beantwoordde. Ze was een kattenmens.

'O ja, natuurlijk, het oude eruit, het nieuwe erin. Nou ja, je bent nog jong, je hebt wel recht op een pleziertje. Als de kat van huis is, hè? Hoe gaat het met Frances daar? Doet ze moeilijk?'

'Nee, hoor, ze vindt het er heel leuk. Het was haar idee en ze hoort er helemaal bij.'

Mevrouw Tourneau keek sceptisch. Ze had altijd naast hen gewoond. Ooit was er een meneer Tourneau geweest, maar hij was al zo lang dood, dat niemand zich hem meer kon herinneren. Ze was waarschijnlijk een jaar of zestig. Ze verfde haar haar gitzwart en droeg altijd rood, en oma beweerde dat dat de belangrijkste ofschoon niet de enige reden was dat ze haar niet uit kon staan, omdat haar haar overeind ging staan van die combinatie. 'Nou, ik moet zeggen dat me dat verbaast. Goh, wat leuk. Geven ze haar kalmerende middelen?'

'Nee, natuurlijk niet.' Caddie kwam snel overeind en wilde weglopen.

'Soms moeten ze wel. Soms zie je ze vastgebonden in hun rolstoel en dan zeggen mensen dat het mishandeling is en bellen de tv-hotline, maar het is beter dan ze maar te laten rondzwerven en verdwalen of hun kleren in het openbaar uittrekken. Nou, het is geweldig, ik ben zo blij dat er een plekje voor Frances is.'

'Het is maar tot haar been genezen is – het is niet permanent, over een paar maanden is ze weer terug.'

'Nou, dat hoop ik maar, kind. In de tussentijd zijn wij nog met zijn tweetjes.'

Caddie lachte zwakjes en deed nog een stap achteruit.

'De laatste twee fatsoenlijke vrouwen. Wie had ooit kunnen denken dat het zo ver zou komen met Early Street? Niets dan motorrijders en asocialen de laatste tijd, drugsdealers en hoerige vrouwen. Ik hoop dat je blijft, dat je er niet over denkt om het huis te verkopen nu Frances er niet meer is, want er kan wel van alles komen wonen. Ik ben te oud om te verhuizen, ik zal hier moeten sterven.'

'Ho – ik moet – ' Finney had een interessante geur opgepikt van de andere kant van de tuin en dat was voor Caddie een mooi excuus om hem haar mee te laten trekken.

'Tot ziens,' riep mevrouw Tourneau. 'Doe de groeten aan Frances – zeg maar dat ik haar mis!'

Mevrouw Tourneau overdreef graag. Early Street was niet meer wat het geweest was, niet dat het ooit veel was geweest, maar er woonden nog steeds nette, hardwerkende gezinnen met redelijk goedopgevoede kinderen. Nog steeds een hoop rustige bejaarden die 's middags in de schaduw van hun scheve veranda in hun schommelstoel zaten. Toen Caddie opgroeide, was Michaelstown een bedrijvig zuidelijk stadje dat middenin de staat lag, maar nu was het praktisch een buitenwijk van Washington. Maar de misdaad in Early Street bevond zich nog steeds overwegend in de categorie vandalisme – jongens die dingen kapotmaakten of op dingen schreven. Het was ouder aan het worden, dat was alles. Alles werd ouder.

Ze zette een kop thee en ging er mee naar boven. 'Als de kat van huis is' – wat een stomme uitdrukking. Ze vond het vervelend dat mevrouw Tourneau haar een idee gegeven had. Maar als ze toch geen dakloze in huis zou nemen, bleef het feit dat ze de kleinste slaapkamer van een huis met drie slaapkamers had en dat ze de enige bewoonster was voor wie weet hoe lang. Ze kon verhuizen.

De middelste kamer was de kamer van haar moeder geweest tot oma er jaren geleden een rommelkamer van gemaakt had. 'Kunstbenodigdheden', technisch gesproken, maar hij stond zo vol rommel dat niemand er ooit in de buurt kwam. Ze hielden gewoon de deur dicht. Van leegruimen kon geen sprake zijn – maar Caddie kon oma's kamer nemen.

Ze ging met haar thee in de deuropening staan. Het was hier een stuk lichter. Het enige raam in Caddies kamer lag op het noorden en keek uit op de saaie achtertuin en de brandgang. Oma had twee ramen, een dat op de straat uitkeek en een dat op het huis van mevrouw Tourneau uitkeek. Mm.

Maar het bed. Het moest om de een of andere reden die Caddie zich niet kon herinneren op het zuidoosten staan, niet feng shui, maar iets anders, iets indiaans – in ieder geval, om op het zuidoosten te kunnen staan, kon het niet recht tegen de muur staan; het moest met het hoofdeinde tegen de hoek staan, zodat er een hele driehoek loze ruimte was ontstaan en dat het zo ver uitstak dat je geen anderhalve meter recht vooruit kon lopen. Als ze het wilde verplaatsen, moest ze er iemand voor aannemen; het was massief mahonie en woog meer dan honderdvijftig kilo. Na een van haar spirituele verlichtingsreizen had oma het, ergens rond 1990, tegen een enorm bedrag laten overkomen uit Pakistan. Het had bijzondere mystieke eigenschappen, maar alleen als je de achterpoten op steunen van drie komma vijfenzeventig centimeter (een pakje kaarten per poot) zette. Het lag niet eens lekker.

Niet de moeite waard. Nou ja, dacht Caddie, toen de telefoon overging.

'Ze beginnen met zo'n groot boek met herinneringen,' verkondigde haar grootmoeder zonder eerst te groeten. 'Iedereen moet zijn levensverhaal opschrijven, vertellen hoe het in de goeie ouwe tijd was. "Wij Herinneren Ons" of zo iets dergelijks. Ze leggen het op de tafel in de hal voor.'

'Hoi, oma. Dat weet ik, ik was erbij toen Brenda het voorstelde, weet je niet meer?' Cornel had het 'Wij Weten Het Niet Meer' willen noemen.

'Ja natuurlijk, ik was er toch ook bij? Caddie, ik wil dat je zo'n verhaal voor me uittikt als je tijd hebt. Ik wil dat je me belangrijk laat lijken.'

'Een verhaal uittikken?'

'Het hoeft niet zo lang te zijn. Maar ook niet kort. Ik ben negenenzeventig, ik heb een levensverhaal.'

'Nou, schrijf dan...'

'Wanneer ik geboren ben, waar ik naar school ging, mijn prestaties. Net als een necrologie, behalve dan dat ik niet dood ben.'

'Oké, dat kan ik wel doen, denk ik.'

'Waarom ben je hier eigenlijk nog niet?'

'Omdat ik morgen zou komen.'

'Mórgen. Ja, dat is waar ook, dat was ik vergeten. Nou ja, het is nu toch te laat, laat maar.'

'Te laat voor wat?'

'Vandaag kwam er zo'n dominee, geen echte, maar een "lekenpredikant" zoals hij zich noemt – nu denk ik bij mezelf, waarom heb ík dat niet gedaan, "lekenpredikant" worden toen ik jong was, dat is iets waar ik goed in zou zijn geweest, een natuurtalent, ik heb waarschijnlijk mijn roeping gemist.'

'Dus de lekenpredikant kwam –'

'En hij roept iedereen bij elkaar voor bijbelles, prima wat mij betreft, maar je raadt nooit wat er gebeurde – ik sla mijn boek open en het blijkt mijn koran te zijn in plaats van mijn bijbel.'

'O jee.'

'Caddie Ann, je zou gedacht hebben dat ik een mand slangen losgelaten had. Vooral mevrouw Brill, die met dat looprek, ze kreeg bijna een hartaanval. Christenen hebben weinig gevoel voor humor, het spijt me het te moeten zeggen.'

'Dus je wilt dat ik je bijbel meeneem.'

'Haast je niet, hoor, alleen als je eraan denkt.'

'Hoe gaat het? Hoe is het vandaag met je been?'

'Het gaat goed met het been, het gaat goed met alles. Ik moet ophangen, want Susan wil bellen.'

'Zie je wel, als je je eigen telefoon had –'

'Waar heb ik een telefoon voor nodig? Dag – vergeet niet mijn levensverhaal op te schrijven.'

'Morgen.' Caddie bleef in de hal staan om Magill te begroeten die aan het gewichtheffen was in de Blauwe Salon. 'Heb je mijn grootmoeder gezien?' Ze nam tenminste aan dat het Magill was. Hij droeg vandaag geen kniebeschermers, maar een enorme feloranje voetbalhelm bij zijn slobberbroek en te grote T-shirt. Om zijn hoofd te beschermen, voor het geval hij viel, nam Caddie aan.

'Nee. Susan?' Hij verhief zijn stem.

Caddie had Susan, de vrouw die een beroerte had gehad, niet gezien in haar rolstoel bij het raam. Ze had een koptelefoon op en luisterde naar een cassetterecorder. Ze zwaaide naar Caddie en zette haar koptelefoon af.

'Hoi, ik ben op zoek naar mijn grootmoeder – heb jij haar gezien?'

Susan lispelde iets onverstaanbaars, wierp haar een scheve glimlach toe en zette haar koptelefoon weer op.

'Ze, eh...' Caddie schuifelde wat dichter naar Magill toe, opgelaten omdat ze net had gedaan alsof ze het had verstaan omdat ze Susan niet wilde kwetsen.

'Ze is naar Hershey,' zei Magill.

'O!' Dat was wat ze van Susan had gemeend te verstaan. 'Hershey, Pennsylvania? Waarom?'

'Een excursie. Cornel en Bernie, Bea en Edgie, Frances. Ze krijgen een rondleiding door de chocoladefabriek.'

Wat... typisch Amerikaans. 'Nou zeg, dan kom ik helemaal voor niks. Terwijl ik nog wel oma's biografie voor haar geschreven heb.' Ze stak de kartonnen map omhoog waar ze hem ingestopt had.

'Onachtzaam,' beaamde Magill.

'Ga jij er een schrijven?' vroeg ze, terwijl ze tegen de piano leunde zodat ze hem niet in de weg stond. 'Voor het boek met herinneringen?'

Hij wierp haar een blik toe, alsof hij dacht dat ze een grapje maakte. 'Eh, nee.'

'Waarom niet? Je woont hier – waarom schrijf jij er geen?'

Hij hees de roestige zilverkleurige gewichten achter zijn hoofd op en neer, zodat de spierbundels in zijn pezige armen op en neer gingen. Hij glimlachte en gaf geen antwoord.

'Ik zou hem voor je kunnen schrijven,' zei ze in een opwelling. 'Die van mijn oma is best aardig geworden. Al zeg ik het zelf.' Ze tikte uitnodigend op de map. Eerlijk gezegd was ze nieuwsgierig naar hem. 'Zal ik het doen?'

'Oké, ga je gang.'

'Echt?' Hij keek niet serieus. 'Oké, wat doe je?'

'Niks. Nee, wacht. Vandaag heb ik zelf mijn schoenen aangetrokken. Kijk, keurige strikken, geen klittenband voor mij.' Hij stak een sportschoen naar voren – maar toen moest hij de vensterbank beetpakken om zijn evenwicht niet te verliezen.

'Ik bedoel voor je hier kwam.' Voor zijn ongeluk. Het was ongeveer vijftien maanden geleden gebeurd en het had iets te maken gehad met parachutespringen, nota bene, maar de bijzonderheden waren geheim. Niemand praatte erover en dat was op zichzelf al vreemd; na hun gezondheidstoestand was het belangrijkste onderwerp van gesprek onder de bewoners van Wake House elkaar.

Hij ging verder met de gewichten en spande de spieren in zijn onderarm. 'Ingenieur.'

'Wat voor ingenieur?'

'Biomechanisch.'

Een parachutespringende biomechanische ingenieur. 'Hoe oud ben je?'

Hij wierp haar een bepaalde blik toe, maar de voetbalhelm maakte het moeilijk te zeggen wat voor blik. Het was niets voor haar om zo opdringerig te doen. Het voorwendsel dat dit was voor 'We Herinneren Ons', was een prima dekmantel voor pure nieuwsgierigheid. 'Dertig, vijfendertig,' zei hij. 'Ergens in die buurt.'

Ze lachte. 'Ergens in die buurt?' Zijn lichaam was zo mager en wiebelig dat hij er jonger uitzag. 'Werk je voor een bedrijf?'

'Ik had mijn eigen zaak. Heb. Had.'

'Wat maak je? Wat maakte je?'

'Voeten.'

'Voeten? Voeten?'

'Voeten, benen, heupen, bekkens. Voornamelijk voeten.'

'O, je bedoelt kunstledematen?'

'Orthotica.' Hij legde de gewichten neer om een slok te nemen van zijn frisdrank. Nee, geen frisdrank, een van die gezondheidsdrankjes waarvoor ze op tv reclame maakten voor oude mensen, die je energie of een langer leven of zoiets gaven. Hij dronk het vast voor de calorieën. Volgens oma betekende eten niets meer voor hem sinds het ongeluk. Hij had helemaal geen smaak meer.

'Eh, kom je uit Michaelstown? Geboren en getogen?'

'Jij?' vroeg hij.

'Ja, ik ben hier geboren. Ik ben opgegroeid aan de westkant – weet je waar Early Street is?'

Hij schudde zijn hoofd.

'Waar woon jij?'

'Hier.'

'Tot je beter bent. Waar staat je huis? Ik dacht alleen dat we misschien wel op dezelfde school hebben gezeten of zo. Misschien kennen we dezelfde mensen.'

'Ik heb geen huis meer. Dit is het.' Hij zette zich af van de muur en liep weg.

Ze was bang dat hij door haar over zijn toeren was geraakt – ze was opgelucht toen hij alleen maar naar Susan liep om de cassette in haar recorder om te draaien. Susan en hij waren bevriend, aangezien zij de twee 'jonkies' waren. Ze bracht de meeste ochtenden door met spraaklessen en fysiotherapie om weer te leren praten en lopen. Daar werd ze altijd zo moe van dat ze zich de rest van de dag heel rustig hield.

'Is het goed zo?' vroeg Magill haar. 'Staat hij hard genoeg? Echt?'

'Het is perfect,' antwoordde Susan terwijl ze naar hem glimlachte.

'Je zult me nooit je biografie laten schrijven, hè?' vroeg Caddie hem toen ze terugkwam. 'Want ik weet niet eens je voornaam. Wat een biografie.'

Ze was blij toen hij zijn voetbalhelm af zette, ook al zat de ene helft van zijn haar plat tegen zijn hoofd en stond de andere helft recht overeind als een hanenkam. Nu kon ze in ieder geval zijn gezicht zien. 'O nou ja,' zei hij. 'Eén is genoeg voor mij.' Toen hij zich bukte om zijn gewichten op te rapen, pakte hij mis; hij moest het opnieuw proberen met één oog dicht. Afgezien van al het andere, kon hij moeilijk diepte schatten. Hij kon kaarten met Cornel en Bernie, maar niet dammen of schaken. Caddie had hem een keer tegen een deur zien lopen.

'Eén is genoeg? Net als Cher?' Het was leuk om hem te plagen. Hij probeerde niet te laten merken dat hij het leuk vond, maar hij vond het wel leuk. Ze wilde dat ze het geheim, het mysterie dat om hem heen hing, kende.

Bonk, stap, stap. Mevrouw Brill bleef even in de hal staan op weg naar buiten.

'Goedemorgen, mevrouw Brill,' riepen Caddie en Magill haar tegelijkertijd toe. Magill legde zijn gewichten op de vensterbank en ging kaarsrecht staan; mevrouw Brill bracht altijd het beste gedrag bij mensen naar boven. Ze woonde tegenover oma. Op een wit kaartje op haar deur stond in keurige zwarte inkt: ZONDAGSSCHOOLJUFFROUW, GEPENSIONEERD, en dat was het enige wat Caddie van haar wist. Ze had vandaag witte handschoenen aan en een hoed op van roestbruin vilt met een voile. Haar rechterheup zat iets hoger dan haar linker en ze had een bocheltje tussen haar schouders. Ze trok de linkermouw van haar stippeltjesblouse iets omhoog. 'Goedemiddag,' corrigeerde ze terwijl ze op haar horloge tikte.

'Goedemiddag,' echoden ze en ze ging weer verder nadat ze haar looprek een zetje had gegeven. Ze hoorden haar op de veranda: *bonk*, stap, stap. *Bonk*, stap, stap.

'Waar gaat ze naartoe?'

'Gewoon een eindje wandelen,' zei Magill. 'Denk ik.'

'Ze is heel deftig.'

'Ik ben doodsbang voor haar.'

Caddie keek op haar eigen horloge. 'O jee, ik wist niet dat het al zo laat was. Ik moet gaan, ik heb een les om half een.'

'Eh...'

Ze stopte met het verzamelen van haar spullen.

Hij diepte iets op uit de achterzak van zijn zeer ruime broek, die gevaarlijk laag op zijn heupen hing; ze kon duidelijk het elastiek van de bovenkant van zijn onderbroek zien. 'Gewoon iets,' mompelde hij terwijl hij haar een plastic doosje gaf.

Een cd-doosje. 'Voor mij?' Ze maakte het open. Er stond niets geschreven op het glanzende schijfje dat erin zat. 'Wat is het?'

'Je zei dat je niets van elektronische muziek wist. Je wou dat je er meer van kon horen, zodat je erachter kon komen of je het iets vond.'

Dat klopte, dat had ze gezegd. Ze hadden het over muziek gehad, Magill en mevrouw Doré Harris en zij, en Caddie had gezegd dat ze van alle soorten muziek hield, behalve van techno, maar alleen omdat ze het nooit op de plaatselijke stations draaiden en ze het nooit te horen kreeg. 'O! Heb jij dat gemaakt?'

'Ja, het stelt niets voor, spul van de computer, ik heb het gebrand.'

'Ik wist niet dat je van dit soort muziek hield.'

'Dat doe ik ook niet, ik vind het lawaai. Luister jij er maar naar en vertel me dan wat mij ontgaat.'

'Nou, hartstikke bedankt. Dat zal ik doen.'

'Geen dank.'

'Was het een hoop werk? Ik hoop dat je er niet al te lang over hebt moeten doen.'

'Ik hoefde alleen maar één belangrijke zakenreis af te zeggen.' Hij glimlachte met één kant van zijn mond.

'Nou, nogmaals bedankt, dat was heel aardig. Ik zal er vanavond naar luisteren. Nou, dag. Ik zie je vast morgen wel.'

Hij gaf geen antwoord. Misschien hoorde hij het niet; hij had zijn voetbalhelm weer opgezet.

Caddie wilde weggaan, maar bleef onzeker in de hal staan. Ze had de biografie van haar oma voor 'We Herinneren Ons' nog bij zich. Ze rende de trap op en legde de map op oma's bed, waar ze hem zeker zou vinden.

Frances Marguerite Winger is geboren hier in Michaelstown op 29 september 1924. Haar vader was conducteur bij de C&O Railroad en haar moeder was coupeuse, en zong ook in het koor en speelde orgel in de episcopale kerk St. Alban's in Peister Street. Frances had een oudere broer, Frank, maar hij overleed in 1930 aan acute reuma.

Frances kon goed leren en nadat ze haar middelbare-schooldiploma op Michaelstown High School had gehaald, ging ze naar Peterson State College, waar ze afstudeerde aan de kunstacademie (1944). Datzelfde jaar trouwde ze met Charles Eliot Buchanan, eerste luitenant van de landmacht, die een tragische, maar heldhaftige dood in Guam stierf zonder ooit hun kind te hebben gezien dat een half jaar na zijn dood werd geboren.

De daaropvolgende vijfendertig jaar gaf Frances tekenen en handvaardigheid in vrijwel ieder leerjaar op alle scholen van het samenwerkingsverband van scholen in de gemeente. Ze was actief in het historisch genootschap, de vrouwenvereniging en de tuiniersvereniging Michaelstown Garden Club, waar ze twee termijnen voorzitter van is geweest.

In 1980 kwam Frances' enige kind, Jane Winger, zangeres en musicus die onder de naam Chelsea opereerde, bij een auto-ongeluk om het leven. Ze was eenendertig. Ze liet een kind achter, Caddie, dat Frances vol liefde en zorg opvoedde alsof ze haar eigen dochter was.

Aan het eind van de jaren zeventig, toen andere vrouwen van haar leeftijd erover dachten om met pensioen te gaan, nam Frances' leven een nieuwe, spannende wending. Ze stopte met lesgeven en begon een loopbaan als vrij kunstenares. Misschien beïnvloed door haar moeder was haar eerste medium naald en draad, waarmee ze grote borduurwerken produceerde met interessante en ongewone boodschappen. Een van de grootste van die werken, *Vrouwen halen de wereld terug,* hing op het Michaelstown Kunstfestival van 1984, waar het een tweede prijs won in de categorie textiele werkvormen.

Later, in de jaren tachtig, stond Frances aan de wieg van BLSK, Belangrijke Levenssappen als Kunst, in eerste instantie een plaatselijke, maar uiteindelijk een landelijke beweging, met zelfs leden in Ohio en Virginia. Aanhangers van BLSK hadden een rijke, ingewikkelde esthetische opvatting, maar het kwam erop neer, heel simpel gesteld, dat zij geloofden dat ware kunst zo veel mogelijk lichaamssappen moest omvatten, bij voorkeur alle zeven.

Frances' rusteloze artistieke geest leidde haar vervolgens

naar gemengde technieken en het collage, gevolgd door een energieke periode van fotorealisme. Maar in 1995 vond ze haar ware en meest bevredigende artistieke invalshoek. 'Het was toeval,' zegt ze met kenmerkende bescheidenheid. Toeval – misschien wel. Op een dag in het vroege voorjaar toen ze de toestand van haar composthoop in de zijtuin aan het controleren was (Frances was al vanaf haar jeugd een enthousiast en creatief tuinierster) zag ze dat haar berg tuinafval een typische vorm had aangenomen. 'Het waren absoluut twee gezichten en profil, het ene dat praatte en het andere dat luisterde. Ze waren menselijk, maar ook een deel van de grond. Aardemensen communicerend.

Dat was het begin van Aardemensen Communicerend, Frances Wingers nieuwe en volkomen unieke artistieke grondmedium, een vorm van expressie die ze onvermoeibaar verkende, samen met andere projecten, tot een ongeval haar actieve kunstloopbaan tot een tijdelijk einde bracht. Momenteel is de opvallende getuigenis van haar werk in de vorm van levende sculpturen te zien op het grasveld van haar huis in Early Street, nummer 823, in hartje Michaelstown.

Het is niet altijd een gemakkelijke weg geweest die Frances heeft gevolgd. Haar werk is niet altijd begrepen, soms zelfs gehekeld. Maar ze treedt haar criticasters altijd met verdraagzaamheid en goedgeluimd tegemoet. Wanneer haar buren haar aardcreaties afdeden als 'troep' of een schande voor de buurt, vatte ze het altijd goedmoedig op, ze glimlachte en haalde haar schouders op, zonder ooit te overwegen zelf naar de rechter te stappen. Leven en laten leven is Frances' motto. 'Het leven is kort,' zegt ze graag. 'Je krijgt er maar een, en als je het bederft door je zorgen te maken over wat andere mensen vinden, ben je een idioot.'

5

Caddie had stiekem het idee gekoesterd dat Finney de therapiehond van Wake House zou kunnen worden, maar dat ging over op de eerste dag dat ze hem meenam. Achteraf zag ze wel in dat het van het begin af aan een slecht idee was geweest, maar oma was haar maar blijven vragen om hem mee te nemen, Brenda had gezegd dat het goed was zolang ze maar eerst de katten in het kantoor opsloten en Caddie had het beeld in haar hoofd van een dociele, grijnzende, bloeddrukverlagende Finney die van schoot naar schoot ging bij enthousiaste bewoners van Wake House die met zijn allen in de Rode Salon zaten. Ze was vergeten dat Finney, behalve wanneer hij bij oma was, alleen dociel was wanneer hij sliep.

Hij had een nieuwe riem, zo een die tot vijf meter uitgetrokken kan worden; je hield hem aan een kunststof handvat vast en drukte op een knop om hem korter te maken, *zoef*, net als het snoer van een stofzuiger. Caddie had het mechanisme nog niet helemaal onder de knie en oma wist er al helemaal geen raad mee. Het eerste dat Finney deed, was het koord vier of vijf keer om de benen van de stokoude meneer Lorton wikkelen terwijl die diepgebogen zijn schildpaddengang van het toilet naar de salon maakte. Gelukkig bleef hij overeind, maar Caddie dacht automatisch aan wat er zou zijn gebeurd als het Magill was geweest.

Nadat ze meneer Lorton bevrijd hadden, pakte Finney Cornels voet in de leren pantoffel en wilde niet meer loslaten. In eerste instantie vonden mensen het grappig en zelfs Cornel zag kans een glimlach om zijn dunne lippen te toveren en een grapje te maken over wat een felle hond het was, een miniatuurbuldog, kijk maar uit en zo. Finney zag er onschuldig uit – daardoor werden mensen op het verkeerde been gezet. Hij woog zevenenhalve kilo. Hij was helemaal wit op een bruin oog en twee zwarte vlekken op zijn rug na. Hij zag eruit als kinderspeelgoed. Een van zijn trucjes was om op je af te springen terwijl je snel liep – bijvoorbeeld om bij de telefoon te komen voor er opgehangen werd – en zich als een kreeft in je schoen vast te bijten. Je moest hem ten slotte door de kamer mee slepen, want hij liet niet los, hij wás net een buldog – en Cornel moest niet meer lachen toen hij daar achter kwam omdat de grap lang genoeg geduurd had.

'Klerehond, haal hem van me af, Caddie, zeg dat hij af moet. Af...' Ten slotte schopte hij zijn pantoffel uit, zodat Finney hem mocht hebben. Maar zonder dat er een voet aan vastzat, vond Finney er niets aan.

Caddie wurmde de riem uit oma's hand en haalde hem binnen. Even was het rustig; toen kwam Susan Cohen in haar rolstoel binnengereden. Finney had oma's rolstoel al eens gezien, dus waarom hij zo schril, doordringend moest blaffen toen hij die van Susan zag, was Caddie een raadsel. Susan drukte zich tegen het zwarte vinyl van haar rugleuning, haar mond open van schrik terwijl ze probeerde de stoel achteruit te laten gaan, maar haar linkerarm was zwakker dan haar rechter en in haar schrik draaide ze een rondje. Finney vatte dat op als provocatie en begon naar de wielen uit te vallen, blaffend en grommend en zijn tanden ontblotend. 'Finney!' schreeuwde Caddie wel vijftig keer. Iedere keer dat ze hem bijna had, schoot hij weg.

Ten slotte wond hij zijn riem zo vaak om Susans stoel dat hij moest stoppen of stikken. Caddie hoopte op het laatste, maar hij bleef hijgend staan, zijn kop gebogen, zijn haren overeind. 'Dat doet hij anders nooit,' bleef ze maar zeggen terwijl ze hem losmaakte, in oma's armen duwde en zijn riem van de wielen van de rolstoel haalde. 'Het is echt een lief hondje.' Niemand protesteerde toen ze oma voorstelde om hem mee naar haar kamer te nemen voor een privé-bezoek.

'Ik moest van mevrouw Tourneau zeggen dat die pioenrozen eindelijk bloeien.'

'Welke pioenrozen?'

'Weet je nog de pioenrozen die je haar hebt laten uitgraven en aan haar kant laten planten? Dat is al zeker drie jaar geleden en er kwamen steeds alleen maar bladeren aan. Nou, dit jaar hebben ze eindelijk bloemen.'

'Leuk.'

'We hadden zaterdagmiddag een goed programma,' vervolgde Caddie. 'Weet je nog dat we dat vioolconcert van Vivaldi zouden spelen? Nou, we moesten het op het laatste moment laten vervallen omdat de eerste violist voedselvergiftiging had opgelopen. Dus in plaats daarvan deden we *Chopin in de Schijnwerpers*, maar het ging heel goed.'

'Mmm,' zei oma dromerig. Ze zag er halfslaperig uit in haar stoel, met een doezelende Finney op schoot die zijn witte haartjes over haar hele rok verspreidde. Toen Caddie ze zo samen zag, ontspannen en tevreden, kon ze geen spijt meer hebben dat ze hem meegebracht had, ook al had hij zich misdragen.

'Het gaat goed met de lessen. Tot dusver heeft nog maar één iemand afgezegd voor de zomer, dus dat is goed. Goed. En ik heb twee nieuwe leerlingen, dus dat is nettowinst – een jongetje voor de piano en een vrouw voor de viool. Ze is pas gescheiden en ze wil haar leven veranderen. Ze zegt dat haar man altijd tegen haar zei dat ze te oud was om viool te leren spelen, dus nu gaat ze hem een lesje leren.'

'Ha,' zei oma. 'Laat hem een lesje leren.'

'Dus ik denk dat we wel goed zitten, ik denk dat het wel goed komt...' Haar stem stierf weg, omdat ze niet wilde zeggen 'met het geld deze zomer', omdat – waarom zou ze erover beginnen?

'Je krijgt morgen je nieuwe gips, hè? Zo'n canvas ding dat je er af kunt halen en terug kunt doen – lijkt je dat niet fijn?'

'Ja.' Oma legde haar hoofd weer tegen de rugleuning en deed haar ogen dicht. Ze viel de laatste tijd gemakkelijk in slaap.

Voor ze kon wegdoezelen, zei Caddie: 'Je hebt het hier naar je zin, hè, oma?'

'Dat heb ik toch gezegd?'

'Dat weet ik, maar heb je het nog steeds naar je zin?' Ze had het al een tijdje niet meer gezegd en ze was hier al bijna vier weken. 'Je kunt naar huis komen wanneer je maar wilt. Je hoeft maar te kikken. Al was het maar voor een bezoekje.'

'Waarom zou ik naar huis willen? Je komt *mij* iedere dag opzoeken. Dus ik heb alles. O kind, ik ben zo blij dat je aan dit tehuis hebt gedacht. Dank je.' Ze pakte Caddies hand en kneep erin.

Nou, daarmee was die vraag beantwoord. Waarom zou oma het trouwens niet naar haar zin hebben? Iedereen vond haar leuk, iedereen was aardig tegen haar en zij vond hen leuk. Er was altijd iets te doen, een les of een spelletje, een gesprek, een excursie in die oude rammelbak met Wake House Ouderenzorg en Verpleegtehuis nog zichtbaar onder de nieuwe laklaag – Brenda had de naam laten overschilderen toen de bus te oud werd om nog reclame voor het tehuis te kunnen maken. Oma kreeg een hoop stimulans, veel meer dan thuis bij Caddie en de tv. Haar biografie in 'Wij Herinneren Ons' had belangstelling voor haar leven als kunstenares gewekt en ze had erin toegestemd er een praatje over te houden voor de Grijze Goeroes – of de Grijze Ganzen, zoals Cornel ze noemde – een informele reeks lezingen waarin iedereen die een speciale baan had gehad of een bijzondere reis had gemaakt of een ongebruikelijke kennis van iets had, er een spreekbeurt over kon houden voor de medebewoners. Oma was er veel opgewondener over dan ze liet merken. Haar lezing was pas over een paar weken, maar ze was al bezig aantekeningen te maken en materiaal te verzamelen.

'En jij?' zei oma. 'Wat voor nieuws en opwindends heb jij gedaan, behalve alles in mijn huis veranderen?'

'Dat had ik je nooit moeten vertellen.' Oma maakte er min of meer grapjes over, maar ze liet nooit een gelegenheid voorbijgaan om op te merken wat Caddie met de woonkamer had gedaan. 'Nou,' zei ze, 'ik ben een nieuw stuk aan het leren, van Beethoven, sonate nummer zeventien –'

'Nieuws en opwindends, zei ik. Heb je nog meer mannen uit de seksadvertenties opgebeld?'

'De contactadvertenties, en nee. Eén keer was genoeg.'

'Caddie Ann –'

'Wist je dat zevenentwintig miljoen Amerikanen alleen wonen? En dat de gemiddelde leeftijd van de hele bevolking vijfendertig is. Dat heb ik ergens gelezen. Dus ik hoor echt... ik hoor echt bij het hoe-heet-het.'

'Gemiddelde,' zei oma giechelend.

'Wat is dit?' Caddie pakte een slakkenhuis van de vensterbank. 'En dit.' Een droog twijgje en ernaast stukjes van een blauw gespikkelde eierschaal. 'Wat is dat voor spul?'

Oma ging rechtop zitten. 'Dat is voor mijn project. Kijk uit, straks maak je iets kapot. Leg neer, Caddie, het is heel teer.'

'Is dit je nieuwe kunstproject? Wat spannend.' Oma had al gezinspeeld op een nieuw werk, iets gróóts dat in haar hoofd vorm kreeg, maar Caddie wist niet of het echt was of niet. Soms bleven haar oma's ideeën daar, in haar hoofd, en kregen nooit een materiële vorm. Als dit al een zekere vorm kreeg met twijgjes en eierschalen, dan was dat een goed teken. Oma was altijd het gelukkigst wanneer ze iets aan het maken was.

'Het is een monument,' zei ze. 'Voor de ouderdom. Het zal de moed en de schoonheid van het oud-zijn symboliseren. Er zal "lang leven" in de titel komen te staan. Dat is het enige wat ik tot nu toe kan zeggen.'

'Hoe zal het – wat voor vorm zal het krijgen?'

'Nou, dát weet ik nog niet. Het wordt een bouwsel. Het moet groot worden, iets vertegenwoordigen.'

'Bedoel je dat het op iets gaat lijken?'

'Niet noodzakelijkerwijs. Het zal vertegenwoordigers omvatten, bedoel ik. Van alles dat oud is.'

'Alles?' Weer een allesomvattend project. Oma's kunst was zo'n samenraapsel.

Door het raam zag Caddie een zwarte taxi tegen de stoeprand voor het huis stoppen. De chauffeur sprong eruit, liep om, deed het achterportier open en stak zijn hand naar binnen om iemand te helpen. Een vrouw zwaaide haar benen naar buiten, mooie benen onder een kersenrode rok tot op de knie, en kwam overeind. Ze droeg een strohoed met een brede rand; Caddie kon haar gezicht pas zien toen ze achterover tegen de auto leunde om naar het huis te kijken. Een fractie van een seconde was het alsof ze elkaar recht in de ogen keken. De vrouw zei iets tegen de chauffeur waardoor hij moest lachen. Zij lachte ook en Caddie hoorde een schallend, aangenaam 'Ha!'

'Oma,' zei ze opgewonden, 'volgens mij is het de nieuwe vrouw, die de torensuite heeft gereserveerd. Ik durf te wedden dat zij het is – Brenda zei al dat ze vandaag of morgen zou komen.'

Oma reed in haar stoel naar het raam en gluurde met haar mee.

'Ziet ze er niet leuk uit? Waar is je bril, kun je het zien? Ze ziet er jong uit.' Relatief jong; halverwege de zestig, gokte Caddie. Hier was dat een jonge blom. Brenda zei dat ze Dorothea Barnes heette. Ze was weduwe en had geen kinderen. Ze kwam van ergens aan de kust, maar volgens Brenda was ze hier opgegroeid. Ze kwam weer thuis. 'Barnes,' had Cornel dagenlang argwanend gezegd. 'Barnes. Ik herinner me helemaal geen Dorothea Barnes.' Hij was ook in Michaelstown opgegroeid en hij dacht dat hij iedereen kende.

Daar ging Brenda; ze haastte zich over het tuinpad om de nieuwkomer te verwelkomen. Ze had een hoop bagage; de chauffeur bleef maar dozen en koffers uit de kofferbak halen en ze op het trottoir opstapelen. Ze zag Brenda en liep met uitgestoken handen op haar toe. Zo begroette ze haar ook, met haar beide handen warm Brenda's handen schuddend, terwijl ze glimlachte en haar hoofd schuin hield om naar Brenda's woorden van welkom te luisteren.

'Ziet ze er niet leuk uit?' zei Caddie nogmaals. 'Het zal goed zijn om hier een nieuw iemand te krijgen, dan kun jij je een oude veteraan voelen.' Hoewel, eerlijk gezegd was een van de dingen die oma het leukst aan Wake House vond het feit dat zij de nieuwkomer was; zo kreeg ze een hoop aandacht. 'Niet dat je niet langer de – oma? Wat is er?' Ze keek vreemd. Schuldig.

'Niks.'

'Finney! Waar is hij? Heb je hem losgelaten? O, óma.' Hij was weg, zijn riem in een rol op de grond, en ze hadden, stom genoeg, de deur opengelaten. 'Ik durf te wedden dat hij naar beneden is gegaan – hij heeft vast die katten geroken.'

'Ik ga ook mee,' zei oma. Caddie wilde haar rolstoel duwen, maar oma zei: 'Ik kan het zelf wel – ga jij nu maar!'

Zij nam de trap, oma nam de lift. Vanaf de laatste overloop zag Caddie Cornel, Bea en Edgie Copes en mevrouw Doré Harris in de hal rondhangen. Zelfs mevrouw Brill had haar stoel in de Rode Salon dichter naar de doorgang geschoven om alles beter te kunnen zien.

'Wat een práchtige veranda,' klonk een zangerige stem van buiten, boven een maniakaal geblaf uit. 'Zo mooi. Precies zoals ik het me herinner.'

Een heleboel dingen gebeurden tegelijk. Brenda stapte bedrijvig met een koffer in elke hand door de voordeur naar binnen en riep over haar schouder: 'O ja, het is er heerlijk op zwoele avonden. Soms komt het hele huis er –'

Cornel onderbrak haar: 'Kijk uit, pak die hond. Waar is Frances? Caddie, zou je alsjeblieft –' Finney vloog door de deuropening, draaide in het rond en begon harder te blaffen, schril, opgewonden, hysterisch klinkend geblaf, waar je trommelvliezen van trilden en je tanden van klapperden.

'Finney!' schreeuwde Caddie terwijl ze de korte trap af rende. Zijn vacht stond in een streep over zijn rug omhoog; je zou denken dat hij hier woonde en de postbode aan de deur stond. 'Finney! Hou op!' Vervolgens kwam Dorothea Barnes binnen, gevolgd door de chauffeur met nog meer koffers. 'O, wat een leuk hondje,' zei mevrouw Barnes. Ze boog voorover, stak haar hand uit en Finney beet haar.

'*Au!*'

Caddie roffelde, diep geschokt, de rest van de treden naar beneden. Iedereen ging om haar heen staan: Brenda, Cornel, de chauffeur, mevrouw Harris, mevrouw Brill. 'Hoe erg is het? Bloedt het? Is het een wondje? Doet het pijn?'

Finney hield op met blaffen en begon fanatiek te kwispelen, in een poging het ongedaan te maken.

Caddie baande zich een weg door de groep bezorgde mensen om mevrouw Barnes heen. 'O nee, o, het spijt me zo – het is het hondje van mijn oma, maar ik heb hem meegebracht, het is mijn schuld – gaat het?'

'Ja hoor.' Maar ze zag wel bleek. Haar hoed stond scheef op haar hoofd en had haar zilvergrijze haar in de war gemaakt. Ze had donkere, sterk gebogen wenkbrauwen, verschrikte V's boven helderblauwe ogen. Ze probeerde te glimlachen, maar het was een bibberige poging. Ze hield haar rechterhand in haar linker – de middelvinger werd bij de nagel al paars.

'Zit er een wondje?'

'O nee, dat geloof ik niet. Alleen maar een bloeduitstorting.'

Iemand zei 'hondsdolheid'. Iemand anders zei 'vaccinatie tegen hondsdolheid'.

'Hij heeft zijn inenting gehad,' haastte Caddie zich te zeggen. 'Die is drie jaar geldig en hij is nog maar twee!'

'Er is niets aan de hand.' Ze legde haar goede hand op Caddies schouder en kneep even zachtjes. 'Echt.'

'Ga zitten,' drong Brenda aan. Ze zag er ziek uit; waarschijnlijk had ze visoenen van rechtszaken. Dorothea liet zich door Brenda naar de kerkbank onder de jassenhaken langs de muur leiden. Cornel bood aan een glas water te halen. Doré zei dat ze een dokter zou bellen.

'Het gaat echt wel, hoor.' Ze keek naar hen allemaal op en lachte beverig. 'Het is voornamelijk de schrik. Het was niet echt het welkom dat ik me voorgesteld had!'

Caddie begon zich weer te verontschuldigen, maar ze wuifde het weg en zei nogmaals dat er niets aan de hand was. De crisis was bezworen. Finney was de Rode Salon in gegaan om alleen te zijn. Caddie keek om zich heen of ze oma zag.

Ze zat ineengedoken in haar rolstoel bij de lift. Ze hield de vingertoppen van beide handen tegen haar mond, haar ogen waren groot en ze zat tegen de rugleuning gedrukt. Caddie haastte zich naar haar toe.

'Oma? Hé, het gaat weer, hoor. Het is voorbij, alles is in orde.'

'Moet hij een spuitje hebben?'

'Finney? Néé.'

'Ze moeten ze doodmaken om naar hun hersenen te kunnen kijken.'

'Wat moeten ze?' Caddie probeerde haar handen bij haar gezicht vandaan te halen, maar oma was als versteend. Haar angst was aanstekelijk – Caddie had haar nog nooit zo gezien.

Caddie voelde een hand op haar rug. Het was mevrouw Barnes. 'Hallo,' zei ze tegen oma. Iemand had een zakdoek om haar vinger gewikkeld; ze sloeg haar armen over elkaar om hem uit het zicht van oma te houden. 'Ik ben Thea. Thea Barnes. Aangenaam.'

Oma kon geen woord uitbrengen en haar alleen maar met grote, bezorgde ogen aankijken.

'Weet je, ik denk dat hij van me schrok. Ik boog me te snel voorover, dat is het. Het is een leuk hondje.'

Oma liet haar handen zakken. 'Ja. Een leuk hondje. Ik weet niet waarom dit is gebeurd – dit heeft hij nog nooit gedaan.'

'Nou,' zei Caddie. Overdrijven was ook een vak.

Mevrouw Barnes stak haar goede hand uit.

Oma schudde hem. 'Ik ben Frances Winger,' zei ze hartelijk.

'Hallo, Frances.'

'Leuk je te ontmoeten.'

'Insgelijks.'

Oma's opgeluchte glimlach werd sluw. 'Heb je iets ouds meegebracht?'

6

Het kantoor van CDT, Creatieve Dierentherapie, bleek uit één kamer te bestaan boven een kaarsen- en wierookwinkeltje in een eenrichtingsstraat in het centrum van de stad. Finney was bang voor de gladde houten treden; Caddie moest hem optillen en meenemen naar de eerste verdieping. Ze hoorde praten aan de andere kant van de matglazen deur aan het eind van de gang, dus deed ze de deur open en gluurde naar binnen. Een man achter een bureau dat vol lag met papieren, dossiers en mappen draaide rond in zijn stoel en gebaarde dat ze binnen mocht komen.

Hij zat te bellen. 'Nee, wij zitten door het hele land, we hebben meer dan achthonderd CDT-teams, maar de vrijwilligers worden altijd plaatselijk opgeleid. Via workshops met bevoegde instructeurs in elke... inderdaad en vervolgens coördineren ze op het hoofdkantoor de vrijwilligers met faciliteiten in hun eigen woonplaats. Nee, dit is maar een regionaal kantoor. Klein. Eh... nou ja, ik.' Hij legde zijn hand op het mondstuk, zei: 'Hoi, ga zitten, ik ben zo klaar,' en ging verder met zijn gesprek.

Ze kon nergens gaan zitten, behalve als ze een basketbal, een paar sportschoenen en een zak kattenbakvulling uit de enige stoel in het kleine, propvolle kantoortje haalde. Finney trok haar toch alle hoeken in, aan alles snuffelend, zo zenuwachtig alsof hij bij de dierenarts was. Hij rook vast andere dieren. Hij sleepte haar naar de muur waar verscheidene oorkondes en diploma's hingen. Oorkondes voor dienstverlening en burgerzin, diploma's van opleidingen. Allemaal voor Christopher Dalton Fox, afgezien van die voor de hond van Christopher Fox, King, die een paar eigen oorkondes had voor dierenburgerzin en dienstverlening. Christopher was de man achter het bureau – ze herkende hem van alle foto's van King en hemzelf in kameraadschappelijke poses met verschillende groepen mensen en andere honden.

Er was er één in het bijzonder die Caddie opviel, omdat hij duidelijk in een verpleegtehuis genomen was. Een echte, niet een zoals Wake House; de bewoners waren oud en zwak, velen zaten in een rolstoel. King, een grote, prachtige hond, misschien een herder, behalve dat hij wolliger was, zat op een bank tussen twee tere oude dametjes en alledrie keken ze stralend in de lens met dezelfde kalme, vriendelijke, gelukzalige uitdrukking. Dát, dacht Caddie. Dát was wat ze wilde, dat soort band creëren tussen mens en hond. Het zag er bijna spiritueel uit. Waarom kon Finney niet als King worden?

Christopher Fox hing op. 'Hoi. Sorry.' Hij stond op en kwam achter zijn bureau vandaan. 'Jij bent... eh...'

'Caddie Winger.'

'Aangenaam. En dit moet Finnegan zijn.' Hij ging op één knie zitten en klopte op de andere. Caddie keek neer op zijn gebogen hoofd en bewonderde de keurige scheiding in zijn streperige blonde haar, lichter dan het hare en bijna even lang. Het viel om zijn gezicht in lichte, roodachtige golven. Ze moest denken aan een golden retriever, die rossige kleur als de vacht net gewassen en geborsteld was.

Finney ging onmiddellijk naar hem toe, zijn korte staartje trillend, en snuffelde aan zijn handen, zijn schoenen, zijn kruis. 'Zit,' zei Christopher op ferme toon en Finney ging zitten. Dat was niet echt een wonder, want hij had het bevel al eerder gehoord. Gehoord, maar amper gehoorzaamd, vooral niet als er geen beloning in de vorm van een hondenkoekje in zat. 'Lig,' zei Christopher daarna, maar Finney had de grenzen van zijn kunnen bereikt. 'Zit' was het enige dat hij kon en hij had er genoeg van. Hij sprong op en gaf Christopher een lik over zijn neus.

'Hij is nu trouwens heel braaf,' zei Caddie. 'Zo braaf was hij dinsdag niet.'

'Je zei dat hij iemand gebeten had.'

'Hij was uitgevallen. Gebeten, ja. Hij heeft haar gebeten.'

'Een vreemde, iemand die hij niet kende?' Onder Christophers langzame, aaiende handen rolde Finney op zijn rug en stak zijn pootjes in de lucht.

'Zo, hij mag je wel. Ja, het was een vrouw die hij nooit eerder gezien had, een aardige, oudere dame, die niets anders deed dan hem proberen te aaien. Ken je Wake House? Het is een tehuis voor een soort begeleid wonen in Calvert Street.'

'Wake House.' Hij schudde zijn hoofd. 'Dat ken ik niet.'

'Het is geen echt verpleegtehuis en het is heel klein; er wonen maar een stuk of tien mensen. Ik hoopte dat ze Finney leuk zouden vinden en dat hij, zeg maar, hun soort therapiehond zou worden.'

Toen Christopher Fox glimlachte, verscheen er een rimpeltje bij de linkerkant van zijn mond. Hij had groenige ogen achter een montuurloze bril en ze twinkelden alsof ze iets grappigs had gezegd. 'Jack Russells zijn geweldige hondjes, maar de meeste hebben niet het temperament om een gezelschapshond of therapiehond te zijn. Te veel energie. En ze zijn ook wel dwars. Tenzij je een manier weet te bedenken om ze te lijmen, doen ze altijd precies waar ze zelf zin in hebben.'

'O jee, dat is waar.' Het voelde heel natuurlijk aan om tegenover hem aan de andere kant van Finney te knielen. 'Zo is hij precies. Hij vindt het heerlijk om op schoot te liggen als ik zit te lezen of zo, maar als ik hem róep om op schoot te komen zitten, kijkt hij alleen maar naar me.'

'Dat is typisch een Jack Russell.'

'En als ik piano speel en ik níet wil dat hij op schoot komt zitten, is dat de enige plek waar hij wil zijn.'

'Je speelt piano?'

'Ik ben lerares. Piano en viool.'

'Echt?' Hij ging zitten, met zijn lange benen onder zich, en legde zijn handen op zijn knieën. 'Ik kan "Für Elise" en "De Vlooienmars" spelen.'

Ze lachte. 'Hoe lang heb je les gehad?'

'Vier jaar, en ik vond het verschrikkelijk.'

'Je moest van je ouders,' gokte ze.

'Nee, mijn zussen speelden piano, dus wilde ik het ook, zonder er rekening mee te houden dat zij talent hadden. Mijn ouders waren schatten dat ze het zo lang volgehouden hebben. Weggegooid geld.'

'Maar jij wilde tenminste. Ik heb leerlingen die nog liever hun huid lostrekken dan muzieklessen nemen.'

'Dat moet wel vervelend zijn.'

'Dan heb ik echt een hekel aan mijn werk.'

'Wanneer vind je het leuk?'

'O, zodra ze iets onder de knie hebben en naar het volgende niveau gaan, een nieuw boek of een nieuw stuk. Wanneer ze blij en trots op zichzelf zijn.'

'Wat doe je als je een kind krijgt dat echt hopeloos is, dat totaal geen aanleg voor muziek heeft?'

'Die heb ik nooit gehad. Nou ja, ik heb wel een paar keer kinderen met leermoeilijkheden gehad.'

'En zeg je dan dat ze een andere uitlaatklep voor hun creativiteit moeten zoeken?'

'Nee, dat zou – ik zou nooit iemand ontmoedigen die echt van muziek houdt.'

'Je bent vast een goede lerares.'

'Ik eh... ja, dat denk ik wel.'

Hij kamde zijn haar achterover met zijn vingers en glimlachte naar haar alsof hij het met haar eens was. Hij had het soort knappe uiterlijk dat je in eerste instantie niet zo opviel, maar geleidelijk kwam zijn perfect gevormde neus in beeld en de manier waarop zijn wenkbrauwen bij elkaar kwamen in een keurig lijntje goudbruine haartjes. Hij droeg een geruit flanellen overhemd waarvan de mouwen opgestroopt waren, zodat de lange spieren en pezen in zijn onderarmen en de sierlijke vorm van zijn polsen zichtbaar waren. Zijn lange, sterke handen.

Ze zou na vandaag nog een tijdje aan hem blijven denken, realiseerde Caddie zich. Zodra ze afscheid hadden genomen en zij was weggegaan – aannemend dat hij haar niet kon helpen een therapiehond van Finney te maken, een hoop waarvan ze steeds meer begon in te zien dat die vergeefs was – zou Christopher Fox nog een tijdje in haar gedachten blijven, misschien nog wel een lange tijd, als voorbeeld van het soort man dat zij nooit zou krijgen. Ze had er geen moeite mee – ze nam het hem zeker niet kwalijk. Mensen vielen in categorieën en je mocht iemand bij wie je wilde zijn uit bepaalde categorieën uitzoeken, maar niet uit alle. Mannen als Christopher Fox vielen niet in de categorie waar Caddie uit mocht kiezen.

'Heeft Finnegan ooit een gehoorzaamheidscursus gevolgd?' vroeg hij.

'Niet dat ik weet.'

De uitdrukking op Christophers gezicht veranderde toen hij zijn aandacht op Finney richtte, van vriendelijk en open naar serieus en onderzoekend; zijn beroepsgezicht, nam Caddie aan. Hij hield het kinnetje van de hond in zijn hand en keek in zijn enorme, amandelvormige bruine ogen en ze vroeg zich af wat hij kon zien, hoe diep hij kon gaan. Het enige dat zij er ooit zag was een uiterst bedrieglijke onschuld.

'Is er nog hoop?' vroeg ze speels.

'Altijd.' Hij gaf Finney een klopje op zijn nek en kwam overeind. Wat was hij elegant. Caddie krabbelde overeind; ze voelde zich de paar seconden dat ze zonder hem op de vloer zat voor gek zitten. Hij was langer dan zij; toen ze rechtop stond kwamen haar ogen zelfs maar tot zijn mond.

'Heb je misschien belangstelling,' vroeg hij, 'om opgeleid te worden tot vrijwilligster bij ons?'

'O! Echt? Met Finney?'

'Waarschijnlijk niet met Finney. Voor hem zou ik een of andere verlichte gehoorzaamheidscursus aanraden, maar om als therapie- of bezoekhond aangemerkt te kunnen worden, is veel meer nodig. Zelfs als hij er het temperament voor zou hebben, en ik vrees dat hij dat niet heeft, dan heb je het nog over langer dan een half jaar met een van onze teams.'

'O jee. Nou ja, dan houdt het op.'

'Nee, dat hoeft niet. CDT heeft altijd meer dieren dan vrijwilligers. Als je belangstelling hebt, kun je je inschrijven voor een cursus en een van onze honden lenen. Of katten, of cavia's. Kaketoes. We hebben zelfs een kip.'

'Een kip!' Ze dacht razendsnel na terwijl Christopher haar vertelde over de kip, Estelle, hoe lief ze was, wat een geweldig gezelschap kippen konden zijn. Wilde ze dit? Had ze er tijd voor? Ze probeerde zich voor te stellen op een kankerafdeling, in een afkickcentrum of een hospice, waar ze de zieken en stervenden bezocht met een geleende golden retriever. Was zij het soort mens dat daar geschikt voor was? Als ze dat nou niet was en ze moest doen alsof?

'Het is een belangrijke beslissing,' zei Christopher, terwijl zijn grote, knappe hoofd begripvol knikte en ze mocht hem meer dan ooit – als ze nee wilde zeggen, dan had hij haar al vergeven. 'Zullen we er nog verder over praten? Wil je weten wat het allemaal inhoudt?'

'Dat zou ik wel willen, ja. Absoluut.'

'Goed. Kun je mee uit eten?'

'Eten?' Ze slaagde er maar gedeeltelijk in haar stem laag en niet verbaasd te houden. 'Vanavond, bedoel je?'

'Als je kunt.' Hij zette zijn bril af, een intiem gebaar in het kleine kamertje, of zo leek het tenminste. 'Ik zal je vertellen over het werk dat we doen en dan kun jij beslissen of je er misschien belangstelling voor hebt.'

'Ik wil graag – ja, ik kan. Denk ik, ik weet het bijna zeker. Nee – dat was ik vergeten, ik heb les om zeven uur. O, wat jammer.' Te mooi om waar te zijn. Ze wist het al die tijd al.

'Hoe lang duurt zo'n les?'

'Een uurtje.'

'Acht uur, dan. Of vind je dat te laat?'

Was dit een afspraakje? Hij had zo'n open, belangstellend gezicht en hij was al vriendelijk tegen haar vanaf het moment dat ze binnenstapte. Hij was nu niet vriendelijker en zijn warme, knappe glimlach leek niet belangstellender. Misschien was het toch geen afspraakje.

'Acht uur is prima.' Ze zei het opgewekt en nonchalant alsof ze iedere dag mee uit eten werd gevraagd door superknappe mannen die ze nog maar net had ontmoet. 'Waar spreken we af?'

Christopher knipte met zijn vingers en Finney, die langs de plint achter zijn bureau liep te snuffelen, kwam aangedraafd, vol belangstelling en zijn oren gespitst. Christopher bukte zich om zijn riem te pakken en drukte hem in Caddies hand. 'Waar je maar wilt. Of ik haal je op – vind je dat goed?'

Ze was over het algemeen voorzichtig met mannen. Maar ze hoefde maar een seconde over de vraag van Christopher Fox na te denken. 'Ik zal mijn adres voor je opschrijven.'

Hij nam haar mee naar een Duits restaurant aan de oostkant van de stad, het enige deel dat je met een beetje goede wil trendy kon noemen. Hij had kennelijk gereserveerd, want ze werden naar een tafeltje aan het raam gebracht, waar ze uit het zicht van de voorbijgangers werden gehouden door roodwit geblokte gordijntjes. Ze bestelden allebei bier in plaats van wijn, Caddie omdat ze bier lekker vond en ook omdat ze dacht dat ze er dan wat vlotter uitzag, iemand die het snel naar haar zin had. Ze had te veel tijd besteed aan wat ze zou dragen – een wit T-shirt onder haar lange kaki trui – en ze voelde zich een beetje teleurgesteld toen Christopher haar in dezelfde kleren kwam ophalen die hij die middag ook aanhad.

'Ik kom hier vrij vaak,' vertelde hij haar. 'Het is best goed en het is maar een paar straten bij mijn appartement vandaan.' Hij woonde op de begane grond van een verbouwd, uit drie verdiepingen bestaand stadshuis en hij had geboft, want hij had de hele omheinde achtertuin voor zichzelf. Hij en zijn personeel leidden er de honden en vrijwilligers op voor de bezoekteams.

'Hoeveel personeel is er?'

Hij keek glimlachend naar de bierpul die hij in kringetjes op het tafelkleed liet ronddraaien. 'Personeel is misschien een beetje overdreven. Ik heb niet eens een assistent. Wat ik heb zijn teamleiders en het aantal varieert, omdat mensen komen en gaan. De organisatie is heel wijd verspreid en natuurlijk wordt het echte werk op de werkvloer gedaan. Ik zou mijn werk waarschijnlijk op een laptop in mijn woonkamer kunnen doen, maar laat het hoofdkantoor dat maar niet horen.'

'Waar is het hoofdkantoor?'
'In Ohio.'
De serveerster kwam. Caddie bestelde wienerschnitzel. Christopher deed er lang over om te beslissen; hij vroeg hoe de broccoli vanavond klaargemaakt was, of de worst zelfgemaakt was. Ten slotte bestelde hij vier gerechten, allemaal met duidelijke instructies over hoe ze klaargemaakt moesten worden, inclusief de hoeveelheid dragon die hij op zijn nieuwe aardappelen wilde. Ze zou zich zorgen gemaakt hebben dat hij te kieskeurig was, dat hij een zeurderige, moeilijke man zou blijken te zijn, ware het niet dat hij grapjes maakte met de serveerster zodat ze moest lachen terwijl hij zijn keuze maakte, haar het idee gaf dat het voor haar echt de moeite waard was ervoor te zorgen dat hij zo veel mogelijk van zijn eten genoot.

Ze wist nog steeds niet of het een afspraakje was en daar werd ze zenuwachtig van. Afgezien van de muziek klonk ieder onderwerp waar ze iets van wist onnozel of saai wanneer ze een beginzin in haar hoofd formuleerde. Ze had al zo lang geen echt afspraakje meer gehad dat ze vergeten was hoe je praat, dat was het probleem. Ze was het gewend geraakt om haar leven te zien als vlak en recht, niet metaforisch; alles was gewoon zoals het was, niets stond voor iets anders. Terwijl Christopher aan het woord was, probeerde ze haar leven te zien als een reeks verhalen, zoekend naar een verhaal dat misschien een interessant gespreksonderwerp zou kunnen zijn. Ze had een nieuwe leerling, een weduwnaar van middelbare leeftijd die musicalliedjes op de piano wilde leren spelen omdat hij dacht dat hem dat populairder zou maken in de vereniging voor alleenstaanden waar hij zojuist lid van was geworden. Was dat een leuk verhaal? Of was het gewoon roddel, het soort flauwe mensennieuws dat Christopher niet interesseerde omdat zijn gesprek zich op een hoger niveau bevond.

'De meeste mensen weten op de een of andere manier intuïtief wel dat dieren goed voor onze gezondheid zijn, maar pas in de laatste vijfentwintig jaar of wat zijn we het gaan bestuderen, het verschijnsel wetenschappelijk gaan bewijzen. We weten dat eenzaamheid ten grondslag ligt aan een hoop ziekten en we weten dat mensen van boven de vijfenzestig met huisdieren veel minder vaak naar de dokter gaan dan mensen zonder huisdieren.'

Caddie knikte, al wist ze het niet.

'Het is goed om wat we doen met gegevens te kunnen onderbouwen, maar als je eenmaal een goed georganiseerd huisdierenbezoek aan een ziekenhuis, een verpleegtehuis of een psychiatrische afdeling hebt gezien, heb je verder geen bewijs meer nodig. Het gebeurt voor je ogen.' Hij boog voorover, steunend op zijn ellebogen, en negeerde zijn eten. Kaarslicht fonkelde in zijn bril en liet zijn ogen dansen. 'Ik heb mensen bijna uit de dood zien opstaan omdat een hond zijn kop op hun schoot legde. Mensen die in de war zijn, mensen ziek van de pijn of hopeloosheid, gewelddadig, verward – je ziet hun ogen gewoon oplichten. Een dier is zoiets puurs, Caddie, het heeft geen andere motivatie dan bij die mensen zijn en dat weten ze. Hij breekt door hun pantser heen. Aanraken. Dat is het enige dat ze willen. Neem een hond mee in een kamer vol bejaarden, iedereen bevindt zich in zijn eigen wereldje, vijftien of twintig aparte hersenen op de automatische piloot. Neem die hond mee – en er gebeurt iets. Mensen beginnen te praten, eerst tegen het dier, dan tegen elkaar. Ze zingen er zelfs tegen. De hond of de kat, wat het ook is, maakt herinneringen, associaties los. Iedereen heeft een verhaal – en ineens is er gemeenschapszin.'

'Geweldig.'

'Vertrouwen. Het dier heeft geen achterliggende bedoelingen; hij wil alleen maar je gezicht likken, je stem horen. Façades die die mensen opgericht hebben tegen de buitenwereld vallen spontaan weg en het is gewoon warmte en wederzijdse vriendelijkheid. De onschuldige band tussen mens en dier. Hij is heel sterk, niet in woorden uit te drukken. Dieper dan woorden.'

'Wauw,' fluisterde Caddie. 'Wat een heerlijk werk. Het moet zo bevredigend zijn.'

'Er zijn natuurlijk ook wel frustraties. Niets gebeurt zo snel als je wel zou willen. Mensen verzetten zich uit onwetendheid, dus je moet steeds weer vanaf nul beginnen, opvoeden en heropvoeden – het is frustrerend.'

'Dat kan ik me voorstellen.'

Ineens ging hij rechtop zitten en zette zijn bril af. 'Is het saai?'

'Nee!'

'Sorry, maar als ik eenmaal begin, wil ik wel eens vergeten dat dit niet voor iedereen het allerbelangrijkste in het leven is.'

'Het is helemaal niet saai! Je boft dat je werk hebt dat alles voor je betekent. Hoe ben je er ingerold? Hoe ben je begonnen?'

Hij was op een boerderij in Iowa opgegroeid, dus er waren altijd een hoop dieren in en om het huis geweest: katten en honden, vogels, cavia's, konijnen, een eend en één keer zelfs een lama. Maar vooral honden – honden waren zijn passie. Hij was de jongste, met drie oudere zussen die hem verwenden. De een was nu juriste, maar de andere twee waren dierenarts en dat wilde hij ook worden, maar tijdens de eerste twee jaar feestte hij een beetje te veel en haalde te weinig studiepunten zodat hij zijn studie moest beëindigen.

'Uiteindelijk ben ik maar economie gaan studeren, maar ik wist niet wat ik ermee moest. Ik ben een jaar door Europa gaan trekken, ging weer naar huis en kreeg verschillende baantjes die nergens toe leidden. Ik kreeg iets met een vrouw die een broer had die honden opleidde tot gezelschapshond voor gehandicapten en hij nam me aan als een soort assistent.'

Daar kwam een eind aan toen de relatie met de zus op de klippen liep, maar toen had hij de eenjarige King al gekregen, die van de opleidingsschool van de broer was gestuurd vanwege 'concentratiestoornissen'.

'Toen had ik al van CDT gehoord die een afdeling in Columbus had, waar ik toevallig woonde. Ik schreef me in, volgde de opleiding met King en werd bezoeksteamleider. Onbezoldigd – ik betaalde mijn huur van mijn werk op de boekhoudafdeling van een grote verzekeringsmaatschappij, wat ik vreselijk vond. Ik kon niet wachten om er weg te gaan. Wat ik deed toen CDT me aannam als afdelingscoördinator van het oosten – dertien staten en het District of Columbia. Dat is dus mijn levensverhaal.'

'Maar wat doe je precies?'

'Ik richt afdelingen op, zorg ervoor dat ze goed lopen en zo zelfstandig worden dat ze vanaf het hoofdkantoor gestuurd kunnen worden in plaats van ter plaatse. En dan ga ik naar de volgende plaats.'

'Hoe lang zit je hier nu?'

'Een paar weken.'

'Hoe lang duurt het meestal om een afdeling op poten te krijgen?'

'Dat hangt ervan af. Het is me binnen een maand gelukt, het heeft me wel eens een half jaar gekost. Er is van alles mogelijk.'

'Michaelstown is zo klein,' merkte Caddie ontgoocheld op.

'Maar er liggen hier een hoop mogelijkheden. Het is klein, maar het ligt middenin een groter gebied dat we nog niet georganiseerd hebben. We hopen Michaelstown te kunnen gebruiken als basis voor een aantal satellietafdelingen.'

'Geweldig,' zei ze. Christopher glimlachte veelbetekenend. Ze bloosde. Ze dronken hun koffie op in een prettig verlegen stilte.

Ze liepen als laatsten het restaurant uit. 'Jammer dat het te laat is om een wandeling te maken,' zei Christopher terwijl hij het portier voor haar openhield. 'Het zou wel goed voor me zijn – ik heb te veel gegeten.' Hij klopte op zijn harde, platte buik. 'Opschepper,' zei Caddie, en hij wierp zijn hoofd schaterend achterover. Ze bloosde opnieuw, ditmaal van genoegen.

Ze reden door de bijna verlaten straten met de radio zachtjes afgestemd op een klassiek station dat hij in zijn selectie voorgeprogrammeerd had. Een goed teken, dacht ze. Nóg een goed teken. Aan de westkant van de stad maakten de mooie winkels en gerenoveerde herenhuizen binnen zo'n twee straten plaats voor minder aantrekkelijke gebouwen en een wat lukrake indeling. Meer kroegen. Het winkelgedeelte van haar buurt lag rond een kruispunt en bestond uit grote en kleine buurtwinkels, een paar cafés, een winkel voor uniformen en sporttrofeeën en een Chinees afhaalrestaurant. Het was er niet erg gevaarlijk, maar ieder jaar raakte het meer in verval. Ze zag het door Christophers ogen, hoe sjofel en smerig en saai alles eruitzag. In ieder geval stonden er in haar straat nog aan weerszijden bomen, grote groene esdoorns in hun volle voorjaarsglorie. Er ging niets boven bladeren om de onvolkomenheden van een buurt te verdoezelen, vooral 's avonds.

Christopher bracht de auto voor haar huis tot stilstand en zette de motor uit. Hij draaide zijn lichaam naar haar toe en legde zijn ene arm over het stuur en de andere over de rugleuning. Ze keerde zich naar hem toe, blij dat ze hem het zicht op oma's donkere bobbels van tuinsculpturen met haar hoofd en bovenlichaam kon ontnemen. Als hij ze eerder gezien had, dan had hij er met geen woord over gerept, maar in het donker had hij ze kunnen aanzien voor struiken. Het deed er niet echt toe, maar ze had weinig zin om hem op hun eerste afspraakje *Geboortekanaal* uit te leggen.

Als dit een afspraakje was.

'Nou,' zei hij, 'wat denk je ervan?'

'Waarvan?'

'Om vrijwilligster te worden.'

'Eh, tja, ik vind het...'

'Griezelig klinken.'

'Ja. Omdat...'

'Je niet weet of je het wel kan.'

'Ja.' Het was fijn om haar bedenkingen uitgesproken te horen.

'Dit is iets dat ik tegen alle vrijwilligers zeg, Caddie. Het gaat niet om jóu. Zodra dat tot je doordringt, valt de druk van je af. Er komt veel bij kijken om een goede bezoeker te zijn, ik zal het niet bagatelliseren, maar tegelijkertijd komt het voor een groot deel neer op gezond verstand. Maar waar het echt om gaat – daar maak jij geen deel van uit. Dat is iets tussen het dier en de cliënt. De hond en het oude dametje, de kat en het kale joch met kanker. Jij bent alleen maar de mens aan de andere kant van de riem.'

'Juist. Ja, dat scheelt wel, maar het gaat ook om...'

'Tijd.'

Ze lachte. 'Je moet ophouden mijn gedachten te lezen!'

'Je twijfelt of je een nieuwe verantwoordelijkheid op je kunt nemen.'

'Ja, tijd is absoluut – ik denk erover om deze zomer parttime bij Winslow te gaan werken, want ik zal tijdens de vakantie wel een paar leerlingen kwijtraken – je zou het niet zeggen, maar muzieklessen geven is echt seizoenarbeid.'

'Wat is Winslow?'

'De muziekwinkel in de stad. Ik heb er de afgelopen zomer gewerkt en weet bijna zeker dat ik het deze zomer weer mag doen, als ik wil.'

'Oké.' Hij glimlachte, helemaal niet afkeurend. Ze zou zich niet hebben kunnen verweren als hij geprobeerd had haar een schuldgevoel aan te praten. Als hij ook maar enigszins aangedrongen had, zou ze in alles toegestemd hebben, zoals ze deed bij telefonische bedelbrieven.

'En nog iets,' voelde ze zich dapper genoeg om toe te geven. 'Ik vraag me af of ik überhaupt wel geschikt ben als dierentrainer. Om je de waarheid te zeggen doen honden nooit wat ik zeg. Ik ben niet overtuigend. Ze negeren me.'

'Allemaal?'

'Ja.'

'Draaien ze hun kop om en kijken ze de andere kant op?'

'Ze keren me de rug toe.'

'Dat is vast kwetsend.'

'Ik vind het verschrikkelijk.'

Het licht van de straatlantaarn wierp interessante schaduwen op zijn brede, geruststellende, midwesterse gezicht. Ze glimlachte naar hem, omdat ze zich veilig en geaccepteerd voelde, niet veroordeeld. Ze kon zo gemakkelijk met hem praten. Ze wilde er nog geen einde aan maken; ze wilde in de knusse, tikkende auto blijven zitten en praten en praten, zich in zijn gedachten prenten als een persoonlijkheid, iemand waarin hij misschien wel geïnteresseerd was.

Maar hij wendde zich af, maakte zijn gordel los en deed zijn portier open. 'Je bent de juiste honden nog niet tegengekomen, dat is jouw probleem. Je weet niet hoe gemakkelijk het kan zijn als je gekoppeld wordt aan het juiste dier.'

Hij stapte uit, liep om de auto heen en deed haar portier voor haar open. Ze liepen het pad op en ze vergat zich te generen voor de sculpturen toen hij plotseling zei: 'Wat doe je zaterdagmiddag?'

'O, dan heb ik lessen. De hele dag. Zaterdag is mijn langste dag.'

'Zondag?'

'Zondag. Op zondag heb ik niets.'

'Laten we dan in het park afspreken. Om twee uur, is dat een goed tijdstip?'

'Twee uur, ja, twee uur is prima.'

'Als het niet regent, kun je King in actie zien.'

Ze haalde haar tas van haar schouder om haar sleutel te zoeken en ook om haar gezichtsuitdrukking te verbergen die, stelde ze zich voor, verward was. Zelfs nu de avond bijna afgelopen was, wist ze nog steeds niet wat voor soort avond het nu precies was, zakelijk of sociaal. Over honden of over hen. 'Heel erg bedankt voor het eten,' zei ze, zoekend naar een luchtige toon die voor alle mogelijkheden van toepassing kon zijn. 'Ik vond het heel leuk om te horen wat je doet en hoe je werk eruitziet.'

'Je hoeft het me niet onder de neus te wrijven.'

'Wat?'

'Dat ik het hele gesprek naar me toegetrokken heb.'

'Dat heb je helemaal niet!'

'Ik ben echt niet zo. Het is jouw schuld; je kunt veel te goed luisteren.'

Dat had ze eerder gehoord. Ze vatte het nooit echt als een compliment op, omdat mensen die goed konden luisteren, meestal niet zulke goede praters waren.

'De volgende keer,' zei Christopher. Hij ging met de achterkant van zijn vingers langs de hare. 'Dan hou ik mijn mond en vertel jij alles over jezelf.'

'O jee, ik ben niet zo interessant, hoor.'

'Dat ben ik niet met je eens.' Hij pakte haar hand en zwaaide hem heen en weer tussen hen in – een vriendschappelijk, luchthartig gebaar, meende ze, tot hij haar hand naar zijn mond bracht en er een kus op gaf. Toen viel alles op zijn plaats. Net als wanneer je patience op de computer speelde en je de laatste koning op het stapeltje legde en alle kaarten in triomfantelijke spiralen omklapten. Einde. Wil je nog een keer spelen?

Ze stapte in zijn open armen. Ze gaven elkaar een heel lichte kus, meer een streling met hun mond dan een kus, maar ze namen er de tijd voor, rekten het moment. Caddie voelde zich duizelig, alsof ze buiten haar lichaam was getreden. 'Trusten,' zei Christopher, en ze fluisterde het terug.

Ze stak haar sleutel in het slot en dat was het einde van de romantiek. Finney werd knettergek – hij had waarschijnlijk zijn oor tegen de deur gehouden, wachtend op het geluid van metaal op metaal.

Christopher gniffelde en deed een stap achteruit. Ze zwaaiden en ze ging het huis in, de deur snel achter zich dichttrekkend zodat de hond niet kon ontsnappen.

Als ze deed wat ze wilde doen, namelijk door de woonkamer dansen, zou Finney nooit ophouden met blaffen, dus ging ze op de een na laatste trede van de trap in de schemerige hal zitten en aaide hem tot hij rustig werd, over zijn hysterische blijdschap heen raakte. 'Dat is Christopher, ja,' zei ze tegen hem terwijl hij aan haar schoenen, haar handen, haar gezicht snuffelde. 'Ja, Christopher. Jij vindt hem aardig, hè? Ik ook. Wij vinden Christopher aardig, hè? Ja, ja.'

En hij vond hen aardig. Christopher Dalton Fox. Wat een prachtige naam. Ze voelde zich in de zevende hemel. Het zou heel waarschijnlijk niets worden: hij zou zich realiseren dat ze niet voor elkaar bestemd waren of zij zou erachter komen dat hij een vrouw in Youngstown had, er zou iets gebeuren dat het bedierf. Maar toch zou ze zich altijd dit moment herinneren, wanneer hij niet meer dan een herinnering was en zij kon mijmeren over alles dat was geweest en had kunnen zijn. 'Het is nu perfect,' zei ze tegen de hond, 'op dit moment. Ook al blijft het hierbij.'

7

‘Een en twéé en een en twéé – goed zo – een en twéé en een en *hooo!*’

Claudette, de activiteitenbegeleidster, boog zich voorover en sloeg met haar handpalmen op de grond, veinzend dat ze buiten adem was. Dat was ze niet, Claudette was onvermoeibaar, een machine, al had ze op Madonna gedanst tot het zweet van haar lichaam droop.

De mannen van Wake House deden nooit mee aan het gymklasje dat ze op dinsdag en donderdag leidde, maar ze sloegen het nooit over. Zelfs als ze te laat waren, dan slopen ze uiteindelijk toch altijd naar binnen – zoals Thea Barnes zei, als katten die de blikopener horen. Ze werden niet aangetrokken door de muziek, en Caddie geloofde niet dat het hen te doen was om de aanblik van een hoop oude dames die op hun sokken heen en weer sprongen, zwaaiend met hun armen op *Like a Virgin*. Het had te maken met Claudette.

Oma grinnikte, terwijl ze in haar rolstoel bij de muur zat toe te kijken en haar tenen aan het eind van het canvasverband op het ritme liet mee wiebelen. Haar rode tenen; Claudette had onder handvaardigheid haar nagels voor haar roodgeverfd. ‘Moet je Cornel zien,’ zei ze tegen Caddie boven de muziek uit. ‘Is dat kwijl aan zijn kin?’

Ze tuurde geschrokken naar Cornel. ‘Nee, ik – o, ha.’ Goeie grap. Die mopperige oude Cornel die over alles klaagde, klaagde niet over Claudette in haar strakke wielrenbroek en zo’n topje met ingebouwde beha. Hij was gebiologeerd, net als Bernie, zijn kamergenoot, een grote, zielige hobbezak van een man die er gewoonlijk uitzag als een basset. Op dit moment zag hij eruit als een basset die prooi heeft geroken.

Thea Barnes, die in haar eentje langzame strekoefeningen in de hoek stond te doen, hoorde oma’s gegniffel en lachte: ‘Ha!’, diezelfde spontane schaterlach die Caddie vanuit het raam hoorde op de dag dat Thea aankwam.

'Ik zou die oefeningen samen met u moeten doen,' zei Caddie, terwijl ze dichterbij kwam. 'U bent zoveel leniger. Doet u aan yoga?'

'Ik heb gedanst – ballet. Maar ik heb verschrikkelijke artritis in mijn grote teen, dus nu doe ik alleen strekoefeningen.' Ze zag eruit als een danseres in haar zwarte balletpak onder een wijde rok die tot op haar kuiten viel. De goudkleurige sjaal die ze om haar hoofd had geknoopt, viel over haar schouders wanneer ze zich vooroverboog of heen en weer zwaaide en volgde haar sierlijke bewegingen.

'Ik weet dat ik zou moeten joggen of zo,' hield Caddie vol. 'Ik doe eigenlijk niets.'

'Dat hoef je ook niet, je bent zo slank.'

'Nou ja, ik loop wel veel met de hond...' Ze kromp ineen. Pijnlijk onderwerp.

Thea grinnikte en wuifde met haar hand. 'Helemaal over. Kijk eens, niet eens meer een blauwe plek.'

'U heeft dat zo sportief opgevat.'

'Welnee, het was niets! Vergeet het nou maar.'

'Ik had het u nog niet verteld, maar ik ben met Finney naar een hondentrainer gegaan. Hij zegt dat hij hopeloos is.'

'O jee.'

'Hij heet Christopher Fox – de trainer. Hij werkt in de stad.' Caddie ging met haar sandaal langs de rand van het kleed. 'Hij is heel leuk.'

Thea trok haar donkere, expressieve wenkbrauwen op.

'Eerlijk gezegd.' Caddie lachte, maar hield haar ogen neergeslagen. 'We gaan nu met elkaar uit.'

'O, wat leuk!'

'Ja,' beaamde ze.

'Hoe ziet hij eruit?'

'Hij is... o...'

Thea klapte verrukt in haar handen. 'Ze is sprakeloos! Je moet die man een keer meenemen, zodat we hem kunnen bekijken.'

'Dat had ik ook al bedacht.' Wat gek om Thea over Christopher te vertellen terwijl ze het oma nog niet eens had verteld. 'Hij heeft een prachtige hond, een perfecte hond, veel braver dan Finney.'

'Nou, weet je, het is niet echt de hond die we willen ontmoeten.'

Caddie grinnikte en bestudeerde haar nagelriemen.

'Bloos je? Sorry,' zei Thea lachend, 'ik moet je niet zo plagen. Arme Caddie, ik vrees dat jij onze aangewezen *élan vital* bent.'

'Jullie wat?'

'Onze levenskracht. We zijn te oud voor een eigen leven, dus moeten we via jou leven.'

'O jee.' Ze trok een gezicht. 'Daar zijn jullie dan mooi mee.'

'Nee, jij bent onze hartslag, we rekenen op je.'

'Ik denk dat jullie aan een andere levenskracht moeten zien te komen.'

'Te laat, jij bent het al.' Thea's grijze ogen dansten met een warme, begripvolle genegenheid waar Caddie van schrok, maar die haar tegelijkertijd op haar gemak stelde. Het was fijn om liefdevol geplaagd te worden, het was net een vriendelijke aanraking of een complimentje. Om de een of andere reden voelde ze zich meer met Thea verbonden dan logisch leek, gezien de korte tijd dat ze elkaar kenden, en als ze zich niet vergiste, dan voelde Thea hetzelfde.

'Oké, mensen,' riep Claudette, 'laten we het eens wat rustiger aan gaan doen! Wat dachten jullie van iets uit de goeie ouwe tijd? Vorm maar paren!'

'Nou,' zei Thea vanuit haar mondhoek. 'Dat had ze ook wel eens tactvoller kunnen brengen.'

Caddie stak haar hand uit. 'Dansen?' Claudette had *Don't Be Cruel* opgezet en de gezusters Copes, Bea en Edgie, deden een krakerige jitterbug in slowmotion.

'Nee, ik niet.' Thea wriemelde met haar voet in het zwarte balletschoentje. 'Die verdomde teen.' Ze dempte haar stem. 'O jee. Caddie, kijk eens.'

'Wat? O.' Bea en Edgie hadden een paar gevormd, maar Maxine Harris en Doré Harris, de enige dames die nog op de dansvloer stonden, niet. Ze hadden elkaar zelfs de rug toegekeerd – en nu ging Doré weg. Ze stapte het vertrek uit in haar lichtpaarse trainingspak, zonder dat er ook maar een haartje in de war was geraakt van al die oefeningen.

Thea rolde met haar ogen. 'Het is zo irritant. Ik moet tussen hen in zitten in de eetkamer.'

'Arme ziel. Ik ben een keer tussen hen terechtgekomen en het was vreselijk. Ze kunnen elkaar echt niet luchten of zien.'

'Geloof me, ik weet er alles van.'

Op een dag, toen oma al een week in Wake House zat, was Caddie naar de veranda gelopen, waar ze mevrouw en mevrouw Harris aantrof in twee stoelen, met een derde, lege, stoel tussen hen in. Zonder erbij na te denken had ze de middelste stoel gekozen. Eerst leek het alsof ze een gewoon gesprek voerden, maar dat kwam doordat het zo lang duurde voor ze doorhad dat de dames Harris alleen tegen háár praatten, niet tegen elkaar. Dat had ze natuurlijk al over ze gehoord, maar het leek niet mogelijk; ze had het eigenlijk niet geloofd. Mevrouw Maxine Harris zei iets over het feit dat Caddie muzieklessen gaf en hoe dol zij, Maxine, altijd op muziek was geweest. 'Het kalmeert inderdaad het woeste beest,' zei ze met een snuffend lachje, 'en er waren periodes in mijn leven dat ik zonder muziek een beest zou zijn geweest.'

Mevrouw Doré Harris kleedde zich met zorg; ze droeg altijd complete outfits: broeken en truien die op elkaar afgestemd waren, kettingen die bij haar oorbellen hoorden. Die ochtend had ze een heel dunne blouse aan met een zwarte strik bij de hals, een brede, hangende strik die zo groot als een telefoon was, een echt modestatement. Ze kwam uit het zuiden en ze had een zachte, zalvende tongval die niet altijd volkomen oprecht klonk.

'Dat is nog eens een beangstigende gedachte,' zei ze terwijl ze zich dichter naar Caddie boog en haar vinger als bladwijzer op de juiste pagina van haar *Good Housekeeping* hield. 'Stel je de beestachtigheid van sommige mensen eens voor als ze geen muziek hadden.' Ze liet een tinkelend, damesachtig lachje horen. 'Maar natúúrlijk is de juiste uitdrukking een woeste *borst,* niet een woest *beest.*'

Maxine begon zachtjes met haar hakken op de vloer te roffelen. 'Natúúrlijk,' zei ze – Caddie was ineengekrompen toen ze zich realiseerde dat ze Doré's accent nadeed – 'natúúrlijk kunnen sommige mensen alleen maar "borst" zeggen, omdat ze nooit borsten hebben gehad en zo plat als een dubbeltje zijn.'

Misschien had Doré inderdaad geen borsten, maar misschien ook wel, het was moeilijk te zeggen met die zwarte strik, maar zoiets zei je toch niet! Caddie wachtte vol afschuw, maar geboeid op het antwoord.

'Gek, hè, Caddie, hoe sommige mensen die de moed hebben opgegeven, het niet kunnen nalaten om grapjes te maken over mensen die zich blijven verzorgen. Tenminste, het zou grappig zijn als het niet zo zielig was.'

'Wat echt grappig is, Caddie, zijn mensen die niet wéten dat ze zielig zijn.'

'Dat is inderdaad waar,' zei Doré, die vergat om indirect te zijn. Toen ze eraan dacht, klopte ze Caddie op de arm om aan te geven dat ze het alleen tegen haar had. 'Degenen die niet weten dat ze zielig zijn, zijn het zieligst van allemaal.'

'O jee, ik moet naar oma toe, we zouden een stukje gaan rijden,' had Caddie gezegd en het vege lijf gered.

'Claudette had beter moeten weten,' zei Thea nu, terwijl ze keek hoe het gymklasje er al vroeg mee stopte – niet voldoende dansers.

'Caddie?' riep oma, terwijl ze wapperde met haar T-shirt waar 'O, God, ik ben vergeten kinderen te krijgen!' op stond. 'Wil je even een glas water voor me halen? Ik heb dorst gekregen van het kijken naar al dat gespring.'

'U ook?' vroeg Caddie aan Thea.

'Nee, hoor, dank je wel.'

Toen Caddie terugkwam uit de keuken, bleef ze even in de hal met het hoge plafond staan en keek naar de kerkbanken langs de muur, de krulvarens op hoge plantentafeltjes, de stoffige kroonluchter die boven haar hoofd hing. Vergane glorie van Victoriaanse bourgeois, dat was Wake House. J. P. Morgan kon, als hij zijn vertier beneden zijn stand zocht, zó in het donkere trapgat staan, waar hij het roze licht tegenhield dat uit het glas-in-loodraam kwam, spelend met het kleingeld in zijn zak.

Een rij ingelijste zwartwitfoto's aan de muur – waaronder de foto die Magill op oma's eerste dag had gebroken – van drie generaties Wakes in formele en informele poses op het gazon en de trap aan de voorkant van het grote familiehuis. De oude meneer Wake bevond zich altijd in het middelpunt van die groepen en werd met de jaren witter, dikker en gedistingeerder. Toen was de familie Wake weg en de andere foto's waren van verschillende, recentere, minder grootse verschijningsvormen, zoals een pension, een advocatenkantoor, een school voor therapeutische massage, een dagkuuroord en toen weer een pension. En nu een bejaardentehuis. Caddie had moeite met het idee van tijd dat de foto's boden. Zij zou gewild hebben dat Wake House, dít Wake House, voor altijd bleef bestaan en dat zou niet gebeuren. Niets bleef bestaan en het bewijs daarvan hing aan de muur.

'Caddie!' riep Bea vanaf de bank in de Blauwe Salon, waar Edgie en zij zich op hadden ploffen, terwijl ze zich koelte toewuifden. 'Caddie, kom eens!' Ze had hun glazen water moeten brengen. Ze bracht het water voor oma naar haar toe en ging kijken wat de zusjes Copes wilden.

'Ga zitten!' zei Edgie nadrukkelijk en klopte op het plekje naast zich op de bank. Ze zag eruit als een verlepte bloem in haar vochtige, lichtgroene overhemdblouse en haar pluizige gele haar. Zij was in Caddies gedachten de luchtige, rusteloze jongere zus, de decoratieve, terwijl Bea ouder en serieuzer en praktischer was, degene die de zaak draaiende hield.

'We willen je iets vragen,' zei Bea, terwijl ze haar bril afzette om de glazen over haar mouw te wrijven. Haar ogen hadden die lichte, wittige ring om de irissen die oude mensen soms krijgen, maar het waren nog steeds mooie ogen. Ze was lang en grof gebouwd, met lange armen en benen en knoestige gewrichten. Caddie zag haar graag lopen. Ze stak op een gekke, schokkerige manier haar benen naar voren, die tegelijkertijd sierlijk en houterig was.

'We vinden het levensverhaal dat je voor je oma hebt geschreven zo leuk,' zei Edgie terwijl ze zich naar Caddie toe boog.

O nee. Gingen ze haar naar de zeven lichaamssappen vragen? Cornel had het wel gedaan en mevrouw Brill ook, maar ze kon het hun niet vertellen. 'Vraag maar aan oma,' had ze gezegd. Ze kon het woord 'sperma' of 'urine' gewoon niet over haar lippen krijgen bij die aardige oude mensen. En zeker niet 'vaginale uitscheiding'.

'Ik kan niet meer schrijven, zie je,' zei Bea.

'Artritis,' legde Edgie uit. 'Vroeger kon ze honderd woorden per minuut tikken. Had ze zichzelf geleerd.'

'Bovendien kan ik niet meer zien. Dus –'

'Terwijl ik alles nog kan en nog steeds niet kan schrijven,' zei Edgie.

'Je kunt wel schrijven, je kunt alleen niet spellen,' zei Bea. 'Goed, Caddie, we willen je een enorme gunst vragen. We zijn zo oud, we zijn de laatsten –'

'Van onze generatie.'

'Van onze generatie; al onze broers zijn dood, wij waren de jongsten van zes en nu is er niets anders meer over dan neefjes en nichtjes.'

'Maar het zijn er wel veel,' zei Edgie terwijl ze op haar vingers telde. 'Vier van Edward, drie van Jack, drie van David en die van Bernard.'

'Om nog maar te zwijgen van de kleinkinderen.'

'Ze houden het niet bij, de kleinkinderen, al komt Davids dochter Sarah ons wel eens opzoeken, net als Buster, de zoon van Bernard. Je kunt zeggen wat je wilt van Buster, maar hij vergeet ons nooit met Kerstmis.'

'In ieder geval,' zei Bea. 'Waar het om gaat is dat ze ons niet echt kennen, die jongelui. En niet dat we nu zo interessant zijn –'

'Jij misschien niet.'

'Maar op een dag willen ze misschien meer over hun familie weten, dingen die de jongens niet doorgegeven hebben omdat ze het niet wisten, omdat ze te oud waren –'

'Of er niet om gaven, als jongens.'

'En dus – vroegen we ons af of jij misschien een korte geschiedenis van ons zou willen schrijven als we hem jou vertelden, Edgie en ik. Voor "We herinneren ons" en voor onze familie.'

'Het zou niet zo lang worden,' waarschuwde Edgie.

'O nee, het zou kort worden. Alleen de hoogtepunten.'

'Als daar al sprake van was.'

'Er is bijna niets te vertellen!'

'Gewoon iets om aan hen na te laten als we er niet meer zijn.'

'Ja, hoor,' zei Caddie. 'Dat lijkt me leuk.'

'Echt? Weet je het zeker?' Edgie ging rechtop zitten en klapte in haar handen. 'Maar je hebt het zo druk. We zouden het begrijpen, hoor, als je er geen tijd voor had, echt waar.'

'Nee, echt, het lijkt me leuk. Ik heb nu vrij – zullen we het nu doen?'

'Op de veranda,' zei Bea, 'daar is het koeler,' en ze stonden allemaal op en liepen naar buiten.

'Papa hield melkvee en wat kippen, maar hij was geen echte boer, niet fulltime. Hij deed andere dingen om zijn gezin te onderhouden; hij repareerde machines en was hulpsheriff.'

'Bea, vertel eens over die keer –'

'Op een keer hield hij een gevangene twee nachten in onze schuur opgesloten vanwege een zware regenbui die de brug over de kreek tussen ons huis en de gevangenis in de stad had weggespoeld. O, dat was wat!'

'Allebei de nachten zaten we tegen elkaar aan gedrukt en deden geen oog dicht. Hij was een gekleurde man,' zei Edgie op gedempte toon. Caddie wist niet precies waarom, misschien vanwege mevrouw Brill, al was ze in geen velden of wegen te bekennen. 'Ik geloof achteraf dat hij niet meer had gedaan dan dronken worden, maar we waren doodsbang dat hij zou uitbreken en ons in ons bed vermoorden.'

'In die tijd hoorde je wel van dat soort verhalen, weet je,' zei Bea. 'En natuurlijk waren wij ook een stelletje onnozele ganzen.'

'Vertel eens over die keer dat die twee –'

'Op een keer kwamen er twee dames naar ons huis, wat een eind buiten de stad lag, niet echt afgezonderd, maar toch behoorlijk landelijk. Ze klopten op de voordeur en mama ging opendoen.'

'Ik denk dat we toentertijd een jaar of zes en tien waren,' zei Edgie, 'ergens in die richting.'

'Edgie en ik waren in de keuken maanzaadcakejes aan het maken toen een van die vrouwen binnenkwam. Ze was ouder dan wij, maar niet zo oud als onze moeder –'

'Twintig misschien,' schatte Edgie.

'"O," zegt ze, "jullie mama heeft me naar achteren gestuurd om water te drinken. Ik heb een eind gelopen." Nou, om de een of andere reden vond ik dat raar klinken. Niet dat mama geen volkomen vreemde binnen zou hebben gelaten voor een glas water, dat zou ze echt wel hebben gedaan, ze zou ze nog te eten hebben gegeven ook –'

'Het was nog geen crisis, maar er kwamen wel zo nu en dan zwervers langs die om een kwartje vroegen of werk of iets te eten.'

'Onze moeder was een goeierd,' zei Bea, met een lieve, weemoedige glimlach.

'Nou, dat was ze zeker.'

'Maar er klopte iets niet aan die vrouw in de keuken.'

'Bea had het eerder door dan ik.'

'Ze had rare ogen en ze had de verkeerde kleren aan, helemaal niet alsof ze arm was en gelopen had. Ze had een rode jas aan, herinner ik me. Ze keek met van die flitsende oogjes om zich heen alsof ze nog nooit een keuken had gezien –'

'Maar in werkelijkheid was ze het huis aan het opnemen.'

'En ze nam haar water en ging de keuken uit. "Bedankt", zei ze en zeilde de deur uit. Nou, ik weet niet waarom, echt waar niet, maar ik zei tegen Edgie dat ze in de keuken moest blijven en ik volgde haar. En ja hoor, ze ging niet door de hal naar de voordeur, waar ik mama op de veranda met iemand anders hoorde praten – toen kwam ik erachter dat ze met zijn tweeën waren – en ja hoor, die eerste vrouw duikt onze eetkamer in!'

Edgie pakte Bea bij de arm en kneep er met beide handen in. Ze klemde haar lippen op elkaar, vastbesloten om Bea niet te onderbreken, maar ze zette grote ogen naar Caddie op alsof ze wilde zeggen: Is dit niet spannend?

'Goh, die is op het zilver uit, dacht ik bij mezelf, en rende de gang door en riep mama. Net toen ik daar aankwam, zag ik de andere vrouw –'

'Die haar moeder bleek te zijn, de moeder van de eerste –'

'Edgie, ga het nu niet bederven –'

'Oké, maar noem ze dan "moeder" en "dochter", Bea, zodat ze weet wie wie is.'

Bea haalde diep adem. 'De moeder van de eerste – in ieder geval, ik zag haar mijn mama zo'n duw geven dat ze een blauwe heup opliep, ze duwde haar zo tegen de klaptafel in de hal en rende langs haar, de eetkamer in, waar die andere was. Ik gilde of schreeuwde of zo –'

'En toen kwam ik binnengerend,' zei Edgie, 'toen ik al die herrie hoorde.'

'En voor je het weet staat die dochter met een mes naar ons te zwaaien, ja, een més –'

'Een enorm mes!'

'En de moeder – die trouwens op onze tante Clarice leek, ik bedoel de meest respectabele persoon die je je voor kunt stellen, ze zag eruit alsof ze je de bijbel kwam verkopen –'

'Wat ze, achteraf, gewoon meteen tegen ons gezegd hadden moeten hebben. Een glas water,' zei Edgie vol afkeer.

'In ieder geval – de dochter staat met dat grote, glimmende mes op ons gericht en de moeder trekt de laden uit het eikenhouten dressoir en stopt haar zakken vol met zilvergoed.'

Caddie slaakte kreten van verwondering.

'Nóu, ik weet niet wat er over mama kwam,' zei Bea. 'Ze –'

'De liefste, zachtaardigste ziel. Als we stout waren, kon ze ons niet eens een tik geven, en de jongens ook niet. Ze had het gewoon niet in zich.'

'Papa's jas hing aan een haak in de hal naast die van de anderen. Ik zei al dat hij hulpsheriff was, hè? Nou, die dag was hij op het land bezig –'

'Ze bedoelt het land dat bij de boerderij hoorde. Hij was boerenwerk aan het doen.'

'Ja, en dus zat zijn pistool in de holster onder zijn jas.'

'Kun je je voorstellen dat tegenwoordig iemand nog een geladen pistool bij de voordeur laat hangen? Met zes kinderen?'

'Maar dat waren moeilijke tijden –'

'Dat bedoel ik. Toen vonden we dat heel gewoon.'

'Edgie, ik ben bijna klaar met het verhaal. Als ik klaar ben, mag jij opnieuw beginnen en er al je interessante opmerkingen aan toevoegen.'

Edgie leunde achterover en maakte een beweging met haar hand alsof ze haar mond op slot draaide.

'In ieder geval. Onze lieve, zachtaardige moeder haalde het pistool uit de holster alsof ze Billy the Kid was. "Leg dat mes neer!' schreeuwt ze naar het stel in de eetkamer, met trillende stem, en geloof maar dat ze dat deden. Je hebt nooit van je leven twee zulke bange vrouwen gezien – op Edgie en mij na! Ze moesten van mama op de grond gaan liggen en ze zei tegen mij dat ik naar de kamer moest om de sheriff te bellen. Dat deed ik en toen gingen we zitten wachten.'

'En wachten.'

'Allemachtig, het leek wel twee dagen voor hij in zijn zwarte auto de oprijlaan op kwam gereden, maar ik denk dat het maar een minuut of twintig was.'

'De langste twintig minuten van mijn leven,' verklaarde Edgie.

'En de mijne. Ik zal het nooit, maar dan ook nooit vergeten. Hoe mijn mama eruitzag met dat zilveren pistool in haar hand.'

'Papa zei dat hij ontslag zou nemen en háár hulpsheriff zou maken.'

Ze leunden grinnikend en hoofdschuddend tegen elkaar. Edgie, die naast Bea op de piepende schommelbank zat, kwam niet met haar voeten op de grond, dus was haar zus degene die hen zo nu en dan met een van haar lange, gewrichtloze benen afzette. 'Sst,' zei Bea ineens. 'Caddie, blijf stil zitten. Is dat een kolibrie? Bij de rododendron. Daar, daar.'

'Nee, kind, het is een bij,' zei Edgie tegen haar.

Het zou langer gaan duren dan Caddie had gedacht. Ze keek naar de aantekeningen die ze tot dusver had voor de biografie van de gezusters Copes. Ze wilden er maar één voor hen allebei, geen twee aparte levensverhalen. 'Geboren 1917, 1921, Point of Rocks, Maryland.' Tot dusver was dat het wel zo'n beetje. Ze vond het niet erg, maar iedere keer dat ze een vraag stelde, hoe feitelijk ze hem ook maakte – Wat deed jullie vader? In wat voor huis zijn jullie opgegroeid? – veranderde het antwoord in een verhaal.

Dus daarna vroeg ze: 'Hoe oud waren jullie toen jullie moeder overleed?' Dat was een onderwerp dat Caddie altijd geïnteresseerd had, wanneer de moeders van mensen waren overleden. De hare overleed toen ze negen was. Toen ze jonger was, leende ze graag stukjes van het levensverhaal van andere mensen; ze gebruikte de details om de hiaten in haar eigen verhaal op te vullen, omdat het dun en flauw en niet bevredigend was. Je kon de ervaringen van andere mensen als verdikkingsmiddel gebruiken, had ze ontdekt, zoals je lepels meel toevoegt om een waterige soep dikker te maken.

'Edgie was negen, ik was dertien.' Bea leunde achterover en zette nog een keer af met haar voet.

'Was het onverwacht?'

'Nee.'

'Voor mij wel,' zei Edgie zachtjes. 'Ze heette Labelle – mooi, hè? Labelle Ida Rostraver. Ze kreeg ons alle zes voor haar vijfendertigste.'

'Ze had eierstokkanker. Ze was de hele winter ziek en in april overleed ze. Ze was nog maar zesenveertig.'

'Drie april, de dag na Bea's verjaardag.'

Ze keken omlaag met een zachte, verdrietige uitdrukking op het gezicht en staarden naar dezelfde plek op de bladderende verandavloer.

'Jullie hebben haar vast erg gemist,' zei Caddie.

'Dat doen we nog steeds,' zei Edgie. 'Mensen denken dat je wel over dingen heen komt omdat je oud bent.'

'Papa is zesennegentig geworden,' zei Bea. 'We waren bij hem toen hij overleed; we hielden zijn hand vast, we praatten tegen hem. Dat zal ik natuurlijk nooit vergeten, maar wat ik me als de dag van gisteren herinner is de ochtend dat hij onze kamer binnenkwam en ons vertelde dat onze moeder was overleden.' Ze stak een vinger onder het glas van haar bril om een traan weg te vegen. 'Mijn hart brak. Dat was het verdrietigste moment van mijn leven, en ik ben zesentachtig.'

Edgie zei na een ogenblik: 'Ik heb een andere herinnering. Die keer dat ze ons naar haar kamer riep.'

'O ja.'

'Ik wist dat ze niet in orde was, maar niet dat het zo erg was. We moesten stil zijn in huis, maar ze deed nooit moeilijk als we het niet waren. Als ik haar kamer binnenglipte, reageerde ze altijd blij. Ik herinner me haar glimlach. Ze stak altijd haar haar op, maar toen ze ziek was, droeg ze het los en ik vond het zo prachtig. Geel haar. Ik mocht het van haar borstelen. Ik zweer dat ik niet weet waarom, maar ik heb nooit geweten hoe ziek ze was.'

'Je was nog te klein,' zei Bea.

'Ja, maar toch had ik beter moeten weten. Die dag – Bea, jij weet nog wel van die dag dat ze ons vertelde wat er kon gaan gebeuren.'

'Ja.'

'Ze zei dat we bij haar op bed moesten komen. Dat was een verrassing – ik verwachtte half en half dat we een spelletje zouden gaan doen. Ze zei heel lieve dingen tegen ons die ik niet hardop wil zeggen omdat ik niet wil gaan huilen. Maar over hoeveel ze van ons hield, hoe gelukkig we haar hadden gemaakt. Hoe blij ze was... ach, jakkie.' Ze lachte even terwijl ze een zakdoekje uit haar zak viste. 'Tot mijn schande moet ik zeggen dat ik God haatte toen ze zei dat Hij haar binnenkort bij zich in de hemel wilde hebben. Egoïstische oude man, dacht ik. Neem iemand anders, maar neem niet mijn mama.' Ze snufte en depte haar wangen. 'Stom, hè, zo veel jaren later. Je moet niet denken dat ik een gekke oude vrouw ben, Caddie –'

'Dat denk ik niet.'

'Nou, dat ben je wel,' zei Bea.

In de stilte die over hen neerdaalde, hoorde Caddie een schel, blikkerig geluid, bijna als een stem.

'Dat is mijn horloge,' zei Bea, grinnikend om haar gezicht. 'Hij praat. Hij vertelt me wanneer ik mijn pillen in moet nemen.'

'Ik zal even water voor je halen,' zei Edgie.

'Ik ga wel,' zei Caddie.

'Nee, blijf jij maar zitten.' Edgie hees zich met beide handen uit de schommelbank en maakte een overdreven kreunend geluid om te verbloemen hoeveel moeite het haar kostte. 'Bea, vertel haar eens over die keer dat we dat tochtje naar New York wonnen. Twee boerenmeiden in de grote stad. We hebben Vaughn Monroe gezien?' riep ze uit het huis.

Bea glimlachte naar Caddie. 'We hebben een goed leven gehad, ondanks dat we vandaag net een stel waterspuiten zijn. Vergeet dat niet in het levensverhaal te zetten, Caddie. Dat we gelukkig zijn geweest.'

'Nee, hoor.'

'Maar de laatste tijd heb ik het gevoel dat ik het laatste kleine beetje aan het bederven ben.'

'Hoe bedoel je dat, Bea?'

'Ik maak me zorgen. Ik loop de hele tijd te tobben en te piekeren over wat er gaat gebeuren. Dat is geen manier van leven, maar ik kan er niets aan doen. Iedere keer dat ik naar de dokter ga, is er weer iets anders dat het niet meer doet. Hoeveel langer kan ik hier nog blijven? Weet je, Brenda heeft al een verzoek ingediend om me hier te mogen houden – ze is niet bevoegd voor de soort zorg die ik krijg, met al die medicijnen en beperkingen en het speciale dieet voor mijn suikerziekte en dit en dat.' Ze dempte haar stem. 'Ik weet niet hoe het met Edgie moet als mij iets overkomt. Ik weet niet hoe ze zonder mij verder moet.'

'O,' zei Caddie, 'er overkomt u niets.' Het domste, lafste dat ze had kunnen zeggen.

Bea negeerde het terecht. 'Het leven is zo lang goed voor ons geweest. Als ik naar een echt verpleegtehuis moet –'

De hordeur viel met een klap dicht. 'Als je naar een echt verpleegtehuis moet, dan ga ik met je mee.' Edgie gaf haar zus een vol glas water en ging weer naast haar zitten. 'En dat is dat.'

'Hebben jullie ergens spijt van?' vroeg Caddie nadat Bea vier of vijf pillen had ingeslikt, die uit een wit plastic doosje kwamen met zo veel vakjes en verschillende kleuren pillen dat het wel een honingraat leek. 'Als jullie terugkijken, zouden jullie dan willen dat jullie dingen anders gedaan hadden?'

'Nee! Ik heb nergens spijt van. Jij wel, Bea?'

'Ik zou helemaal niets anders doen. Er zijn zo veel mensen overleden, geliefden die ons achtergelaten hebben – dat is het zwaarste in onze levens, maar dat is wat het leven je brengt als je maar oud genoeg wordt, zo zeker als God kleine appeltjes heeft gemaakt.'

'Zeg, Caddie, nu moet je niet denken dat we alleen maar kunnen praten over mensen die allang dood en begraven zijn. Bea, hou op met praten over de dood. Vertel maar over Buddy's tweede huwelijk met die predikante. Ons lievelingsneefje trouwde met een vrouwelijke dominee in een weiland vol wilde bloemen, en het duurde nog geen half jaar!'

8

Vrijdagochtend vroeg belden in een tijdsbestek van tien minuten twee leerlingen op met de mededeling dat ze verkouden waren en dat ze niet naar les konden komen. Er moest iets in de lucht hangen, maar wat, was op zo'n warme dag in juni, met knoppen die overal opengingen, een wazige zon die de dauw weggebrand had, voordat Caddie haar koffie op had, lastig voor te stellen. Ze keek uit over de ontluikende sculpturen vanuit oma's schommelstoel op de veranda en realiseerde zich dat ze de hele ochtend vrij was.

Ze was al jaren van plan om iets gezonds te doen op lichamelijk gebied en toen ze Thea laatst haar yogaoefeningen zag doen, had ze het zich opnieuw voorgenomen. Wake House was een kwartier rijden, dus waarschijnlijk... een wandeling van zo'n vijf kilometer, om en nabij. Een peulenschil. Ze at haar toast op, trok een korte broek en gymschoenen aan, zei tegen Finney dat hij zich moest gedragen en ging op pad om bij oma op bezoek te gaan.

Wat triest, vond ze vroeger – eerlijk gezegd had ze dat tot een paar weken geleden nog gevonden – dat haar favoriete vrijetijdsbesteding op haar tweeëndertigste het bezoeken van oudjes in een tehuis was. Ze deed zichzelf denken aan zo'n vrouw uit van die trage, deprimerende romans over Engelse oude vrijsters die zich dapper van de ene sombere dag naar de andere voorsleepten tot aan de laatste pagina, waar ze meestal doodgingen. Ze las die boeken omdat haar leven daarbij vergeleken één groot carnaval was.

Nu was alles anders – ze vond zich niet meer zielig. Ze kon haar dagelijkse bezoeken aan Wake House interpreteren als een normaal, vriendelijk bedoeld, doodgewoon ander facet van de sociale agenda van een compleet persoon, omdat haar leven weer vorm had. Ze was een gewoon mens. Ze was Caddie Winger en ze had een vriend.

Christopher Fox. Christopher Dalton Fox. Ze liet haar voeten op het betonnen trottoir neerkomen op het ritme van iedere statige lettergreep. Ze schreef niet obsessief zijn naam in een schrift, maar op andere manieren voelde ze zich, gedroeg ze zich waarschijnlijk, als een verliefde derdeklasser. Ze had hem twee keer gezien sinds hun etentje in het Duitse restaurant en het waren beide keren duidelijk afspraakjes geweest, daar bestond geen twijfel over. Op zondag, een spectaculaire dag, de mooiste dag van het jaar, hadden ze door het park gesjouwd met King, de perfecte hond. King, half collie, half Duitse herder, had niet eens een riem nodig en hij reageerde niet zozeer op bevelen van Christopher, maar leek eerder zijn gedachten te lezen. Vergeleken met King was Finney een schuimbekkende gek in een dwangbuis in een tbs-inrichting.

Wie was er knapper, King of zijn baasje? Ze hadden hetzelfde geelbruine, zachte, soepel vallende haar dat wapperde in de wind als het haar van een vrouw in een shampooreclame in slowmotion. Christopher had mooie, lange handen en Caddie vond het heerlijk ze in Kings gouden vacht te zien verdwijnen wanneer hij door de wittige vlek onder zijn halsband woelde of zachtjes aan zijn zachte oren trok. Christophers handen. Gisteravond had hij haar mee naar de bioscoop genomen en ze had in het donker naast hem gezeten met het gevoel dat ze niet volledig kon uitademen, alsof ze een heerlijke hoop overtollige lucht in zich had, waardoor ze boven de grond zweefde.

Ze was nog nooit eerder door iemand als hij het hof gemaakt. Ze kon niets bedenken dat ze aan hem zou willen veranderen. Vanavond zou hij haar meenemen naar een softbalwedstrijd. Een softbalwedstrijd. Ze was nu al dol op het gewone van hun afspraakjes, het doodgewone, fantasieloze, heilzame van op een harde tribunebank zitten en een hotdog en een plastic bekertje bier bestellen. Het was angstaanjagend als ze zich bedacht dat Christopher leek op het soort man dat ze altijd al had willen hebben, dus probeerde ze er niet aan te denken. Ze nam zichzelf in de maling door net te doen alsof het haar niets kon schelen, net als Finney wanneer ze een stukje speelgoed had dat hij wilde hebben. Dan keek hij de andere kant op en deed net alsof het hem geen zier kon schelen, maar sprong er bovenop zodra haar belangstelling verslapte. Ze hoopte dat haar toneelspel overtuigender was dan het zijne.

Ze had zere voeten toen ze bij Wake House aankwam. En een verbrande neus. Ze liep rechtstreeks door naar de keuken en sloeg in één keer een glas water achterover. Vijf kilometer was een stuk zwaarder dan ze had gedacht, vooral op zo'n drukkende dag als deze. Ze deed haar schoenen en sokken uit en ging op zoek naar oma.

Ze was niet in haar kamer. Ze zat ook niet op de veranda aan de zijkant, in geen van de salons en ze was niet in de achtertuin. Misschien zat ze in Magills kamer; ze was gek op hem, en Caddie had haar er meer dan eens aangetroffen. Maar Caddie had niet zo'n zin om er vandaag te kijken, gezien wat er de laatste keer gebeurde toen ze op Magills deur klopte.

Eerlijk gezegd had ze niet geklopt; de deur had op een kier gestaan, dus had ze hem gewoon verder opengeduwd en een stap binnengezet. Magill, die achter zijn bureau op zijn computer bezig was – dacht ze – was als door een wesp gestoken uit zijn stoel opgesprongen en draaide zo snel om dat hij zijn evenwicht verloor en met zijn armen begon te zwaaien en viel en viel tot hij ten slotte op zijn bed plofte. Allemachtig – ze wilde naar hem toe lopen, maar toen zag ze het beeld op zijn computerscherm: naakte vrouwen, cheerleaders, die een hoop plezier hadden met een behaarde, gespierde, glunderende jongeman in een kleedkamer. Ze kon zien dat het cheerleaders waren aan de fantasievolle manier waarop ze hun pompoenen gebruikten. Toen ze Magills gezicht zag, moest ze giechelen, maar van de activiteiten op zijn computerscherm bloosde ze. Ze mompelde iets in de trant van: 'O, sorry, ik had moeten kloppen,' en Magill, die met zijn armen en benen gespreid op het bed lag, pakte het kussen en liet het op zijn hoofd vallen. Ze ging weg.

Dus nu liep ze voorzichtig op zijn kamer op de begane grond af, maar voor ze dichtbij was, hoorde ze al het gemaakte, onnatuurlijke ritme van een soapdialoog door de dichte deur blèren. Naast al het andere scheen Magills gehoor aangetast te zijn door zijn parachuteongeval. Ze klopte en wachtte. Klopte nog eens harder.

Hij deed de deur open.

'Hoi.'

'Hoi.'

Ze durfde te zweren dat hij weer schuldig keek. Ze wilde achteruit lopen, maar toen zag ze oma half zittend, half liggend op zijn bed met haar voet op een kussen naar de kleine tv aan de andere kant van de kamer kijken. Met een plastic bekertje in haar hand.

'Ik heb haar niet meer dan een slokje gegeven, een vingerhoed vol, het was bijna alleen maar Seven-up.'

Caddie kwam helemaal binnen. De kamer rook naar sigaretten en drank. 'Heb je mijn oma drank gegeven?'

'Een beetje Seagram, een drupje. Ze zag me wat inschenken en vroeg of zij ook wat mocht. Wat moest ik dan zeggen?'

'Nee?' Ze was niet echt nijdig, maar hij keek zo verdedigend dat ze vond dat ze het moest zijn. 'Ik wou dat je dat niet had gedaan,' zei ze afgemeten, 'ze valt er alleen maar van in slaap. En als Brenda erachter komt?' Drank was verboden, behalve bij bijzondere gelegenheden.

Magill ging met zijn hand achter haar langs en sloeg de deur dicht. Hij had vandaag normale kleding aan, geen trainingspak of pyjama en zijn kniebeschermers, maar geen voetbalhelm. Hij zocht steun bij het meubilair om naar het bed aan de andere kant van de kamer te lopen, eerst bij het bureau, toen bij de rugleuning van een stoel. Maar dat had waarschijnlijk niets met alcohol te maken; bij iedere snelle beweging kon hij omvallen.

'Hé, Caddie,' zei oma, die haar nog maar net zag. 'Kom zitten. We zitten naar ons verhaal te kijken.' Ze klopte op een plek tussen Magill en haar in. 'Zander is er net achter van de baby, de baby van hoe-heet-ze-ook-weer, dat meisje daar. Hoe heet ze?'

'Laura,' mompelde Magill, en hij klonk schaapachtig. Hij verlegde zijn benen met tegenzin en Caddie ging aan het voeteneinde van zijn door de war geraakte bed zitten. Oma en hij lagen naast elkaar met de kussens in hun rug, knus, als een stelletje oude vrienden.

'Ik wist niet dat jullie twee een verhaal hadden.'

'Dit meisje is zwanger, maar ze wilde het niet tegen Jason zeggen omdat ze dacht dat hij van die ander, Rachel, hield,' vertelde oma haar. 'Sst, luister.'

Een gladde, glimmende, onthutste jongeman met blauwzwart haar in hemdsmouwen en een vest zei tegen een blond meisje: 'Laura, in godsnaam, waarom heb je het me niet verteld? Lieveling, lieveling, dacht je dat ik kwaad zou zijn? O, lieve schat –'

Laura begon te snikken. Altijd wanneer er iemand huilde, in het echt of op het scherm, moest Caddie ook huilen. Ze moest snel met haar ogen knipperen en een brok van medeleven wegslikken toen Zander en Laura elkaar omhelsden, allebei huilend in een extreme close-up, waarbij ze hun gezichten tegen elkaar pletten en elkaar zo stevig vasthielden dat het wel pijn moest doen. Ontroerende muziek zwol aan en er kwam reclame.

'Zo heb ik mijn vriendje niet verteld dat ik zwanger was.'

Caddie pakte de afstandsbediening en zette het geluid uit. 'Wat, oma?'

In de plotselinge stilte verscheen er een verbaasde stilte op het lange, gerimpelde gezicht van haar grootmoeder, alsof ze er zelf ook van schrok. 'Soms denk ik wel eens dat ik het je al verteld heb.'

'Me wat verteld heb?'

'Dat je een onecht kind bent.'

Magill bracht zijn vuist naar zijn mond om zijn keel te schrapen.

'O,' zei Caddie met een gekunsteld lachje, 'dat wist ik al.' Ze wierp Magill een verontschuldigende blik toe. Sorry. Vuile familiewas.

Oma zette zich af tegen de kussens en bekeek haar beter. 'Jane, ik bedoelde Jane. Ik had het háár moeten vertellen.'

'Mijn moeder?' Caddie stiet nog een krampachtig lachje uit. 'Nee, oma, dat ben ik. Ik ben Caddie.'

Oma schudde verdrietig haar hoofd. 'O lieverd, Chick en ik zijn nooit getrouwd en toen ging-ie dood.'

Chick? 'Bedoel je opa Charles? Nee, hij is op de laatste dag van de oorlog, de Tweede Wereldoorlog, gesneuveld, weet je nog? Hij had al die medailles voor betoonde moed gekregen. Hij was je man.'

Oma trok een gezicht door haar ogen hard dicht te knijpen en haar lippen van haar valse tanden terug te trekken. 'Te knap,' zei ze luid fluisterend. 'Dat heeft me de das omgedaan.'

'Dat was hij zeker,' beaamde Caddie. Ze had zijn foto gezien. Zo'n man-met-auto-foto, haar grootvader tegen een oude Dodge geleund, met zijn benen over elkaar geslagen, sigaret in zijn mond, een sexy zwarte haarlok in zijn ogen. Ze had nooit een foto van hem in zijn uniform gezien. Had ook nooit een van zijn eremedailles gezien.

'Hij maaide het gras op de universiteit,' zei oma. 'Leerling-tuinman, noemde hij het. We kregen iets samen in het voorjaar dat ik mijn onderwijsdiploma haalde. Een mooi voorjaar. Ik heb het altijd aan de azalea's geweten.'

'Wat?'

'Ik heb het je moeder nooit verteld en dat had ik wel moeten doen.'

'Wat?'

'Dat ik verliefd werd.'

'Jij en Chick – Charles –'

'Chick Buckman. Je had hem moeten zien lopen. Dat was een man die niemand kon weerstaan, zeker niet van achteren.'

'Chick Buckman? Wie is dan Charles Buchanan?'

Oma maakte een schraperig geluid achterin haar keel. De tranen stonden in haar ogen. 'Aaah,' zei ze liefdevol terwijl ze met haar goede voet Caddies heup porde.

'Maar — wat toen – wat, oma, ging hij dood?'

'Dat hoorde ik, ja, een paar jaar later. Hij vertrok de dag nadat hij van de baby had gehoord. Heel anders dan Zander.' Ze pakte de afstandsbediening en zette het geluid van de tv weer aan.

Caddie pakte hem uit haar handen en zette het geluid weer uit. 'Wacht even. Je bent niet met hem getrouwd? Hij heeft je zwanger achtergelaten? Mijn grootvader?'

'Ja, ja, ja, en nu wil ik er niet meer over praten. Ik had het je eerder moeten vertellen. Ik schaamde me niet, hoor, maar het kwam er gewoon niet van. Geef me dat ding eens, kind, ze gaan verder.'

'Maar je hebt – je hebt de naam Buchanan verzonnen? Je hebt gewoon gedaan alsof je oorlogsweduwe was...'

'Tot ik mijn eigen naam weer aannam en zei wat kan mij het ook schelen. Dat was nadat Jane verongelukt was en er geen reden meer was om de schijn op te houden.' Ze keek naar Magill die roerloos naar het geluidloze tv-scherm zat te kijken. 'Dat zijn dus dinges van vaderloze meisjes.'

'Generaties?' Zijn gezicht was een studie.

'Twee generaties van onechte dochters achter elkaar. Die arme Jane en nu die arme Caddie. De zonden van de moeders. Caddies vader, we wéten niet eens wie hij was. Maar vast een aardige man.' Ze pakte de afstandsbediening weer. Caddie hield hem vast; na een touwtrekwedstrijd rukte oma hem uit haar hand en drukte het geluid weer aan.

Wauw. De dingen waar je achter kwam.

Magill stond op. Hij liep naar het bureau en haalde een klein flesje whisky uit de bovenste la. 'Zullen we even buiten gaan zitten?' Hij zwaaide uitnodigend met de fles.

Oma zat uiterst geconcentreerd met haar armen over elkaar naar de tv te staren. Ze was uitgepraat.

'Oké,' zei Caddie. En ook een borrel. Je kwam er niet iedere dag achter dat je de tweede generatie onechte dochter was.

Magills kamer bevond zich op de begane grond, dus, in tegenstelling tot die van oma, waren zijn tuindeuren niet dichtgeschilderd of op slot. Ze leidden naar een kleine veranda met een stenen vloer en erboven een doorbuigend latwerk dat begroeid was met druivenranken. Hij had de beste kamer van het huis, nog beter dan de torenkamer van Thea, vond Caddie, omdat hij zo op het gras van de zijtuin kon stappen als hij wilde. Toch bestond het enige meubilair op de veranda uit een afgebladderde witte smeedijzeren stoel en een bijpassende tafel. Na wat beleefd geharrewar nam Caddie de stoel en ging hij op de tafel zitten.

Het geluid van getimmer boven hun hoofd verstoorde de slaperige middagstilte. Een dakdekker, die shingles vastzette die er vorige week tijdens een storm afgewaaid waren. Er viel altijd wel iets van Wake House. Caddie zag Magill whisky en Seven-up in doorzichtige plastic bekertjes schenken, de inhoud door elkaar klotsen, nog wat drank aan zijn bekertje toevoegen en dat van haar naar haar toeschuiven. 'Op interessant nieuws,' zei hij op neutrale toon. Ze dronken.

Dikke bijen zweefden over hun hoofd, op zoek naar een plekje in het afgebladderde houten latwerk om een nest te bouwen. Dezelfde windvlagen die de shingles van het dak hadden geblazen, hadden de bloesem van een witte kornoelje in de tuin gewaaid en die lag nu op het gras te verdorren en bruin te worden. Magill bedierf de zoete geur van kamperfoelie door een sigaret op te steken. 'Gaat het?' vroeg hij nonchalant, terwijl hij de as tegen de rand van de tafel af tikte. 'Niet uit je doen?'

'Vanwege oma en...' Wie het ook was.

'Chuck Bickman.'

'Chick Buckman. Nee, niet uit mijn doen. Ik ben verbaasd. Ik ben stomverbaasd. Het is iets dat ik nooit geweten zou hebben als ze het me niet had verteld, als ze niet naar Zander en Laura had gekeken. Je gaat je wel afvragen.' Wat voor geheimen oma allemaal had. Misschien niet eens met opzet, maar uit vergeetachtigheid.

'Ik geloof niet dat ik ooit eerder een onecht kind heb ontmoet,' merkte Magill op.

'Zo erg was het niet. Toen ik klein was, zei ik alleen maar dat mijn vader dood was.' Ze zou er later over nadenken: toen ze klein waren, hadden haar moeder en zij hun vriendjes en vriendinnetjes precies dezelfde leugen over hun vader verteld en het enige verschil was dat haar moeder had gedacht dat het waar was.

'Je hebt geen idee wie hij was?'

'Mijn vader? Niet echt. Mijn moeder was zangeres, in de jaren zeventig. Het enige wat ik weet, omdat het het enige is wat ze oma ooit heeft verteld, is dat hij bij haar in de band speelde. Maar de bezetting veranderde om de paar maanden, dus dat hielp ook niet echt.'

'Hoe heette de band?'

'O, ze hadden verschillende namen. Ze zijn nooit beroemd geworden. Red Sky was een van hun namen. Mijn oma is een keer naar ze gaan kijken. Ze zei dat ze best goed waren.' Oma had een gitarist ontmoet die Bobby heette, een drummer die Patrick heette, een knappe, aardige jongen – ze zei dat ze wou dat hij het was, maar Caddie leek helemaal niet op hem – en nog een jongen, de basgitarist, maar ze zei dat hij het niet kon zijn, omdat hij zwart was.

'Waarom denk je dat ze je niet eerder over Chick Buckman heeft verteld?'

'Dat weet ik niet. Ze zei dat het er nooit van was gekomen, maar dat is...'

'Het kan nooit leuk zijn geweest om zonder echtgenoot zwanger te zijn in Michaelstown in de jaren veertig.'

'Nee,' beaamde Caddie.

'Dus verzint ze een dode, en daar is hij dan. De jaren gaan voorbij, hij doet niemand kwaad. Ze was lerares, hè? Het is de conservatieve jaren vijftig, zij is mevrouw Buchanan, een respectabele weduwe –'

'Totdat mijn moeder verongelukte. Meteen daarna vertelde oma me dat onze naam Winger werd,' herinnerde ze zich.

'Geen reden om de schijn op te houden.'

'Behalve dan dat ze de schijn blééf ophouden, in ieder geval tegenover mij.'

'Hoe oud was je toen je moeder verongelukte?'

'Negen.'

'Nou.'

'Ja, ik weet het – maar waarom vertelde ze het me later niet? Toen ik ouder was?'

Magill schudde zijn hoofd. 'Het zal wel ingewikkeld zijn geweest.'

Heel ingewikkeld. Er waren een hoop dingen veranderd toen haar moeder verongelukte, niet alleen Caddies achternaam. Oma had nog maar zes jaar te gaan voor ze met pensioen kon gaan als lerares handvaardigheid, maar ineens was ze ermee opgehouden en was haar eigen vreemde kunst gaan maken. Ze was een soort bohémienne geworden, iets waar de keurige arbeidersstraat Early Street niet bepaald op zat te wachten. Caddie, die, als altijd, niet wilde opvallen, ook niet.

'Mijn moeder en grootmoeder konden niet met elkaar opschieten,' zei ze tegen Magill. 'Ik denk dat oma te streng was. Al kun je je dat nauwelijks voorstellen. Ze hadden de hele tijd ruzie en mijn moeder kwam in opstand en uiteindelijk ging ze voorgoed de deur uit.'

'En ging in een rockband.'

'Ik denk dat oma na haar dood tot de conclusie kwam dat ze niet langer die superrespectabele dame hoefde te zijn die ze vond dat ze moest zijn als voorbeeld voor haar dochter.'

'Waar was jij al die tijd? Toen je klein was. Waar ben je opgegroeid?'

'Hier. Ik ben hier opgegroeid. Bij oma.'

Magill wachtte op uitleg.

Die had ze nauwelijks. 'Mijn moeder – ik denk dat ze niet voor mij kon zorgen en tegelijkertijd zangeres zijn. Ze moest een hoop rondreizen. Zo zat dat dus. Waarom gebruik jij je voornaam niet? Ik weet nog steeds niet wat die is.'

Hij hield zijn hoofd schuin en keek haar met toegeknepen ogen aan, terwijl hij de verandering van onderwerp verwerkte. Dat had ze niet erg gladjes aangepakt, maar ze praatte niet graag over haar moeder: het was alsof je op een gat in de grond af liep dat losjes bedekt was met camouflerende struiken en stokken. Sommige dingen ging je gewoon uit de weg.

'Henry,' zei Magill. 'Weet je nu genoeg?' Met twee harde ritsgeluiden maakte hij de kniebeschermers om zijn benen los.

'Henry. Dat klinkt goed, dat is een prima naam. Wat is er mis mee?'

Hij pakte een stok die tegen de tafel stond en begon de bast eraf te pulken, terwijl hij zijn ogen toekneep tegen de rook van zijn sigaret.

'Maar je gebruikt altijd maar één naam. "Eén is genoeg voor mij," zei je die dag in de salon. Weet je nog? Je was aan het gewichtheffen.'

'Dronk ik?'

'Wat?'

'Dat klinkt als iets dat ik zou zeggen als ik dronken was. Een goedkope manier om medeleven te wekken.'

'Nee, je dronk zo'n energiedrankje. Denk ik.' Maar misschien had hij er wat bij gedaan. Bourbon en een energiedrankje, net als punch. 'Drink je altijd... niks. Laat maar.'

'Zeg het maar.'

'Het gaat me niks aan.'

'Vraag maar.'

'Drink je altijd overdag?'

Hij hield zijn ogen neergeslagen, zijn volle aandacht op de stok gericht. 'Alleen als ik 's ochtends bij mijn therapeut ben geweest. Daar ga ik 's middags altijd van drinken.'

'O, dan ben je vanochtend natuurlijk geweest.'

'Nee, vorige week woensdag.'

'Maar...'

Hij nam haar in de maling. Hij trok een strak gezicht, maar er verscheen een stiekeme blik in zijn blauwe ogen en ten slotte glimlachte hij, waarmee hij het grapje bevestigde. In het begin wist ze niet goed hoe ze wat Magill zei moest opvatten, maar nu was het simpel: je moest gewoon bedenken dat alles voor hem een grap was. En als hij soms iets bitters of ernstigs zei, dan deed hij net alsof het een grap was, en dan moest je meedoen.

'Lieberman,' zei hij. 'Is dat geen geweldige naam voor een psychiater? Dokter Lieberman. Hij vindt het vreselijk als ik hem Fred noem.'

'Dus dat doe je dan ook.'

'Ja, maar alleen als hij op zijn stokpaardje gaat zitten.'

'En dat is?' Een persoonlijke vraag, maar ze had het gevoel dat hij wilde dat ze het zou vragen.

'Dat veel van wat ik mankeer tussen mijn oren zit.'

Nou, dat was zeker tot de kern doordringen. Ze wilde ook het antwoord op die vraag. Ze kon zich wel voorstellen dat iedereen dat wilde, zeker Magill.

'Wat ik niet snap, is wat het uitmaakt,' zei hij, terwijl hij met de stok bovenop zijn sportschoen sloeg. 'En dan ben ik een eersteklas hypochonder. Nou en? Dat het psychosomatisch is, wil nog niet zeggen dat je niet gehandicapt bent.' Hij grinnikte en verviel toen in een somber stilzwijgen.

Ze had iets gehoord, een verschrikkelijk gerucht over zijn ongeval. Geheimen bleven niet lang bewaard in Wake House. 'De vrouw op de foto,' zei ze zachtjes, 'in je kamer, die foto op je dressoir, is dat...'

Hij hief zijn hoofd en keek haar aan.

'Ze is heel mooi,' eindigde ze, omdat ze niet verder durfde.

Hij zette zijn ellebogen op zijn knieën en sloeg zijn handen voor zijn oren.

Ze zag eruit alsof je lol met haar kon hebben, het meisje op de foto. Alsof ze het leuk vond je aan het lachen te maken. Ze droeg een pyjamajasje en leunde tegen een koelkast vol magneten met een pak melk in haar hand. Ze had warrig bruin haar en een brede mond – een en al tand – en toegeknepen, lachende ogen. Hoe kon hij naar die foto kijken? Caddie zou een andere op haar dressoir gezet hebben als ze Magill was. Een ernstigere, niet lachend. Niet zo levend.

'Ze was onderwijzeres,' zei hij, nog steeds met zijn hoofd in zijn handen. Hij had soms een typische manier van praten, alsof hij ieder woord voorzichtig uit moest spreken, omdat het er anders verwrongen uitkwam. Alles was duidelijk, maar het klonk als een inspanning. 'Kleuterjuf. De kinderen hingen aan haar als... ballen aan een kerstboom. Je kon ze gewoon niet van haar afplukken.'

Hij ging rechtop zitten om een flinke slok uit zijn bekertje te nemen. 'Ze deed allerlei accenten, Duits, Frans, Jiddisch. Ze kreeg de kinderen aan het lachen met die lange, idiote verhalen. Soms reed ik naar school om haar te spreken als ze buiten was, op het schoolplein tijdens het speelkwartier. Maar ik kon gewoon niet bij haar komen, de kinderen lieten haar niet met rust. Ze waren gewoon.... Ze waren gek op haar.'

Caddie glimlachte, maar Magill keek niet naar haar; hij zag het niet. 'Hoe heette ze?' vroeg ze.

'Holly.'

'Leuk.'

'Ze wilde niet met me de lucht in. Ik bleef maar zeuren. Ik vertelde haar steeds over de kick, hoe ze nooit zoiets intens zou beleven; als ze het één keer deed, zou ze er voor altijd aan verslingerd zijn. Wil je weten hoe het gebeurde? Ze was jarig.'

'Nee. Sorry. Nee.'

'Weet je het zeker? Lieberman wel. Het water loopt uit zijn mond.' Hij keek haar strak aan en glimlachte een beetje, geen aangename glimlach. Zijn blik leek heen en weer te gaan tussen haar en een tafereel dat zich in zijn hoofd afspeelde.

'Ik wil niet dat je het me vertelt.' Met haar hele hart wilde ze niet horen hoe Holly verongelukt was, niet op de manier waarop hij het haar nu zou vertellen, in die wrede stemming waarin ze hem nooit eerder had gezien. 'Waarom doen mensen aan parachutespringen?' vroeg ze. 'Ik zou het nooit, ik bedoel, ik snap het niet. Waarom zou je –'

'Ik ben die vraag zo spuugzat.' Hij trok met een harde ruk een reep schors van de stok en stond op. Ze was bang dat hij zou wankelen, maar hij stond vast op zijn benen en staarde naar opzij terwijl zijn kaken bewogen. Hij drukte zijn duim op het uiteinde van de stok, zodat de scherpe punt erin drong.

'Hoe was je leven ervoor?'

Hij legde zijn hand achter zijn oor. 'Wat?'

'Hoe was je leven voor het ongeluk?'

'Dat weet ik niet meer.'

'Volgens mij wel.' Toen bedacht ze ineens iets. 'O – je bedoelt dat je aan geheugenverlies lijdt?'

Hij gluurde naar haar, met ogen vol ongeloof. Toen barstte hij in lachen uit. Ze was zo opgelucht en zijn lach klonk zo écht, zo'n oprechte onbedaarlijke vrolijkheid dat ze met hem mee moest lachen. Orgelmuziek van de soap drong op dat moment door de openstaande deur van zijn kamer naar buiten en ze keken elkaar aan en klapten dubbel van het lachen. Geheugenverlies! Magill moest zich weer op de tafel laten vallen om zijn evenwicht te bewaren. Hij had een vloeiende, sprankelende lach die ze nog nooit had gehoord en niet kon weerstaan. Toen ze eindelijk met een zucht uitgelachen waren en hij de tranen van zijn wimpers veegde, waren ze weer de vrienden die ze waren. Nee, veel beter.

'Hoe mijn leven was. Ik was technicus, zoals ik je verteld heb. Ik had een klein bedrijfje. Werknemers.'

'O ja. Prothesen. Hoe ben je daarmee begonnen?' Het was zo vreemd, net als er voor kiezen om begrafenisondernemer te worden. Maar Caddie had altijd een stille afkeer van amputatie gehad, van ontbrekende ledematen, stompjes, stukjes. Ze schaamde zich over de afkeer die ze voelde als ze een kunstbeen of de mechanische hand van een of andere ziel zag. Ze rekende het tot een van haar kleinzieligste menselijke tekortkomingen.

'Mijn vader was in Vietnam op een landmijn gestapt en was zijn been tot aan zijn knie kwijtgeraakt. Hij liep jarenlang met een onhandige, pijnlijke prothese rond totdat hij een betere uitvond. Uiteindelijk ontwierp hij het prototype voor de eerste Topsnelheid Voeten-voet. Hij was niet eens technicus, hij was kastenmaker.'

'Topsnelheid Voeten.'

'De voetenlijn die wij maken. We hebben het hele assortiment prothesen voor de onderste ledematen, maar voeten zijn onze specialiteit.'

'Heb je een... een fabriek?' Ze probeerde zich de werkomgeving voor te stellen van een bedrijf dat voeten maakte.

'Jazeker. Het is klein. Ooit van Kinesthetics, Inc. gehoord?'

'Nee. Dat geloof ik niet. Misschien wel,' voegde ze er peinzend aan toe toen ze zag dat hij teleurgesteld was.

'Wacht even.' Hij stond op, liep naar binnen en kwam terug met een dichtgevouwen folder. 'Hier. Trouwens, je oma slaapt.'

Ze verwachtte een foto van een vleeskleurige kunstvoet die van rubber of plastic of iets dergelijks gemaakt was, maar deze... zag er meer uit als een grasschaar. Het was een donkergrijs metalen apparaat met moeren en verende, vreemd gevormde onderdelen onderin en twee lange, gebogen tanden aan het uiteinde. Tenen?'

'Dit is ons basismodel, de Gangmaker. We hebben ook een kindervoet die de Vliegende Start heet en een voet voor atleten, de MachRenner. Het zijn allemaal gepatenteerde TSV-voeten.'

Ze konden aangepast worden, las ze, aan bijna ieder gewicht en iedere activiteit. Hun polycentrische ontwerp en multiaxiale functie garandeerden duurzaamheid, comfort en een natuurlijkere, geluidloze tred.

Geluidloos. Ze kon er niets aan doen, maar ze kreeg er de kriebels van. 'Het is zo technologisch. Stop je dat in je schoen? Willen mensen niet liever iets... ik weet dat ze er nooit écht uitzien, maar –'

'Dit is het binnenste, Caddie, het deel dat gemaakt is voor beweging en zich afstemt op de wervel, de gewichtverdeling, het neerzetten van de voet, het evenwicht. Dit komt –' Hij klapte de folder open. 'Dit komt in een omhulsel te zitten. Zoals hier.'

'O!' Dat was het soort voet dat ze in gedachten had. 'O, ik snap het al, hij zit er ín. En dit is buigzaam, dat omhulsel? O juist, ik snap het. O, dit is helemaal niet... het is echt... het is interessant.' Het is helemaal niet zo eng als ik had gedacht, had ze bijna gezegd.

Ze keek naar de achterkant van de folder, waar een foto op stond van 'Ons onderzoeksteam': vier glimlachende, vriendelijk uitziende jonge mensen, drie mannen en een vrouw. 'Je personeel ziet –' Ze keek wat beter en legde haar vingertop onder de kin van een van de mannen. 'Ben jíj dat?'

Magill wreef over zijn stoppelige wang en trok zijn wenkbrauwen op.

'Ja? Jeetje, je ziet er echt...' Gezond uit, met kleur op wangen die niet ingevallen waren en een nek die niet eng dun was. Er sprak zelfvertrouwen uit de schouders die niet zo mager waren dat ze als kleerhangers door zijn overhemd staken. Hij had diezelfde enigszins geslepen, scheve glimlach als altijd, maar zonder de zelfspot in zijn ogen die zijn glimlach verdacht maakte.

'Het punt is dat we de meest progressieve prothesen voor de onderste ledematen ter wereld maken. De Vliegende Start is een geweldige voet, ik wou dat ik er een foto van had. Het is voor het eerst dat sommige kinderen op iets lopen dat ook maar enigszins op een echte voet lijkt. Nu kunnen ze ineens rennen en spelen en springen, ze kunnen zich omdraaien, ze zijn stabiel, ze raken niet uitgeput. Hun ouders schrijven ons brieven met Billy heeft voor het eerst van zijn leven gevoetbald, Kate loopt zo natuurlijk, dat niemand in de gaten heeft dat ze een prothese heeft.'

Hij bleef maar praten, het langste dat ze hem ooit achtereen had gehoord. Zijn toon was levendig en zonder ironie terwijl hij haar vertelde waarom de Vliegende Start zo revolutionair was en haar de biomechanica van iets nieuws uitlegde, een voet waar hij voor zijn ongeluk aan bezig was geweest. Hij wilde hem Crossvoet noemen, het zou een supersterke voet worden, die atleten die een voet moesten missen, konden dragen voor de langeafstandsloop en de crosscountry.

'Werkt je vader nog?' vroeg ze toen hij even zweeg. 'Vindt hij nog dingen uit?'

'Hij is vier jaar geleden overleden.'

'O, wat erg. En nu run jij het bedrijf?'

'Wat ervan over is.' Hij hield zijn hoofd schuin en kneep één oog dicht om naar haar te kijken.

'Heb je een moeder?'

'Ja. Wat dacht je, dat ik uit een ei gekomen ben?'

'Ik bedoel, leeft ze nog?'

'Ze woont in Phoenix met haar nieuwe man. Wat ik prima vind, hoor, ik heb er geen probleem mee.' Hij glimlachte, maar hij klonk vermoeid; dokter Lieberman en hij hadden zich er vast grondig in verdiept. 'Ze heeft een nieuw leven en ik ben blij voor haar,' zei hij terwijl hij hard over zijn voorhoofd wreef. 'Niets anders dan blij.'

'Oké,' zei Caddie, en er viel weer een stilte. 'Maar ze maakt zich vast zorgen over je.'

'Zo krijg je ze dus zover dat ze je alle bloederige details vertellen. Hè? Je blijft maar doorgaan.'

'Wie?'

'Je onderwerpen. Ik heb gehoord dat die ouwe Lorton wil dat je straks zíjn levensverhaal opschrijft.'

'Mijn onderwerpen.' Ze lachte. 'Eerlijk gezegd zeg ik helemaal niet zo veel; ik schrijf gewoon op wat mensen me vertellen.'

'Je bent er goed in.'

'Dank je.'

'Je was vast goed in Engels. Ik was een ramp. Twaalf jaar literatuur en ik herinner me maar twee dingen.'

'Wat?'

'Personificatie en motief.'

Ze dacht aan Christopher: vier jaar pianolessen en het enige dat hij kon spelen was 'Für Elise' en 'De Vlooienmars'. Ze gaf Magill zijn folder terug. 'Hoe lang denk dat je hier nog moet blijven?'

Ze had onmiddellijk spijt van haar vraag. Hij ging rechtop staan en keerde zich af.

'Ik weet het, het spijt me, maar ik begrijp het niet – waarom kun je niet werken? Zou je niet... als je nou eens...' Stil bleef zitten en niet bewoog, één oog dichtkneep, andere mensen vertelde wat ze moesten doen, precies uitlegde wat hij wilde aan die vriendelijk kijkende mensen op de foto...

'Dacht je dat ik hier zou zijn als ik kon werken? Er is iets mis met mijn hoofd. Ik ben technicus, ontwerper, ik word geacht dingen uit te vinden – mijn hersenen zijn een zooitje, ik kan niet één streep trekken met een rechte kant. Ik kan dingen niet zíen, beelden op een computer zien er niet uit, het zijn gewoon loze strepen –'

'Nou,' onderbrak ze hem, omdat het niet waar was, zoals ze toevallig wist. 'Behalve als het cheerleaders zijn.'

Ze wilde dat hij lachte, maar hij liep weg, stapte schokkerig het hobbelige grasveld op. Hij had zo'n meter of tien afgelegd, woedend met zijn stok tegen paardebloemen zwiepend, voor hij wankelend tot stilstand kwam. Hij zwaaide heen en weer, zette zijn knieën schrap om zijn evenwicht te vinden, maar gaf het op en ging met een plof zitten.

Ze liep naar hem toe, terwijl ze haar best deed om niet te haastig te doen. Toen hij haar zag, liet hij zich achterover vallen, terwijl hij zijn handen tegen zijn slapen hield en met toegeknepen ogen naar de lucht staarde, die waarschijnlijk ronddraaide. Ze boog zich over hem. 'Gaat het?'

'Ga weg. Haal je grootmoeder op en ga mijn kamer uit.'

Ze ging in kleermakerszit zitten en blies het zaadje van een paardebloem van haar knie. 'Ik ben helemaal van mijn huis naar hier komen lopen, vind je dat niet geweldig? Ik wel, maar nu moet ik het hele stuk teruglopen.'

'Neem dan een taxi.'

'Nee, ik ben gezond aan het doen.'

'Dat hoeft niet.'

Ze vroeg zich af of dit een compliment was of niet. 'Oma heeft een nieuw kunstproject. Het gaat over... eh, het is moeilijk te zeggen.'

'Ouderdom.'

'O, je hebt het al gehoord.'

'Ze wil al mijn oude peuken hebben.'

'Ik begrijp niet waarom ze ze állemaal wil. Is het nog wel kunst als je ze niet uitkiest?' Ze trok een klavertje uit de grond, trok de blaadjes er een voor een af en liet ze op haar schoot vallen. Ze stak het steeltje in haar mond. Magill hield zijn hand boven zijn ogen tegen de zon en keek naar haar. 'Het is jammer,' zei ze spijtig, 'dat je geen prothese voor je arme hoofd kan maken.'

Hij glimlachte.

Christopher had ook mooie lippen. Voller dan die van Magill; zijn onderlip was gewoon een kussentje. 'Ik heb vanavond een afspraakje,' zei ze.

'O, leuk voor je.'

'Hij geeft therapie aan dieren en is daar een expert in.'

'Dat weet ik.'

Wat een heerlijke baan, zo zonnig en blij, zo perfect voor Christopher. 'Ik heb hem door Finney ontmoet,' legde ze uit en vertelde Magill over Christophers piepkleine kantoortje en de missie van CDT. Ze vertelde hem over King, de fantastische hond.

'Ik ben meer een kattenmens.' Hij legde zijn armen over zijn ogen.

'Ze hebben ook katten. Ze hebben alles, zelfs paarden, zelfs kippen.' Ze vertelde hem over Estelle. 'Ik zit erover te denken om die opleiding te gaan volgen. Niet met Finney, volgens mij is hij hopeloos, maar ik zou een hond kunnen lenen. Christopher heeft gezegd dat ik zelfs King zou mogen lenen als ik klaar ben met mijn opleiding. Ik denk dat het echt de moeite waard kan zijn, iets dat ik in mijn vrije tijd kan doen. Alles verandert als je met een hond een kamer vol zieke mensen binnenkomt, zelfs als ze ziek zijn van – vóóral als ze ziek zijn van eenzaamheid. Ze vergeten alles over zichzelf. Ze houden van de hond en het is echt liefde, niet alleen maar o, wat schattig. Soms is het de eerste keer in lange tijd dat ze met iets communiceren. Ineens staan ze weer in de wereld. Op dit moment in de tijd. En het blijft, ze krijgen relaties met andere mensen, ik bedoel, het houdt niet zomaar op als het uur voorbij is en de hond weggaat. Het blijft doorgaan. Een weldadige cyclus.'

Het enige dat ze kon zien was het topje van zijn voorhoofd en zijn opeengeklemde lippen; de rest van zijn gezicht ging schuil onder zijn pezige onderarmen. Onder zijn T-shirt ging zijn uitstekende ribbenkast op en neer met zijn ademhaling en er viel gewoon een gat waar zijn buik zat. Als hij twee meter lager lag, zou hij een skelet onder de grond zijn.

Ze schudde die gedachte van zich af. 'Ga je slapen?'

'Ja.'

'Eerst oma, nu jij – ik kan net zo goed naar huis gaan.' Ze trok een grasspriet uit de grond, hield hem tussen haar duimen en probeerde te fluiten. Ze leunde achterover op haar handen en keek naar een buizerd die hoog in de wolken cirkelde, of misschien was het een havik. Er sprong een sprinkhaan op haar knie. Ze tikte hem weg en stond op.

'Nou, tot kijk dan maar.'

'Veel plezier met Timmy vanavond.'

'Christopher. Wie is Timmy? O.' Het baasje van Lassie. 'Ha, ha, leuk, hoor.'

Hij maakte een smakkend geluid, om demonstratief aan te geven dat hij ging slapen.

'Blijf niet lang liggen. Als je echt in slaap valt, verbrand je.'

Geen antwoord.

Ze trok een gezicht dat hij niet kon zien omdat zijn ogen dicht waren, en begon aan haar lange wandeling naar huis.

9

Dit is wat ik op de middelbare school heb gemist, dacht Caddie, terwijl ze opsprong toen Christopher het ook deed om te juichen toen iemand een moeilijke bal in het midden van het veld ving. Ze morste bier uit haar bekertje op haar dij en ze lachte. Het was een zwoele, zweterige avond vol insecten, met de geur van popcorn en stof in de lucht, bliksem in de verte. De Beavers stonden met veertien runs voor op de Trolls, niemand nam de wedstrijd erg serieus en alles was leuk.

'Ik had dit nog nooit gedaan!' durfde ze tegen Christopher te zeggen, die zijn arm om haar heen sloeg en zich naar haar toe boog om het beter te verstaan. 'Ik was nog nooit naar een softbalwedstrijd geweest. Of naar honkbal, of voetbal!'

Hij had de gewoonte om verbaasd te kijken wanneer ze hem dat soort dingen vertelde, dingen die hij blijkbaar nog nooit iemand had horen zeggen, en daarna beleefd bedachtzaam. Ze wou dat hij haar vertelde wat hij dacht, ook al was het misschien 'Waar kom jij vandaan, van Mars?' Maar hij zette alleen maar grote ogen op en klemde nadenkend zijn lippen op elkaar, alsof hij de informatie opsloeg voor later.

'Ik zat in het orkest in plaats van de drumband,' probeerde ze uit te leggen, maar hij grinnikte alleen maar, ging met zijn vingers door haar haar aan de achterkant, schudde liefdevol aan haar hoofd en ging verder kijken.

Nou ja, hij zou het toch niet begrepen hebben. Op de middelbare school was hij vast een van de spelers op het veld geweest, of anders had hij op zo'n harde, splinterende tribune gezeten, omringd door zijn aantrekkelijke, zelfverzekerde vrienden, die de vreemde taal spraken die Caddie nooit onder de knie had gekregen en de sociale rituelen uitvoerden die zij niet kon nadoen. Afgezien van muziek was de puberteit voor haar één lange persoonlijke periode vol schaamte geweest. Maar ze had dat de uitverkorenen als Christopher nooit kwalijk genomen, of ze zelfs maar benijd. Het zou hetzelfde zijn geweest als goden benijden: zinloos.

De Beavers sloegen in de negende inning nog zeven runs en toen was de wedstrijd ten einde, of zakte in. Christopher nam Caddie mee het veld op en stelde haar aan zijn vrienden voor: Rick en Toby, dit was Keith, hier was Glen – ze kon de namen niet meer bijhouden toen hun echtgenotes en vriendinnen erbij kwamen. Ze waren allemaal op weg naar een café in het westelijk deel van de stad, Hennessey's, ze gingen er na iedere wedstrijd heen, hadden Christopher en Caddie zin om mee te gaan? 'Heb je zin?' vroeg Christopher haar, maar dat was maar een formaliteit en voor ze het wist zat ze op een plakkerige bank in de hoek van een luidruchtig, overvol café en probeerde een pizza te bestellen boven een eindeloos nummer van de Allman Brothers op de jukebox uit.

Toby was de chef-kok van een restaurant in de stad, Rick was Christophers huisbaas, Glens vrouw, Phyllis, was teamleider en hondentrainer bij CDT, Keith – Caddie kon niet verstaan wat Keith vertelde wat hij deed, maar ze knikte en glimlachte en deed alsof. Ze was nooit dol geweest op luidruchtige, volle cafés, waar ze zich moest inspannen om mensen te verstaan en moest schreeuwen om zich verstaanbaar te maken. Het drong tot haar door dat het leuke niet de sfeer was, maar het creëren van je eigen eilandje van intimiteit te midden van de chaos. Met haar arm tegen die van Christopher, genietend van zijn hand op haar dij, zijn warme bieradem tegen haar wang – het was als kijken naar een onweersbui vanuit de veilige omgeving van een veranda, gezellig en spannend tegelijkertijd. Zo leefden echte mensen, dacht ze, dit is wat ze de hele tijd doen. Alles wat voor hen prozaïsch moest zijn, de mooie neon drankreclames boven de bar, de kringels blauwe rook die opstegen, de lange rij verschillend gevormde achterwerken op de barkrukken, was voor haar vanavond exotisch. Dit was echt doorsnee Amerikaans plezier en ze was net een pas aangekomen immigrant uit een of ander derdewereldland, verblind en overweldigd en hopend erbij te horen.

Toen ze zich verontschuldigde om naar het toilet te gaan, ging Phyllis mee. Ze stonden zij aan zij voor de spiegel hun gezicht bij te werken. Phyllis zei: 'Wat een mooie kleur lippenstift, Caddie.'

'Dank je.'

'Is jouw haar van nature steil? God, ik heb altijd steil haar willen hebben. Dat van mij krult als een serpentine met dit klamme weer.'

Phyllis was mooi, met koperkleurig haar, een heel lichte huid, zo sierlijk als een elfje. Toen ze weg was, keek Caddie naar haar spiegelbeeld en probeerde zichzelf te zien zoals een vreemde haar zag, iemand zo sierlijk en mooi als Phyllis, bijvoorbeeld. Haar haar had geen stijl, het hing gewoon recht en slap langs haar gezicht en ze had een scheiding aan de zijkant; ze zwaaide het constant naar achteren om het uit haar linkeroog te houden. Zag ze er zonder speciaal kapsel uit als een hippie, een soort moeder aarde? Was dat haar beeld naar Phyllis en de anderen toe? Naar Christopher toe? Ze had een uur lopen weifelen over wat ze zou aantrekken en had uiteindelijk, om redenen die haar nu volkomen onverklaarbaar toeschenen, een lange, zwarte tuniek van oma gekozen, op een korte geruite rok van zichzelf en sandalen. Wat betekende deze look? Wat wás ze in die kleding? Ze was met een dartel en vrolijk gevoel op weg gegaan, maar onder het tl-licht in het damestoilet en in de metaforische schaduw van de kleine, stijlvolle Phyllis, kon ze alleen maar fouten zien. Waaronder het feit dat de zoom en opgerolde mouwen van haar zwarte tuniek onder de hondenharen zaten.

Maar Christopher lachte haar helemaal vanaf de andere kant van het café toe. 'Hoi.' Hij stond op om haar naar haar plekje op de bank te laten gaan en drukte haar twee of drie seconden lang tegen zich aan, haar rug tegen zijn borst en het enige wat ze voelde was uitverkoren.

Ze hielden onder de tafel elkaars hand vast. Hij streelde haar blote dij op een opwindende, vanzelfsprekende manier alsof ze al intiem met elkaar waren. 'Wil je dansen?' zei hij in haar oor. Er was een stukje van twee vierkante meter bij de jukebox, waar al een stel aan het dansen was, of liever, aan het zwaaien, want hun voeten bewogen niet. Het nummer dat op stond was een theatrale ballade van een zanger waar Caddie een hekel aan had – ze dacht dat Christopher een grapje maakte of ironisch deed, dat hij de draak stak met het met veel te veel violen doorspekte liefdesliedje door erop te dansen. Maar eenmaal in zijn armen, tegen hem aangedrukt en met gemak de soepele bewegingen van zijn lange benen volgend waar hij haar ook mee naartoe voerde, merkte ze dat hij het meende. Het voelde, opging in de sentimentele tekst en de zweverige melodie – en vanaf dat moment was ze dol op het nummer. Wat had ze zich vergist. Het was eenvoudig en oprecht, het vertelde de waarheid en het was niet alleen uit snobisme, maar ook uit cynisme dat ze dat niet eerder had gehoord.

Christophers bakkebaard kriebelde tegen haar wang. Hij draaide zijn hoofd en ze dansten met zijn lippen in de holte onder haar oor, zij met haar ogen dicht, omdat toen ze ze opendeed, het hele café draaide. Het nummer eindigde en in de stilte voor het volgende nummer kusten ze elkaar. Mensen kijken naar ons, dacht ze vaag, maar het kon haar niets schelen. Christopher legde zijn voorhoofd tegen het hare en keek glimlachend in haar ogen. 'Caddie Winger,' zei hij alsof het een onthulling was en ze dacht: *Dit is echt. Word wakker, Caddie, het overkomt jou.*

Toen hij tegen zijn vrienden zei dat ze weggingen, keken ze begripvol en niet verrast. En *blij*, stelde Caddie zich voor, terwijl er gevoelens van genegenheid voor hen in haar opwelden. Ze had hun goedkeuring en ook, op dit moment, hun belangstellende speculaties over haar liefdesleven, haar seksleven. Ze kon het hen niet kwalijk nemen. Ze voelde zich boeiend en onontdekt, vol potentieel. Een beetje een exhibitionist. Wat Christopher en zij deden was openbaar voorspel en ze genoot ervan.

Ze hadden bij het sportveld afgesproken, dus hadden ze twee auto's. 'Rijd jij achter me aan naar huis?' zei hij op het parkeerterrein, met weer zo'n verpletterende glimlach. Hoe deze avond zou aflopen, was nooit echt een geheim geweest, maar toch was het fijn om alles eindelijk bevestigd en onomwonden te horen. Nu hoefde ze alleen nog maar te tobben over hóe het zou zijn, niet óf.

Maar eerst moesten ze King nog uitlaten. Hij kwam hen zonder geblaf bij de voordeur van Christophers flat op de begane grond tegemoet, maar als hij Caddie herkende van de keer ervoor, liet hij het niet merken; hij had alleen maar aandacht voor de baas. 'Hé, brave knul. Heb je me gemist? Hoi, jongen,' begroette Christopher hem, terwijl hij over zijn oren aaide en hem op de rug klopte. Ze slenterden achter King aan over de stille trottoirs van Christophers buurt; ze liepen hand in hand en bleven steeds even staan als de hond waardig zijn behoefte deed. King was zo goed opgevoed dat hij geen riem nodig had. Zou Christopher denken dat ze een slechte hondenbezitster was omdat ze zich geen zorgen maakten om Finney die nog uitgelaten moest worden? Hij zei er niets over, dus deed zij het ook niet.

Zijn flat was anders dan ze verwacht had. Ze had zich voorgesteld dat hij in een rommelige, typisch mannelijke flat woonde met tweedehands meubelen en alles een beetje slordig en verwaarloosd omdat hij belangrijkere dingen dan het huishouden aan zijn hoofd had. Ze had zelfs gefantaseerd hoe ze voor hem zou schoonmaken, subtiele, warme, vrouwelijke accenten zou aanbrengen die hij niet meteen opmerkte, maar waar hij om moest glimlachen zodra hij het deed.

In plaats daarvan was alles sober en opgeruimd als een monnikencel, veel, veel netter dan haar huis en de stijl die hij gekozen had was modern. Dat zou ze nóóit geraden hebben. Hij hield van meubelen van glas en metaal, alles hoekig en zwart-wit of grijs, en biezen matten op de glimmende kale houten vloeren. Abstracte kunst aan de muur! Hij nam haar mee naar de keuken om een fles wijn open te maken en hij had er een apparaat voor, een houder van roestvrijstaal; hij zette de fles er op en drukte een hendel naar beneden om de kurk eruit te halen. Hij had zijn glazen op de kop aan een houten rek onder een van de kastjes hangen en er stond een broodmachine. Hij had een set van die zware grijze pannen waar ze niet langer in keukencatalogi naar keek omdat ze ze nooit zou kunnen betalen.

'Christopher, wat is het hier mooi! Heb je dat allemaal zelf gedaan?'

Hij gniffelde terwijl hij de wijn in twee enorme, bolle glazen schonk. 'Ja, vind je het mooi?'

'Het is zo – ik had nooit gedacht – ja, ik vind het heel mooi, het is heel anders dan ik verwacht had! Het is zo...' Volwassen of zo. Maar ze paste zich snel aan, kwam tot de conclusie dat het perfect bij hem paste en verweet zichzelf dat ze aangenomen had dat hij in een of ander smerig studentenkamertje woonde. Hij had te veel zelf... vertrouwen, nee, zelfrespect... ze kon niet op het woord komen.

Hij gaf haar een glas en ze toostten. 'Op ons,' zei hij terwijl hij haar in de ogen keek. Ze was te verlegen om het terug te zeggen, of te bijgelovig, maar ze klonk met haar glas vol hoop en enthousiasme.

In de woonkamer wilde ze net op de witleren bank gaan zitten toen hij haar wijnglas uit haar hand nam en op de glazen salontafel zette. In films vond ze dat gebaar maar niets – stel dat de vrouw zin had in een slok, dacht ze dan – maar toen Christopher het deed, begon haar hart verwachtingsvol te bonken. Hij sloeg zijn armen om haar heen. Hij was de beste kusser die ze ooit had meegemaakt, hij bracht talenten in haar naar boven waar ze geen idee van had. Hij ging met zijn handen over haar heupen en duwde zijn been tussen de hare, terwijl hij haar tegen de bank duwde. Hij stak zijn hand onder haar korte rok en trok haar dicht tegen zich aan. Ze begon naar adem te snakken. Zouden ze – zouden ze het hier doen, zó? Ze had het nog nooit staande gedaan. Haar knieën begonnen te knikken. Christopher maakte zich los en pakte haar bij de hand.

O, de slaapkamer – dat was trouwens toch beter, ze was niet teleurgesteld –

'Zullen we onder de douche?' Hij deed het felle tl-licht aan en trok haar de badkamer in.

'Oké.' Ze bleef bewegingloos staan, te geschrokken om iets anders te doen dan kijken hoe hij het doorschijnende plastic gordijn opendeed en de kraan aanzette, de temperatuur afstelde tot hij naar zijn zin was, schone handdoeken en washandjes van een plank boven het toilet haalde en een nieuw pakje zeep opendeed. Toen hij zijn overhemd over zijn hoofd trok, bloosde ze, deed haar sandalen uit en begon haar blouse los te knopen.

Was dit romantisch? Ze wist het niet. Misschien was dit helemaal geen voorspel, maar gewoon praktisch. Als twee mannen in een kleedkamer. Ze waren bezweet van de wedstrijd en rokerig van het café en dat was kennelijk belangrijk voor Christopher. Natuurlijk wilde hij dat ze schoon en fris waren voor hun eerste keer samen – wie niet? Dit was natuurlijk, niet gek, wist ze zeker, al voelde het niet goed om zich voor hem uit te kleden zonder dat ze aangeraakt werd. Zoiets engs als je uitkleden moest toch, in ieder geval de eerste keer, zo liefdevol en geruststellend mogelijk gebeuren? Maar misschien niet als je een perfect lichaam had. En dat had Christopher.

Het viel niet mee om naar hem te kijken. Het was onmogelijk het niet te doen – hij nam de hele kamer in beslag, of zo leek het tenminste, met zijn lange dijspieren en zijn borst en zijn harde buik en zijn lichaamshaar en zijn ballen. Zijn voeten. 'Wauw,' zei Caddie oprecht, trots op zichzelf omdat ze niet giechelde.

Hij merkte dat ze niet verder kwam, of misschien las hij haar gedachten en wist dat ze hulp, steun nodig had – hij pakte haar hand en kuste hem heel lief. Hij kuste de bovenkant van haar schouder, stak achter haar zijn armen uit en maakte haar beha los. Ze wierp een blik op zijn gezicht. Hij zei niet 'Wauw', maar zijn neusgaten gingen wel een stukje verder open; dat was een goed teken. Hij stak zijn vinger achter de tailleband van haar rok en trok zachtjes. 'Snel,' zei hij, gaf haar een vlug kusje op de lippen en stapte onder de douche.

Oké. Ze begon zijn romantische ritme door te krijgen. Het was ieder voor zich, geen getroetel. Ze trok de rest van haar kleren uit, legde ze op een keurig stapeltje naast Christophers keurige stapeltje op de wastafel en stapte bij hem onder de douche.

Waar ze zich alleen maar wasten, apart, en om beurten onder de straal stapten. Ze zeiden niet eens veel. Hij was een en al zakelijkheid. Hij keek wel naar haar met een, naar ze hoopte, vriendelijke en bewonderende blik terwijl hij shampoo in zijn haar wreef, maar tegen die tijd was ze zo onzeker, dat het enige waar ze aan kon denken was of ze háár haar moest wassen.

Maar toen was hij godzijdank klaar met zijn haar, dat hij uitwrong tot het piepte, en kuste haar. Op het moment dat hij dat deed, was alles goed. Ze vergat waar ze zich zorgen om had gemaakt. Ze vergat zelfs alles, behalve dan het feit dat het een wonder was dat ze hier was, naakt onder de douche met de meest opwindende man die ze ooit had ontmoet. 'Dit is heerlijk,' mompelde ze tegen zijn mond terwijl ze zijn glibberige huid streelde en haar handen om zijn gespierde billen legde.

'Mmm,' zei hij instemmend. 'Laten we er maar onderuit gaan.'

Misschien vond hij het leuk om haar in onzekerheid te laten. Zodra ze gewend was aan het ene, begon hij het andere te doen. Ze keek hoe hij zijn haar föhnde terwijl ze zich afdroogde met een van zijn dikke, zachte handdoeken en hem daarna om zich heen sloeg. En nu? Gingen ze hun tanden poetsen? Hij deed de bril van de wc omhoog en ze ging de badkamer uit.

King, die in de hal voor de dichte deur lag, stond op en volgde haar de slaapkamer in. Ze aaide zijn nobele kop, maar ze had het gevoel dat hij eerder haar bewegingen in de gaten hield dan dat hij haar gezelschap hield. 'Zo, grote hond,' zei ze op vriendelijke toon, om hem voor zich te winnen. 'Wat een mooie kamer, hè?' Ze vond hem mooier dan de woonkamer; de aankleding was zachter: hout en stof in plaats van chroom en leer. Ze hoorde water stromen en ontdekte een miniatuurfonteintje op de vensterbank, zo'n elektrisch geval van steen en koper dat ze wel eens in oma's yogacatalogi had gezien. Nou, het was charmant, een heerlijk, rustgevend geluid. Zenachtig.

Ze liep naar het dressoir om naar de foto's te kijken – het stond vol met ingelijste foto's van Christopher en King. Christopher en andere honden, Christopher en een fret. Hier was er een van Christopher en drie vrouwen; ze leken zo op hem dat ze wist dat ze zijn zussen waren. Ze hadden hem verwend, had hij lachend gezegd. Als dat zo was, dan kon Caddie hun geen ongelijk geven. Wat een heerlijk leven had hij geleid, als jongste van een gezin dat hem aanbad, met het soort uiterlijk dat hij had, liefdevol en goed in bevredigend werk waar hij anderen echt mee hielp. Ze had iemand die zo'n bevoorrecht leven leidde kunnen benijden of zelfs verfoeien. Maar om de een of andere reden nodigde hij haar uit om zijn leven met hem te delen en afkeer was wel het laatste waar ze aan dacht.

Ze hoorde hem bijna niet tot hij achter haar stond en zijn armen om haar middel liet glijden. Ze glimlachten naar elkaar in de spiegel. 'We zien er goed uit,' zei hij, terwijl hij zijn wang tegen haar slaap drukte. 'Vind je niet?'

Hij zag er goed uit. Haar haar was vochtig en piekerig en ze was de meest make-up onder de douche kwijtgeraakt. Maar misschien vond hij dat leuk, het gezonde uiterlijk. Hij kwam uit het midwesten.

'Zullen we naar bed gaan?' fluisterde hij in haar oor.

Ze knikte, rillend.

Maar eerst stak hij kaarsen aan, een dikke geurkaars op beide nachtkastjes, een rij witte naast de gorgelende fontein op de vensterbank. Ze sloegen samen de zware sprei open. Hij trok zijn badjas uit, zij haar handdoek.

Het was lang geleden sinds ze met een man was geweest en nog langer met iemand om wie ze iets had gegeven. Ze kon zich niet ontspannen. Ze voelde zich overweldigd, overgestimuleerd door Christophers huid, de warme en koele plekjes, behaarde plekjes, onbeschrijflijk zachte plekjes. En ze waren allemaal voor haar, wat haar verlegen en onbeholpen maakte.

'Gaat het?' mompelde hij tussen kussen door. Het kaarslicht wierp schaduwen over zijn wangen en glom op zijn brede voorhoofd. 'Iets niet goed?'

'Néé. Het is – dit is geweldig, het is alleen – je weet wel, de eerste keer...'

Hij deinsde geschrokken achteruit.

'Voor ons – de eerste keer voor ons!'

Hij liet zijn voorhoofd op haar borst zakken en slaakte een diepe zucht. 'O, godzijdank.'

Ze begon te lachen, een machteloze giechel, en na een paar seconden deed hij mee. Dat gaf zo'n goed gevoel, als het intiemste dat ze tot nu toe samen hadden gedaan, dat ze geen last meer van zenuwen had.

'Wat liet je me schrikken, zeg.' Hij begon helemaal opnieuw, met zachte beetjes in haar kaak, haar hals waarna hij naar haar borsten gleed. Ze strengelde haar vingers in zijn haar en liet zich meevoeren. Hij was een fantastische minnaar. Hij gaf haar het gevoel dat ze ervaren en natuurlijk was, alsof ze wist wat ze aan het doen was. Hij vond condooms in zijn nachtkastje. Ze wilde het moment dat hij bij haar binnenkwam koesteren, er iets gedenkwaardigs van maken, het laten voortduren, omdat niets dat ze met een man had gedaan ooit zo belangrijk had aangevoeld. Ze hield hem tegen zodat ze elkaar konden kussen – maar toen was het voorbij, de tijd verstreek. Ze vergat in de hitte van haar eigen groeiende opwinding om dingen te koesteren. Christopher was een kreuner. Ze was eerst geschokt en daarna opgewonden over zijn spontane, intense gegrom van genoegen. Hij begroef zijn gezicht in haar haar. Ze klampte zich aan hem vast en in de fractie van de seconde voor ze bij een rand had kunnen komen, voor ze in de buurt kon komen van een plek waar ze vanaf kon springen, zag ze King.

Hij stond naast het bed, zijn kop een paar centimeter bij haar hoofd vandaan, en tuurde haar met een kritische blik en heldere bruine ogen aan. Terwijl hij heel langzaam kwispelde.

Ze wilde hem verraden – Kijk eens wat je hond doet! – maar het was niet het juiste moment. En precies op dat moment knarste Christopher met zijn tanden en kwam klaar; hij drong met zo veel kracht in haar dat hij haar schouders tegen het hoofdeinde duwde. Wat een orgasme! Ze voelde het als een compliment en was trots.

'Dat was ongelooflijk,' zuchtte hij, terwijl hij zich op haar liet zakken. Hij draaide haar om en ging tegen haar rug liggen, zodat ze zijn warme adem in haar nek voelde. 'Goed?'

Ze glimlachte. 'Goed.'

Hij zuchtte opgelucht. 'Ja, dat ben je zeker. Je bent verdomd goed.' Hij kuste haar achter haar oor.

Haar hart zwol. Ze wilde hem vertellen wat het voor haar had betekend. 'Je hond keek naar ons,' zei ze in plaats daarvan.

'Hmm?'

'Niet zo. Hij stond dichterbij.' King had zich aan de andere kant van de kamer voor een rotan schommelstoel opgerold en knipperde overdreven slaperig met zijn levendige ogen. 'Veel dichterbij. Ik bedoel, hij kéék echt.'

'Hmm.'

Hij viel in slaap terwijl King en zij elkaar aanstaarden. Het zou gemakkelijk moeten zijn om een hond eerder met zijn ogen te laten knipperen, maar King won. Caddie deed als eerste haar ogen dicht en deed ze niet meer open. Ze voelde zich net Rebecca en King was mevrouw Danvers.

Toen ze wakker werd, zag ze op de klok op het nachtkastje dat het half een was. Gatsie! Finney! O, maar ze wilde nog niet opstaan. Christopher was zo warm en goudgloeiend, op zijn zij in een ontspannen, sexy houding. Wat zou het leuk zijn om hem wakker te kussen en te zien wat er gebeurde. Nee, ze moest naar huis. Ze zou een ogenblik naar hem kijken en als hij wakker werd dankzij gedachteoverbrenging, dan zou dat het lot zijn. Ze tuurde naar het plekje tussen zijn wenkbrauwen, die misschien even trilden. Ze staarde naar zijn slaap. Word wakker, Christopher.

Ze zuchtte en stapte uit bed. Ook onzin dus, telepathie.

Terwijl ze zich aankleedde, keek ze naar zichzelf in de badkamerspiegel, op dezelfde manier waarop ze naar zichzelf had gekeken in het damestoilet van Hennesey's, maar ditmaal probeerde ze het soort vrouw dat een man als Christopher zou willen verzoenen met het soort vrouw dat zij op dat moment leek. Wat verwarrend was, was dat ze er precies als zichzelf uitzag; ze zag eruit zoals ze eruitzag als ze midden in de nacht opstond om te plassen of zo. Ze had stom haar. Haar tanden stonden scheef, haar lippen waren te dik en haar glimlach was asymmetrisch. Ze vond de hele onderste helft van haar gezicht lelijk. Oma zei vroeger wel eens dat een man met ieder meisje naar bed ging dat twee benen en een vagina had en dat de twee benen niet eens noodzakelijk waren. Maar dat kon het niet zijn, want Christopher was niet dat soort man.

Wat zag hij dan in haar? Ze hield van dieren. Hij hield van muziek. Hij was nieuw in de stad; hij had wel vrienden, maar waarschijnlijk niet heel veel. Misschien was hij eenzaam?

Dat waren mogelijkheden, maar diep in haar hart had ze een beter voorgevoel. Er was iets echts tussen hen. Zo, dat was eruit – ze was eerder te bijgelovig geweest om het in woorden uit te drukken. Het begon nog maar net voor hem, maar zij had het vanaf het allereerste begin gevoeld, een echte kans op een verbintenis, een heuse relatie. Liefde.

Ze trok een gezicht in de spiegel, bij wijze van afkloppen. Ze had het idee bijna opgegeven dat het haar ooit nog zou overkomen; ze zag zichzelf als gebrandmerkt, door omstandigheden buitengesloten uit de gemeenschap van gelukkigen die andere normale, gewone mensen ontmoetten en er iets van maakten. Als ik een normale familie had gehad, dacht ze dan. Als ik een moeder had gehad die was gebleven, als ik een vader had gehad, als ik in een gewoon huis had gewoond. Als oma niet zo gek was geweest. Maar kijk aan – Christopher kon het niets schelen, hij vond haar goed zoals ze was. Het was genoeg om haar beter over zichzelf te laten denken.

'Ga je al?'

Ze draaide zich geschrokken om. Hij stond in de deuropening, slaperig en met zijn haar in de war. 'Ik moet wel. Ik moet Finney nog uitlaten,' zei ze deugdzaam, 'hij zit de hele avond al binnen.'

Hij geeuwde en wreef in zijn ogen, wreef over zijn blote borst onder zijn badjas. 'Ik zal je missen.' Hij sloeg zijn arm om haar heen terwijl hij haar naar de voordeur bracht. Ze voelde zich teleurgesteld en realiseerde zich dat ze gehoopt had dat hij met haar mee naar huis zou gaan. Maar dat was idioot, dan moest hij zich aankleden, ze zouden weer met twee auto's zitten, om nog maar te zwijgen van het probleem van King.

'Zullen we morgen iets gaan doen? Ze zeggen dat het mooi wordt. Zullen we gaan picknicken?'

'Ik kan niet. Zaterdag is altijd mijn drukste dag,' herinnerde ze hem eraan. Maar mórgen – hij wilde haar mórgen zien.

'En morgenavond dan?' zei hij. 'Het mag best laat zijn. Kom hier eten.'

'O, leuk. Maar kom jij naar mij, dan kook ík voor je.' Wat zou ze maken? Iets romantisch en bijzonders. Ze moest een tijdschrift kopen.

'Nee, kom jij maar hierheen, dat is beter. Bovendien zul je wel moe zijn en dan hoef je niets te doen.'

'Je hebt me overgehaald.' Ze omhelsde hem, ontroerd en dankbaar. Ze kusten elkaar. Hij kuste haar zo lief dat ze haar hoofd achteruit deed om hem in de ogen te kijken, om te zien of ze er dezelfde tederheid die zij voelde in kon lezen. Ja... ze dacht van wel. Ze legde haar handen om zijn gezicht. 'Het was de gewel... ik vond het heel fijn.' Als ze zei wat ze in werkelijkheid dacht, schrok ze hem misschien af.

'Ik ook, Caddie. Ik bel je morgen.'

Ze liep met ferme tred weg, dapper stappend het tuinpad af met zwaaiende armen, om te laten zien dat ze geen klef mens was. Maar ze kon een blik over haar schouder niet weerstaan. Zijn donkere silhouet was lang en recht in de deuropening en zelfs vanaf hier knap. King stond met gespitste oren naast hem en keek haar na.

10

Meneer Lorton zei tegen Caddie dat ze zijn levensverhaal snel moest opschrijven voor die van de anderen en hij gaf een knipoog om ervoor te zorgen dat ze het grapje begreep. Dus spraken ze een tijd en een plaats af, op een ochtend meteen na het ontbijt in de Blauwe Salon. Hij zat in de grote fauteuil met zijn wandelstok tussen zijn knieën en zijn voeten raakten nauwelijks de grond. Door zijn twee vleeskleurige hoortoestellen stonden zijn oren uit aan weerszijden van zijn kale, sproetige hoofd. 'Wat ik graag zou willen is dat jij het schrijft, maar dat het klinkt alsof ik het ben. Noteer het maar gewoon zoals ik het tegen je zeg, niks deftigs of zo, maar doe wel iets aan de grammatica en zo. Kun je dat?'

'Ik zal het proberen. Als u niet te snel gaat.'

Hij lachte schor en zijn ogen twinkelden naar haar. 'Te snel is geen probleem, geloof me maar. Goed, ben je er klaar voor?'

'Ja.'

Mijn naam is Charles Micheaux Lorton en ik ben geboren in Fairfield, Pennsylvania, zo lang geleden dat het niet meer uitmaakt. Ik word het zo beu om over mijn leeftijd te praten. Na je negentigste is dat ongeveer het enige waar je nog prat op kunt gaan en mensen hebben het er tot vervelens toe over. O, vooruit, ik ben zevenennegentig, maar verder houden we erover op. En vraag me niet naar het geheim van een hoge leeftijd. Ikzelf zou zeggen dat het matigheid is, maar dat wil niemand horen. Ze willen óf een of ander vreemd regime van yoghurt en drie keer per dag diepe kniebuigingen óf ze willen horen hoe je dikke sigaren rookt en iedere avond twee martini's drinkt. Ik heb gewoon geleefd als een gewone vent, mijn best gedaan niet gearresteerd te worden, anderen voor het hoofd te stoten of te veel aandacht te trekken. Die houding schijnt te werken.

Mijn vader was smid, paardentrainer, monteur, amateurbokser en barkeeper. Mijn moeder speelde orgel in de Otterbein Macedonia Lutherse kerk. Ze kregen vóór mij twee baby's die allebei overleden en na mij kregen ze nog mijn zus, Alice, en mijn broer, Floyd. We woonden in verschillende stadjes in zuidelijk Pennsylvania, wat nog steeds een mooie omgeving is, en toen, in 1917, toen ik negen was, werd mijn vader neergeschoten terwijl hij probeerde tussenbeide te komen in een gevecht tussen twee dronkaards in een café. Hij overleed acht dagen later aan bloedvergiftiging. Daarna verhuisden we naar Frederick, Maryland, omdat mijn moeder er familie had, en daar ben ik opgegroeid.

Ik had nogal wilde haren toen ik jong was. Niets vergeleken met nu, natuurlijk. Wij waren zo onschuldig als lammetjes vergeleken met wat er vandaag de dag allemaal gebeurt. Ik won een auto bij het kaarten, een Ford Depot Hack uit 1920 – dat was een soort stationcar op het chassis van een T-Ford om passagiers en bagage naar stations te brengen. Die had al heel wat ritjes op zijn naam staan, maar er zat nog genoeg leven in om heel wat boetes wegens te hard rijden op te lopen terwijl ik door Maryland, West Virginia, Virginia, Pennsylvania en D.C. crosste. Natuurlijk betekende te hard rijden toentertijd dat je zestig ging in plaats van vijftig. Ik herinner me dat ik een keer een wedstrijd aanging met mijn beste vriend, Buster Flanagan, op wat vroeger de tweebaansweg naar Gettysburg was, maar wat nu de U.S. Route 15 is. Buster had een oude Oldsmobile, ik geloof dat het een Model 42 Roadster uit 1915 was, die ook betere tijden gekend had, maar hij vond hem geweldig en hij liep mij en mijn Ford de hele tijd uit te dagen tot ik het op een keer zo beu raakte dat ik zei, nou, kom maar op. Natuurlijk was het een clandestiene onderneming en we moesten het overdag doen, omdat de koplampen van Busters auto kapotgegaan waren bij een eerder ongeluk en hij geen geld had voor nieuwe. Nou, we starten zij aan zij bij wat nu de afslag naar Libertytown is, maar wat toen niks anders dan bossen en weilanden was en we komen bij die bocht naar links, die tot op de dag van vandaag te scherp is, daar moeten ze eens wat aan doen. We rijden tegen de vijfenzestig, geen van ons geeft toe, de hele weg nek aan nek tot Buster ineens zijn Olds niet meer scherper kan sturen en in plaats van die bocht te nemen, komt hij tegen de zijkant van mijn Ford en rijdt ons allebei de weg af. Ik sloeg over de kop en kwam in de greppel terecht, zijn auto reed door en kwam tegen een boom terecht en we hadden allebei geen schrammetje. Maar ongeveer twee minuten nadat Buster uit zijn wrak geklauterd was en kwam kijken of ik nog leefde, vloog die Oldsmobile in brand en ontplofte. Boem! Je hebt nog nooit zoiets gezien. Behalve dat wij de politie probeerden duidelijk te maken dat er een kudde herten voor ons de weg opsprong en dat we te scherp uitweken – allebei, moet je nagaan – en in de berm terechtkwamen. Ze geloofden er niks van, maar ze konden niet bewijzen dat het anders was gebeurd, dus we kwamen er goed vanaf. Behalve Buster – zijn hart was gebroken; als hij nog leefde, zou hij nog steeds om die ouwe Oldsmobile treuren. Hij is in 1959 aan levercirrose overleden.

Ik heb het technische talent van mijn vader niet geërfd, maar ik werkte graag met mijn handen en mijn eerste goeie baan was klusjesman bij een aannemer. Daarna kwam ik in het timmermansvak terecht. Het bedrijf ging failliet op het moment dat de crisis begon en ik en de meeste mensen die ik kende werden werkloos. Wat volwassen worden niet deed om me mijn wilde haren te laten kwijtraken, deed de crisis wel. Ik redde het dankzij ene meneer Abel C. Brooks, een goede vriend van de man van de zus van mijn moeder. De heer Brooks was eigenaar van de ACB IJzerwarenwinkel in wat vroeger Potomac Street aan de oostkant van Frederick was. Hij was zo vriendelijk me schoonmaak- en magazijnwerk te geven, wat leidde tot verkoop, daarna bestellingen, rekeningen en inventarisatie en uiteindelijk al het andere en in 1935 ging meneer Brooks met pensioen en bood me de zaak tegen zulke gunstige voorwaarden aan dat ik het me net kon veroorloven. Ik bleef meer dan veertig jaar in de ijzerwarenhandel en ging in 1981, toen ik drieënzeventig was, met pensioen.

Ik werd afgekeurd voor militaire dienst vanwege mijn voeten, dus ging ik als vrijwilliger bij de BB en deed dienst als luchtbeschermingsblokhoofd van 1942 tot 1944, daarna als luchtbeschermingshoofd voor Washington County van 1944 tot het eind van de oorlog. Ik kreeg wel wat opmerkingen naar mijn hoofd, omdat sommige mensen het niet als echte militaire dienst beschouwden van iemand die er gezond uitzag, maar ik was er trots op en deed mijn werk zo goed mogelijk en je hebt misschien wel gemerkt dat de Duitsers Frederick, Maryland, nooit gebombardeerd hebben.

Ik dacht dat ik altijd vrijgezel zou blijven, want tot mijn negenendertigste had ik nog nooit een meisje ontmoet dat mij lang kon hebben, of anders ik haar. Ik was niet echt kieskeurig, ik wilde gewoon iemand die nuchter en vriendelijk was, die iets beter van me dacht dan ik verdiende. Een knap smoeltje kon geen kwaad. Nou, op een dag ben ik de bezorger van de ijzerfabriek aan het helpen om de bevestigingen op zijn vrachtwagen los te maken en laat die stommeling een tonnetje met grote spijkers op mijn voet vallen. Hij was gebroken! Ik gil als een speenvarken, want ik had nog nooit zo'n pijn gehad en sindsdien ook niet meer, dus hij duwt me de vrachtwagen in en brengt me naar het ziekenhuis. En daar was ze. Ik zei wel eens dat het de injectie was die ze me gaf tegen de pijn waardoor mijn hersenen in de war raakten en ik zo voor haar viel, maar dat was een grapje, ik zei het alleen maar om haar op stang te jagen. 'Zuster Stanley' stond er op haar kraag en ik moest net doen of ik doodging om haar zover te krijgen dat ze haar voornaam vertelde. Sarah. Ze zei het lachend. Ze was zo mooi, met blond haar en lichtbruine ogen, maar Sarah die haar naam zei en lachte is de reden dat ik verliefd op haar werd.

Er was heel wat overtuigingskracht voor nodig, maar eindelijk wilde ze een afspraakje met me maken en ik nam haar mee naar het Maryland Hotel, waar het orkest van Lewis Tranes speelde. Ze droeg een groene japon met een witte kraag en een bijpassend jasje. Ze zei dat ik goed kon dansen, dat was het eerste compliment dat ze me gaf, en toen wist ik zeker dat ze niet alleen mooi was, maar ook de liefste en zachtaardigste leugenaarster. We trouwden vijf maanden later.

Ik wist niet wat ze in me zag, toen niet, noch in de eenenveertig jaar die we samen hebben gehad. Ik kan in alle eerlijkheid zeggen dat ik geen dag voorbij heb laten gaan zonder dat ik de Heer dankte voor haar en dat ik dat nog steeds doe, ook al is ze er nu niet meer. Als ik iets van mezelf heb gemaakt, als ik iets goeds heb gedaan of een of ander doel heb gediend, dan is het dankzij Sarah.

We kregen eerst Daniël, twee jaar later William met een hoop complicaties en daarna konden we er niet meer krijgen. Het waren prachtige jongens en dat is geen vooroordeel. In de eerste plaats leken ze op Sarah, blonde jongens met bruine ogen en haar zachte natuur en hart. Daniël is in 1969 in Vietnam gesneuveld, op twintigjarige leeftijd. Dat is het enige dat ik erover te zeggen heb, want zelfs nu er zo veel jaren verstreken zijn sinds ik mijn jongen verloor, doet het nog net zo'n pijn. Sarah was de enige met wie ik erover kon praten en zelfs tegen haar zei ik niet veel. Ze spoorde me aan om erover te praten, maar zelfs voor haar kon ik het niet. Nog steeds niet.

William is een goeie jongen en hij woont in Spokane, Washington, vraag me niet waarom. Hij is technicus, werkt met vliegtuigonderdelen en zo. Hij zegt dat hij bijna met pensioen gaat. Hij heeft kinderen en zijn kinderen hebben kinderen, maar ik zie ze nooit, ze zijn veel te ver weg. We bellen wel eens.

Dus nu ben ik een ouwe man, ouder dan iedereen die ik persoonlijk heb gekend en het is het eigenaardigste dat je je maar kunt voorstellen. Binnenin ben ik mezelf, dezelfde als altijd, en aan de buitenkant ben ik een aftands vehikel van een vent. Tegen dat het avond wordt ben ik gewend aan mezelf, maar zodra ik 's ochtends wakker word, is er even een ogenblik waarin ik hem niet herken. 'Wie ben jij in godsnaam?' zeg ik dan, terwijl ik om de rimpels heen probeer te scheren zonder mijn kin eraf te snijden. Het lijkt slechts een paar jaar geleden dat ik die race met Buster deed, niet al bijna tachtig jaar geleden. Wake House is een prima tehuis en iedereen is aardig tegen me, en ik ben een gelukkig man, omdat niets echt pijn doet, op het gebruikelijke na, wat je kunt verwachten, maar ik moet wel zeggen dat ik niet had gedacht dat het zo zou lopen. Er is maar één ding dat ik betreur en dat is dat Sarah vóór mij is gegaan. Ik wou dat ik als eerste was gegaan, dat zou meer in de natuurlijke orde der dingen hebben gelegen.

Maar ik ben er nog en als God me vergeten is, dan valt er niets anders te doen dan er het beste van maken tot hij het zich herinnert. Nu komt zeker het stuk waar ik iets wijs hoor te zeggen. Ik heb geen advies voor wie dan ook. Hou van degenen die je hebt terwijl je ze hebt, want je weet nooit hoe lang dat zal zijn. Wees eerlijk, probeer iedereen eerlijk te behandelen, want je naam is meer waard dan je geld. Dat is het. Ik zou niets anders gedaan hebben en dat is het beste waar je op kunt hopen.

Op woensdagmiddag deed Claudette altijd een spelletje in de Blauwe Salon: Pictionary of Triviant of soms een spelletje dat ze zelf bedacht had. Deze woensdag was het 'Noem Die Vriend of Vriendin' – Caddie herinnerde zich vaag dat ze er een versie van met meisjes op de slaapzaal deed toen ze nog studeerde. Je moest om de beurt raden en je moest erachter zien te komen over wie de anderen het hadden als ze vragen beantwoordden als: Als die persoon een bloem was, wat zou hij of zij dan zijn? Wat voor kleur is die persoon? Hij/zij is het type dat... vul maar in. Ongetwijfeld was het Claudettes doel om de bewoners van Wake House dichter te brengen bij het op een creatieve, vrije manier verkennen van hoe ze echt over elkaar dachten. De mogelijkheid van valkuilen was vast nooit bij haar opgekomen.

Iedereen was er, behalve Susan, die met haar vriend een ritje was gaan maken, en mevrouw Brill, die een afspraak bij haar oogarts had. Op de een of andere manier werd Caddie overgehaald in de kring van spelers te gaan zitten, ze wist niet goed hoe; het ene moment zat ze met oma op de bank in een oud tijdschrift van de ouderenbond te lezen en het volgende probeerde ze te beslissen wat voor soort groente meneer Lorton was.

Thea kwam de salon binnen toen het spel volop bezig was. Iedereen stopte om haar te begroeten – 'Hallo, Thea', 'Hoi, Thea, waar ben je geweest?' 'Thea, kom hier zitten.' Het speet haar dat ze zo laat was, sorry dat ze hen gestoord had in hun spelletje, ze zou gewoon gaan zitten en niets zeggen – Nee, nee, geen sprake van, ze moest meedoen, ze was er vast goed in – Cornel en Bernie sprongen op uit hun stoel en drongen erop aan dat ze ging zitten, hier zitten, kom hier maar zitten. 'Dank je, bedankt, maar ik denk dat ik me maar tussen Frances en Caddie in pers.' Oma verlegde haar been een beetje verder op de salontafel en Thea ging tussen hen in zitten.

Ze had altijd een vaag, citrusachtig parfum op, heel fris en opvallend, in tegenstelling tot de poederachtige, ouderwetse geur die de andere vrouwen op hadden. Ze kleedde zich ook niet zoals zij. Ze droeg spijkerbroeken en een wit mannenoverhemd dat ze van voren in een knoop bond; ze droeg capes, baretten schuin op haar hoofd, strakke zwarte leggings onder een lange, dikke trui. Als het mooi weer was, liep ze op haar blote voeten. 'Wat denkt ze wel dat ze is, een beatnik?' hoorde Caddie mevrouw Doré Harris een keer tegen niemand in het bijzonder zeggen nadat Thea de kamer uit was gegaan. Niemand had antwoord gegeven, niemand had ook maar geknikt of 'Hmm' gezegd. Ze mochten Thea graag. En als Doré haar niet zo mocht, dan kwam het, dat wist Caddie zeker, omdat totdat Thea kwam zíj de jongste en knapste van alle vrouwen in Wake House was geweest.

Thea klopte oma op de knie. 'Je zei dat je me wakker zou maken,' fluisterde ze. 'Ik wilde mijn ogen maar heel eventjes dichtdoen, dat zei ik nog tegen je.'

Ze liet het samenzweerderig klinken alsof oma met haar samenspande in een of ander leuk, maar ondeugend avontuur. Oma wist nog niet goed wat ze van Thea moest denken ('Te jong en ze mankeert niets. Wat doet ze hier?'), maar toch glimlachte ze terug en schudde haar hoofd naar haar. 'Sorry,' fluisterde ze schouderophalend, ingehouden ondanks zichzelf.

'Moet je jou zien,' zei Thea terwijl ze zich tot Caddie wendde, 'er is vandaag iets anders met jou. Wat is het?'

Caddie zette grote onschuldige ogen op en spreidde haar handen om te laten zien dat ze leeg waren. Misschien ben ik wel verliefd, dacht ze. Kon Thea het zien?

'Wat zijn we aan het doen?' vroeg ze zachtjes, terwijl ze tegen Caddies schouder leunde. 'Ik begrijp dit spelletje niet.'

Geen wonder. Mensen in de kring zeiden om de beurt dingen als 'Doornstruik' en 'Hulststruik met stekelige bladeren' en 'Een dode!' Caddie fluisterde in Thea's oor: 'Edgie moet raden wie de geheimzinnige persoon is. Het is een van ons. Als ze een boom waren, heeft ze zojuist gevraagd, wat zouden ze dan zijn? Iedereen komt aan de beurt en –'

'Dus het is Cornel?'

Caddie moest lachen, maar sloeg haar hand voor haar mond. 'Hoe heb je die zo snel?'

Ze gniffelden samen en keken naar Cornel, die met een vies gezicht zat te kijken, helemaal niet blij met het beeld dat de anderen van hem schetsten. Hij wist dat hij 'hem' was – Claudette gaf een papiertje door met de naam van de persoon die de nieuwe rader moest raden – dus Cornel moest vragen over zichzelf beantwoorden en óf eerlijk en behulpzaam zijn óf net doen alsof hij het over iemand anders had om Edgie op een dwaalspoor te brengen. 'Stevige eik,' gaf hij als antwoord op de bomenvraag.

Vervolgens vroeg Edgie: 'Wat voor soort auto is deze persoon?' en Bernie, Cornels kamergenoot, riep: 'Lijkwagen!' tot algehele hilariteit. Iemand zei: 'T-Ford' en iemand anders zei: 'Roestige oude Studebaker.'

Toen Thea aan de beurt kwam, zweeg ze peinzend, met haar vinger op haar lippen. 'Zo'n auto die de afgelopen veertig jaar of wat in een garage heeft gestaan. Iemand vindt hem en onder al dat stof en die viezigheid staat een perfecte, klassieke... noem-maar-wat. Een klassieke Cadillac. Een Rolls-Royce.'

Cornel bloosde. Caddie zou het niet geloofd hebben als ze het niet had gezien.

Edgie raadde hem ten slotte – Caddie vermoedde dat ze het al lang wist, maar er van genoot om de vragen te rekken – en Claudette gaf het volgende papiertje door. 'Magill' stond er en Edgie's zus Bea moest raden. 'Maak de zin af,' zei ze. 'Dit is het type dat –'

'Hier niet thuishoort,' antwoordde Edgie prompt.

'Je gewoon wilt knuffelen,' zei Maxine.

'Je een dreun zou willen geven,' zei Cornel.

Caddie dacht een ogenblik na. 'Me aan het lachen maakt.'

Magills beurt. Hij had een slobberige kaki broek en een grijs T-shirt aan en degene die hem het laatst had geknipt had te veel van de zijkanten gehaald. Hij zag eruit als een krijgsgevangene. Peinzend, zijn vingers schrapend over de stoppels op zijn ongeschoren kin, zei hij: 'Een griezelige overeenkomst met Antonio Banderas vertoont.'

Bea raadde hem na de eerste ronde.

Op het volgende papiertje stond: 'Doré Harris'. O jee, dacht Caddie. Wat voor boom was deze persoon, vroeg Bernie, die moest raden. Een hoge, statige iep, zei iemand; iemand anders noemde een Japanse esdoorn.

'Ginkgo,' antwoordde Maxine genietend. 'Zo'n vieze boom die zijn plakkerige bladeren overal laat vallen en heel vervelend is.'

Iedereen keek opzettelijk niet naar Doré.

Wat voor auto?

'Een Edsel,' zei Maxine.

Wat voor sieraad?

'Een choker.'

Wat voor type?

'Iemand die je beter niet de rug kunt toekeren.'

Doré stond op en liep de kamer uit.

Dat betekende bijna het einde van het spelletje. Er viel een verlegen, gegeneerde, gefascineerde stilte; zelfs Maxine leek een beetje geschokt over zichzelf. Maar de mooie Claudette zei: 'Nou! Er zijn genoeg namen over, zullen we verdergaan?' Ze deed zo goed net of er niets aan de hand was dat mensen besloten haar te geloven.

Er werd weer een briefje doorgegeven en Caddie las haar naam erop.

Het kledingstuk waar ze de meeste mensen aan deed denken was een lange bloemetjesrok.

Haar boom was de wilg; dat zeiden drie mensen, al zeiden er twee jonge aanplant. Magill zei witte kornoelje – dat vond ze leuk. Thea zei: 'Is de lepelboom een boom? Ik zeg lepelboom, omdat hij verlegen is en alleen in het donker bloeit. Hij vrolijkt het bos op.'

De oude meneer Lorton moest dit keer raden. Caddie had het idee dat hij al wist wie het was – ze hadden elkaar goed leren kennen toen ze zijn stuk voor 'Wij Herinneren Ons' schreef – en dat hij het spelletje gewoon door wilde laten gaan. 'Vul aan,' instrueerde hij met zijn barse stem – hij moest constant zijn keel schrapen. 'Dit is het type dat–'

'Flanellen pyjama's draagt,' zei Maxine. 'Durf ik te wedden.'

'Insecten vangt en buiten weer loslaat.' Cornel trok zijn mondhoeken naar beneden om duidelijk te maken dat hij dat niet als compliment beschouwde.

'Te grote fooien geeft,' zei Bernie. 'Nooit een boete wegens te hard rijden heeft gekregen.'

'Met wie mensen kunnen praten,' zei Edgie.

'Aan wie mensen een gunst kunnen vragen,' zei Bea.

Magill zat met zijn ellebogen op zijn knieën, zijn handen bungelend tussen zijn spinnenpoten van benen. 'Om je grapjes lacht of ze nu leuk zijn of niet. Om te voorkomen dat je je lullig voelt.'

Caddie zei: 'Jij bent aan de beurt, oma.'

'Huh?' Ze keek weer naar de naam op haar briefje. 'Wat was de vraag?'

'Dit is het type dat.'

'Dit is het type waarbij je op je taalgebruik let als ze in de buurt zijn.'

Alle mannen knikten.

Caddie was nog gekwetst over de flanellen pyjama's. 'Veel van dansen houdt,' flapte ze eruit. 'En van onder de douche zingen. Heel hard.'

Thea was de laatste. Ze hield haar ogen neergeslagen en streek met haar hand over de rand van de bank. 'Me doet verlangen naar iets waar ik vroeger altijd naar verlangde, voor ik te oud werd.' Ze keek op en glimlachte. 'Meer zeg ik niet, anders raad je het.'

Meneer Lorton zei dat hij dacht dat de persoon wel eens Caddie kon zijn.

Ze bleef stilletjes zitten terwijl ze zich probeerde te concentreren op de volgende persoon die geraden moest worden, maar in werkelijkheid herhaalde ze alle indrukken van haar. Het was geen verrassing dat ze haar graag mochten en wat zij als aardige dingen beschouwden – zij was er niet zo zeker van – over haar zeiden. Soms voelde ze zich net de huismascotte of alsof ze acht of negen gloednieuwe liefdevolle grootouders had. Het was leuk om zo betutteld te worden – dat was nooit eerder gebeurd. Dankzij oma en Thea wisten ze van Christopher en nu kon ze geen gesprek meer aangaan, niet eens hoi, hoe is het ermee, zonder dat er werd gevraagd: 'Hoe is die nieuwe vriend? Zorgt hij toch wel goed voor je? Wanneer neem je hem mee zodat we hem kunnen zien?'

In zekere zin was haar leven nu perfect, want – dat kwam nu pas bij haar op – eigenlijk leidde ze twee levens: dat van een kind en dat van een volwassene. Het kind had een groot huis waar ze naartoe kon wanneer ze maar zin had, vol vriendelijke, meelevende ouderfiguren die oprecht het beste met haar voorhadden en in de tussentijd had de volwassene de meest opwindende minnaar die ze ooit was tegengekomen, een heerlijke, steeds intenser wordende relatie en een seksleven, een seksleven dat... haar de adem benam. Het was allemaal zo héérlijk. Dit was de beste zomer van haar leven. Ze was niet direct gelukkig – hoe kon je gelukkig zijn als je verliefd was? Het was te zenuwslopend – maar ze was op de juiste weg. Beslist met haar neus in de juiste richting.

'Goed, mensen.' Claudette stond op. 'Dat was het, we hebben iedereen gehad. Dat was leuk, hè? Oké, voor volgende week wil ik dat jullie allemaal denken over jullie *beste herinnering* uit jullie jeugd. Iedereen moet zijn of haar beste herinnering van toen hij of zij klein was vertellen – dat is het spelletje. Goed? Goed zo dan!' Ze begon in haar handen te klappen, een teken dat het spel afgelopen was, tijd voor mensen om op te staan en naar hun volgende activiteit te gaan.

'Ik ga naar boven en even liggen,' zei oma.

'Heb je hulp nodig?'

'Nee.'

Cornel kwam naar hen toe en liet zich op de bank ploffen. Hij had nog steeds een mooie bos grijs haar en vandaag had hij de moeite genomen om het met water, of misschien zelfs haarcrème, achterover te kammen; Caddie zag de fijne sporen van de tanden van de kam in zijn haar. Hij had een slechte houding, altijd voorovergebogen en in je gezicht, alsof hij je wilde aanvallen. Hij was bijna een meter tachtig, maar er zat geen vlees meer op zijn botten, alleen maar dunne spieren die aan zijn broze botten geplakt zaten. Hij had een vreselijk humeur, ze had nog nooit iemand ontmoet die zo kribbig en zuur was. 'Beste herinnering,' gromde hij, terwijl hij over de glimmende knieën van zijn broek wreef. 'Ja, dat is wat ik wil horen, ieders beste herinnering. Ik kan niet wachten.'

Thea keerde zich naar hem toe en sloeg haar benen over elkaar. Ze droeg een plooirok, kousen en instappers en Caddie zag Cornels kritische blik over haar benen gaan, die nog steeds in uitstekende vorm waren. Ze vouwde haar handen om haar ene knie en trok haar wenkbrauw vragend naar hem op. 'Wat zou je dan liever horen, ieders sléchtste jeugdherinnering?'

'Há,' deed hij, zijn versie van een lach. 'Jezus, ja, dat zou leuk zijn, hè? In de kring onze ellendigste herinneringen vertellen. Dát zou nog eens wat zijn.'

Hij keek zo vrolijk dat Thea ook moest lachen. 'Cornel, wat is jouw beste herinnering? Die moet je nu vertellen, want ik denk niet dat we het volgende week zullen horen.'

'Nee, om de dooie dood niet. Dat gaat niemand wat aan.' Hij had ook minachtend gesnoven bij het idee dat hij Caddie zijn levensverhaal zou vertellen voor het herinneringenboek; 'Wacht maar tot ik dood ben voor mijn necrologie,' zo had hij het geformuleerd. 'Wat is de jouwe?' wilde hij weten, terwijl hij zijn kin in Thea's richting priemde.

Caddie leunde achterover, uit hun gezichtsveld. Ze voelde zich in de weg zitten.

'O, daar zul je op moeten wachten. Ik ben een teamspeler en wil mezelf niet herhalen.'

'Há.' Hij ging met zijn duimen op en neer langs de achterkant van zijn bretels, hield zijn hoofd scheef en kneep zijn ogen toe. Zat te denken. 'Oké, ik weet de mijne. Wil je hem horen?'

'Ja, natuurlijk, ja.'

'Het is de keer dat mijn broer en ik de hele nacht in een sneeuwstorm in school opgesloten zaten.'

'Hoe oud was je?'

'Tien, en Frank was acht. We waren nagebleven om juf Kemper te helpen de kachel schoon te maken. Het was geen straf, hoor,' wilde hij haar laten weten, 'het was een beloning.'

'Voor...'

'Hoge cijfers en goed gedrag. Nou, rond het middaguur begon het te sneeuwen, maar in die tijd sloten ze de school natuurlijk niet omdat er een paar vlokjes vielen.'

'Nee, zeker niet. We konden veel meer hebben.'

Hij keek haar vorsend aan, niet wetend of ze het nu meende of niet. 'In ieder geval, juf Kemper ging snel weg voor de sneeuw te hoog kwam en wij ook, de andere kant uit, maar voor we veel verder waren, viel Frank over een stam onder de sneeuw en verstuikte zijn enkel. Nou, het was nog ruim twee kilometer naar huis, dus strompelden we terug naar de school, die op slot zat, en ik kroop via het raam van de garderobe naar binnen en deed de deur voor Frank open.'

Cornel was zo iemand waarbij er een dotje speeksel in de mondhoeken ging zitten wanneer hij langere tijd aan de praat was. Hij deed er iets aan door er zo nu en dan snel met zijn duim en wijsvinger langs te vegen.

'Op de een of andere manier kregen we de kachel weer aan de praat – maar goed ook, want anders waren we doodgevroren. Het bleek een sneeuwstorm te zijn die woedde. Wat eten betreft was het bureau van juf Kemper helemaal leeg, niet eens een appel. We keken overal, ieder bankje, iedere zak in de garderobe en het enige dat we vonden waren vier hoestdropjes, een paar zuurballen en een Rocket toffeereep.'

'O, ik herinner me Rocket toffeerepen,' zei Thea.

'Ik vertelde verhalen zodat Frank niet bang zou worden. Nou, en ook zodat ík niet bang zou worden. We vielen een tijdje in slaap op onze jassen voor de kachel en klampten ons aan elkaar vast als een stelletje jonge beren. Bang en zo, maar ook opgewonden. We vroegen ons af wat er thuis gaande was, hoe ze op onze afwezigheid reageerden. Nou, tegen de ochtend komt onze vader binnengestormd met zijn rode gezicht en sneeuw in zijn haar, gewoon brúllend tegen ons. We schrokken ons wezenloos.'

Hij zat voorovergebogen, starend naar zijn gerimpelde handen, met een verre blik in zijn ogen. Hij keek op toen Thea 'Tja' zei, op een beleefde, onzekere manier.

'Nou, weet je –' Hij schraapte luidruchtig zijn keel. 'Het is een goede herinnering omdat hij zo verdomd opgelucht was. We huilden en gingen tekeer, ons verontschuldigend en uitleggen en rechtvaardigen, maar in ons hart voelden we zo'n perfecte...'

'Vreugde.'

'Ja, eh.' Hij wreef over zijn wangen, opgelaten over 'vreugde'. 'Onze grote, griezelige pa moest schreeuwen om niet te huilen waar wij bij waren en dat vonden we prachtig. We vonden het geweldig dat hij ons redde en tegen ons schreeuwde en ons stompte en knuffelde...' Hij haalde nonchalant zijn magere schouders op, onder zijn gesteven witte overhemd. 'Ik vond het gewoon prachtig. Ben het nooit vergeten.'

'Nee.'

Hij kneep zijn lippen op elkaar. 'Natuurlijk zijn ze nu allemaal dood, Frank op zijn twaalfde door een stom omgeluk. Ze zijn allemaal dood.'

'En jouw gezin...'

'Dood. Mijn vrouw en mijn zoon, Frank junior.' Hij steunde op de leuning van de bank om overeind te komen. 'En wat heb jij aan een goede herinnering?' Hij keek kwaad, bij de neus genomen.

'O, gelukkige herinneringen zijn best leuk,' zei Thea voor hij op een dramatische, eenzame manier kon afgaan. 'Zolang we maar niet ophouden nieuwe te maken. Ik, bijvoorbeeld, ben nog niet klaar met het maken van herinneringen.'

'Hmm.' Hij bleef besluiteloos staan. 'Ik ga naar buiten. Mooie dag. Wil je bij me komen zitten?'

Nodigde hij hen allebei uit of alleen Thea? Caddie had dat vijfde-wielgevoel weer.

'Ik kom zo,' antwoordde Thea. 'Ik moet Caddie iets vragen.'

'Goed.' Cornel groette hen beiden en liep weg.

'Tjonge, wat een mopperpot,' zei Thea, terwijl ze hem glimlachend nakeek. 'Waarom pikken we dat toch van hem?'

'Omdat hij lief is, diep in zijn hart. En ook – ik denk dat hij verliefd op je is,' fluisterde Caddie.

'O, poeh.' Ze lachte en wapperde met haar hand. Óf ze geloofde het niet óf ze was het zo gewend dat mannen verliefd op haar werden dat ze er niet van onder de indruk kwam. 'Dit wilde ik je vragen – zit je helemaal vol met leerlingen van de zomer?'

'Nee. De zomer is mijn slapste periode, omdat iedereen op vakantie gaat. Waarom? Wil je les nemen?'

Zij maakte een grapje, maar Thea niet. 'Ja. Piano.'

'Écht?'

'Ja, het is nu of nooit. Als kind had ik er geen belangstelling voor en toen ik opgroeide, had ik geen tijd. Nu heb ik niets anders dan tijd en ik wil jou als leraar!'

'O, wat leuk! Het lijkt me fantastisch. Het lijkt me geweldig!'

'Wat ben je toch een lieve meid,' zei Thea en kuste haar op beide wangen. 'Ik ben gewoon gek op je.'

Mevrouw Doré Harris wilde niet dat Caddie haar biografie voor 'We Herinneren Ons' schreef; ze wilde hem zelf schrijven, een 'autobiografie', en ze wilde dat Caddie hem voor haar op de computer uittikte. 'Maar ik denk dat ik hem maar in de derde persoon schrijf, dan klinkt het authentieker. Denk je niet? En je mag dat spellingcontroleding wel aanzetten, maar ik durf te wedden dat je geen enkele fout tegenkomt. Spelling is altijd mijn sterke kant geweest.'

Mevrouw Stewart R. Harris werd geboren als Doré Arnette Sloan op 2 april 1927 in Spartanburg, South Carolina, als enige dochter van Bynel en Eunice Sloan. De heer Sloan onderscheidde zich tijdens een lange carrière in de voeder- en granengroothandel en mevrouw Sloan, een getalenteerd musicus, bloemschikster en amateur-aquarelliste, was ook beroemd om haar unieke kookkunst en tuinierstalent, waarmee ze op plaatselijke braderieën en in wedstrijden vele prijzen in de wacht sleepte.

Doré was een levendig, aantrekkelijk, leergierig kind met veel vrienden en interesses. Haar beste vakken waren spelling, grammatica en wiskunde, dus het is geen verrassing dat ze nadat ze haar middelbare-schooldiploma aan de Robert E.

Lee High School had behaald, besloot het secretariaat in te gaan. Maar ze wilde ook graag meer van de wereld zien, dus toen ze negentien was, verhuisde ze naar Washington, D.C., waar ze korte tijd voor een telefoonmaatschappij werkte om haar administratieve vaardigheden bij te spijkeren. In 1948 ging ze werken als secretaresse/receptioniste in de praktijk van dr. Drew McDonald, een bekend chiropodist in de voorstad Wheaton, Maryland. Doré werkte voor dr. McDonald tot 1950, toen de twee zich verloofden en trouwden.

Na hun wittebroodsweken in Miami, Florida, verhuisde het paar naar hun nieuwe huis in de wijk Springfield in Wheaton, waar ze graag feestjes gaven rond hun ingebouwde zwembad. Doré was actief in de Tuiniersclub, het Welkomscomité, de afdeling van de Stichting voor Buurtverfraaiing en de jaarlijkse Springfield Huizentour. In 1952 schonk het paar het leven aan hun enige kind, een prachtige dochter, Estella Doré. In 1956 werd dr. McDonald benoemd tot chiropodist van het jaar door de Vereniging voor Chiropodie in Montgomery County. En hij werd dat jaar gehuldigd op de staatsconventie in Annapolis.

In 1959 ging het echtpaar uit elkaar en in 1961 waren ze officieel gescheiden.

Doré bleef de daaropvolgende zeven jaar in het huis in Springfield wonen, waar ze zich bezighield met het moederschap, buurtprojecten en vrijwilligerswerk, evenals met reizen naar Parijs, Frankrijk, Vancouver, Brits Columbia, Reno, Nevada en New York City.

In 1969, toen Estella studeerde (Shepherdstown College, Shepherdstown, West Virginia) en Doré naar een rustiger, meer meditatief leven zocht, verhuisde ze naar Damascus, Maryland. Daar ging ze, om zich nuttig te maken en zin aan haar leven te geven, parttime werken bij Nawson's Juweliers. In korte tijd werd ze gepromoveerd tot assistent-bedrijfsleidster. Nog verrassender was het dat ze zich een jaar later verloofde met Clarence 'Bud' Nawson en het paar trouwde op 4 juni 1971.

Doré zette haar vrijwilligers- en gemeenschapswerk voort in Damascus en genoot ook succes en enige bekendheid als model voor de Getrouwd & Ouder-kledinglijn van het warenhuis Jewell's. De Nawsons brachten vakanties door in Puerto Vallarta, Mexico en Las Vegas, Nevada.

Tragisch genoeg was hun geluk maar een kort leven beschoren. In 1974 werd bij Bud, die zijn leven lang had gerookt, longkanker geconstateerd en binnen drie maanden was hij dood.

Door verdriet overmand verkocht Doré de winkel en verhuisde weer naar het westen, ditmaal naar Michaelstown, waar ze een appartement in Marshall Street kocht en haar leven opnieuw ging opbouwen. Geen type om lang stil te blijven zitten, en ook al waren de financiën geen probleem, ze vond al snel zinvol werk op de administratie van Harris Recreatievoertuigen aan Route 15. Daar deden de vriendelijkheid en kameraadschap van haar collega's Doré's neergeslagen stemming veel goed. Ze begon met stijldansen, studeerde Frans aan het Boormin Community College en pakte opnieuw een oude, verwaarloosde passie op, Japans bloemschikken.

Het lot nam een verrassende wending in 1978. Omdat ze gezworen had nooit te hertrouwen, kon Doré het amper geloven toen ze merkte dat ze opnieuw verliefd was geworden. Stewart R. Harris joeg haar hart op hol en na een korte, stormachtige verkering vloog het paar naar Acapulco, waar ze man en vrouw werden.

'Bij Stewart vond ik waar mijn hart altijd naar op zoek was geweest. Wij vormden een bijzonder gezegende verbintenis. Ik had nooit eerder zo veel geluk meegemaakt en dat zal ook nooit meer gebeuren. Hij was mijn ridder, mijn Lancelot.'

Stewart wilde hun nieuwe Airstream camper, een huwelijkscadeau, naar zijn bruid vernoemen, maar Doré stond erop dat hij Excalibur werd genoemd. Daarin ondernamen ze heel wat idyllische tochten en Doré heeft nu iedere staat van de Unie gezien, behalve Alaska, Hawaï, Vermont, Maine en New Hampshire.

En zo verliep het leven in een gelukkige gloed en naarmate de gouden jaren van het echtpaar naakten, begon Stewart er meer en meer over te denken om met pensioen te gaan. Ze maakten plannen voor reizen – Stewart was nooit in Europa geweest, in tegenstelling tot Doré – maakten grapjes over wat hij moest doen als hij geen caravans en campers meer verkocht. Als voorbereiding op hun nieuwe leven trok Doré zich ten slotte terug uit de vrouwenafdeling van de Michaelstown Sleutelclub waar ze vele jaren in het organisatiecomité had gezeten en één jaar als penningmeesteres had gediend. Maar het mooiste was dat ze hun droomhuis kochten: een huis met vier slaapkamers en een vide, op anderhalve hectare half bebost land in de wijk Tortois Creek Hills.

En toen, op 14 juni 1988, dertien dagen voor ze hun tienjarig huwelijk zouden vieren, sloeg het noodlot opnieuw toe. Terwijl hij het gras aan het maaien was op zijn rijdende grasmaaier, de John Deere Cadet die Doré hem voor zijn combinatie van verjaardag en housewarming had gegeven, kreeg Stewart een hartstilstand. Dokter en ambulance werden gebeld, maar het was te laat. Hij overleed naast de rij Leylandcipressen die hij nog maar een week tevoren langs de oprijlaan had geplant. Doré knielde naast hem en hield zijn hand vast. Zijn laatste woorden waren: 'Dodo (een koosnaampje), tot ziens in de hemel!'

'De rest is niet belangrijk,' zegt Doré. 'Om de waarheid te zeggen herinner ik me de jaren negentig amper. Zonder Stewart, mijn zielsverwant die meer van me hield dan enig man ooit had gedaan of zou kunnen, verdorde mijn leven. Materiële bezittingen zeiden me niets meer, en ook nu betekenen ze niets voor me.'

Doré woont sinds 2001 in Wake House, toen het wegens hartklachten te gevaarlijk voor haar werd om alleen te wonen. Zou ze het anders hebben willen doen? 'Wat een vraag!' zegt ze. 'Wie niet? En toch heb ik inderdaad het gevoel dat mijn leven een doel had, een pijl die me maar in één richting wees: in die van Stewart Harris. Als ik een tweede kans kreeg, zou ik proberen hem eerder te vinden, want pas toen ik Stewart ontmoette, begon mijn echte leven. En het zijne ook, geloof ik. Ware liefde is zoiets breekbaars, zeldzaams, maar wij hadden het. Romeo en Julia, Othello en Desdemona, Elizabeth en meneer Darcy, Gatsby en Daisy, Ross en Rachel – ik zou aan die lijst willen toevoegen: Doré en Stewart Harris. Jazeker! We hadden een eeuwige liefde.'

11

Thea kwam voor haar eerste pianoles op een woensdag achterin de middag en terwijl ze door de wijd openstaande voordeur naar binnen stapte, ging Angie Noonenberg net naar buiten. Caddie stelde hen aan elkaar voor. Daarna gooide Thea haar tas op de bank in de kamer en riep uit: 'Ach, wat een mooi meisje. Die ogen!'

'Ik weet het. Jammer dat ze kwaad op me is.'

'Waarom?'

'Een artistiek meningsverschil.' Ze vertelde over de Miss Michaelstown-wedstrijd in december. 'Angie is mijn beste vioolleerling en nu is ze er ineens achter dat ze het stuk van Massenet waar we de afgelopen zes weken op geoefend hebben maar niets vindt, het is niet léuk. Ze wil...' Ze lachte, omdat ze het nog steeds amper kon geloven. 'Ze wil een *bluegrass fiddle*-nummer spelen. En zingen!'

Thea lachte met haar mee. 'Maar, wat is daar op tegen?'

'O nee, niet jij ook al! Maar het is haar beslissing. Vandaag heb ik gewonnen, maar wie weet wat ze beslist als het zover is.'

Angie had stiekem *Man of Constant Sorrow* geoefend, het meest nasaal gezongen countryliedje van allemaal, en vandaag had ze voor het eerst het solostuk gespeeld en het liedje a capella voor Caddie gezongen. 'Luister nou gewoon even, probeer het eens onbevooroordeeld te horen,' had ze gesmeekt en was toen overgegaan op een uitvoering waarvan Caddie daarna in alle eerlijkheid kon zeggen dat hij 'uit het hart' kwam. Angie had een mooie stem, maar voor *Man of Constant Sorrow* maakte ze hem zo dun als een pannenkoek, terwijl ze de tekst in *maid* had veranderd en door haar neus zong. Maar met een hoop gevoel – Caddie kon niet ontkennen dat Angie haar *bluegrass*-liedje met meer enthousiasme en emotie zong en speelde dan ze *Meditation* speelde.

'Ik ben gewoon teleurgesteld,' bekende ze Thea. 'We zijn al zo lang samen. Ik heb haar zien groeien. Ze heeft echt talent en ik vind het heel vervelend het die kant op te zien gaan.'

'Maar als ze nu echt *fiddle* wil spelen.'

'Ik heb tegen haar gezegd dat de jury haar niet serieus zal nemen. Ze gaat het opnemen tegen meisjes die opera zingen en ballet dansen. Ik heb haar verteld dat de majorettes nooit winnen.'

'Is dat zo?'

'Ik weet het niet. Maar zo zou het wel moeten zijn. Nou, in ieder geval – hier ben je.'

'Hier ben ik. Caddie – die gazonsculpturen – ik kon mijn ogen niet geloven.'

'Dat weet ik. Ik kan er niets –'

'Ze zijn fantastisch, ik vind ze geweldig!'

'Nee.'

'Ze zijn prachtig, zo inventief en ongeremd. Ik herkende het ene dat *Geboortekanaal* heet uit Frances' beschrijving. Ben je niet trots op haar? Ik vind haar een fenomeen.'

Caddie keek vorsend naar Thea's gezicht om te zien of ze haar in de maling nam. 'Ze is wel uniek,' beaamde ze terwijl ze zich afvroeg hoe Thea oma's sculpturen in háár voortuin zou vinden. 'Nou, zullen we beginnen?'

Thea slaakte een diepe zucht waarbij haar schouders omhooggingen en klopte op haar hart. 'Ik ben zenuwachtig.'

'Nee, hoor, dit wordt leuk. Kom eens zitten. Echt waar, niets anders dan leuk, daarvoor zijn we hier.'

'Ja, maar heb jij ooit een complete leek lesgegeven? Geen kind, ik bedoel een volwassene, een fossiel.'

'Het is gemakkelijker om beginnende volwassenen dingen te leren dan kinderen. Het is hun eigen idee, ze komen vrijwillig, ze willen echt leren. Kun je helemaal geen noten lezen? We gaan heel eenvoudig beginnen. Geen paniek. Dit is het boekje dat ik graag gebruik bij volwassen beginners, maar als je niet –'

'Caddie...' Thea beroerde de middelste C met een van haar roze gelakte vingernagels. Ze zag er vlot uit vandaag in haar witte broek en kanariegele blouse, haar haar uit haar gezicht gehouden met mooie haarspelden. 'Op het gevaar af dat ik net zo vervelend voor je ben als Angie...'

'O jee.'

'Ik denk er al over na sinds je zei dat je me het zou leren. Ik ben een oude dame, ik wil geen toonladders spelen of muziektheorie leren, ik wil niet bij "De Vlooienmars" beginnen.'

'O, Thea.' Ze zag de ster al schitteren.

'Schat, ik ben negenenzestig, ik zal nooit een echte pianiste worden. Al mijn hele leven lang wil ik één nummer kunnen spelen, gaan zitten en één bepaald nummer voor de mensen spelen.'

Och, hemel. 'Wat?'

'*Maple Leaf Rag*.'

Caddie begroef haar hoofd in haar handen en jammerde.

'Ik weet het! Ik weet dat het moeilijk is, maar geloof me of niet, ik ben muzikaal. Ik kan melodieën er op het gehoor uitpikken en ik kan het bovenste deel al met één vinger spelen. Als je me nu gewoon de akkoorden van de onderste –'

'O, Thea! Weet je hoe moeilijk het is om ragtime te spelen?'

'Jawel.'

'Het klinkt zo makkelijk, maar dat is het niet, het is net zo moeilijk als klassieke muziek voor een beginner. Je zou net zo goed kunnen zeggen: "Caddie, ik wil gewoon de Negende van Beethoven leren, dat is alles wat ik wil spelen.'

'Nou, dat is overdreven.'

'Oké, maar bijna wel. Het ritme is zo lastig, je moet een marstempo spelen met je linkerhand en een heel ingewikkeld gesyncopeerd ritme met je rechter. Eerlijk waar, je had nauwelijks een moeilijker stuk kunnen kiezen.'

'Maar jij kunt het toch voor me simplificeren?'

'O ja, er zijn altijd wel gesimplificeerde versies. Overal.'

'Ik wil het echt leren spelen en ik heb niets dan tijd. Ik zal de meest gewetensvolle leerling zijn die je ooit hebt gehad. Leer het me.'

'Je lijkt helemaal geen negenenzestig.'

Thea sloeg haar arm om haar middel en trok haar even tegen zich aan. 'Leid me niet af – wil je het me leren? Alsjeblieft?'

Caddie bleef haar hoofd schudden, maar toen moest ze lachen, hulpeloos. 'Oké, ik zal het proberen.'

Thea klapte in haar handen.

'Maar waarom, van alle liedjes –'

'Omdat ik het zo leuk vind! Mensen worden er vrolijk van. Zodra je het hoort, begin je met je voet te tikken en te glimlachen. Ik wil het leren voor ik zo oud ben dat ik de toetsen niet meer kan zien.'

Caddie merkte dat ze, ondanks zichzelf, opgewonden werd. 'Ik kan een opname maken, een vereenvoudigde versie waar je telkens naar kunt luisteren, om aan gewend te raken voor ik je laat zien hoe je het moet spelen. Ik heb nooit eerder muzieklessen gegeven zonder de muziek erbij, ik weet eigenlijk niet eens hoe we het gaan doen. Hoe gaat het? Ik weet niet eens in welk akkoord het wordt gespeeld. A-mineur? Het heeft vier thema's, dat hebben ze allemaal, rags, bijna allemaal, en ze worden herhaald.' Ze neuriede een paar noten – 'Nee, dat is *The Entertainer*. Hoe gaat het?'

Zelfs Thea kon zich niet meer herinneren hoe het begon. Ze sloeg haar handen voor haar oren. 'Wacht even, sst, even denken.'

Ze kwamen er tegelijkertijd op. 'Pom pom – doe-*doe*-doe-doe-doe –'

'Doe-*doe*-doe-doe-doe!' Caddie speelde de eerste vier maten met haar rechterhand en ze barstten in lachen uit.

'Zie je wel? Het werkt altijd!'

'Je hebt gelijk, het is vrolijke muziek. Maar ik kan niet meer spelen zonder de bladmuziek, echt niet.' Dus was er niet veel meer dat ze konden doen tijdens Thea's eerste les. 'Heb je zin in koffie?' nodigde Caddie haar uit, en ze trokken zich terug in de keuken.

Thea zag een envelop van Wake House op het aanrecht liggen en tikte er met haar nagel op. 'Jij hebt er ook een.'

'Die brief van Brenda?' Hij was gisteren binnengekomen. Ze putte zich eindeloos in verontschuldigingen uit, maar het kwam erop neer dat de prijzen van Wake House omhooggingen. 'Het is voor jou erger, Thea – je bent hier amper een maand en ze verhoogt de prijs al.'

'Het klinkt onvermijdelijk. Reparaties die nodig zijn om de vergunning niet kwijt te raken, dat soort dingen. Vorige week waren het eekhoorns in de schoorsteen, deze week lekt het dak. Er is altijd iets.'

'Dat weet ik, maar toch. Het is wel zwaar.'

'Kunnen Frances en jij...'

'Ja, het lukt wel. Maar ik maak me zorgen over sommige van de anderen.'

'Caddie, kijk eens.' Ze bleef doodstil voor het raam boven de gootsteen staan en wees. 'Er zit een streeprugoriool op de voederbak. O – hij is weggevlogen. Heb je hem gezien?'

'Nee. Nou ja, vleugels, ik zag iets.'

'Ze beginnen zo zeldzaam te worden en vroeger zaten ze overal.' Ze ging in oma's oude stoel aan de gekraste witmetalen tafel zitten en Caddie bedacht hoe natuurlijk ze er daar uitzag, op haar gemak en ontspannen, alsof ze in haar eigen keuken zat. Hoe lang was het geleden dat Caddie gezelschap had gehad, iemand in huis met wie ze bevriend was, geen leerling?

'Ben jij een vogelaar?' vroeg ze. 'Oma was het, min of meer. Ik hang wel voer buiten, maar ik let niet erg op wie wie is.'

'Ik niet – Will was de vogelkenner. Zijn hele leven lang zijn hobby. Hij was zo enthousiast en hij wist alles.' Ze had droevige ogen met rimpels in de hoeken, ook als ze niet glimlachte. 'Ik denk de hele tijd aan hem, maar als ik een vogel zie, o jee, gewoon iedere soort vogel, dan is dat gegarandeerd een herinnering.'

'Will was je man?' Thea knikte. 'Heb je hem pas verloren? Ik dacht dat het al een tijd geleden was.'

'Het was in februari twee jaar geleden. Acht februari.'

'Je mist hem heel erg,' zei Caddie verlegen terwijl ze hun kopjes op de tafel zette en in haar oude stoel ging zitten. 'Hoe lang zijn jullie getrouwd geweest? Als ik zo vrij mag zijn.'

'Vier jaar.'

'O. O, ik dacht –'

'Hij was niet mijn eerste man. En we hebben een paar jaar samengewoond voor we trouwden.' Ze nam peinzend een slok van haar koffie. 'Hij was helemaal niet het type man waarvan ik dacht dat ik er ooit mee zou trouwen, maar ik ben nooit gelukkiger geweest dan in de tijd dat we samen waren. Dus moet je nagaan wat ik wist.'

'Hoe was hij?'

'Jonger dan ik. Niet te veel, zes jaar. En niet succesvol, niet op de manier waarop de meeste mensen succes definiëren. De manier waarop *ík* succes definieerde – met andere woorden, hij was totaal anders dan mijn eerste man. Of mijn vader, of mijn grootvader, de mannen in mijn leven die ik als rolmodellen heb gebruikt.'

'Thea,' onderbrak Caddie haar, 'Ik zou je biografie kunnen schrijven. Dan kan je net als nu met me praten en ik zou het voor je kunnen opschrijven.'

'Dat is lief.'

'Wil je dat? Het zou leuk zijn.'

'O, maar dan moet ik al mijn geheimen onthullen.'

'Heb je geheimen voor *míj*?' Ze veinsde ontzetting.

'Alleen degene die je niet hoeft te weten.' Thea's glimlach was eerder teder dan schertsend. 'Trouwens, ik ben veel te jong voor een biografie! Dan moet je hem steeds aanpassen.'

'Je bent inderdaad veel te jong. Heb je een foto van Will?'

'Niet bij me, ik heb er een thuis.' Ze lachte vol verbazing. 'Thúis, moet je mij horen!'

'Voelt het nu al als thuis? Voor oma wel, geloof ik. Jouw kamer is fantastisch.' Thea's toren kreeg de hele dag zon door drie ramen die in de sierlijke, ronde muur verzonken waren. 'Je voelt je vast een prinses.'

'Misschien een hele oude.'

'Waarom ben je naar Wake House gekomen? Als ik zo vrij mag zijn,' voegde Caddie er snel aan toe. 'Je bent jonger dan de anderen. Je bent gezond, je zou zelfstandig kunnen zijn als je wilde.'

'Ik begin in één oog maculaire degeneratie te krijgen.'

'Maar toch –'

'En artritis in mijn teen, dat heb ik je verteld. Niet lachen, je gaat er kreupel van lopen. Ik moet oudevrouwenschoenen dragen, anders strompel ik rond. Maar gelukkig is het mijn teen en niet mijn duim – anders kon ik *Maple Leaf Rag* niet spelen.'

'Serieus,' drong Caddie aan.

'Serieus.' Ze leunde achterover in haar stoel. 'Het huis was zo triest zonder Will. Het beste dat Carl, mijn eerste man, me ooit heeft gegeven – hij was bankier, een steunpilaar van de samenleving, wij pasten helemaal niet bij elkaar – was ons vakantiehuis buiten. Het is niet erg groot of deftig, maar het is oud en mooi en het ligt aan een prachtig kreekje. Heron Creek – bij Berlin in de Eastern Shore. Ik ben daar na de scheiding gaan wonen en uiteindelijk heb ik Will aangenomen om een stukje van de kreek af te dammen zodat ik er kon zwemmen. Zo hebben we elkaar ontmoet.'

'Wat romantisch.'

'Hij was klusjesman. Zo vond ik hem in de rubriek "Gezocht" onder "Klusjesman". O, er was niets dat hij niet kon repareren. Of maken.' Ze ging met een vinger over de rand van haar kopje, haar gezicht dromerig. 'Het begon met dat ik hem koffie ging brengen en met hem praatte terwijl hij werkte. We waren allebei gescheiden, maar zijn scheiding was prettiger verlopen en zijn ex-vrouw was net overleden. Dus hij was verdrietig. Hij had een dochter, maar ze was getrouwd en woonde helemaal in Phoenix. Nog steeds.'

'Jullie waren allebei eenzaam.'

'Nou, ik. Will had meer uitlaatkleppen.' Ze lachte. 'Nadat hij een dam in de kreek had gelegd, bouwde hij een schuurtje voor me. O, je zou het moeten zien, het is een kunstwerk. Toen waren het boekenkasten voor mijn slaapkamer, toen een nieuwe schoorsteen. Toen het herfst werd, pakte hij zijn echte werk weer op – het verkopen van houtkachels en zonnepanelen. En hij was dichter.'

'Allemachtig.'

'Ik hoef je waarschijnlijk niet te vertellen dat ik nog nooit iemand zoals hij had ontmoet. Geld interesseerde hem geen zier, hij had geen andere ambitie dan van zijn leven genieten – daar werd zijn eerste vrouw gek van. "Het gaat zo snel voorbij," zei hij wel eens, "ik kan me niet veroorloven er een deel van te verslapen." Dat was zijn filosofie. Op een dag reden we gewoon naar Atlantic City en trouwden. Ha! Hij vroeg me ten huwelijk in een gedicht. O, we waren net tieners. Hij heeft onze trouwringen gemaakt.'

'O, Thea.'

'Ik zei toch dat hij alles kon.'

'Hij is prachtig.' Caddie had hem al eerder bewonderd, een ongewone ring van zwaar, verstrengeld goud.

'We hebben negen perfecte jaren gehad, wat meer is dan hopen mensen krijgen. Het laatste was niet zo goed – hij kreeg kanker en daar is hij aan doodgegaan. "Zie je wel?" zei hij dan. "Ik zei toch dat het snel voorbij is. Maar ik had het je niet willen bewijzen."' Haar glimlach was een en al weemoed.

'Na zijn overlijden heb ik twee jaar gewacht – dat zeggen ze, doe minimaal de eerste twee jaar nadat je partner is overleden niets, onderneem niets drastisch. En ik merkte dat ik zonder hem niet in het huis kon wonen. Dus hier zit ik nu, ik ben thuisgekomen. Dit is de stad waar ik opgegroeid ben, weet je.'

'Waar, welke straat?'

'Ik zal je er wel een keer mee naartoe nemen, het huis van mijn oom en tante – ik ging bij hen wonen nadat mijn moeder was overleden.'

'Hoe oud was je? Toen je moeder overleed?'

'Ik was negen.'

'O, Thea –'

'Maar dat is een ander verhaal. Een láng verhaal. Hé, je peutert mijn biografie uit me!'

'Dat was mijn bedoeling niet, heus. Maar Thea, ik was ook negen toen mijn moeder overleed.'

'Echt?' Ze keek haar vol warmte en belangstelling en zonder verbazing aan. 'Dan hebben we iets verdrietigs gemeen.' Ze ging zachtjes met haar vinger over Caddies hand. 'Herinner je je dat spelletje dat we speelden? Waarbij we elkaar moesten beschrijven?'

Caddie trok een gezicht. 'Toen ik erachter kwam dat ik het type ben dat een flanellen pyjama draagt en nooit een bekeuring krijgt voor te hard rijden.'

'O, stak je dat?' Thea gniffelde. 'Toen het jouw beurt was, zei ik dat je me opnieuw naar iets deed verlangen. Iets waar ik vroeger naar verlangde, maar toen werd ik te oud. Weet je wat het was?'

Caddie schudde haar hoofd, maar ze wist het wel. Hoopte ze.

'Carl en ik wilden zo graag kinderen, maar in die tijd bestonden er al die wonderen nog niet die er tegenwoordig zijn, dus – het lukte gewoon niet. En kijk nu eens. In mijn laatste levensfase, mijn gouden jaren, moet je kijken wat ik gevonden heb. Ik hoop dat je dat niet in verlegenheid brengt.'

'Nee, nee.' Caddie hield haar blik op hun handen die elkaar aanraakten, omdat ze Thea niet helemaal recht in de ogen kon kijken. Het kwam bijna nooit voor dat ze iets kreeg waar ze vurig naar verlangde. 'Ik voel hetzelfde,' zei ze mompelend. 'Ik heb niet veel moeder gehad. Ze zat in de muziek. Altijd weg. Altijd...'

De telefoon ging.

'Ik bel toch niet tijdens een les, hè?'

Het was Christopher. 'Hoi, nee, het geeft niet. Maar ik heb wel bezoek.'

Thea keek begripvol. Ze wees naar zichzelf, naar de eetkamerdeur en wilde opstaan.

Caddie liep naar haar toe terwijl ze het verwarde snoer strak trok en duwde haar terug. 'Het is mijn vriendin Thea, uit Wake House. We zitten koffie te drinken, we hebben zo'n leuk –'

'Ik heb maar een ogenblikje,' onderbrak Christopher haar, 'ik heb een afspraak. Ik wilde alleen maar zeker weten dat we het weekend nog weggaan voor ik reserveer.'

'Absoluut.'

'Heb je afgezegd wat je moest afzeggen?'

'Ja.' Negen lessen, drie op vrijdagmiddag, zes op zaterdag. Nieuwe afspraken maken was een nachtmerrie geweest.

'Uitstekend.'

Ze kon de glimlach in zijn stem horen. 'Uitstekend,' herhaalde ze terwijl ze grijnsde als de Cheshire-kat.

'Oké, dat is dan afgesproken.'

'Wie rijdt? Ik wil best rijden.'

Hij lachte vrolijk. 'Die schroothoop? Nee, dank je, ik rijd wel.'
'Dat vind ik niet aardig – mijn auto is een klassieker.'
'Een klassieke schroothoop.'
Ze begon te giechelen en kon niet meer ophouden. Zo gingen hun meeste telefoongesprekken, tenminste aan haar kant.
'Maar kom er vanavond maar naar mij mee gereden,' zei hij op een andere toon. 'Ik verlang zo naar je.'
'Tja, ik weet het niet, straks gaat hij kapot. Misschien moet ik het risico maar niet nemen.'
Ze wilde hem blijven plagen, maar hij moest ophangen. 'Tot vanavond,' zei hij en hing op.
'Dat was Christopher.'
'Dat vermoedde ik,' zei Thea droog. 'Gaan jullie ergens heen?'
'Ik ben zo opgewonden – we gaan het weekend naar Washington. Hij is er nog maar één keer geweest, toen hij klein was, dus ik ga hem rondleiden.'
'Ik kan niet wachten tot ik die man een keer ontmoet.'
'Ik neem hem binnenkort mee naar Wake House – hij wil mee. Hij zal waarschijnlijk King meenemen – dat is zijn hond waar ik over verteld heb.'
'De perfecte hond voor de perfecte man.'
'O, Thea. Wacht maar tot je hem ziet.' Ze huiverde van genoegen.
'Is dit serieus aan het worden?'
'Ik weet het niet! Ik ben serieus. O God, ik ben zo... eindelijk snap ik waar ze het in liefdesliedjes over hebben.' Ze bloosde. 'Ik bedoel, ik snapte het altijd wel, maar nu – begrijp ik het écht.'
'Ach, dat stadium. Dat vergeet je nooit. Hoe is hij, die Christopher?'
'Nou... hij is heel knap.'
'Natuurlijk.'
'Hij is serieus, maar hij is ook grappig. Hij is echt een góed mens. Zijn hele leven is één lange goede daad en dat maakt hem gelukkig. Ik vind mensen die doen wat ze heerlijk vinden zulke bofferds, vind je niet? Daarom zijn ze goed. Je kunt niet gemeen of onvriendelijk of onaardig zijn als je van je werk houdt. Nou ja, dat is mijn theorie.'
'Hou jij dan niet van je werk?'
'Nou, soms. En ik ben er best goed in – dat is bevredigend.'
Caddie aarzelde. Het was makkelijker om over Christopher te praten.
'Wat zou je willen zijn als je kon kiezen?' vroeg Thea.

'Ongeacht of je er aanleg voor hebt, bedoel je.'

Thea haalde haar schouders op. 'Wat zou je willen zijn? Nog steeds musicus?'

'O ja. Dat is mijn enige talent.'

'Maar, wat voor musicus? Als je kon kiezen.'

Ze lachte opnieuw – om bij voorbaat te laten zien dat het niet serieus was. 'Oké, ik heb een soort fantasie. Dat ik de blues zing in een rokerige jazzclub. Je weet wel, Billy Holiday, Peggy Lee. Ik ben een nachtclubzangeres!'

Thea lachte niet. Ze kneep haar ogen toe. 'O ja, ik zie het voor me. Jij in een strakke zwarte jurk met dat blonde haar – adembenemend. Zing je ook?'

'Niet zoals Billy Holiday! Ha! Nee, en trouwens, popmuziek is niets voor mij. Ik ben helemaal klassiek, dat soort mens ben ik. Dat is het enige dat ik ken en eigenlijk is dat het enige dat ik wil kennen. Het past bij me.'

Thea trok sceptisch een wenkbrauw op.

'Bovendien heb ik verschrikkelijk last van plankenkoorts,' bekende ze. Ze kon Thea net zo goed alles vertellen.

'Plankenkoorts? Echt?'

'Ik heb in het Michaelstown Community Orchestra gezeten, maar ik moest ermee stoppen. Ik was doodsbang.'

'Waarom?'

'Ik weet het niet! Ik speelde niet eens eerste viool. Ik –' Ze deed of ze huiverde. 'Ik ben te verlegen en dan word ik bang. Dus speel ik gewoon niet meer voor mensen.'

'Wat jammer. Weet je waarom Henry is gaan parachutespringen?'

'Wat?' De vraag was zo onverwacht dat ze niet wist waar Thea het over had.

'Weet je waarom Henry is gaan parachutespringen?'

'Nee. Waarom?'

'Omdat,' zei ze, duidelijk articulerend, terwijl ze Caddie recht in de ogen keek, 'hij hoogtevrees had.' Ze stond op en bracht haar kopje naar de gootsteen. 'Mijn taxi komt zo; ik ga maar bij de deur staan, dan zie ik hem aankomen.'

Caddie volgde haar fronsend naar de hal. Ze moest niets hebben van parabels. Als Thea advies voor haar had, dan wilde ze dat ze het gewoon zou zeggen.

'Dus jij gaat mijn nummer voor me vereenvoudigen, hè?'

'Ja, ik vind of maak een heel rudimentaire versie en dan neem ik het op, dan neem ik mezelf op terwijl ik het speel. Waarschijnlijk in een ander akkoord, iets eenvoudigers dan waar het in geschreven is. Om de een of andere reden blijf ik maar denken aan A-majeur.'

'En je gaat het heel langzaam opnemen.'

'Heel langzaam. Alsof het een treurlied is. En dat gebruiken we dan als uitgangspunt. Ik heb geen idee hoe het gaat worden – ik hoop dat je niet al te teleurgesteld bent, Thea, als het anders uitpakt. Maar ik moet je zeggen dat je een van de ergste nummers aller tijden hebt gekozen als jouw enige nummer.'

'Maar het kómt wel goed! Je tobt te veel.'

'Maar ik vind het geweldig dat je het wilt leren, ik vind het echt –'

'Je bedoelt, op mijn leeftijd.'

'Ja. Nee – ik bedoel –'

'Ik ben het met je eens, ik ben heel bewonderenswaardig.' Ze leunde tegen de ene kant van de hordeur en Caddie leunde tegen de andere. 'En dit is maar één ding dat ik wil doen, ik heb een hele lijst.'

'Echt? Wat staat er verder nog op?'

'Nou, bijvoorbeeld, ik wil beslist wiet roken.'

Caddies ogen puilden uit.

Thea lachte vrolijk. 'Ja! Iedereen heeft wel eens wiet gerookt, behalve ik en ik wil het proberen. Je hebt niet toevallig een dealer, hè?'

'Een déaler?'

'Of een waar je wel eens van gehoord hebt?'

'Sorry.'

'Ik weet het – ik ga het Magill vragen.'

'Goed idee,' zei Caddie, terwijl ze met haar mee gniffelde. 'Hij heeft vast een geheime voorraad in zijn kamer.'

'Of een plant.'

De taxi kwam voorrijden.

Thea liep tot halverwege het pad, draaide zich om en spreidde haar armen. 'Hoe,' riep ze, 'hoe kun je niet van die sculpturen houden? Kijk toch eens naar ze!'

'Maar dat doe ik. Al jarenlang iedere dag!'

Ze schudde haar hoofd. 'Dag – bedankt voor de les. Als ik je niet voor het weekend zie, heel veel plezier in Washington.'

'O, dat zal wel lukken.'

Thea hield haar hand achter haar oor alsof ze het niet kon horen.

'Dat ben ik ook van plan!'

Dolores, de dochter van mevrouw Brill, kwam eens per week vanuit een van de voorsteden van Washington op bezoek. Toen ze hoorde dat Caddie levensverhalen van de bewoners van Wake House opschreef, vroeg ze of ze misschien die van haar moeder wilde schrijven. Caddie zei ja, graag. Mevrouw Brill praatte over het weer, over bloemen en over het eten in Wake House – als het goed was; als het niet goed was, zei ze niets – en ze leefde mee met de lichamelijke klachten van andere mensen, maar wilde niet praten over de hare (die talrijk moesten zijn, aangezien ze altijd op weg was naar een of andere doktersafspraak). Waar ze nooit over praatte was haar privé-leven en Caddie was nieuwsgierig. En 'Zondagsschooljuffrouw, Gepensioneerd' was een bijzonder magere biografie – ze wist zeker dat er meer van te maken was.

Op een onbewolkte, zonnige dag waren ze op de voorgalerij gaan zitten, mevrouw Brill, Dolores, Caddie en het zevenjarige dochtertje van Dolores, Keesha. Caddie was van plan om aantekeningen te maken terwijl Dolores met haar moeder kletste, data en belangrijke gebeurtenissen uit haar leven uit haar trok, maar al snel kreeg ze door dat het allemaal niet zo gemakkelijk zou gaan.

'Mama,' begon Dolores, 'wanneer ben je geboren?'

'Mmm, ik snap niet waarom iemand dát hoeft te weten.' Mevrouw Brill had een uitdagende manier van haar hoofd achterover houden en op je neerkijken door dikke brillenglazen die haar ogen vergrootten en het idee gaven dat ze dichter tegen de glazen zaten dan in werkelijkheid het geval was. En ze zag er altijd uit alsof ze óf op weg naar de kerk was óf er net vandaan kwam.

Dolores leek helemaal niet op haar. Ze was een magere, nerveuze vrouw van begin vijftig, met pientere grijze ogen en de langste nagels die Caddie ooit had gezien. Vandaag droeg ze een witte kuitbroek en schoenen met plateauzolen en ze had een zacht parfum op dat naar seringen rook. Wanneer ze met haar hoofd draaide, klikten de eindeloze rijen kralen in haar haar als dobbelstenen. 'O jee,' zei ze terwijl ze haar benen over elkaar sloeg en haar stoel liet overgaan tot een snelle schommelbeweging. 'Vraag nummer een en we zitten al vast.'

'Heeft u nog andere banen gehad?' vroeg Caddie.

'Nou, aangezien ik vijf kinderen onder de dertien had plus die twee van Lewis, moest ik wel. Verschillende dingen, ik heb Avon verkocht, tijdschriftabonnementen, ik heb een tijdje Kirby-stofzuigers verkocht.' Ze begon ze op haar vingers af te tellen. 'Ik ben caissière in een lunchroom geweest, ik heb in een stomerij gewerkt. Keukenhulp in een restaurant tot ik last van mijn voeten kreeg, daarna deed ik telemarketing. In 1963 ging ik in de WAO.'

'Vertel haar in ieder geval hoe dat gebeurd is,' zei Dolores.

'Een ongeluk.'

Dolores zuchtte. 'Ze werkte als liftbediende in een oud kantorengebouw in de stad en de lift viel van de eerste verdieping naar de kelder.'

Keesha kwam tevoorschijn vanachter de schommelbank waar ze een spinnenweb had bestudeerd. 'Had je je pijn gedaan?'

Mevrouw Brills grote ogen achter haar brillenglazen kregen een zachte uitdrukking. 'Een beetje, vooral mijn knieën.'

'Was je bang? Was er iemand bij je?'

'Ik was helemaal alleen en heel erg bang. Ik heb één ding geleerd en dat is dat het niet helpt om op en neer te springen – denk daaraan als je ooit in een vallende lift zit.'

'Deed het pijn toen je neerkwam?'

'Allemachtig, kind, wat denk je? Het deed net zo veel pijn als wanneer je van dit gebouw naar beneden springt.'

'Heb je gebeden?'

'Nou en of. Maar niet erg lang.' Ze knipoogde naar Caddie. 'Meer zoals: O, Heer – boem!' Ze grinnikte en wreef over haar knieën. 'Nou, de tijd verstreek en ik ontmoette mijn derde en laatste man, de heer Marcus A. Thompson.'

Mevrouw Brill aarzelde en haalde koninklijk haar schouders op. 'Vijf september, negentientwintig.'

'Ze is een Maagd,' zei Dolores tegen Caddie.

'Nou, dáár moet ik niets van hebben. Ik ben doopsgezind.'

'Wat was uw meisjesnaam?' vroeg Caddie.

'Dwiggins.'

'En uw voornaam?' Ze had hem nog nooit gehoord, realiseerde ze zich; niemand noemde mevrouw Brill ooit iets anders dan mevrouw Brill.

'Eula Bernice.'

'Vertel haar nou eens waar je geboren bent en zo, mama,' zei Dolores, 'laat haar niet alles uit je moeten trekken.'

'Alamance County, North Carolina, in een dorpje dat Ossipee heette.'

'En je was de zevende van negen kinderen,' zei Dolores haar voor, 'en je vader was predikant. Van het type hel en verdoemenis.'

'Hij was dominee,' corrigeerde haar moeder haar fronsend. 'We zaten allemaal in het koor, alle negen. Papa was ook boer; en niet op een gepacht stukje, nee, hij bezat zijn eigen land waar hij groenten op verbouwde en kippen hield. We gingen allemaal naar school en er werd van ons verwacht dat we het een eindje zouden schoppen en dat hebben we ook gedaan.'

'Behalve oom Clay. En tante June.'

'Ik wil geen kwaad woord over de doden horen.' Ze legde een hand op haar looprek, alsof ze iedereen eraan wilde herinneren dat ze weg kon gaan wanneer ze maar wilde.

'Toe nou, mama, jij bent de laatste. Als we geen kwaad woord over de doden mogen zeggen, dan kunnen we over niemand een kwaad woord zeggen.'

Keesha giechelde.

Mevrouw Brill wierp haar kleindochter haar intimiderende boze blik toe en glimlachte toen.

'Je hebt tot je tiende in Ossipee gewoond,' spoorde Dolores haar aan, 'en toen?'

'Nou, het was crisis, mensen konden niet meer leven van wat ze deden, dus verhuisden we, allemaal, behalve mijn zus Martha en mijn broer Tom, die allebei getrouwd waren en hun eigen gezin hadden. De rest van de familie verhuisde naar Wilmington, Delaware, en papa stopte met prediken en vond werk in een fabriek waar ze kant-en-klare ramen maakten.'

'Was het moeilijk om thuis weg te gaan?' vroeg Caddie. 'Of was het spannend?'

'Het was moeilijk, want ik was dol op die boerderij. Ik had het idee dat iedereen er gelukkig was en een goddelijk leven leidde. Als ik achteraf aan die tijd denk, leek het wel het paradijs.'

'En tante Calla,' zei Dolores zachtjes.

'Mijn zusje, dat in leeftijd het dichtst bij me was, van wie ik het meest hield, zij kreeg een longziekte in het eerste jaar dat we in Wilmington, een vieze, vuile stad, waren, en zij stierf. Twaalf jaar oud. Dus je kunt wel zeggen dat het moeilijk was om thuis weg te gaan.' Ze klemde haar gerimpelde lippen op elkaar en hield haar hoofd nog verder achterover.

'Mama, vertel eens over hoe je dat kleine blanke meisje op de pony gered hebt?'

Keesha, die een beetje rusteloos was geworden, ging recht overeind zitten. 'Heb je een blank meisje gered, Neenie?'

'Dat wist je niet van je oma, hè? Nee, dat verhaal vertel ik later wel, schat, dat is niet iets dat ik in het levensverhaal wil hebben dat Caddie maakt.'

'O, mama, waarom niet? Het is nou precies wat ik erin wil hebben.'

'Dat kan wel zijn, maar het is niet jouw levensverhaal. Bovendien, als Caddie elk kleinigheidje dat me overkomen is op zou schrijven, dan zouden we hier volgende week nog zitten.'

'Maar dit was geen kleinigheidje. Caddie, toen ze elf was, redde het leven van een klein meisje – het meisje was van haar pony gevallen en mama vond haar en trok haar drie kilometer in een kar naar het ziekenhuis. Ze kreeg een beloning van de familie en het stond zelfs in de krant. Het is een prachtig verhaal –'

'Dat ik mijn kleindochter binnenkort zal vertellen als ik er zin in heb. Goed, de volgende gebeurtenis was mijn eerste huwelijk en hoe minder daar over gezegd wordt, hoe beter.'

'Wat? Maar je hebt nog niet eens verteld dat je in de showbusiness hebt gezeten!' De kralen in het haar van Dolores rammelden protesterend.

'In de shówbusiness,' zei Caddie vol verbazing. Mevrouw Brill?

Zelfs Keesha wist dat. 'Neenie, vertel eens over de mevrouw met wie je samen zong.'

'O nou, het stelt niet zo veel voor. Ik heb een korte zangcarrière met mijn vriendin Ruth Nash gehad. Het was begin jaren veertig en we noemden ons de Melody Sisters. De beroemdste club waar we ooit gespeeld hebben was de Sweet Club in Harlem, waar vandaag de dag natuurlijk niemand ooit meer van gehoord heeft. In '44 trouwde ik met K.C. Meecham, een bassist, en kreeg het jaar daarop mijn eerste kind. Eind van mijn zangcarrière. We kregen nog drie kinderen en toen zijn we uit elkaar gegaan. Ruth werd ziek en overleed in 1948 aan tb.'

Dolores sloeg haar armen over elkaar. 'Dit is de – discreetste, saaiste –'

Mevrouw Brill liet een harde, dreigende kuch horen die haar het zwijgen oplegde.

'Ik werkte als dienstmeid voor drie verschillende blanke vrouwen terwijl ik mijn kinderen opvoedde en in 1952 trouwde ik met Lewis Johnson, een melkboer, die zelf twee jonge kinderen had. We verhuisden naar Baltimore omdat hij daar familie had en ik kreeg mijn laatste kind in 1953.'

'Mij,' zei Dolores.

'Dat was weer een huwelijk dat op de klippen liep, mijn laatste –'

'Wat betekent dat ik vanaf mijn vijfde mijn vader nooit meer heb gezien,' zei Dolores enigszins bitter.

'Mijn laatste, dat zwoer ik, ik heb de jaren zestig en zeventig heel gelukkig zonder mannelijk gezelschap doorgebracht.'

'A voor amen,' droeg Dolores bij. 'De tijd verstreek? Je hebt weggelaten dat je Martin Luther King Jr. hebt gezien, je hebt Lloyds overlijden weggelaten – dat was haar tweede kind –'

'Ik kom er nog op terug, laat me eerst even de grote lijnen vertellen.'

'Ze heeft een opzet,' zei Dolores tegen Caddie, terwijl ze een sarcastisch gezicht trok dat haar moeder beslist niet mocht zien.

'Driemaal is scheepsrecht, zeggen ze, en als je op je tweeënzestigste hertrouwt, dan kan het maar beter goed zijn. De heer Thompson was een gepensioneerde buschauffeur –'

'En zo noemde ze hem ook,' zei Dolores zachtjes, om het relaas niet te onderbreken, "'meneer Thompson", de hele tijd dat ze getrouwd waren.'

'Een gepensioneerde buschauffeur, een heel knappe, goedgeklede oudere man op wie ik nooit gelet zou hebben, als hij niet lid van de kerkraad van mijn kerk was geweest.'

'Waar jij zondagsschooljuffrouw was,' deed Dolores een duit in het zakje.

'Jazeker, negentien jaar lang. Ging pas in 1989 met pensioen. Waar was ik ook alweer?'

'Dat de heer Thompson lid van de kerkraad was,' zei Caddie.

'Ja, en toen hij me dus op een zondag uitnodigde voor een kopje koffie na de kerkdienst en toen de zondagsschool afgelopen was, zei ik ja hoor, al wilde ik, normaal gesproken, niets te maken hebben met een man die eruitzag alsof hij zich met zo veel zorg kleedde.'

'Waarom?'

'Een rode vlag voor een stier. Ik was al met twee knappe mannen getrouwd geweest en ik wilde geen derde, niet op mijn leeftijd. Maar de heer Thompson, die pas zijn vrouw na een huwelijk van eenenvijftig jaar had verloren, was uit heel ander hout gesneden. De heer Thompson was een heer.'

'En hij was zesenzeventig,' vermeldde Dolores.

'Maar zo fit als een hoentje, hij mankeerde niets,' zei mevrouw Brill verdedigend, 'en ook nog een harde werker. Toegewijd. Heeft zijn vrouw bij haar laatste ziekte bijgestaan als een heilige. We hadden heel lang verkering – nou ja, voor onze leeftijd was het lang, een halfjaar – toen hij me eindelijk vroeg, zei ik ja.'

'Waar was u?' vroeg Caddie. 'Toen hij u vroeg.'

Mevrouw Brill wierp haar hoofd achterover. 'Waar we waren? Tja, allemachtig, we waren op het kerkhof, als je het wil weten. De man legde iedere zondag bloemen op het graf van zijn vrouw en ik ging iedere zondag met hem mee.'

'Dus hij heeft je ten huwelijk gevraagd aan het graf van zijn vrouw?' zei Dolores terwijl ze grote ogen opzette. 'Dat heb je me nooit verteld.'

'Ik stond er niet bij stil. Ik vond het niet raar, het voelde natuurlijk aan. We trouwden op 11 mei, een dag dat het goot van de regen, en namen de trein naar New York City voor een huwelijksreis van een weekend. Dat was toch leuk, zeg.' Ze trok met trillende vingers een zakdoek uit de mouw van haar jurk.

'We hadden drie goede jaren voor hij met zijn gezondheid begon te kwakkelen. Een vredige, rustige tijd. Daar ben ik mee gezegend en er nog steeds dankbaar voor. Maar zijn hart, zijn longen, zijn bloed, ze lieten hem allemaal in de steek, het leek wel allemaal tegelijk. Hij had een zus in Michaelstown, Juanita, die net haar man was kwijtgeraakt, en zij zei kom toch hierheen, wij met ons tweeën kunnen beter voor de heer Thompson zorgen dan jij alleen met je knieën in Baltimore, dus dat deden we toen. We woonden in haar huis in Acorn Street, de heer Thompson en ik, op de begane grond, tot hij in 1994 overleed. Zijn zus twee jaar later. Ik kwam hier terecht en dat is het eind van het verhaal. Net op tijd,' zei ze, terwijl ze haar wangen met de zakdoek depte, 'want ik ben zowat uitgedroogd. Liefje, ren eens naar binnen en haal een groot glas ijswater voor me.'

Keesha staarde haar aan met grote, bezorgde ogen, alsof ze haar grootmoeder nooit eerder had zien huilen.

'Vooruit, kind.'

Keesha rende het huis in.

'Wonen uw andere kinderen in de buurt?' vroeg Caddie na een eerbiedige stilte. 'Of over het hele land verspreid?'

'De meesten over het hele land verspreid. Zo gaat het met kinderen tegenwoordig.'

Dolores keek alsof ze daarover wel iets kon zeggen.

'Lloyd, mijn tweede kind, is meer dan dertig jaar geleden overleden. Hij was nog maar drieëntwintig. Dat is nog steeds het grootste verdriet van mijn leven, tot op de dag van vandaag.'

'Hoeveel kleinkinderen heeft u?'

Ze bewoog met haar lippen terwijl ze nadacht. 'Acht.'

'Negen,' corrigeerde Dolores haar. 'Clarence en Virginia hebben twee maanden geleden weer een meisje gekregen.'

Een ogenblik lang keek mevrouw Brill geschokt. Was ze het vergeten? Of had ze het nooit geweten? Haar gezicht werd als van steen.

'Mam was verschrikkelijk streng,' zei Dolores zachtjes, snel. 'Ik was de baby, dus ik heb er weinig onder te lijden gehad. Vergeleken met de anderen ben ik verwend.'

'Wat? Praat eens wat harder, ik kan niet verstaan wat je zegt.'

'Ik probeerde alleen maar – ik probeerde uit te leggen waarom er wrijving is, je weet wel, mama, tussen jou en Clarence en jou en Belinda –'

Mevrouw Brill haalde diep adem en ging kaarsrecht zitten. 'Dat zijn familiezaken. Ik wil niet dat dat opgeschreven wordt. Ik wil het níet hebben.'

'Ik zal het niet opschrijven,' zei Caddie snel.

'Ze zou gewoon "vervreemd" kunnen opschrijven,' zei Dolores. 'Ze zou íets kunnen opschrijven om te verklaren waarom je je eigen kinderen nauwelijks ziet –'

'Nou, Dolores, zo is het genoeg geweest.'

Keesha kwam de veranda op met een glas dat tot aan de rand gevuld was. 'Het is lekker koud, Neenie.'

'Dank je, schat.' Ze nam een paar flinke slokken en zette het glas op haar armleuning.

Caddie had sterk het gevoel dat de stilte eeuwig zou kunnen duren tenzij zij hem verbrak. 'Wat voor soort nummers zongen uw partner en u? U en –' ze keek naar haar aantekeningen – 'Ruth Nash.'

'Van alles en nog wat. Mensen denken altijd dat zwarte mensen alleen blues of gospels kunnen zingen, of tegenwoordig rap, maar wij zongen prachtige, melodische liedjes, sommige geschreven door zwarte mensen, andere geschreven door blanken. Ruth speelde piano en ik speelde banjo en ukulele en ons themaliedje was *Goodnight Sweetheart.* We hielden van allerlei soorten muziek. Ze zeiden tegen ons dat we er nooit zouden komen als we ons niet specialiseerden, maar we wilden ons niet vast laten pinnen op één stijl. We hielden van jazz, country, pop, swing – blues, ook ja, en gospel. We hielden van een barbershopkwartet en blanker kan bijna niet.'

'Nee,' beaamde Caddie. 'Maar toen gaf u het allemaal op voor een man,' zei ze, hopend dat ze mevrouw Brill niet voor het hoofd stootte.

'Ja en nee. Ik kende Ruth al sinds mijn zestiende; we waren dikke vriendinnen, we deden gewoon alles samen. De drómen die we hadden, allejeetje. Een paar jaar lang, in 1941 en 1942, precies midden in de oorlog nota bene, leek het erop alsof ze uit zouden komen. Maar Ruth kreeg een paar slechte gewoontes, gewoontes waar ze gewoon niet vanaf kon raken, en we begonnen kwijt te raken wat we hadden. Onschuld of hoe je het ook wilt noemen. We waren nog zo jong.'

Ze zuchtte en sloeg haar arm om Keesha's middel. 'Nou ja, er zat niets anders op dan met K.C. te trouwen – die trouwens niet zo'n slechte man was, hoor, dat wil ik niet zeggen, en we kregen samen vier prachtige kinderen. Maar hij kwam uit New York City en ik kwam uit Ossipee, North Carolina, en dat was niet met elkaar te verenigen. Hemeltjelief, Caddie, zijn we nu bijna klaar?'

'Levenslessen,' zei Caddie haastig. Mevrouw Brill wreef over haar knie alsof hij pijn deed. 'Wijze woorden om aan onze nakomelingen door te geven. Of – wat zou u anders doen als u het over mocht doen?'

'Jeetjemina, als je oud wordt, wil dat nog niet zeggen dat je ook slim wordt.'

'Jij bent áltijd slim geweest,' zei Keesha.

'Kind.' Ze lachte en trok haar kleindochter even tegen zich aan. 'Waar zit je om te vissen, nog een reep?'

'Levenslessen.' Dolores keek vol belangstelling naar haar moeder. 'Ik wil heel graag horen wat je anders zou doen.'

'Ik zou nog meer lieve kleinkinderen krijgen zoals deze.' Ze legde haar voorhoofd tegen die van Keesha en ze drukten hun neuzen plat tegen elkaar.

'En wat nog?'

'Hmm.' Ze dronk nog wat water. 'Even denken.'

'Zou je Lewis Johnson helemaal overslaan?' vroeg Dolores terwijl ze een wenkbrauw optrok.

'Ben je gek, natuurlijk niet. In de eerste plaats zou ik jou dan niet hebben gekregen. Of Belinda of Lewis junior – dat zijn mijn stiefkinderen,' zei ze tegen Caddie. 'Maar in de tweede plaats, dat het op niets is uitgelopen wil nog niet zeggen dat ik niet meer met die twee mannen zou trouwen. Maar ik moet toch niks hebben van het idee dat je dingen anders zou doen. De Heer geeft ons dit ene leven en we doen ermee wat we kunnen. Wat voor mij betekent, naar de tien geboden leven en proberen een afstand tussen ons en de zonde te leggen. Geloof, hoop en liefde, en de belangrijkste daarvan is liefde – dat is mijn favoriete gezegde. Ik geloof dat mijn papa dat al die jaren geleden niet vaak genoeg in zijn kerk predikte –

maar dat waren andere tijden. Je leert het in de loop van je leven en hoe dichter je bij het eind komt, hoe duidelijker het wordt, de rest vervaagt gewoon. Liefde en vergeving, daar komt het op neer.'

'Dat zal ik tegen mijn stiefzus zeggen,' mompelde Dolores.

'Wat?'

'Vertel eens over die keer dat je Sonny Liston hebt gezien. En Martin Luther King – mama nam de bus naar Washington, waar hij zijn "I have a dream"-toespraak zou houden, Caddie.'

'Inderdaad. Ik kreeg er kippenvel van. Als je over beroemde mensen wilt praten, ik heb Eleanor Roosevelt ook een keer gezien. Weet je wie dat is, Keesha?'

'Nee.'

'Een fantastische, fantastische vrouw. Ondergewaardéérde vrouw.' Ze wreef met haar zakdoek de condens van haar bril. 'Ik heb me altijd op een golflengte met haar gevoeld. Zielsverwanten, ook al was mevrouw Roosevelt een blanke dame.'

12

Kort na hun terugkeer van het weekend in Washington – wat idyllisch, magisch, hartstochtelijk was, wat Caddie betrof – hield Christopher op met bellen.

In eerste instantie vond ze het niet zo vreemd, het viel haar eigenlijk nauwelijks op, omdat hij al tegen haar had gezegd dat het vreselijk druk was op het werk; een heleboel dingen die tot nu toe in de voorbereidingsfase zaten, moesten ineens allemaal tegelijkertijd uitgevoerd worden. Caddie leefde met hem mee en bewonderde zijn toewijding nog meer. Er was op kantoor misdadig weinig personeel. Afgezien van Phyllis, de vrouw die ze die avond van de softbalwedstrijd had ontmoet, was Christopher het enige betaalde personeelslid in het CDT-kantoor van Michaelstown en hij deed het werk van minstens twee mensen.

Het leukste wat er dat weekend gebeurd was, was dat Christopher zich bloot had gegeven, bij wijze van spreken, en haar had toevertrouwd wat hij werkelijk met zijn leven wilde doen. Het was hun laatste avond en ze zaten in een restaurant bij het hotel te eten toen hij het haar vertelde: hij wilde de nationale woordvoerder voor CDT worden.

'Je bedoelt, niet langer met honden werken?' Wat zonde, had ze gedacht, wat een verlies! Maar ze dacht te klein. Hij had het haar uitgelegd, hoeveel groter zijn invloed kon zijn en hoeveel mensen hij zou kunnen bereiken als hij zijn energie in pr stopte. Het hoofdkantoor was er helemaal voor; ze waren, eerlijk gezegd, al een tijdje bezig hem voor een grotere rol klaar te stomen. Ze wilden hem een nieuwe campagne laten leiden om het publieke bewustzijn te vergroten; het zou een landelijke campagne worden die volgend jaar zou moeten beginnen. Hij zou een hoop aandacht van de media trekken en niet alleen van de geschreven pers, maar ook van radio en tv.

Caddie was onder de indruk en toen enthousiast. 'Absoluut, je bent er helemaal geknipt voor. Je bent verbaal zo sterk en zo slim. En gepassioneerd en betrokken. Ik kan niemand anders bedenken die een betere woordvoerder zou zijn dan jij. O, ik kan je gewoon hóren op de NPR. Christopher, je kunt beroemd worden!'

'Het gaat niet om beroemd zijn, Caddie, het gaat om aandacht vragen voor zaken als sponsoring en subsidies en scholingsprogramma's aan de basis. De organisatie laten groeien.'

Hij mocht dan afkeurend doen over beroemd zijn, maar hij was wel ambitieus, merkte ze aan zijn intensiteit wanneer hij het over zijn vooruitzichten had. Dat was trouwens het onderwerp waar ze overwegend over spraken terwijl ze in Washington waren. Ze benaderden het vanuit verschillende kanten en gezichtspunten, maar kwamen steeds weer terug op Christophers carrièremogelijkheden. Hij had het naar zijn zin gehad – dat wist ze zeker, want ze had zijn geluk en welzijn het hele weekend als een intensive careverpleegkundige in de gaten lopen houden. Dus toen het net tot haar door begon te dringen dat hij niet belde en niet reageerde op haar telefoontjes, wist ze dat het niet door het weekend kwam. Goed, want als het niet door het weekend kwam, dan ging het niet om hén. Maar wat dan wel?

Woensdag ging over in donderdag. Zou hij de stad uit zijn? Nee, want aan het eind van de middag kreeg ze hem eindelijk te pakken op zijn kantoor.

'Hói,' zei ze, terwijl ze een toon van verbazing door de blijdschap liet klinken, een vocale uitnodiging om uit te leggen waarom hij vier dagen niets van zich had laten horen. 'Hoe is het? Wat is er allemaal gebeurd?'

Hij klonk gejaagd, maar zodra ze zijn stem hoorde, kalmeerde ze. O, alles was goed. Ze stelde zich hem voor achter zijn bureau, met de hoorn tussen zijn oor en zijn schouder geklemd terwijl hij dossiers en papieren doorzocht. Haar Christopher, dezelfde als altijd, en zij was een idioot dat ze zich zo overstuur had gemaakt. 'Hoi,' zei hij, 'ja, het is hier gewoon een gekkenhuis, alles gebeurt tegelijkertijd.'

'Nou, dat dacht ik al. Ik heb je gemist. Is alles goed?'

'Ja, prima, ik heb het alleen ontzettend druk.'

'Ja, natuurlijk. Nou, wil je iets doen? Wil je komen eten of zo? Ik kán koken, weet je.' Hij kwam nooit naar haar huis; ze aten altijd iets bij hem of gingen uit eten.

'Nee, sorry, vanavond is echt onmogelijk. Ik zit tot over mijn oren in het werk.'

'O, goed dan. Nou, misschien een andere avond dit weekend. Hé, ik zou jou eten kunnen brengen,' besefte ze. 'Je moet toch een keer eten en op die manier hoef je geen tijd te verspillen –'

'Ik bel jou wel, oké? Het is nu zo hectisch, ik kan niets plannen.'

'Dat is prima, ik hou wel van op het laatste moment. Nou. Hoe is het? Ik heb een paar van die cd's gedraaid die je me geleend hebt. Ik vind vooral die Saint-Saëns heel mooi. Hij is echt –'

'Caddie, ik heb geen tijd.'

'O!'

'Ik bel je wel.'

'Oké!'

'Ik bel je zodra ik kan.'

'Prima.'

Dat was donderdag. Hij belde die avond niet. Ze sloeg haar gebruikelijke vrijdagochtendbezoek aan oma over voor het geval hij zou bellen, maar dat deed hij niet. Op zaterdag ook niet. Ze kon het niet geloven; als een van haar leerlingen niet had gebeld om een nieuwe afspraak te maken, zou ze gedacht hebben dat haar telefoon kapot was. De hele zaterdagavond was ze bezig alles te reconstrueren dat ze tegen elkaar gezegd hadden – wat bijna niets was – sinds hij haar zes dagen geleden afgezet had, haar gedag had gekust op de veranda en was weggereden met de belofte om te bellen. 'Ik bel je wel.' Dat had hij gezegd nadat zij had gezegd hoe heerlijk ze het had gehad, hoe geweldig. Hij had met haar ingestemd – 'Ik vond het ook geweldig, Caddie. Ik bel je wel.'

Zondagochtend werd ze met hoofdpijn wakker. De regen stroomde langs het keukenraam uit een verstopte dakgoot en op het voederhuisje zat een lijster of een mus of iets ineengedoken onder het schuin aflopende dakje vochtig zaad te pikken. Ze waste een vette popcornpan van het avondeten van gisteren af, zonder ergens over na te denken, toen ze ineens de kraan dichtdraaide en met druipende handen de telefoon pakte. Christophers telefoon ging vier keer over voor zijn antwoordapparaat aansloeg.

'O, hoi, met mij. Caddie. Ik wilde even gedag zeggen – ik hoop dat alles goed is. Bel me zodra je even tijd hebt. Tot kijk. Dag.'

Misschien was hij op weg naar haar toe. Zondagochtend – hij was waarschijnlijk King aan het uitlaten of op weg naar haar toe. 'Ik zie er vreselijk uit!' zei ze tegen haar spiegelbeeld in de waterige ruit en ze rende de trap op om zich aan te kleden. Ze trok een spijkerbroek aan en de donkergroene blouse die hij een keer had bewonderd. Ze waste haar gezicht en deed lippenstift op. 'Bah.' Ze zag eruit als een lijk met een rode mond. Ze veegde de lippenstift af.

Ze liet Finney uit, hopend dat hij zijn behoefte zou doen tussen de sculpturen in de tuin en meteen weer naar binnen zou rennen; dat deed hij meestal wanneer het regende. Maar vandaag niet, o nee, het enige wat hij wilde was haar achter zich aan over het trottoir sleuren en hij vond het helemaal niet erg om zichzelf in de tussentijd te wurgen. Ze was zonder paraplu naar buiten gegaan; tegen de tijd dat ze hun rondje door de buurt hadden gedaan, was ze doorweekt alsof ze met haar kleren aan onder de douche was gaan staan. Terwijl ze Finney met een stinkende, oude handdoek afdroogde, kwam de gedachte bij haar op dat ze Christopher misschien net gemist had. Hij had precies genoeg tijd gehad om aan te komen, in de regen naar de deur te rennen, aan te kloppen, geen gehoor te krijgen, terug naar zijn auto te rennen en weg te rijden.

Ze wachtte een kwartier, genoeg tijd voor hem om thuis te komen. Toen draaide ze zijn nummer weer.

Geen gehoor. Ze liet geen boodschap achter.

Het was stil in Wake House, de begane grond was vrijwel leeg en vanwege de regen zat niemand op de veranda. Ze zwaaide naar Cornel in de Rode Salon en wilde net naar de trap lopen toen Brenda vanuit haar kantoor de hal in stapte, op weg naar de keuken. Ze had een waterpomptang in haar ene hand en een ontstopper in de andere. Er was altijd wel iets mis met de afvoer of de waterleiding, en tenzij het om een ernstig mankement ging, was zij de loodgieter.

'Hé, Caddie. Op zoek naar Frances? Ze is naar de kerk. Maar goed ook, want de lift vertoont weer kuren. Er kan ieder moment een mannetje komen.'

Caddie bleef stilstaan met één voet halverwege de onderste tree. 'Is oma naar de kerk?'

'Ja, Claudette heeft Bea en Edgie en de anderen met de bus gebracht. Mevrouw Brill, Bernie –'

'Welke kerk?'

'De unitariërs.'

Ah.

'Dat is de enige waarover ze het eens konden worden.'

'Is Thea er?'

'Die ligt te slapen.' Brenda keek somber naar de grauwe dag. 'Is het geen perfecte dag voor een dutje?'

Dus toen wist Caddie niet wat ze moest gaan doen. Ze had oma's kamer kunnen opruimen, maar het was haar strikt verboden om ook maar iets aan te raken – het schoonmaakpersoneel ook; ze mochten alleen het bed verschonen en de badkamer schoonmaken – dus het had geen zin daarheen te gaan.

Magill – hij moest er zijn. Behalve wanneer hij een afspraak met dokter Lieberman had, was hij er altijd.

Door zijn openstaande deur zag ze hem op bed liggen met de dekens tot aan zijn kin opgetrokken. 'Slaap je?' fluisterde ze iets zachter dan het geluid van een oude film op zijn tv.

Hij glimlachte nog voor hij zijn ogen opendeed. 'Caddie. Hoi.' Hij hees zich overeind terwijl hij op zijn ellebogen steunde. 'Kom erin.'

'Heel even dan, ik moet – O nee! Wat is er met jou gebeurd?' Door zijn verwarde haren zag ze een pleister op zijn wenkbrauw die een dikke, paarse bult maar half bedekte. Hij had ook een blauw oog. 'Gatsie, wat heb je gedaan?'

'Gevallen. Niet interessant.' Hij klopte naast zich op het bed. 'Ga zitten.'

'Hoe? Waar?'

'Overloop op de eerste verdieping. Ik sloeg een paar treden over, boem.'

'Waarom heb je niet de lift genomen?' Ze ging voorzichtig op zijn bed zitten, voor het geval hij andere blessures had die ze niet kon zien. 'Ik durf te wedden dat je je helm ook niet op had. Wat heb je nog meer bezeerd?'

'Je bent vergeten "Had je gedronken?" Dan zou je Brenda zíjn.'

Ze glimlachte verontschuldigend. 'Ja, maar zij maakt zich waarschijnlijk zorgen over een rechtszaak.'

'En jij maakt je zorgen over mij.' Toen hij hoopvol zijn wenkbrauwen optrok, vertrok hij zijn gezicht van pijn.

'Nou, moet je zien. Kijk toch eens naar al dat eten.' Het blad op zijn nachtkastje was onaangeroerd. 'Hoe moet je nou beter worden als je niet eet?'

'Waar heb je uitgehangen? Ik heb je al een maand niet meer gezien.'

'Je hebt me vorige week gezien. Wat heb je verder nog bezeerd?'

'Niks, mijn knie. Hoe was je weekend met Timmy?'

Ze bestudeerde haar nagels. 'Geweldig. We hebben de monumenten bekeken, zijn in interessante restaurants geweest. Rondgelopen.' Ze keek hem een seconde aan en keek toen weg. 'Het was fantastisch.'

'Wat is er mis gegaan?'

'Niks, dat zei ik toch al. En hou op met hem Timmy te noemen.'
'Je ziet er niet zo geweldig uit.'
'Dank je. Moet je horen wie het zegt.' Zijn beide ogen, niet alleen het blauwe, waren bloeddoorlopen. Door de kussens stonden plukken haar overeind en door de woest uitziende stoppels op zijn wangen zag hij er eerder labiel dan kwajongensachtig uit. Thea geloofde niet dat zijn problemen van lichamelijke aard waren, niet allemaal. Zij geloofde dat hij zijn zintuigen na het ongeluk afgesloten had om zichzelf te straffen. Daarom kon hij soms niet horen, zijn eten niet proeven of ruiken, letterlijk niet helder zien – hij vond dat hij in de gevangenis thuishoorde, zei ze, dus had hij er een van zijn eigen lichaam gemaakt.
'Wat heeft het voor zin om jezelf ziek te maken?' flapte Caddie eruit.
'Wat?'
Ze sloeg haar ogen neer, bang dat ze te ver was gegaan. 'Ik wil alleen maar dat je... bij zinnen komt.' Ze lachte, om te laten zien dat ze wist dat het hard klonk, maar dat ze het goed bedoelde.
Hij glimlachte niet terug. 'O, dank je. Ik ben hier morgen weg. Ik zal bij mijn zinnen komen en verdergaan.'
'Sorry.'
'Nee, dank je, dank je voor het advies, dit is geweldig. Goh, als ik toch denk aan al die tijd die ik verspild heb aan Lieberman terwijl ik rechtstreeks naar Caddie Winger had kunnen gaan.'
'Ik wilde alleen maar – ik weet dat je last van schuldgevoelens hebt, maar –'
'Hoor eens, je moet ophouden me te analyseren. Ik kan me amper één psychiater veroorloven.'
'Het spijt me,' zei ze weer. 'Ik wou dat je hier niet zat. Dat is alles, ik wou dat je in je fabriek voeten aan het maken was.'
Hij liet zich onder de dekens glijden en trok het laken over zijn hoofd.
'Hou op.'
'Wat is er mis gegaan tussen jou en je vriendje?' Bij ieder woord bolde het laken onder de smalle streep van zijn neus op. 'Problemen in het paradijs?'
Ze wendde zich af. Op televisie wisselden twee vrouwen met schoudervullingen staccato woordwatervallen uit. Buiten kletterde de regen met zware spatten op de betonnen vloer van de veranda, vormde plassen in de kieren en gorgelde in de goten. Caddie zuchtte; ze voelde zich gedeprimeerd en verlept.

Magill trok het laken omlaag tot aan zijn lippen. 'Wat is er gebeurd?' zei hij op zijn normale toon, niet de sarcastische.

Het duurde lang voor ze antwoord gaf, terwijl ze dacht aan manieren om het onder woorden te brengen. Maar toen gaf ze gewoon toe: 'Ik weet het niet. Ik heb absoluut geen idee.'

'Soms hebben mannen...'

'Wat?' Vertel het me, dacht ze, geef me het antwoord. Maar tegelijkertijd had ze geen enkele hoop dat iemand als Magill kon weten wat er in Christophers hoofd omging.

'Soms gedragen we ons kloterig. Vrouwen hoeven niet eens iets te doen om ons het gevoel te geven, weet je...'

'Wat?'

'Dat er te veel beslag op ons gelegd wordt.'

'Ik héb niets gedaan. Ik heb níets gedaan. Juist het tegenovergestelde.'

'Oké, oké.'

Christopher en zij waren hun laatste ochtend lang in bed blijven liggen; ze lazen de kranten en aten ontbijt op bed. Caddie had hem een artikel laten zien over getrouwde stellen die vijftig jaar getrouwd waren – omdat het interessant was, want de trouwfoto's stonden naast de foto's van dezelfde stellen zoals ze er nu uitzien. 'Voor en na,' had Christopher ze genoemd en zij had met hem ingestemd; het was boeiend en tegelijkertijd afschuwelijk om te zien wat de tijd had gedaan met die elegante, hoopvolle, leuke bruiden en bruidegoms. Sommigen waren volkomen onherkenbaar, maar de meesten waren gewoon een vage, verbleekte versie van hun jongere zelf. Ze waren wit geworden. De glimlach om hun opeengeklemde lippen was niet uitdagend of brutaal meer, alsof het geloof in de toekomst iets was dat in de loop van vijftig jaar opgeraakt was.

'Moet je je voorstellen dat je een hálve eeuw met dezelfde persoon samenleeft,' had Caddie vol verwondering gezegd. 'Ik vraag me zelfs af of het wel natuurlijk is.'

'Mijn grootouders zijn nog langer bij elkaar,' had Christopher trots gezegd.

'Mogen ze elkaar nog?'

Hij had een ogenblik nagedacht. 'Niet erg, nee.' Ze hadden gelachen.

'Zie je wel? Mensen zouden elkaar niet hun hele leven moeten beloven. Als we onze verwachtingen lager zouden stellen, zouden we elkaar niet hoeven teleurstellen.'

'Dus jij bent tegen het huwelijk?'

'In de huidige vorm, ja,' had ze verklaard. 'We zouden een contract moeten hebben dat we om de vijf jaar kunnen verlengen.'

'En de kinderen?'

Ze had geen idee hoe serieus hij het opvatte. Maar ze had het niet gezegd om hem een plezier te doen, had niet geprobeerd een beeld van zichzelf te schilderen als onafhankelijke vrouw zonder verborgen plannetjes om hem zijn vrijheid af te nemen. Ze had geprobeerd iets op te biechten dat ze maar moeilijk kon toegeven, iets dat ze nooit eerder iemand had verteld: ze wás tegen het huwelijk. Niet omdat het niet groots kon zijn – wat heerlijk om een van die oude dametjes op die foto's in de krant te zijn, om naast zo'n kale, buikige, pafferige man te staan, nog steeds verliefd, nog steeds hand in hand op weg naar een zekere toekomst. Alleen was dat soort duurzaamheid niet voor haar weggelegd. De Wingervrouwen leidden hun leven zonder langdurige partners en Caddie paste soepel in de familietraditie.

'Kinderen,' had ze gezegd. 'Dat is een probleem.'

'Wil je geen kinderen?'

Ze had in Christophers heldere, groene ogen gekeken en gezocht naar een hint van wat hij wilde dat ze zou zeggen. Ze was niet cynisch wat mannen betrof, verre van, maar ze had het gevoel gehad dat dit een strikvraag was. Maar toch, wat kon ze hem anders vertellen dan de waarheid?

'Niet echt. Ik bedoel...' Ze stond op het punt het af te zwakken, maar gaf het op. 'Nee. Ik ben niet geschikt om iemands moeder te zijn. Sommige mensen wel, sommigen niet. Ik niet.'

Was dat het juiste antwoord? Hij had drie zussen; zijn grootouders waren al meer dan vijftig jaar getrouwd; hij kwam uit Iowa. Natuurlijk wilde hij kinderen.

'En jij?' had ze gevraagd, terwijl ze haar koude koffie pakte en een buitengewone nonchalance veinsde. 'Jij wilt waarschijnlijk vijf of zes kinderen.'

'Waarom zeg je dat?' Hij was aan de sportpagina begonnen; hij had geen belangstelling meer voor het gesprek.

'Omdat je zo'n geweldige vader zou zijn.'

Hij had langzaam geknikt. 'Ja. Maar ik wil ook geen kinderen. Jammer, hoor – degenen die de beste ouders zouden zijn, willen nooit kinderen.'

Ze had zich gevleid gevoeld – die observatie sloeg ook op haar. Ze had hem willen vragen waarom hij dacht dat ze een goede moeder zou zijn, maar ze wilde nu nog nonchalanter overkomen. Dus liet ze het onderwerp varen en begon aan de kruiswoordpuzzel.

'Die vent is een stomme lul,' zei Magill. 'Vergeet hem toch.'
'Nee, nietwaar.'
'Jawel.'
'Nee, niet. Het enige wat hij heeft gedaan is me niet opbellen.'
'Wat zeg ik?' Hij vouwde zijn handen op zijn buik.
Ze glimlachte. 'Gekkie.' Het was verleidelijk om door te gaan, nog meer medeleven te wekken, maar ze hield zich in. 'Ik moet gaan. Heb jij dope?'
'Hè?' Hij ging rechtop zitten.
'Dope, wiet. Heb je marihuana? Het is niet voor mij.'
'Voor wie dan? Christopher? Nee, wie denk je wel dat ik ben? Zie ik eruit als een dealer?'
Ze moest bijna lachen, omdat het antwoord daarop zo ronduit ja was. 'Nee, iemand anders. Ik zeg niet wie.'
'Iemand die ik ken?' Hij leek geschokt, toen geïntrigeerd. 'Wie?'
'Dat zeg ik niet. Laat maar, je hebt toch niks, dus vergeet maar dat ik het gevraagd heb.'
'Wie is het?'
'Niemand. Ik zeg het toch niet.'
'Frances?'
'Mijn oma?' Ze barstte in lachen uit.
Hij schraapte op een peinzende, berekenende manier over zijn kin. 'Oké, ik weet iemand. Ik hoef alleen maar te bellen.'
'O, fantastisch. En – doe je het?'
'Met plezier. Op één voorwaarde.'
'O jee. Nee –'
'Je moet me vertellen wie het wil.'
'Nee! Dat is niet eerlijk.'
'Dan gaat het niet door.'
'Dat is chantage! Oké, ik zal het je vertellen, maar je gelooft het toch niet.' Ze zweeg even voor een dramatisch effect. 'Het is Thea.'
'Thea.' Er verscheen een langzame grijns op Magills gezicht. 'Ik geloof je. En nu heb ik nog een voorwaarde.'

Op weg naar huis reed ze voorbij het huis van Christopher. Niet precies op weg naar huis; technisch gesproken moest ze drie kilometer omrijden. Door de regen was het moeilijk te zien of de lichten aan waren achter de gesloten luxaflex aan de voorkant van het huis, dus sloeg ze de steeg in en reed achterlangs. Maar als hij nu King in de achtertuin aan het uitlaten was of net de vuilnis buitenzette, als hij haar zag? Dan zou ze door de grond zakken. Maar de achterkant van zijn flat op de begane grond zag er net zo dicht uit als de voorkant en zijn auto stond niet op het betonnen pad naast het hek.

Misschien was hij de stad uit. Iets onverwachts in de familie, iets dat zo dringend was dat hij het haar nog niet verteld had.

Sinds donderdag?

Ze bracht de avond door met viooloefeningen. Ze was bezig met Dvořáks *Romance* in F-mineur, maar ze merkte dat het haar pijn wel erg nauwkeurig weergaf, dus kon ze er niet te lang mee bezig zijn. Ze begon het intense, nadrukkelijke eerste deel van het concert in A-mineur van Vivaldi te spelen; dat had ze geleerd voor een recital lang geleden en ze vond het nog steeds heerlijk er helemaal in te kruipen, die opzwepende zestonige herhaling. Maar vanavond klonk het eerder nerveus dan vrolijk en ze moest daar ook mee ophouden.

Er dreinde al dagenlang, sinds Angies laatste les, een irritante melodie door haar hoofd. Ze merkte dat ze de eerste treurige noten van *Man of Constant Sorrow* zat te spelen. Angie wilde het nummer ook nog eens verkeerd spelen, vrolijk en dartel, en het meezingen, bijna als een vrolijk dansnummer – Caddie had er geen spijt van dat ze het haar uit het hoofd had gepraat. Als je het dan wilde spelen, dan zonder dubbelgrepen. Alleen enkele akkoorden in een hopeloze, hunkerende cirkel. Maak het nummer hard en bitter, bergmuziek, primitief en treurig en langzaam. Ze hypnotiseerde zichzelf bijna met de klaaglijke melodie; er leek maar geen manier om er een einde aan te maken, het bleef maar teruggaan om van voren af aan te beginnen. Angie was gek om te denken dat dit een goed nummer voor een missverkiezing was. Het was veel te triest. Het was tragisch. Caddie maakte er ten slotte een einde aan door haar instrument weg te leggen.

Het was zo stil in huis. 'Te stil,' zei ze tegen Finney die haar als een kleine witte geest door het huis achterna liep. Mensen hadden het over honden die hun stemming aanvoelden, die een honds medeleven toonden als ze down of gedeprimeerd waren, honden die hen met hun pootje aanraakten of de tranen van hun wangen likten. Finney was meestal niet zo'n soort hond. Mensen waren nuttig voor hem omdat ze hem eten gaven, met hem speelden, hem aaiden en hem uitlieten en zolang je hem die dingen maar gaf, kon jouw stemming hem niets schelen. Maar vanavond was hij niet zichzelf. Hij liet haar maar niet met rust. Ze voelde aan zijn neus of hij warm was. Nee, maar toch leek het aannemelijker dat híj ziek was dan dat hij wist dat zíj het was. Ziek in haar hart.

Ze was al een tijd niet meer alleen geweest. In weken. Ze had dat strakke gevoel net onder haar borst dat geen pijn was, eigenlijk, maar meer niets, een lege luchtzak in het midden, al lang niet meer gehad. Ik ben weer alleen. En nu was het erger, omdat ze dacht dat ze gered was.

In Washington was ze zo dapper geweest, had ze spontaan tegen vreemden, obers en winkeliers en dat soort mensen gepraat, op die vrijmoedige, schalkse, humoristische toon die ze zo in anderen bewonderde. Doordat ze samen met Christopher was, voelde ze zich zelfverzekerd en sterk alsof ze voor niemand onder hoefde te doen. Het was net alsof ze dronken was. Op straat ving ze glimpen van Christopher en haar op die haar trots maakten omdat ze zo duidelijk bij elkaar hoorden. Alles kwam uit, zoals een wiskundeprobleem of puzzelstukjes die in elkaar pasten. Volledigheid, een mysterie opgelost.

Ze had slaaptabletten op recept. Ze nam er twee, wetend dat ze de volgende ochtend duf zou zijn, en ging vroeg naar bed. Maar de pillen bezorgden haar alleen maar nerveuze, onbevredigende dromen. Ze stond om elf uur op en zette kruidenthee. Ze staarde naar de telefoon. Christopher ging graag vroeg naar bed.

Toch belde ze hem. 'Laat een boodschap na de toon achter,' adviseerde hij.

'Ben je thuis? Ben je de stad uit? Christopher, als je thuis bent, bel je me dan? Ik ben bang dat er iets aan de hand is. Eh, alles is goed hier. Het is zondag. Avond. Ik zat net aan je te denken. Ik hoop niet dat je kwaad bent of zo. Als dat zo is, wil je me dan bellen en het zeggen? Oké, nou. Sorry als ik – paranoïde klink,' zei ze snel en hing op.

'Bel hem,' opperde Thea.

'Ik héb hem gebeld. Of hij is er niet óf hij neemt niet op.'

'Ga dan bij hem langs. Caddie, je moet er achter zien te komen. Je maakt jezelf gewoon ziek als je maar blijft zitten en niets doet.'

'We hebben niet – we hadden niet het soort relatie waarbij ik belde. Je weet wel, het initiatief nemen. Het begon ermee dat híj belde, dus nu – als ik bel, is het te...'

'Nou, dat is onzin. Ben je geen bevrijde vrouw? Ik dacht dat jullie moderne meisjes mannen zomaar opbelden.'

'Ik heb hem trouwens al gebeld. Ik kan hem niet bereiken.'

'En er is het weekend niets misgegaan, jullie hebben niet gekibbeld –'
'Niets. Het was bijna perfect.'
'Bijna.'
'Nou ja, niets is perfect,' zei Caddie praktisch. Ze wilde niet aan dat ene kleine moment denken – en ze kon het Thea zeker niet vertellen – de enige eventuele oorzaak die ze kon bedenken. 'Maar Chrístopher is perfect. Ik wil nog steeds dat je hem ontmoet. O, ik hoop zo dat het kan.'
'Ik kan niet wachten. Hoe lang ga je al met hem om?'
'Een week of vijf.'
'Ben je verliefd?'
'O... het is nog zo vroeg.'
'Vind je? Ik was in één avond verliefd op mijn eerste man. Hij nam me mee naar *On the Waterfront.* Ik was toen blond, lichter dan jij, en hij zei dat ik op Eva Marie Saint leek.' Ze lachte. 'Natuurlijk viel ik voor hem.'
'Wanneer heb je het hem voor het eerst verteld?'
'Je bedoelt dat ik van hem hield? We waren aan het picknicken. We lagen op een legerdeken, herinner ik me, en staarden door de bladeren van de boom naar de lucht. Hand in hand. Hij zei het eerst. Toen ik.'
'Hoe lang kenden jullie elkaar?'
'Ik weet het niet precies. Maar niet zo lang.'
'Weken?'
'Nee...'
'Maanden?'
'Zoiets. Waarom?'
'O, Thea,' barstte Caddie los, alle voorzichtigheid overboord gooiend, 'ik ben bang dat ik iets heb gedaan. Om hem af te schrikken – ik denk dat het is om iets dat ik gezegd heb.'
'Schat, als je gezegd hebt –'
'Ja. Ik heb het gezegd, de laatste nacht. Maar zo zachtjes, en ik dacht dat hij sliep!'
Dat moest het wel zijn, die zachte woordjes die ze niet kon inhouden. Ze hadden net gevrijd en ze had zich zo kwetsbaar van binnen gevoeld, zo teder en ontroerd, dat ze een beetje had gehuild. Christopher had haar tranen gezien, maar hij had alleen maar geglimlacht, had niets gezegd. Hij had haar alleen maar in zijn armen genomen en al gauw was hij in slaap gevallen. En het was op dat moment dat ze het had gezegd: 'Ik hou van je' op een zuchtje adem dat ze uitblies.
'Hij heeft me vast gehoord,' zei ze doodongelukkig, 'en het was te vroeg. Nee, dat was het, ik had het niet moeten zeggen.'

'Maar Caddie, als je het voelde –'

'Ik heb hem afgeschrikt.'

'Dat geloof ik niet, niet na wat je me over hem hebt verteld. Christopher zou dat niet doen.'

'Ik weet het niet, ik weet het niet.' Had ze haar mond maar gehouden. Maar de woorden hadden zo gewaagd en vrij geklonken. Ze had ze nooit eerder tegen een man gezegd en ze wilde het al zo lang. Nu ze het eindelijk had gedaan, had ze alles verknald. 'Ik ben zo'n idioot.'

'Nee, dat ben je niet,' zei Thea. 'Bel hem, want ik ga pas het ergste denken als het uit jouw mond komt.'

Ze wachtte tot haar laatste leerling vertrokken was. Christophers antwoordapparaat sloeg aan en terwijl ze weer moeizaam een onbeholpen, quasi-nonchalante boodschap formuleerde, nam hij ineens op. 'Hallo?'

'Christopher? Hoi! Met mij! Waar heb je gezeten?'

'Wacht even.'

Terwijl ze zo'n halve minuut van rommelige, gedempte stilte, alsof hij zijn hand over de hoorn hield, wachtte, had ze tijd om zich zorgen te maken over zijn 'Hallo' dat ongeduldig had geklonken, misschien zelfs geïrriteerd. Hoeveel boodschappen had ze de afgelopen zeven dagen voor hem achtergelaten? Ze was de tel kwijtgeraakt.

'Hoi,' kwam hij weer terug. 'Sorry, maar ik moest even iets afmaken.'

'Ben je aan het werk?'

'Ik ben altijd aan het werk. Hoe is het met je? Wat is er?'

'Met mij is het prima, ik – ik maak me zorgen over jou. Heb je mijn boodschappen gekregen?'

'Ja, ik wilde je bellen.'

'O.'

'Ik heb het verschrikkelijk druk gehad, ik heb gewoon de kans niet gekregen.'

'O.'

'Alles goed met je? Is er nog iets gebeurd?'

Haar hoofd was leeg. Ze kon niets bedenken dat er was gebeurd. Dan had dit telefoontje geen enkele zin; ze onderbrak zijn werk alleen maar. Wat was er toch?

'Je klinkt vreemd,' zei ze ten slotte. 'Je klinkt niet als jezelf.' Wat ze bedoelde was, dat ze nog nooit zo'n telefoongesprek gevoerd hadden. Daarvoor waren ze altijd speels, zelfs sexy geweest; eerlijk gezegd voelde ze zich vaak meer op haar gemak wanneer ze met Christopher door de telefoon praatte dan wanneer ze bij elkaar waren.

'Ja? Hoe klink ik dan?'

Ze probeerde te lachen. 'Als iemand die wil ophangen.'

Hij zei niets.

Ze wachtte een pijnlijke stilte lang met haar ogen dichtgeknepen. 'Ben je boos of zo?'

'Nee, ik ben niet boos. Ik ben bezig. Dat heb ik al gezegd, ik heb een hoop aan mijn hoofd.'

'Hoe gaat het met het werk? Hoe gaat het – '

'Het is druk.'

'Wil je soms langskomen? Een rustpauze nemen?' Stom, hij kwam nóóit hierheen, hij vond haar huis niet prettig. 'Of ik zou naar jou kunnen komen,' zei ze toen hij geen antwoord gaf. 'Als je wilt. Zeg het maar.'

Hij haalde diep adem, een omgekeerde zucht. 'Het komt vanavond niet goed uit.'

Ze kon een volle minuut geen woord uitbrengen. Hij hielp haar niet. Ze legde haar hand op haar keel en vroeg: 'Zijn we uit elkaar?'

Nog een lange, onverdraaglijke stilte en het antwoord dat erin doorklonk was overduidelijk.

'Wat is er gebeurd?' Ze moest fluisteren om het eruit te krijgen.

'Er is niets gebeurd. Caddie, het is gewoon iets dat voorkomt.'

'Het is vanwege wat ik gezegd heb, hè?

'Wat? Wat heb je dan gezegd?'

'Niks.'

'Luister, alleen ... we hebben alleen niet zo veel gemeen. Ik bedoel, als je er bij stilstaat, dan hebben we niets gemeen.'

Ze zakte in. Het was waar. Ze had het al die tijd geweten. 'Toch dacht ik dat we het leuk hadden samen.'

'Ja. Nee, het was prima. Alleen, ik denk dat het voor jou meer betekende dan voor mij,' zei hij, en eindelijk klonk zijn stem vriendelijk, niet koel en onpersoonlijk. Maar de verandering bood geen troost; het was alleen maar onmogelijk ertegen in te gaan. 'Het is een slecht moment voor mij om een vaste relatie te beginnen. Het is niet jouw schuld. En ik denk dat het beter is om er meteen een einde aan te maken dan het maar voort te laten slepen.'

'Ja.' Maar als ik nou niet gebeld had? dacht ze.

'Caddie? Gaat het?'

'Ja, hoor. Prima.'

'Het spijt me echt. Je was geweldig.'

Ze hikte een lachje.

'Ik hoop dat we vrienden kunnen blijven.'

Ze moest de hoorn even bij haar oor vandaan halen. 'Ja,' wist ze uit te brengen. 'Ik ook.'

'O – Caddie?'

'Ja?'

'Je mag de cd's houden, maar die boeken die ik je geleend heb? Over gehoorzaamheidstraining van honden en gezelschapstraining van dieren? Die moet ik wel terug hebben. Sorry dat ik het je moet vragen, maar –'

'Oké. Ik moet nu gaan.'

'Goed, oké.' Nu klonk er voor het eerst leven in zijn stem. Ze was een pak van zijn hart. 'Nou, Caddie, pas goed op jezelf.'

Jaren geleden, toen ze nog studeerde, had ze een kat gehad, Abigail. Een magere, overwegend grijze straatkat waar een kind uit de buurt haar mee opgezadeld had, maar ze was er van gaan houden. Op een avond kwam Abigail naar huis gekropen, ziek en gewond, bloedend uit haar bekje; ze was aangereden. Caddie ging meteen met haar naar de dierenarts die haar een nacht liet blijven. De volgende ochtend had hij haar opgebeld. 'Het spijt me verschrikkelijk,' had hij heel vriendelijk gezegd, 'maar Abigail heeft het niet gered. We hebben gedaan wat we konden, maar ze had te erge inwendige bloedingen. Ze is om zes uur vanochtend overleden.'

Ze had de dokter, die de vriendelijkheid zelve was, zo hartelijk willen bedanken, maar ze kon geen woord uitbrengen omdat ze huilde en daar voelde ze zich opgelaten over. Ze gedwongen geweest op te hangen zonder een woord te zeggen. Niet eens gedag.

Dit was net zo, alleen erger.

13

Voor Caddie voor Wake House op de rem van de Pontiac getrapt had, zwaaide Thea naar haar en kwam de trap af. Onmiddellijk achter haar kwam Magill – met Cornel die zich aan zijn arm vasthield. Cornel? Waarom kwam híj nou mee?

Bea en Edgie Copes zaten naast elkaar in hun schommelstoel op de voorgalerij en riepen over de balustrade: 'Joehoe, Caddie!' Aan weerszijden van hen zaten de dames Harris, die elkaar, zoals gewoonlijk, negeerden. Maxine wuifde met haar kerkwaaier; Doré groette Caddie met een knikje van haar perfect gepermanente hoofd. 'Veel plezier!' riep Bea en Caddie glimlachte en zwaaide door het raam, met een schuldig gevoel.

Ze hadden het verhaal allemaal voor zoete koek geslikt: ze hield vanavond een heel kleine muziekrecital van leerlingen bij zich thuis. Anderen mochten later in net zulke kleine groepjes komen, maar voor de eerste keer kon ze maar twee mensen uitnodigen (wat volkomen absurd was en toch had niemand het in twijfel getrokken). Nou, blijkbaar had ze plaats voor een derde gevonden: Cornel sukkelde, nog chagrijniger dan anders, het pad af, gekleed in een wijde katoenen broek en een lichtblauw golfoverhemd. Het was moeilijk te zeggen wie wie ondersteunde, Magill hem of andersom; Magill had problemen met zijn evenwicht, maar Cornel, hoe hij het ook ontkende, had artritis in zijn heupen en op slechte dagen kon hij alleen maar korte, afgemeten stapjes maken, als een vrouw met een te strakke rok.

'Heb je gescoord?' vroeg Thea, nog op twee meter van de auto.

Cornel kromp ineen. 'Sst!' zei hij, waardoor Magill moest lachen, zodat ze allebei gevaarlijk tegen de trapleuning helden.

'Ik heb gescoord,' verzekerde Caddie Thea, zodra ze in de auto zat en haar gordel vastmaakte. Ze keek zo blij en opgewonden dat Caddie minder moeite had haar sombere stemming te verbergen dan ze had gedacht. Ze had overwogen om het hasjfeestje af te zeggen, het uit te stellen tot ze zich beter voelde, wanneer dat ook mocht zijn, want het had op geen slechtere dag in haar leven kunnen plaatsvinden dan vandaag. Maar nu was ze blij dat ze het niet gedaan had. Misschien zou het haar zelfs opvrolijken. Ze had zich twee weken ellendig gevoeld, iedere dag net zo als de vorige, geen verandering, geen onderscheid. Tot twee dagen geleden, toen alles onmetelijk veel erger was geworden.

'En heeft het je geen moeite gekost?' vroeg Thea haar.

'Geen enkele. Ik ben geknipt voor een leven als dealer.'

Magills dealer, een kalende, keurige jonge man die Chip heette, was gisteren naar haar huis gekomen, halverwege de pianoles van Caitlin Birnbaum, en Caddie en hij hadden de transactie op de veranda verricht: een klein plastic zakje in een boterhamzakje voor vijfennegentig dollar contant. 'Dit is buitengewoon uitstekend spul, ik kan het persoonlijk aanbevelen,' had Chip tegen haar gezegd. 'Als je het eerst wilt proberen, is dat geen enkel probleem.' Ze had gefluisterd dat dat niet nodig was en hem goedendag gewenst.

'Ik zal een cheque voor je uitschrijven zodra we er zijn,' zei Thea opgetogen terwijl ze op haar tas klopte. 'Waarom doe je de kap niet naar beneden, Caddie? Ik heb al zo lang niet meer in een cabriolet gereden.'

'Hij zit vast, hij kan niet meer naar beneden. Vastgeroest.'

'Jullie zijn stapelgek geworden,' gromde Cornel, terwijl hij op de achterbank ging zitten. 'Hoe moet dan nou als jullie gepakt worden? Hebben jullie daar al over nagedacht? Als jullie achter de tralies zitten, is het allemaal niet zo grappig meer. En jij,' zei hij tegen Magill, 'bent gauw van die grijns op je gezicht af als je in de gevangenis zit.'

Magill keek naar Caddie in de achteruitkijkspiegel. 'Cornel is de aangewezen narcotica-agent.'

'Ja, lach maar, je zult nog blij zijn dat een van ons nuchter is,' zei Cornel duister.

'Clean,' verbeterde Thea hem, 'niet nuchter. Jij bent onze cleane man.'

Hij bleef doorgaan tot aan Caddies huis, waarschuwend voor slechte trips en razzia's en jointgekte. 'Cornel,' zei Thea ten slotte terwijl ze zich in haar stoel omdraaide, 'Caddie kan je nu meteen naar Wake House terugbrengen als je dit voor ons gaat verbruien.'

Hij trok een gezicht en zweeg.

Magill raakte niet uitgepraat over de sculpturen in de voortuin. De zon was aan het ondergaan en gloeide oranje tussen de donkere bladeren van de eikenboom in de tuin van mevrouw Tourneau, die schaduwen wierp die hoogte en een zekere waardigheid verleenden aan *Onderdrukking* en *Aardmoeder*. Hij had vanavond een wandelstok bij zich en die gebruikte hij om langs oma's met gras begroeide aardwerken en metalen gevallen te navigeren. 'Ze zijn fantastisch,' zei hij vol verwondering. 'Ongelooflijk.' Thea had ze al eerder gezien en Cornel was niet onder de indruk, dus lieten ze Magill door de tuin dwalen en gingen met Caddie naar binnen.

Ze bracht hen naar de woonkamer en ging iets te drinken halen. 'Dit is gezellig,' hoorde ze op weg naar buiten Cornel zeggen. 'Een fijn gevoel om weer in een echt huis te zijn, hè?' Gek, ze had juist het mooie van Wake House gevonden dat het een echt huis wás.

Toen ze terugkwam, zat Magill in kleermakerszit op de vloer een joint te draaien, met Thea naast hem en Cornel, die van een superieure afstand vanuit de fauteuil toekeek. Ze zette een blad met glazen, hapjes, frisdrank, en een kan ijsthee op de salontafel. 'Ik heb ook drank, als iemand dat wil.'

'Heb je misschien bier koud staan?' vroeg Magill.

'Ja.'

'Ik ook,' zei Cornel.

'Dat klinkt heerlijk,' zei Thea.

'Goed dan.' Dus het werd drank. Ze bracht de frisdrank terug naar de keuken en kwam terug met bier.

'Wat is dat voor geluid?' vroeg Thea nadat iedereen had getoost.

'Ik hoor niks,' zei Magill.

'Ja,' merkte Cornel, 'net een vogel die zit te tjilpen.'

'O, dat is Finney,' zei Caddie. 'Ik heb hem in oma's slaapkamer opgesloten. Ik kan hem eruit laten als niemand het erg vindt.'

Niemand vond het erg.

'Het zal wel met hem gaan omdat jullie er al zijn – pas als er vreemden aan de deur komen, dan wordt hij helemaal gek.'

Ze ging naar boven om hem vrij te laten. Hij gunde haar nauwelijks een blik waardig voor hij over de overloop stoof en de trap afrende, keffend, piepend, een witte schim van opwinding. Toen ze weer in de woonkamer kwam, zat hij in onstuitbaar enthousiasme op Thea's schoot te kronkelen, een sneeuwstorm van witte haartjes op haar rok achterlatend.

'Zullen we muziek opzetten?' Ze liep naar de stereo en zocht tussen de collectie cd's die over de plank verspreid lagen. Ze zette een symfonie van

Brahms op, maar zette hem na enkele seconden weer uit. 'Dat is niks,' zei ze, in zichzelf pratend. 'Iets lichters, denk ik.'

Magill kwam helpen. Hij had zich opgepoetst voor zijn avondje uit; hij droeg een geperst overhemd en een mooie grijze broek. Maar ze waren allebei te groot voor hem en het uitgesleten plekje in zijn riem was een behoorlijk aantal centimeters verwijderd van het huidige gaatje in de gesp. Maar toch zag hij er netjes en gladgeschoren uit en hij was misschien zelfs naar de kapper geweest in plaats van dat hij zich door Maxine had laten knippen.

'Je ziet er heel goed uit vanavond,' zei ze tegen hem.

'Ik vind je haar leuk zitten,' mompelde hij.

'O.' Ze moest aan haar haar voelen om zich te herinneren hoe ze het gedaan had. Achter haar oren met twee haarspeldjes. 'Dank je.'

'Heb je ook iets heel decadents?'

'Decadent?'

'Ja, voor Cornel.' Hij ging met zijn wijsvinger langs de eerste rij cd's en toen langs de andere. 'Niets. Helemaal niets. Luister je hier de hele tijd naar?'

'Wat is daar mis mee? Niet de hele tijd.'

'Wat zit hier in?' Hij hurkte en deed het kastje onder de stereo open. 'Aha. Je geheime verzameling. Waarom bewaar je al het goede hier, Caddie? Het is geen...'

Het is geen pórno. Dat wilde hij gaan zeggen, dat wist ze zeker. Ze zag zijn oren roze worden en moest haar best doen om niet te lachen.

'Bessie Smith. Sippee Wallace, Ma Rainey, Jelly Roll Morton. Memphis Minnie?'

'Ze is goed,' zei Caddie, om de een of andere reden verdedigend. Het was ook bijna alsof hij tegen haar geheime verzameling erotica was aangelopen.

'Wie nog meer... Eubie Blake, Koko Taylor. Alberta Hunter.' Hij draaide een oude cd van Etta James om en las de achterkant voor. '*Hot Nuts, Get 'Em from the Peanut Man.*' Hij grinnikte naar haar. 'Zet deze maar op. Die is perfect.'

Ze haalde haar schouders op. 'Prima, ik zal er een stapeltje in leggen. Er is niks mis met de blues.'

Hij kwam overeind, waarbij hij de rand van de plank als steun gebruikte. 'Dat is een ding dat zeker is.' Hij keek naar haar met een lieve, intense uitdrukking, alsof hij iets nieuws zag, een intrigerend facet waar hij geen vermoeden van had gehad. Ze had zich te veel blootgegeven, dacht ze duister, en ze wist niet eens goed hoe. Of, eerlijk gezegd, wat. Ze haalde opnieuw haar schouders op om te laten zien dat het haar niets kon schelen en stopte de cd-speler vol met muziek.

Cornel stond op en deed de gordijnen voor de ramen aan de voorkant dicht. 'Voor de veiligheid,' zei hij tegen hen.

'Het wordt wel warm zo, hoor,' waarschuwde Caddie. Het was al warm. Ze had airconditioning in haar slaapkamer, maar hier beneden alleen maar een ventilator.

'Iedereen kan op de veranda gaan staan en naar binnen kijken. Ik wil vanavond in ieder geval niet gearresteerd worden.' In plaats van terug te gaan naar zijn stoel, plofte Cornel met krakende knieën naast Thea op de vloer neer. Zijn broekspijpen kropen op, zodat zijn haarloze, witte kuiten boven glimmende zwarte sokken te zien waren.

'Cornel, waarom mag ik je biografie niet schrijven?' vroeg Caddie hem.

'Omdat ik nog niet dood ben. Dat heb ik je al gezegd.'

'Ik durf te wedden dat je een interessant leven hebt gehad.'

'Zo interessant nou ook weer niet.'

'Of ik zou je kunnen interviewen – gewoon vragen stellen en dan kun jij de antwoorden geven die je wilt geven.'

'Dat is een goed idee,' zei Thea. 'Waarom doe je dat niet, Cornel?'

Hij keek weifelend en tegelijkertijd gevleid. 'Ik zal er over nadenken,' zei hij met tegenzin. 'Maar zullen we in de tussentijd met die idioterie beginnen?'

'Ja, laten we dat maar doen.' Thea's ogen fonkelden verwachtingsvol; ze wreef zich bijna in de handen. Ze had een gebloemde zonnejurk aan die haar sproetige armen en borst bloot liet, het soort jurk dat volgens Doré Harris niemand boven de zestig kon dragen. 'Vrouwen boven een bepaalde leeftijd horen nooit hun armen te ontbloten,' had ze een keer tegen Caddie gezegd, duidelijk verwijzend naar Maxine die die dag een mouwloze blouse droeg. 'Ook in de zomer niet?' had Caddie gevraagd. 'Niet als ze een beetje waardigheid heeft.'

'Je ziet er mooi uit vanavond,' zei Caddie in een opwelling tegen Thea.

'O, dank je. Ik wilde als hippie komen, maar ik heb geen broek met wijde pijpen.' Maar ze had wel grote oorringen in, zigeuneroorringen waardoor ze er roekeloos en zorgeloos uitzag. Geen wonder dat Cornel zijn ogen niet van haar kon afhouden.

Magill streek een lucifer af en stak de strak gedraaide, dikke joint aan. Nam een trek.

'Doe je dat zo?' Thea nam de sigaret van hem aan tussen haar vingertoppen. 'Je houdt de rook een tijdje binnen voor je hem uitblaast, hè?'

'Als het lukt,' zei hij, terwijl hij uitblies. 'Maar neem de eerste keer maar een klein trekje, een heel kleintje, anders moet je hoesten.'

'Ik rookte vroeger sigaretten,' zei ze. 'Ik ben in 1968 gestopt.'

'Ik ben in 1969 gestopt,' zei Cornel belangstellend, alsof hun dat een speciale band gaf.

'Een klein trekje,' waarschuwde Magill opnieuw.

Thea bracht de joint voorzichtig naar haar lippen en inhaleerde. Haar ogen puilden uit; ze keek alsof ze stikte, maar het lukt haar om niet te hoesten. 'Aaah,' riep ze uit terwijl ze uitblies, 'het is zo schérp, heel anders dan tabak. Laat me nog eens een trekje proberen.'

Magill leunde achterover en lachte.

'Hoe noem je dit nog meer behalve joint?'

'Stickie, blowtje.'

Cornel trok een gezicht als een gier, maar hij miste niets. 'Weet je zeker dat je het niet wilt proberen?' vroeg Thea, terwijl ze hem de joint toestak en er uitnodigend mee zwaaide.

'Absoluut.'

'Het kan je laatste kans zijn.'

'Goed zo.'

Ze haalde haar schouders op en nam nog een trek; ze zag er nu heel deskundig uit zoals ze de rook vijf volle seconden in haar longen hield en de rook naar het plafond uitblies. 'Hier, kind,' zei ze, terwijl ze de joint aan Caddie gaf. 'Jouw beurt.'

Het losse vloeitje knetterde en vonkte. Caddie tikte de lange askegel in de asbak af en wilde een trek nemen. Maar toen – 'Nee, weet je, ik denk dat ik niets wil, nu niet.'

'Eén iemand met verstand,' zei Cornel.

'Straks misschien. Ik heb een beetje hoofdpijn. Het is niets – straks misschien.'

'Ik dacht het wel,' zei Thea terwijl ze even haar hand op Caddies arm legde. 'Ik vond je vanavond al niet helemaal jezelf.'

'Zeker weten?' vroeg Magill. Caddie zei dat ze het zeker wist en hij nam nog een trek.

'Oké,' Thea streek de rok recht over haar benen en legde haar handen op haar knieën op de manier van een yogi. Ze keek voor zich uit, met een waakzaam gezicht. 'Ik voel niets. Moet ik niet paranoïde worden?'

'Nog niet, hoor,' zei Magill troostend.
'Ik wil dit al jaren proberen.'
'Waarom?' wilde Cornel weten.
'Daarom.' Ze keek hem verbluft aan. 'Het is een nieuwe ervaring.'
'Hmm.'
'Ik vind het er ook leuk uitzien. De manier waarop je de sigaret vasthoudt en zoals je de rook door je tanden naar binnen zuigt.' Ze streek met haar handen over haar knieën. 'Mmm,' zei ze met een soezerige, maar intense zucht, 'ik geloof dat het begint te werken.' Ze leunde achterover tegen de bank en strekte haar benen. 'Wat een heerlijke muziek. Wie is dit, Caddie?'
'Hoagy Carmichael.'
'Hoe voelt het aan?' wilde Cornel weten.
'Een beetje vreemd. Maar dromerig. Los. Tijd, iets met tijd...'
'Het wordt te gek,' zei Magill, en Thea en hij begonnen te giechelen.
Caddie en Cornel trokken een gezicht naar elkaar.
Magill ging op zijn rug liggen. Hij probeerde de hond op zijn borst te hijsen, maar Finney was meer geïnteresseerd in de crackers met kaas op de salontafel. 'En wat moeten wíj nu doen,' gromde Cornel tegen Caddie, 'gewoon zitten en toekijken?'
Daar moesten Magill en Thea weer vreselijk om lachen. Caddie genoot van de manier waarop Cornels doorleefde kop verzachtte wanneer hij naar Thea keek. Het gesprek kabbelde voort op een bekende, stonede manier. Caddie dacht aan een jongen met wie ze verkering had toen ze studeerde, Michael Dershowicz, wiens idee van lol bestond uit stoned worden en naar heavy metal luisteren. Ze lagen dan op zijn kamer op bed naar Megadeath en Annihilator te luisteren terwijl hij haar de 'geografie' van de muziek beschreef, die uitlegde als architectuur, als een schilderij. Hij kon het zíen, zei hij, en dan hadden ze lange, abstracte, kunstmatig intense discussies – hij stoned, zij clean – over wat voor kleur de noten daar waren, in dat thema, of wat voor vorm, wat voor persoonlijkheid. Ze had van die gesprekken genoten, maar was niet in de verleiding gekomen om zelf wiet te proberen. Als ze het ooit zou doen, dan kon ze niemand bedenken met wie ze het liever zou doen dan de drie mensen die vanavond in haar kamer zaten.
'O, wat een heerlijke trip.' Thea schoof naar Magill en ging naast hem liggen. Finney kwam onmiddellijk naar haar toe gerend en likte haar in het gezicht. 'O, bah.' Haar buik ging op en neer van het lachen.

Cornel zette zijn vuisten op de vloer. 'O, verrek, geef mij ook maar wat van die joint.'

Thea en Magill schoten stomverbaasd overeind, zodat Finney geschrokken achteruit sprong en naar hen blafte. 'Echt? Ga je het echt proberen?'

Cornel wees naar Caddie. 'Als ik door het lint ga, dan ben jij verantwoordelijk. Jij bent degene die me moet kalmeren en die me naar het ziekenhuis brengt als het zover komt.'

Hij keek zo serieus dat ze niet mocht lachen. 'Dat doe ik, dat beloof ik. Maak je geen zorgen.'

'Dat kan ik wel,' snauwde hij toen Magill de half opgerookte joint voor hem aan wilde steken. 'Ik kan verdomme wel een sigaret aansteken.'

'Niet te veel.'

'Dat weet ik, dat weet ik.' Hij nam een flinke trek en kreeg meteen een ontzettende hoestbui.

Magill kwam niet meer bij. Hij moest zo lachen dat hij achterover viel. Caddie schonk een glas ijsthee voor Cornel in, maar hij moest zo erg hoesten dat hij niet kon drinken. Thea klopte op zijn rug. Dat hielp ook niet, maar hij vond het wel fijn.

'Wat is dat in godsnaam?' zei hij toen hij weer kon praten. 'Paardenstront?'

'Je moet kleine trekjes nemen,' zei Thea tegen hem, als een oudgediende. 'Neem maar wat thee en probeer het dan nog eens.'

'Maar kijk uit dat je niet gek wordt.' Magill zag er echt stoned uit, met bungelende ledematen en een maffe grijns. 'Volgens mij is het goed voor mijn evenwicht. Ik ga aan Lieberman vragen of hij me het voorschrijft voor mijn duizeligheid. Wil je echt geen trekje, Caddie?'

'Straks misschien.'

'Gaat het?' vroeg hij zachtjes.

'Ja, hoor, niets aan de hand. Ik denk dat ik even...' Ze gebaarde naar de stereo en stond op.

Vanwege Christopher was iedereen in Wake House extra aardig en attent voor haar. Het was afschuwelijk. Ze vond het niet erg dat Thea het wist, maar ze wou dat ze Magill er niet zo over doorgezaagd had. Wat was dat stom geweest, besefte ze achteraf, hoe onkarakteristiek zelfverzekerd. Arrogant, bijna: kijk mij eens, ik heb een vriendje. Ze vond het afschuwelijk dat hij nu medelijden met haar had. Niet alleen hij, zij allemaal, maar ze had meer moeite met Magills medelijden dan met dat van de anderen.

Ze had nooit eerder een gebroken hart gehad. Ze had twee weken gehad om eroverheen te komen, maar er was niet veel gebeurd, ze voelde zich nog steeds levend begraven. Ze had een hoop tijd verspild aan valse hoop, het zich voorstellen van telkens een andere afloop, het zich voorstellen hoe Christopher ineens spijt zou krijgen. Iedere keer dat de telefoon ging, kreeg ze een schok en sprong ze op, zoals Finney naar een bal in de lucht, en iedere keer dat het niet Christopher was, werd ze weer overspoeld door een gevoel van persoonlijke vernedering. Wanneer ze een auto voor het huis, of voor het huis van mevrouw Tourneau, of aan de overkant van de straat hoorde afremmen of stoppen, kwam er weer diezelfde stomme hoop naar boven en liep ze naar het raam, waar dezelfde schaamte en teleurstelling haar weer naar beneden trokken.

's Nachts lag ze in bed te denken aan dierbare, kleine dingetjes – hoe mooi zijn haar was, hoe het altijd naar shampoo rook. De dag dat hij zo kwaad op haar was geworden omdat ze niet eerder had gezegd dat hij een maanzaadje tussen zijn tanden had. Zijn gewoonte om maar naar twee kanalen te kijken, het nieuwskanaal en Animal Planet. Zijn geruite flanellen ochtendjas, hoe die er 's ochtends om zijn middel geknoopt uitzag. Zijn prachtige glimlach, zo oprecht, zo oogverblindend wit.

Ze betekende niets voor hem. Het moest wel waar zijn, maar ze kon het nog steeds niet geloven, omdat ze geen waarschuwing had gehad, geen slechte herinneringen om op terug te kijken en te herinterpreteren als een waarschuwingssignaal. In één telefoongesprek had hij het kleed onder haar voeten vandaan getrokken. Ze was nog steeds aan het vallen, ze was nog niet op de bodem, dus hoe kon ze beter worden? Vandaag kon ze helemaal niet denken, vandaag was het herstel verder verwijderd dan ooit. Ze verkeerde al sinds die ochtend in een mist, een of andere beschermende nevel die alles wazig en niet echt maakte, zoals verkeerde brillenglazen.

'Zullen we een spelletje doen?' opperde Thea.

Cornel kreunde. Hij zat zo stijf als een plank met zijn armen om zijn knieën, zijn ogen opengesperd, zijn gezichtspieren gespannen. Als iemand zich op pure wilskracht clean kon houden, was het Cornel wel.

'Jij ook,' zei Thea terwijl ze tegen zijn arm leunde. Hij was een ogenblik nog gespannener, maar toen ontspande hij zich. 'Iedereen.' Thea begon zo'n krakerige, hese wietstem te krijgen. 'Noem drie dingen op die je met je leven wilt doen voor je te oud bent.'

'Ik ben al te oud. Au!' Ze had hem een por met haar elleboog gegeven.

'Ik zal beginnen. In de eerste plaats wil ik mijn haar rood verven. Echt waar,' zei ze nadrukkelijk boven het gelach uit. 'Ik heb mijn hele leven rood haar gewild.'

'Welke kleur was het vroeger?' vroeg Caddie. Voordat het een zacht, glanzend zilvergrijs werd.

'O, bruin, gewoon zo'n beetje lichtbruin bruin.'

'Er is niets mis met jouw haar,' zei Cornel. 'Laat het maar zo.'

'Nee, ik verf het rood. Niet knalrood,' zei ze terwijl ze zich weer naar hem voorover boog en haar gezicht vlak bij zijn gezicht hield, zodat hij alleen maar kon grijnzen. 'Een mooie rossig-blonde kleur, de oudedamesversie van rood haar.'

'Doe het maar, hoor, meid,' zei Magill.

'Caddie, jij moet met me mee als ik het laat doen.'

'Prima.'

'Wat is het tweede?' Cornel begon het spelletje steeds leuker te vinden.

Thea kwam overeind met een lome, wankele gratie. 'Ragtime spelen!' Lachend liep ze naar de piano, plofte op het bankje neer en dreunde er, boven de muziek uit die al op stond, de twee eerste basakkoorden en de eerste twee rechterhandmaten van *Maple Leaf Rag* uit.

'Oeeee, mijn vingers doen het niet meer. Vanmiddag deden mijn handen het allebei tegelijk, boven en onder.' Haar lach schalde weer. Ze boog zich voorover en legde haar voorhoofd op de handen die nog steeds op de toetsen lagen. 'Allemachtig, dat is goed aangekomen. Van wie zijn deze handen?'

'Ze speelt het behoorlijk goed,' zei Cornel tegen Caddie, 'op de piano in het tehuis. Ze is de hele tijd aan het oefenen.'

'De héle tijd,' bevestigde Magill.

Thea stak haar tong naar hem uit. 'Het klinkt daar beter dan hier, omdat die piano vals is. Een rammelding. Dát is mijn probleem, Caddies piano is te goed.' Ze zwaaide heen en weer op het bankje, terwijl ze grinnikte van plezier en de anderen aanstak met haar gekke gedoe. 'Caddie, speel jij nu eens iets. Kom op.'

'Ja, speel eens iets,' zei Magill.

'Straks misschien,' zei ze. 'Oké, dat is twee. Wat is het derde?'

'O, ik heb zo veel dingen.' Thea kwam teruggelopen. 'Nou, het belangrijkste is dat ik in september naar Cape May wil.'

'Waarvoor?'

'De vogels,' raadde Cornel. 'De trek naar het zuiden.'

'Ja.' Hij moest blozen om Thea's verbazing en blijdschap. 'Ben jij er geweest?'

Hij schudde spijtig zijn hoofd, alsof hij het akelig vond haar teleur te stellen. 'Maar ik hou wel van vogels.'

'O, Will ook. Ze waren zijn lievelingshobby, zijn hartstocht bijna. Hij vroeg me ieder jaar om mee te gaan om naar de trekvogels op de vliegroute, de oostkustvliegroute, te kijken, maar er kwam altijd iets tussen en ik heb het uitgesteld.' Ze glimlachte triest. 'Dus we zijn nooit geweest.'

'Da's niet jouw schuld,' zei Cornel bars. 'Da's verdorie toch niet iets om je schuldig over te voelen.' Zijn frons leek niet natuurlijk; zijn ogen hadden iets wazigs, waterigs dat hij probeerde te verdoezelen met een streng gezicht. Thea legde haar hand afwezig op de zijne. Daar klaarde zijn blik van op.

'Het is geen schuldgevoel. Het is meer...' Ze zweeg lange tijd. 'Een correctie.' Ze gaf het woord een stonede nadruk, maar schudde toen haar hoofd. 'Ik wil níet over mijn toeren raken.' Nee, nee, stemden ze allemaal met haar in, terwijl ze zich naar haar toe bogen. 'Maar toen hij op sterven lag, vertelde hij me dat het een van de dingen was waar hij spijt van had, dat ik nooit met hem mee was gegaan om te kijken. Het betekende iets voor hem.' Ze lachte, terwijl ze snel een traan uit haar oog veegde. 'Dit is verkeerd! Ik ben niet verdrietig, ik voel me vanavond gelukkig. En het is niet het eind van de wereld dat ik nooit met Will naar de vogels op Cape May ben gaan kijken. Zelfs híj vond dat niet. Ik noem het alleen maar, ik heb er een ding, een markering van gemaakt, een... o, ik kan niet op het woord komen.'

Magill boog zich voorover en kneep haar voet in het witte balletschoentje.

'Het staat voor alle dingen die ik wou dat ik gedaan had, dat is alles. In ieder geval ga ik. Dat is mijn derde ding, ik ga in september aanstaande op Cape May naar de vogels kijken. Oké, ik ben klaar. Henry. Jouw beurt.'

Thea was de enige die Magill bij zijn voornaam noemde. Hij lag nog steeds op zijn rug met zijn haarspeldknieën opgetrokken, starend naar het plafond. Hij had zijn sokken en schoenen uitgetrokken. Finney lag opgerold in de holte van zijn arm en ze hadden allebei diezelfde soezerige, behaaglijke, tevreden uitdrukking op hun gezicht. 'Ik weet niet meer wat de vraag was.'

Caddie herinnerde hem eraan. 'Dingen die je wilt doen voor je doodgaat.'

'Voor je te oud bent,' verbeterde Cornel haar.

'Te oud bent,' zei ze snel.

Magills geamuseerde glimlach vervaagde langzaam. 'Mijn leven terugkrijgen,' zei hij op vlakke toon. 'Dat wil ik doen.'

Niemand zei iets; het nummer van Ike en Tina Turner op de stereo klonk ineens te hard, te opdringerig en zorgeloos.

Cornel schraapte luid zijn keel. 'Nou, als je het wilt, dan kun je het krijgen. Het enige wat je hoeft te doen is het pakken.' Hij bedoelde het niet zo hard als het klonk, dat wist Caddie. Maar ze vond hem een ogenblik gemeen, als iemand waar niet veel mededogen meer in paste, omdat de ouderdom hem kleiner had gemaakt.

Magill prikte een pakje sigaretten uit zijn borstzak zonder de hond te storen, schudde er een uit en stak hem aan. Finney had een hekel aan rook; hij krabbelde overeind en sprong op de bank, knipperend met zijn ogen en met een verslagen uitdrukking op zijn snuit.

'Hoe is het gebeurd?' vroeg Thea. 'Het ongeluk.'

Caddie keek haar geschrokken aan. Waarom vroeg ze hem dat nu? Zijn hand met de sigaret bleef halverwege naar zijn mond steken. Hij staarde Thea door de rook aan, eerst ongelovig en toen iets anders. Caddie vond het op paniek lijken. 'Heeft iemand zin in iets?' vroeg ze. 'Nog meer bier? Ik kan popcorn maken.'

'Hoe is het gebeurd?' herhaalde Thea, zachter, zonder haar blik van Magill af te wenden. Ze knikte naar hem, als boodschap. 'Vertel het ons maar als je wilt. Nu is een goed moment.'

Hij bleef naar haar kijken, wilde zijn ogen niet neerslaan. Het was alsof ze zich aan elkaar vastklampten terwijl ze hem langs een klip leidde, hem dwingend om naar háár te kijken, niet naar beneden. Zei Cornel nu, op dit moment, maar iets cynisch of onverschilligs of neerbuigends, dan zou het gevaar van wat Caddie aan zag komen misschien wijken. Er was niets veranderd, ze wilde zijn verhaal nog steeds niet horen. Misschien was ze laf, maar hoe kon het iets anders dan pijnlijk zijn? Cornel zat diep over zijn bierflesje gebogen vol overgave het etiket er met zijn duimnagel af te peuteren. Daar had ze niets aan.

Magill deed zijn ogen dicht. Caddie had het gevoel alsof zij zich ook op een rand bevond, wachtend tot hij zijn besluit nam. Ze begreep dat het twee kanten op kon gaan, maar het leek waarschijnlijker dat hij nu iets grappigs of spottends zou zeggen, vervolgens overeind zou komen en naar de keuken zou gaan om nog een biertje te pakken. Ze zag zijn adamsappel op en neer gaan toen hij slikte. Hij legde zijn handen op zijn opgetrokken bovenbenen en omklemde de harde spieren. 'Ik nam haar mee voor een tandemsprong vanaf vierenhalve kilometer. Ze was jarig,' zei hij, en Caddie deed haar ogen ook dicht.

14

'Een tandemsprong is de veiligste sprong die er is. Er kan niets misgaan. Je zit aan elkaar vast, achterkant tegen voorkant. Ik heb het honderden, duizenden keren gedaan. Ik was springleider, ik gaf instructies.'

Thea, die naast hem geknield zat, legde haar hand op zijn schouder. Dat was het enige, maar Caddie wist hoe dat hem in balans hield, hoe het voorkwam dat hij afzwenkte naar iets grimmigs, naar de een of andere vorm van zelfbeschuldiging waar hij weer moeilijk uit zou komen.

'Het was een perfecte dag. Vier juni. Blauwe lucht, witte wolken. Op de grond ging het prima met Holly, ze was alleen maar opgewonden, ze was net een klein kind. Maar zodra we opstegen, werd ze bang. Op je beurt wachten om te springen is altijd het moeilijkst, het maakt niet uit hoe vaak je het gedaan hebt. We zaten met zijn negentienen als haringen in een ton in het tweemotorig vliegtuigje en we waren de op een na laatsten. De laatste was Mark Kohler, een leerling van level acht, twee sprongen verwijderd van zijn A-brevet. Hij lachte Holly uit toen ze huilde.'

Ze huilde. O Gód, dacht Caddie. Holly huilde. Ze hield haar ogen stijf dichtgeknepen, omdat het net was of ze een biecht hoorde. Magill deed boete en zij waren de priesters.

'Ze was zo bang.' Zijn stem werd zachter, een beetje schor. 'Ze lachte en huilde, schreeuwde, om zichzelf op te peppen. Ze bleef maar zeggen: "Waar ben ik aan begonnen?" en ik zei: "Rustig maar, rustig maar, je vindt het vast fantastisch, ontspan je zodat je het kunt voelen." Ik probeerde haar te laten ontspannen, wákker te worden zodat ze niet alles zou missen omdat ze haar ogen dicht had. Ik zei tegen haar – ik zei tegen haar dat er niets kon gebeuren. Dat zwoer ik. Toen sprongen we.

De vrije val was perfect. We vielen drie kilometer in minder dan een minuut naar beneden en ze hield niet op met gillen. Maar ze vond het prachtig, ze vond het echt geweldig, ze stak haar duim naar me op, ze... probeerde me een kus te geven, maar haar wangen flapperden in de wind, ze kon haar...' Hij maakte een keelgeluid dat Caddie niet kon verdragen, een lach die zo dicht bij een snik kwam dat hij een minuutlang niets kon uitbrengen.

Je kunt tijdens de vrije val niets anders horen dan de wind, maar als je eenmaal je parachute open hebt, wordt alles ineens doodstil. Het is net als hanggliding, alleen jij en de blauwe lucht en de ongelooflijke aarde die langzaam op je af komt. Het is niet als vliegen – het ís vliegen. Zo mooi dat je vergeet adem te halen. Je bent opgewonden, je hart gaat tekeer, maar het is ook alsof je in trance bent. Ik vind het fijner dan de sprong. De vrije val is gewoon een manier om daar te komen. Bij die rust.'

Hij stopte weer en Caddie dacht: maak het af. Alsjeblieft, ik kan er niet tegen.

'Mark, die knul, de AFF-leerling die achter ons kwam – zijn vriendin filmde zijn sprong vanaf de grond. Hij maakte – hij maakte een scherpe draai om indruk op haar te maken. Zodat het er indrukwekkend uitzag. Dramatisch. Hij vergat ons, vergat waar we waren, hij zag ons niet, we waren dertig meter van het landingsgebied verwijderd en hij zag ons niet. Door zijn draai viel hij te snel. Hij viel op onze parachute. Hij was omwikkeld als een mummie, met meters rood en wit nylon achter zich aan, en wij drieën – we hingen met ons drieën aan zijn oefenparachute omdat onze hoofdparachute ingezakt was. Ik... ik sneed ons los. We zouden het anders niet redden. Ik sneed de tandemparachute los en trok de reserve open, maar er was geen ruimte. Geen tijd. Je moet nooit, je moet nooit je hoofdparachute zo dicht bij de grond lossnijden. Ik deed het wel. Holly kwam als eerste op de grond terecht en overleefde het niet. Onder mij. Ze stierf. Ik herinner me niets meer. Mark Kohler had zijn enkel gebroken.'

De muziek was opgehouden. Caddie wilde de muziek weer aan, want de stilte was afschuwelijk. Cornel maakte met zijn duim een kuiltje in het kleed, drukte er met een strak gezicht vol ijver een holletje in. Hij keek geschokt en ongelukkig en hij was net zo machteloos, net zo nutteloos als zij was. Ze haalden allebei hoopvol adem toen Thea op haar knieën dichterbij schuifelde, dichter naar Magills slappe lichaam toe. Maar toen was Caddie bang dat ze hem zou omhelzen, dat ze hem als een baby in haar armen zou nemen – dat zou hij niet prettig vinden, hij zou het verschrikkelijk vinden. Ze hoorde zichzelf eruit flappen: 'Het was niet jouw schuld.'

Zoals ze al vreesde, gingen zijn lippen op elkaar. 'Ik voel me niet vergeven.' Hij had nog steeds zijn ogen dicht. Twee tranen waren aan weerszijden in zijn haar gerold toen hij zei: 'Ze stierf.' De sporen glinsterden nog, onaangeroerd.

Thea omhelsde hem niet. Ze boog zich over hem heen en drukte een kus midden op zijn voorhoofd. Hij deed zijn ogen open. Ze zei iets zachts – Caddie kon het niet horen.

Ze wilde iets dóen, maar ze kon zich niet bewegen; ze had het gevoel dat ze vast zat, haar armen, die ze om haar benen geslagen had, niet kon losmaken en opstaan. Het was jouw schuld niet – wat een belachelijke opmerking. Hoe voelde het als je geloofde dat je iemand van het leven had beroofd? Iemand van wie je hield, die jou vertrouwde. Die onschuldig was.

Magill kwam overeind en daarna kon ze zich bewegen, ze was niet langer versteend. Hij hield zijn handen tegen zijn slapen en glimlachte zo gepijnigd, zijn lippen een strakke streep. Maar het ging wel beter. Wat had Thea tegen hem gezegd? Was het goed dat hij hun het verhaal had verteld? Voelde hij zich nu lichter, alsof een frisse wind een deel van zijn verdriet en schaamte had weggeblazen? Of gebeurde dat alleen maar in boeken?

Toen deed Cornel iets briljants. Niet opzettelijk, dacht ze, maar het was wel een redding. 'Ligt het aan mij,' zei hij humeurig, 'of kunnen jullie ook allemaal een paard op?'

'Ik zal iets klaarmaken,' bood Caddie aan. 'Ik kan in ieder geval een blik soep opentrekken, ik heb mie met kip, bonen met bacon – of tosti's, wat zeggen jullie ervan? Of, ik weet het al, eieren met spek.'

'Mmm,' zeiden ze, instemmend knikkend, maar zonder op te kijken van de kliekjes die ze aan het wegwerken waren. Thea en Cornel hadden zich als vluchtelingen op een plastic bakje hachee geworpen; ze hadden het niet eens opgewarmd. Magill stond boven de gootsteen koude rijst met scheppen tegelijk in zijn mond te proppen alsof het haute cuisine was. In de keuken klonk gekauw en geslik, tevreden gemompel, schrapende vorken, smakkende lippen. Caddie vond het wel grappig, maar ze werd er ook een beetje misselijk van. Ze zette water op voor thee – niemand anders wilde, alleen zij; zij hielden het bij bier – en knaagde op een stuk wortel. Dat wilde ze niet eens, maar ze wilde nog minder de aandacht op zichzelf gericht.

'Die jongen, gisteren, hè?' zei Magill met volle mond, 'was dat je kleinzoon, Cornel?'

Hij gromde ja.

'Ik wist niet eens dat je er een had. Waar woont hij?'

'Richmond.'

Caddie wist het ook niet. Cornel was weduwnaar en nu kinderloos, maar gisteren waren er een vermoeid uitziende blonde vrouw met een lief gezicht en een jongen van elf op de veranda van Wake House verschenen, op zoek naar hem. De jongen was Zack, de vrouw was Donna; zij was de weduwe van Cornels zoon die in 1999 bij een motorongeluk om het leven was gekomen. Dat verbaasde Caddie ook; Cornel had het zo weinig over zijn zoon dat ze aangenomen had dat hij al jaren dood was.

'Hoe heet hij?' vroeg Magill. Hij was op weg geweest naar fysiotherapie en had Cornels familie alleen maar gezien terwijl hij wegging.

'Zachary.' Hij snoof. 'Wat een naam. Er komen geen Zachary's in de familie voor, dat kan ik jullie wel vertellen, in de onze niet en in die van haar niet. Maar het had erger kunnen zijn, het had Jason kunnen zijn! Het had Alex kunnen zijn!'

'Allemaal leuke namen,' zei Thea mild. 'Wat is er met jou?'

'Moet je horen, als het een meisje was geweest, hadden ze haar Courtney genoemd! Ha!'

Thea rolde met haar ogen. 'Donna is een schat. We hebben zo leuk gepraat.'

'Ze gaat wel.'

'Ze zei dat ze er een leuk huis hebben. Een leuk huisje in een buitenwijk.'

Cornel haalde zijn schouders op terwijl hij het laatste restje hachee van de bodem van de schaal schraapte.

'Ze zei dat ze het heerlijk zou vinden als je er kwam wonen. Dichter bij hen was.'

'Ja.' Hij schoof zijn stoel naar achter en stond op. 'Ik heb nog steeds honger. Vind je het goed als ik...' Hij deed de koelkast open en boog voorover. 'Weet je wat ze wil? Ze wil dat ik bij hen intrek. Kun je het je voorstellen?'

Magill was opzij gegaan zodat Caddie de vuile borden in de gootsteen kon zetten. Hij zag er moe uit, vond ze, maar erger niet, niet uitgeput of ongelukkig of vol spijt. Godzijdank. Ze wilde bij hem blijven, iets tegen hem zeggen waar hij om moest glimlachen, hem genegenheid geven zonder hem in verlegenheid te brengen. Ze leunde met haar rug tegen het aanrecht en hing haar hand over zijn schouder. Alsof ze een plekje nodig had om hem neer te leggen en zijn schouder het dichtste bij was.

'Ik kan het me zeker voorstellen,' riep Thea uit. 'Waarom zou je dat niet doen? Wat een geweldig idee.'

'Een geweldig idee,' deed Cornel haar na, terwijl hij uit de koelkast kwam met een bakje kwark en een potje olijven. 'Eten we dit?'

Caddie dacht aan Zack, een slungelige, spichtige jongen met slobberige kleren, bleke handen om een computerspelletje geklemd waar hij amper van opkeek behalve om snelle, verlegen blikken op zijn moeder te werpen. Hij had maar één keer iets binnen Caddies gehoorsafstand gezegd. Donna had Cornel verteld dat Zack dit jaar wat problemen op school had, dat hij zelfs een vier voor Engels had en in de zomer een bijspijkercursus zou volgen. Maar hij was een kei in wiskunde, had ze er snel aan toegevoegd, terwijl ze haar hand door zijn kortgeknipte haar haalde – waardoor hij zich terugtrok. Maar toen had hij Cornel een zijdelingse blik toegeworpen en hoopvol gevraagd: 'En mijn vader? Mam wist het niet – was mijn vader goed in wiskunde?'

Cornel had zijn borstelige wenkbrauwen naar beneden getrokken en hem onnatuurlijk lang aangekeken. Caddie was bang geweest dat hij helemaal geen antwoord zou geven, maar toen had hij gesnauwd: 'Goed, was hij goed in wiskunde? Dat weet ik niet meer, dat is te lang geleden. Hou op met die domme spelletjes op dat apparaat, dát zou je moeten doen. Lees verdomme voor de verandering eens een boek.'

De arme Zack kromp ineen, met een verbijsterd gezicht, alsof de kat van de familie hem ineens gekrabd had. Donna zei op opgewekte toon: 'O, dat zal wel, hoor, papa was overal goed in,' en Cornel begon ongemakkelijk in zijn schommelstoel te schuiven. Caddie zag hoe hij zijn tanden ontblootte in een onhandige poging tot een glimlach, een verontschuldiging; maar te laat, Zack had zijn hoofd al gebogen en zich weer in zijn spelletje verdiept. Ze had naar een gelijkenis gezocht en eindelijk zag ze het. Ze hadden hetzelfde talent om achter een dreigend gezicht mensen buiten te sluiten.

'Waarom zou je niet bij hen gaan wonen als zíj dat willen?' vroeg Thea, terwijl ze een olijf uit het potje viste. 'Wat houd je tegen? Ik kan me het niet eens voorstellen.' Ze boog zich naar Cornel toe, met beide ellebogen op de rommelige keukentafel en haar handen onder haar kin. Wanneer ze hem zo haar volle aandacht gaf, raakte hij altijd van zijn stuk.

'Daarom. Dan ben ik afhankelijk. Wat bedoel je, waarom kun je het je niet voorstellen? Wie wil zijn eigen familie tot last zijn? Ik, ik ga liever dood.'

'Nou, dat is belachelijk. Soms helpen we onze geliefden, soms hebben wij hun hulp nodig. Het is een cyclus. Wat kan er natuurlijker zijn? Vond je het niet heerlijk om voor je gezin te zorgen? Maar nu zou je liever doodgaan dan dat je hen voor je laat zorgen. Het is een soort arrogantie, hè?'

Hij knipperde geschrokken met zijn ogen en kwam toen met tegengas. 'Jezus, nee. Voor een ouwe lul zorgen is voor niemand een pretje, daar zorgt de ouderdom wel voor.'

'O, leeftijd is maar een getal. Stel dat een jaar veertien maanden had in plaats van twaalf. Dan zou ik...' Ze keek naar Caddie en Magill. 'Hoe oud zou ik dan zijn?'

'Ouderdom.' Cornel krulde zijn lippen alsof het een scheldwoord was. 'Het is veel meer dan een getal. Het is lichaamsdeel na lichaamsdeel kwijtraken. Alles houdt ermee op, het is de ene klap na de andere. De ene –'

'Negenenvijftig,' zei Magill. 'Je vermenigvuldigt je leeftijd met twaalfveertiende, dat is zeszevende, zes maal negenenzestig –'

'Oud zijn,' zei Thea, 'verschilt niet van andere periodes in je leven. Je bent nog steeds dezelfde. Ik voel me nog steeds net zo oud als altijd!"

'Echt?' zei Caddie.

'Ik ben nog steeds verrast als iemand me oud noemt. En als ik in de spiegel kijk –' Ze trok een komisch vies gezicht. 'Maar ik ben altijd jong in mijn dromen. Gek, hè? In mijn dromen ben ik mijn oude zelf, mijn échte zelf.'

Cornel staarde naar zijn misvormde handen. 'Oud worden is waardeloos. De tijd besluipt je als een... als een overvaller. Moet je deze zien. Vroeger had ik mannenhanden. Nu groeit er haar uit mijn oren, ik heb het de hele tijd koud –'

'Maar in je hart –'

'Mag dit niet eten, mag dat niet –'

'Maar in je hart ben je nog steeds een jongen, hè? Heb je dat gevoel niet? Cornel Montgomery. Noemden ze je vroeger Cornie?'

Hij glimlachte ondanks zichzelf.

'Ik vind het heerlijk om te leven,' verklaarde Thea. 'Ik vind het steeds fijner, niet minder, worden, naarmate ik ouder word. Ik heb nog steeds het heilige vuur en alles is nog steeds een mysterie – ik wil er nooit mee ophouden, ik begin nog maar net!'

Was voor Thea ook alles nog steeds een mysterie? Caddie wist niet of ze zich bemoedigd of ontmoedigd moest voelen.

'Dat komt omdat je je goed voelt,' zei Cornel. 'Jij bent nog in je vroege ouderdom. Wacht maar tot je in je oude ouderdom bent, wacht maar tot dingen ermee ophouden. Er is maar één kleine beroerte voor nodig, één kleine val waarbij je je heup breekt en hup, het verpleegtehuis in. Diabetes, je wordt doof, je kunt niet meer rijden, viervoudige bypass. Prostaat, staar, nieuwe knieën. Maagbreuk. Gewrichten doen pijn, je kan niet slapen, kan niet plassen. Wandelstokken, looprekken, lelijke schoenen –'

'Maar –'

'We zijn onzichtbaar,' vervolgde hij. 'Ik ben een oude man, dat is alles wat ik ben. Niemand kijkt naar me, ik kan net zo goed rook zijn. Jonge mensen vinden ons stom, ze lachen ons in ons gezicht uit.'

'Dat is niet waar.'

'Donna is degene die stom is. Ik in Richmond, laat me niet lachen. Ik ga nog liever dood dan dat ik mijn familie ermee opzadel. Straks moet ik luiers aan – en ze is niet eens een bloedverwant.'

'Zack wel,' betoogde Thea. 'Heb je er wel eens bij stilgestaan dat je hém zou kunnen helpen? Misschien wil ze je daarom daar hebben, omdat haar zoon een man nodig heeft, een vader.'

'Wat moet een jongen van die leeftijd nou met een oude man? Verdikkeme, ik weet niet eens het verschil tussen een Gameboy en een *Playboy*.'

'Waarom schaam je je toch zo dat je oud bent? Het is het leven, Cornel, het is de natuur! Je zou hen kunnen helpen, zij kunnen jou helpen. Wat is daar nu voor minderwaardigs aan?'

'Ik wil niet afhankelijk zijn. Punt, uit. Wake House, dat is de laatste halte voor het verpleegtehuis. Ik hoop dat ik daar doodga. Dat zijn de mazzelaars, die de volgende ochtend niet meer wakker worden. Bernie heeft me gisteren dríe keer datzelfde stomme verhaal over zijn spit verteld.'

'Afhankelijk – jij maakt er zo'n vies woord van! Als ik überhaupt familie had, als ik ook maar íemand had, denk je dan dat ik nee zou zeggen?'

'Oké, maar jij –' Cornel haalde diep adem. 'O, nee, niet doen.'

'Het gaat wel.' Maar ze huilde; de tranen stroomden over haar wangen en vormden donkere vlekken op de voorkant van haar jurk.

Cornel wist niet waar hij het zoeken moest. Hij stond half over haar heen gebogen en wapperde onbeholpen met zijn handen in Thea's richting; hij raakte haar bijna aan, maar trok dan zijn handen weer terug. 'Luister, let maar niet op mij, dat was allemaal gelul. Ik trek mijn mond open en dan kan ik niet meer ophouden. Niet huilen.'

'Dat doe ik ook niet.' Ze stond op. 'Het komt door die wiet. Werkt het zo, Henry? Het spijt me, ik ben anders nooit zo.'

'Nee, het is mijn schuld,' zei Cornel nadrukkelijk. 'Het komt inderdaad door die wiet. Ik begon en kon niet meer ophouden! Zo ben ik meestal niet.'

Daar moest Magill om lachen. Cornel wierp hem een blik van help-me-hieruit toe.

'Gaat het?' vroeg Caddie terwijl ze naar Thea toe liep.

'Het gaat uitstekend. Zullen we naar de kamer gaan?' Ze sloeg een arm om Caddies middel alsof ze haar wilde opvrolijken – en op dat moment had Caddie ook heel even zin om te huilen. O, om zich aan Thea vast te klampen en in huilen uit te barsten, tegen haar schouder te snuffen terwijl Thea haar als een moeder in haar armen hield en haar op de rug klopte en kirde: 'Toe maar, rustig maar, alles komt goed.' En ze had niet eens iets gerookt.

'Caddie, wil je iets voor me doen?' zei Thea, terwijl ze haar even kneep. 'Een gunst?'

'Zeg het maar.'

Thea had haar al naar de piano geleid voor ze zich kon verzetten. 'Speel eens iets. Willekeurig wat.'

'Wat? Nee. Hé –' Ze probeerde te lachen tijdens een moment van duwen en trekken, een subtiel, maar echt fysiek gevecht met Thea voor ze zich gewonnen moest geven, maar alleen om een scène te vermijden, en op het pianobankje ging zitten. 'Thea – je weet hoe ik ben. Niet zo goed in dit –'

'Maar vanavond niet. Niet bij ons.' Ze ging achter Caddie staan en legde haar handen op haar schouders. Steun of dwang? 'Wat zou je nu spelen als je alleen was?'

Iets ongelooflijk deprimerends, dacht Caddie, terwijl ze nerveus, onzeker met haar handen over haar benen wreef. 'Dit is niet eerlijk. Bovendien ben ik niet in de stemming.'

Thea boog zich voorover en legde haar wang tegen die van Caddie. 'Alsjeblieft, alsjeblieft, alsjeblieft. Ik smeek het je. Speel eens iets van Billie Holiday?'

'Billie Holiday,' zei Cornel, die naast Thea kwam staan, 'zij was goed. Ik dacht dat je alleen klassiek speelde. Kun je ook nummers van Dinah Shore spelen?'

Ze voelde zich opgelaten. Waar was ze bang voor? Dat ze net zo werd als haar moeder, de musicus, zei dokter Kardashian, dat ze haar moeder te veel macht over zich zou geven, zoiets; al zijn theorieën over Caddies plankenkoorts hadden iets met haar moeder te maken. Haar manier om met het probleem om te gaan was om zich over te geven, om gewoon niet meer in het openbaar te spelen. Zo simpel en het was perfect: geen zweterige handpalmen, duizeligheid of misselijkheid meer, en op de een of andere manier was het Michaelstown Community Orchestra erin geslaagd zonder haar verder te gaan.

Magill, half gedrapeerd over de lange bovenkant van de piano, keek vol belangstelling naar haar. 'Speel iets dat je mooi vindt,' opperde hij. 'Doe je ogen dicht en doe net of we er niet zijn.'

'Ja, maar jullie zijn er wél.' Kijkend en luisterend. Ze ging besluiteloos met één hand over de toetsen. Als ze één noot speelde, was ze verkocht.

'Wij zingen mee,' beloofde Thea. 'Ken je *My Funny Valentine*? Speel maar iets dat je mooi vindt en wij zingen mee.'

'O, mensen denken altijd dat ze de tekst kennen, maar dat is niet zo,' zei Caddie bitter. 'Ze kennen het refrein of de regel met de titel erin en verder niets.'

'Ik ken van alles de tekst,' schepte Thea op. 'Als het maar oud genoeg is. Kom op, ik zal het je laten horen.'

Dit was een situatie waarbij iedereen verloor. Ze spande en ontspande haar vingers en speelde een paar losse akkoorden. 'Oké, oké, maar ik moet wel kwijt dat ik dit heel akelig vind.' Ze zocht naar een veilige toonsoort voor *My Funny Valentine* en begon zoekend een intro te spelen. Mensen vergaten wat een triest liedje het was. Als ze alleen was geweest, dan zou ze het vanavond misschien wel gekozen hebben. Ze hield haar ogen op haar handen gericht en probeerde zich over te geven aan de langzame, zoekende melancholie van het stuk, probeerde zichzelf te vergeten. Thea zong een tijdje met haar mee, neuriede vervolgens en stopte toen helemaal, zodat ze het alleen moest klaren. Natuurlijk.

Caddie vond dat ze een mooie stem had, ze wilde alleen niet dat iemand anders hem hoorde. Ze redde het tot aan de solo en dacht: ik kan nu doorploeteren. Zoals die mensen die over gloeiende kolen liepen. Door geloof in het een of ander kwamen ze aan de andere kant, maar zij zou haar gezonde verstand gebruiken. Misschien brand ik me, maar ik ga er niet dood aan. Optreden in het openbaar is niet dodelijk.

Applaus en complimenten. Ze kwam uit een soort grimmige schemertoestand terwijl Thea haar aan haar schouders heen en weer schudde en haar op de rug stompte. 'Práchtig, o, Caddie, ik had geen idee dat je zo mooi kon zingen. Speel nog eens iets.'

'Verdomde goed,' was Cornels oordeel. 'Ken je *Blue Moon*? En wat dacht je van *After You've Gone*?'

'O, dat is een goeie.' Thea begon het te zingen, maar stopte na de eerste regel.

Caddies wangen gloeiden van intens genoegen en overweldigende gêne. Het was idioot, maar ze wilde huilen én lachen. Ze keek even naar Magill, die weer op die typische manier naar haar keek, alsof hij niet wist wie ze was, of alsof ze ineens in haar eigen tweelingzus was veranderd. 'Fantastisch,' zei hij zachtjes en ze wilde opstaan – ze kon er niet meer tegen, het was te veel – maar Thea duwde haar weer neer.

'*Dream*. Speel *Dream* eens voor me, Caddie.'

'Oké.'

Dat overleefde ze. En toen *It Had to Be You* voor Cornel. Magill vroeg of ze iets van Dusty Springfield kende en ze speelde *Breakfast in Bed*.

'Goh, je bent goed zeg,' zei Cornel op verbaasde toon. 'Ik heb dat meiske een keer in de Holiday Inn gehoord. Zij was goed, maar jij bent beter.'

Caddie bracht haar handen naar elkaar toe in een quasi-dankbaar gebaar, maar in haar hart was ze opgetogen. 'Goh, als ik geweten had dat jullie zulke dwingelanden waren.' Ieder nummer was gemakkelijker dan het voorgaande. Het gevoel dat ze nú, op dit moment, iets de baas werd, in ieder geval op het punt stond over een idiote, jarenlange hindernis heen te komen deed haar naar adem snakken en het was ook net alsof ze naast zichzelf zat en toekeek. Het was waarschijnlijk het gezelschap – die fantastische, aardige vrienden die ze had, zij kwamen na alleen-zijn op een goede tweede plaats, dit was een ervaring die ze vast niet zou herhalen, maar toch. Wat een verrassing.

'Ik speel er nog één, maar ik moet het wel in een lagere toonsoort spelen, dus het zal niet klinken als het origineel. Jullie zijn gewaarschuwd. Maar het is het enige vrolijke nummer van Billie Holiday dat ik ken. Maar ik ben een alt en zij had die lieve, bijna, je weet wel, kinderlijke –'

'Spéél nou maar.'

Ze speelde *Miss Brown to You*. Ze hoopte dat ze met haar mee zouden zingen, maar natuurlijk was zij de enige die de tekst kende. Maar Thea en Cornel klapten mee toen ze aan de lange pianosolo aan het eind kwam, dus het was bijna alsof ze begeleid werd door een jazzbas. Dit was een geweldig nummer. Ze grijnsde naar Magill die met zijn kin op zijn arm vrijwel op de piano lag en naar haar teruglachte. 'Speel het nog eens,' zei hij zodra ze klaar was en ze lachte en begon opnieuw.

Thea's handen verstarden plotseling op haar schouders. Caddie stopte. Ze hoorden het opnieuw – de bel.

'Ik wist het wel!' Cornel schoot overeind, tot zijn volle lengte uitgerekt van paniek. 'Ik neem je schuld op me,' beloofde hij Thea, terwijl hij haar naar de bank bracht. 'Zeg helemaal niets, jij bent een onschuldige toeschouwer.'

Caddie stond langzaam op en voelde zich een beetje verdwaasd. Wie kon het zijn? Thea zei: 'Het is vast niemand, Cornel,' maar ze keek ook geschrokken. Magill schoof de asbak, de wiet en de vloeitjes met zijn voet onder een stoel. Maar het rook nog wel naar wiet in de kamer. Het was zaterdagavond na tienen; niemand belde op dat tijdstip ooit bij Caddie aan. Kon mevrouw Tourneau de wiet door de openstaande ramen hebben geroken en de politie hebben gebeld? Zou ze dat gedaan hebben? Er werd weer gebeld.

Caddie schudde haar hoofd naar de drie paar ogen die haar in diverse gradaties van schrik aankeken, sloeg met haar handen op haar dijen en ging kijken wie het was.

Christopher.

⁂ 15 ⁂

Christopher, die daar in het gele licht van de veranda stond. Met zijn kaki bandplooibroek en donkerbruine poloshirt en bril met goudkleurige montuur. Hij haalde zijn handen uit zijn zakken en glimlachte, terwijl hij zijn hoofd boog op die verlegen, bescheiden manier die ze zo leuk vond. 'Hoi.'

Finney, in extase, sprong tegen de hor, die hij met zijn pootjes probeerde open te krabben.

'Christopher.'

'Hoe is het?'

'Goed, prima.' Ze wist niet wat ze zei. Ze kon niet geloven dat hij er was, zo normaal, alsof dit niets was, alsof het geen wonder was dat hij bij haar op de stoep stond en door de hordeur naar haar glimlachte.

'Mag ik binnenkomen?'

'Ja natuurlijk, kom binnen,' en ze opende de deur en deed een stap achteruit. Finney wierp zich tegen Christophers knieën toen hij de drempel over stapte. Hij zei een keer: 'Af' en de hond gehoorzaamde. Ongelooflijk.

'Ik, eh, heb gezelschap,' zei ze, brandend van verlegenheid, terwijl ze een gebaar in de richting van Thea, Magill en Cornel in de woonkamer maakte. Ze zaten alledrie, onschuldig, maar met gespitste oren, terwijl ze halsreikend de donkere hal in tuurden. 'Je hebt ze nooit ontmoet. Kom binnen, dan zal ik jullie aan elkaar voorst –'

'Ik kan niet blijven. Ik kom die boeken halen.'

Ze keek hem niet-begrijpend aan.

'Je zei dat je ze terug zou brengen.' Hij glimlachte terwijl hij haar vergaf. 'Je was het zeker vergeten.'

Zijn hondenboeken. Hij was voor de hondentrainingsboeken gekomen die hij haar had geleend. Alles dat omhoog was geschoten, viel weer naar beneden, terug op zijn plaats. Haar gezicht gloeide; dat was vreemd, want ze had het gevoel dat al haar bloed naar haar voeten was getrokken. 'Ja, inderdaad, ik ben het vergeten, sorry. Maar ik weet precies waar ze liggen – ik ga ze even halen.' Moest ze hem toch voorstellen? Ze kon niet denken. 'Eh...'

'Hallo,' zei Thea op zangerige toon. 'Jij bent zeker Christopher.'

Hij keek Caddie op een vreemde, bijna beschuldigende manier aan en ze dacht: was het dan een geheim dat we iets hadden? Had ik het niemand mogen vertellen? Maar hij richtte zijn charmante glimlach op Thea, stopte zijn handen in zijn zakken en slenterde de woonkamer binnen. Caddie zei: 'Nou, ik ga even...' en rende naar boven.

In haar te fel verlichte slaapkamer ging ze op het bed zitten terwijl haar hart langzaam tot bedaren kwam. Het drong tot haar door dat, hoe intiem ze ook met elkaar waren geweest, Christopher hier nooit boven was geweest. Maar goed ook, want ze was niet meer naar oma's kamer verhuisd en nu zag de hare er in haar ogen belachelijk uit, een meisjeskamer in plaats van die van een vrouw, met zijn witte behang met roze strepen, het smalle bed en de draderige witte sprei, de kleine kleerkast. Ze zou zichzelf in verlegenheid hebben gebracht. Ze was kwaad op Christopher, maar hoe kon ze hem kwalijk nemen dat hij verder wilde? Haar leven was net zo onvolgroeid als deze kamer.

Dat hij nu net vandaag moest komen – zei dat iets? Oma geloofde in tekens, dus deed Caddie dat uit principe niet. Maar dit leek er te veel op, dit was zo'n toeval dat het in ieder geval – iets te betekenen moest hebben. Ze durfde het niet goed een verbinding te noemen. Dat zou zielig zijn en te veel op zelfbedrog lijken, maar toch, waarom zou hij vanávond komen als het niet iets te betekenen had? Ze boog voorover en sloeg haar handen voor haar gezicht.

Voetstappen op de trap. Wíe? Thea – Caddie ademde langzaam uit en realiseerde zich dat zij degene was die ze wilde dat het was. Van allemaal.

Thea bleef even in de deuropening staan, wierp één blik op haar en ging naast haar op het bed zitten. 'Is het zo erg?' Ze streek een lok van Caddies voorhoofd. 'Geef hem gewoon zijn verdomde boeken. Hoe eerder hij weg is –'

'O, Thea. Raad eens wat ik heb gedaan.'

'Wat?'

'Kun je het niet raden? Ik dacht dat je het nu wel zou weten.'

Thea keek haar recht in de ogen en toen drong het tot haar door. 'O, baby.'

'Juist. Precies.'

Thea maakte een geluid, een perfecte mengeling van schok en medeleven, en sloeg haar armen om haar heen.

Caddie legde haar hoofd tegen haar zachte schouder en snoof de aardeachtige geur van wiet in haar haar op. Zo wilde ze altijd blijven zitten, nooit meer in beweging komen. 'Moet ik het hem vertellen? Hij wil geen baby. O God, ik weet niet wat ik moet doen.'

'Weet je het zeker? Ben je bij de dokter geweest?'

'Nee, maar ik heb gisteren een test gedaan en die was positief. Dus heb ik er vandaag weer een gedaan en die was net zo. Ik kan het nog steeds niet geloven. We waren steeds zo voorzichtig.' Het was vast die keer geweest, vroeg in de ochtend, toen ze allebei nog half sliepen en zonder voorzorgsmaatregelen begonnen te vrijen. Zij was degene die eraan dacht voor ze veel gedaan hadden. Maar waarschijnlijk hadden ze genoeg gedaan.

Thea schudde triest haar hoofd. 'Het kan zo gemakkelijk gebeuren. Bij sommige mensen.'

'Het leven is zo verdomd oneerlijk.' Ze voelde zich net zo kwaad om Thea, die een kind had gewild, als op zichzelf. 'Hoe kon ik zo stom zijn? Ik ben hier te óud voor.'

'Ik geloof niet dat er een leeftijdsgrens voor bestaat. Tot hij er natuurlijk is.'

'Maar ik word verondersteld volwássen te zijn. Ik voel me zo...'

'Nee. Het is gewoon gebeurd en je slaat je er wel doorheen. Ik weet dat je wel dat gevoel hebt, maar het is niet het eind van de wereld.'

'O, boy, het voelt zeker zo.'

'Maar dat is het niet. Er zijn te veel mensen die om je geven en wij gaan niets akeligs met je laten gebeuren.'

'Maak me nu alsjeblieft niet aan het huilen –'

'Nee, absoluut geen gehuil. Niet tot hij weg is, in ieder geval, dan gaan we een potje janken. O Caddie, je bent zo veel sterker dan je denkt.'

'Ik voel me niet sterk. Ik heb het gevoel dat ik mijn hele leven toegewerkt heb naar dit, ene, enorme – monsterlijk stomme ding –'

'Hou op. Weet je wel hoeveel meisjes dit overkomt?'

'Méisjes.'

'En volwassen vrouwen ook. Doe niet zo gek.'

'Ik weet het, ik probeer alleen niet te denken aan het echte – het échte probleem. Thea,' fluisterde ze paniekerig, 'het is een báby.'

Ze hielden een ogenblik de armen om elkaar heen geslagen en zeiden niets.

'Moet ik het hem vertellen?' Ze was terug bij dat punt. 'Ik weet dat hij het recht heeft het te weten, maar eerlijk gezegd – denk ik niet dat het hem iets doet.'

'Je hoeft niet nu te beslissen. Omdat hij hier nu eenmaal is. Je weet het nog maar net, je hebt tijd nodig. Het is –'

'Caddie?' Dat was Christopher die van onderaan de trap naar haar riep. 'Hé, eh, ik heb nogal haast!'

'Klootzak,' zei Thea vurig.

Caddie stond op. 'Ik ga maar gewoon. Ik weet niet wat ik doe.' De paniek flikkerde over haar huid en het zweet stond in haar handen.

'Doe wat je wilt.' Thea stond langzamer op. 'Vertel het hem of niet. Het is jóuw juiste besluit.'

De hoge, rechtschapen boog van Thea's wenkbrauwen gaf haar ineens moed. 'Mijn besluit.' Ze rechtte haar schouders. 'God, wat ben ik blij dat jij er bent.' Boeken, ze was de boeken vergeten. Ze vond ze bovenop de radiator. 'Ik heb ze nooit gelezen,' bekende ze terwijl ze het stof van een van de boeken blies. Op Thea's lach zeilde ze met een nieuw aanvalletje van moed de kamer uit en de trap af.

Drie hoofden draaiden om toen ze de woonkamer kwam binnengelopen. Iemand, waarschijnlijk Magill, had een plaat van Lucinda Williams op gezet. Hij stond aan de andere kant van de kamer, van waar hij dreigend naar Christopher keek terwijl zijn kaken op en neer gingen. Cornel keek ook strijdlustig. Alleen Christopher leek ontspannen en onbekommerd. En Finney, die aan zijn voeten lag en aanbiddend naar hem opkeek.

'Nou,' zei Christopher, 'prettig met jullie kennisgemaakt te hebben.'

Verbeeldde ze zich een sarcastische ondertoon in zijn stem? Wat hadden de mannen in vredesnaam tegen elkaar gezegd? Hij liep langs haar naar de deur en zij liep hem achterna. Ze moest haar voet voor Finney's borst houden om hem binnen te houden. 'Blijf,' beval ze, en glipte door de hordeur Christopher achterna.

Het was buiten heiig en warm; motten tikten tegen de buitenlamp en vuurvliegjes flikkerden in de kamperfoelie. Ineens klonk de muziek in huis zachter – iemand had de stereo zachter gezet. Christopher draaide zich bovenaan de trap om en keek haar aan. Toen hij naar haar keek, zag hij toen dezelfde Caddie? Voor haar leek hij vreemd en bekend, alsof hij zich vermomd had of een kostuum droeg. Boven zijn schouders zwaaide *Heks,* een van oma's schrootconstructies in de zachte bries heen en weer, het buitenlicht dansend over haar haar van fietskettingen en borsten van koffieblikjes.

'Bedankt voor het lenen,' zei Caddie terwijl ze hem het stapeltje boeken gaf.

'Graag gedaan. Denk je dat ze geholpen hebben?'

'O, absoluut, hij is veel gehoorzamer. Hoe is het met King?' vroeg ze, om hem aan de praat te houden.

'Hij heeft een oorinfectie. Niets ernstigs, maar hij heeft een hekel aan de druppeltjes.'

'Dat zal wel. Arm dier.' Hij kon het niet helpen dat hij meer van zijn hond hield dan van haar. Hij was toch een goed mens. En ze moest het hem vertellen. Ze wrong haar handen, terwijl ze worstelde om een manier te vinden om te beginnen.

'O ja, ik heb vandaag bericht gekregen dat we verhuizen.'

'Verhuist de CDT?'

'Eh nee, ik bedoel, ik verhuis.'

'Jij verhuist? Naar een nieuw kantoor?'

'Naar Washington. Ik ga de landelijke pr en wat politiek werk doen. Als alles goed gaat en ik mijn werk goed doe, willen ze me als hun fulltime lobbyist.'

Hij dwong haar met zijn glimlach om terug te glimlachen, spoorde haar aan om te delen in zijn blijdschap en trots, maar ze deed twee stappen achteruit en kwam hard tegen de scherpe rand van het raam van de woonkamer. 'Je gaat weg?'

'Niet meteen. Het tijdstip is nog onduidelijk, maar zeker aan het eind van de zomer.'

'Nou, dat is... ik weet dat je hoopte... dus je neemt de baan? Het is zeker?'

'Ja, absoluut. Dit is wat ik wilde.'

Ze sloeg haar armen om haar middel. 'Luister eens, we hebben het nooit meer gehad over wat er gebeurd is. En – ik moet je zeggen, ik heb het nooit begrepen. Ik dacht... ik had het helemaal mis, maar ik dacht dat het goed zat, ik dacht dat je – ons – wel zag zitten. Wat – wat –?'

'Caddie, laten we er nu niet over beginnen.'

'Ja, ik weet het, maar wat is er mis gegaan? Wat is er gebeurd? Het is belangrijk,' legde ze langs de prop in haar keel uit.

'Er is niets gebeurd.' Hij legde zijn hand op zijn voorhoofd en keek naar het plafond van de veranda. 'Ik heb het al gezegd, die dingen gebeuren gewoon. Het is niets geworden, dat is alles.'

'Misschien kunnen we er iets aan doen. Als we praten, als we een gesprek hebben.'

'Hé, het spijt me, het spijt me echt, maar het heeft geen zin om er weer aan te beginnen.'

'Niets gemeen, zei je.'

'Dat is – ja, daar komt het op neer, ik bedoel –' een fractie van een seconde flikkerde er iets van geamuseerdheid in zijn trieste, meelevende gezicht. Hij maakte een half gebaar: hij hief zijn arm en zwaaide hem naar achter, maar stopte vlak voor hij de tuin kon aanwijzen. De sculpturen. 'We zijn verschillende mensen, dat is het gewoon. We willen verschillende dingen.'

'Hoe weet je wat ik wil?' Ze stak haar handen naar hem uit. 'Ik weet niet eens wat ik wil.'

Hij glimlachte triest instemmend. 'En, zie je, daar kick ik nu niet zo geweldig op. Het spijt me, Caddie. Meer kan ik niet zeggen.' Hij wilde weglopen.

'Wacht. Christopher, wacht even.'

Hij keek zo gepijnigd en geduldig, en toch – er lag iets in zijn ogen dat haar een misselijk gevoel gaf. Hij deed alleen maar alsof hij dit heel akelig vond. 'Wat?'

'Denk je dat we elkaar ooit nog eens zullen zien?' De flits van ongeloof die over zijn gezicht trok voegde alleen maar toe aan de vernedering. Maar ze ploegde dapper voort, omdat dat nu haar taak was, het enige dat ze nog kon doen. 'Wat ik bedoel is, er zijn geen omstandigheden – waaronder – je ons ooit nog bij elkaar ziet komen. Hè?'

Hij aarzelde, alsof hij een valstrik rook. 'Ik heb gezegd dat we vrienden kunnen blijven. Als dat is wat je wilt.'

'Nee, dat is niet wat ik vraag.' Ze zoog haar lippen naar binnen om ze nat te maken. 'Je hebt geen gevoelens meer voor me. Geen echte gevoelens. En er is niets – je kunt niets bedenken dat je van gedachten kan doen veranderen, hè? Het is voorbij, volledig voorbij. Ongeacht wat.'

'Ongeacht wat?' Hij begon te lachen, maar de lach bleef in zijn keel steken. Ze had te veel gezegd; de afschuw in zijn starende ogen vertelden haar dat hij het geraden had.

Ze zei snel: 'Nee, ik vraag alleen maar –'

'Jezus, o, God –'

'Nee, nee – als ik een dodelijke ziekte had! Als ik de loterij won, als ik een prijs voor – genialiteit won!' Ze zwaaide met haar hand, terwijl ze een aanval van hysterie probeerde te onderdrukken. 'Het zou jou niet uitmaken, hè, het zou niets veranderen. Geef gewoon antwoord. Je zou niet plotseling verliefd op me worden. Niets kan je van gedachten doen veranderen. Christopher, geef gewoon antwoord, dat is het enige wat je hoeft te doen.'

Het leek een eeuwigheid te duren, maar het duurde slechts een paar seconden voor hij sprak. Zijn glimlach was afschuwelijk toen hij deed alsof hij haar geloofde en op luchtige toon probeerde te zeggen: 'Oké, nee. Ik geloof niet dat ik verliefd op je zou worden. Er zou niets veranderen.'

Ze zakte een beetje in. 'Goed dan. Ik vroeg het me gewoon af, dat is alles. Ik wilde het alleen zeker weten.' Ze voelde niet veel, geen opluchting, geen teleurstelling. Alleen pijn.

De hordeur ging piepend open. Magill stapte blootsvoets op de veranda, met Finney in zijn armen. 'O, ha, jongens. *Que pasa?* Ik kom even een frisse neus halen.'

'Ik ook.' Cornel kwam achter hem naar buiten geschuifeld. 'Is dat de maan?'

'Hé,' zei Christopher.

'Caddie?' Thea schraapte haar keel in de deuropening. 'Alles goed?'

Ze kromp ineen van Christophers ongelovige lach, het klonk zo gekunsteld. 'Wat is dit, de cavalerie?'

'Hoezo?' zei Magill belangstellend terwijl hij dichterbij kwam gelopen. Finney verzette zich in zijn magere armen, maar hij hield hem stevig vast. 'Heeft Caddie de cavalerie nodig?'

Christopher snoof. Caddie had spijt van alles wat ze hem over Magill had verteld en ze dankte God dat ze pas sinds vanavond van zijn ongeluk, van de afschuwelijke details wist. Anders zou ze het Christopher zeker verteld hebben en hij verdiende het niet het te weten.

Maar ze vertrouwde de fonkelende, roekeloze blik in Magills ogen niet. 'Niemand heeft iets nodig,' zei ze snel. 'Christopher moet gaan, hij stond net op het punt te vertrekken.'

'Inderdaad.' Christopher vertrok zijn lippen tot een geduldige grijns. Wat een opluchting voor hem dat deze scène eindigde met andere mensen die zich niet netjes gedroegen. 'Leuk jullie ontmoet te hebben. Caddie, tot kijk.' Hij liep de trap af.

Of Magill kon Finney niet meer houden óf hij liet hem met opzet los.

In ieder geval, zodra de hond op de vloer van de veranda stond, rende hij de trap af en beet zich in Christophers voet vast, grauwend en snauwend met gespeelde woestheid om zijn lievelingsspelletje te spelen.

'Nee,' beval Christopher met die kalme, goddelijke stem die hem nooit in de steek liet.

Finney liet hem lang genoeg los om te blaffen en beet zich toen weer, opgetogen kwispelend, in Christophers instapper vast.

Het had leuk kunnen zijn en iemand die niet al te vriendelijke gevoelens ten opzichte van Christopher koesterde, had leedvermaak kunnen hebben. Maar hij zei opnieuw: 'Néé' en Finney deinsde bedremmeld achteruit. Christopher hield zijn hand recht naar beneden als een stopteken. 'Zít.'

Finney ging, smakkend met zijn lippen, zitten en hield zijn kop schuin als de hond van RCA Victor.

'Blíjf.' Hij en de hond keken elkaar strak aan. Christopher draaide zich met een ruk om en slenterde het pad af tussen de sculpturen door, en Finney bleef.

'Verdomme,' vloekte Magill zachtjes.

Niemand zei iets op weg naar Wake House. Haar vrienden dachten dat ze tactvol waren en bovendien, wat viel er te zeggen? Maar Caddie kon de stilte nauwelijks verdragen. Zelfs toen ze voor het huis stopten en de mannen uit de auto stapten, zei niemand iets. En het hoge woord was eruit – Magill en Cornel wisten alles van haar toestand, omdat zij het hun had verteld – maar ze zeiden nog steeds niets.

Ze stapte ook uit, omdat Cornel haar wilde omhelzen. Toen Magill en dat was het moment dat ze het dichtst bij een huilbui kwam; iets met het uitgemergelde van zijn lichaam, zijn breekbare botten die ze voelde toen hij haar in zijn armen nam. Nadat hij haar losgelaten had, wreef hij over haar nek en staarde een tijdje naar de grond. Maar de perfect troostende opmerking kwam niet van hem – dan zou ze hem een soort prijs hebben moeten geven. 'Goed als ik je straks nog bel?' vroeg hij ten slotte.

'O, pff. Ik ben zo moe.'

'O ja. Caddie?'

'Hmm?'

'Je weet hoe je boft dat hij weg is.'

Ze voelde zich niet zo'n bofferd. 'Welterusten,' zei ze terwijl ze haar lippen tot een glimlach vertrok, en stapte weer in de auto.

Voor een zaterdagavond was het stil in Calvert Street. Wake House zag er plomp en mysterieus uit, een zware onderkant ondanks de hoge, donkere vorm van de toren en de schoorstenen tegen het lichtere zwart van de hemel. Alle lichten boven waren uit, op een na op de eerste verdieping, de kamer van mevrouw Brill. Ze leed aan slapeloosheid.

'Het is een mooi huis, hè?' zei Caddie

Thea duwde met haar duim op het knopje voor het raam. 'Gaat deze –'

'Nee, verder gaat hij niet naar beneden.' En ook niet naar boven. Ze had een nieuwe auto nodig.

'Nou, ik zal niet zeggen dat het een mooi huis is. Maar ik heb me er altijd toe aangetrokken gevoeld.'

'Dat is wat ik bedoel. Eerlijk gezegd is het zelfs wel lelijk. Thea... ben jij ooit verliefd geworden op iemand die bleek... niet goed te zijn?' Toen Thea alleen maar glimlachte, zei Caddie: 'Nee, natuurlijk niet. Je bent veel te slim.'

'Ho ho. Mijn eerste huwelijk was een ramp.'

'Hoezo?'

'Ik was op zoek naar wat ik kwijt was. Een vader, denk ik. Ik had moeten zoeken naar wat ik nodig had.'

'Goed, maar jij was geen volkomen – gans, je bent niet –'

'Je bent tweeëndertig, Caddie, oud genoeg om te weten dat deze ramp met Christopher niets verschrikkelijks over jou zegt. Dat jij geen goed mens bent.'

'Maar ik hield van hem. Dacht ik. Misschien wilde ik alleen maar verliefd op hem zijn, maar dat is nog erger.'

'Misschien zou je mettertijd van hem zijn gaan houden. Als hij het verdiende. Jullie begonnen nog maar net.'

'Ja, we begonnen nog maar net.' Ze hield haar hoofd schuin en een beetje achterover om door haar raampje naar de maan te kunnen kijken die boven de huizen aan de overkant opkwam. 'Maar ik wilde het te snel laten gaan,' zei ze tegen de straat, terwijl er een auto voorbij siste. 'Ik wilde hebben wat ieder ander heeft. Ik wilde normaal zijn. Ik schaam me zo.'

'Nou ja, hij is knap. Hij heeft een mooie stem, als een nieuwslezer op de radio. En mooi haar.'

'Ik was gek op zijn haar.' Ze keek verlegen naar Thea. 'Hij was goed in bed. Heel... gevoelig. Ik noemde hem "Cristofori", voor de grap – dat is degene die de pianoforte heeft uitgevonden, Bartolomeo Cristofori. "Pianoforte" betekent zacht-hard, het was het eerste toetsenbord dat gevoelig was voor aanraking...' Haar stem stierf weg en ze zag rood. Ze zag aan Thea's glimlach dat ze niet verder hoefde te gaan. 'In ieder geval was hij heel aardig. Vond ik.'

'Hij ziet er perfect uit. Iedereen zou er ingetrapt zijn.'

'Nee, ik had het me moeten realiseren. Hij is goed met honden.' Ze liet zich gaan en begon te huilen. 'Finney is dol op hem' kwam er gedempt tussen haar vingers door uit.

Thea schoof naar haar toe en legde een arm om haar schouders. 'Je weet heel goed dat die hond van jou stapelgek is.' Ze vond een papieren zakdoekje in haar tas en gaf het aan Caddie. Daarna zaten ze een tijdje zwijgend bij elkaar en keken hoe het licht op de hoek van rood naar groen, van geel naar rood sprong.

'Vond je het lekker om stoned te worden?' vroeg Caddie.

'Ja en nee. Ik ben blij dat ik het gedaan heb, maar een keer is genoeg.'

'Waarschijnlijk wel.' Ze zat net te denken hoe dankbaar ze was dat Thea er niet over begon, het belangrijkste, het spook in de kast, toen ze er zelf ineens uitflapte: 'Ik kan geen baby krijgen! Het kan niet!'

'Nou, ja, als het niet kan, dan kan het niet.'

Ze knipperde met haar ogen naar Thea, gedwarsboomd, alsof ze tegen een muur was opgelopen die ze niet had verwacht.

'Wat?' zei Thea. 'Verwacht je van me dat ik je probeer over te halen het niet weg te laten halen? Dat doe ik niet. Ik zou met je meegaan als je het zou laten doen.'

Caddie begroef haar gezicht in haar handen.

'En dat zou een intrieste dag zijn. Intriest. Ik hoop dat je het niet zult doen.'

'Maar misschien doe ik het wel. Misschien moet ik het wel doen.'

'Nou.' Thea streek het haar van Caddies wang. 'We zullen er morgen verder over praten. Geloof het of niet, maar alles ziet er morgenochtend beter uit. De truc is om niet naar het gehéél te kijken, maar naar een stukje tegelijk.'

'Goed. Oké.'

'En ook ga je je beter voelen zodra je kwaad wordt.'

'Echt?'

'Dat beloof ik je.' Thea gaf haar een kus en glipte de auto uit. Ze boog zich voorover om door het halfopen raampje naar binnen te kijken. 'Vergeet niet hoeveel mensen er van je houden.'

Die verdomde tranen kwamen weer.

'Het is waar. Tel ze maar op, Caddie. Je kunt met mij beginnen.' Ze wierp haar nog een kushandje toe en liep langzaam de trap op naar het pad terwijl ze zich aan de leuning vasthield. Ze zag er moe uit in het rauwe, blauwwitte licht van de straatlantaarn. Word niet oud, dacht Caddie. Word alsjeblieft niet oud, want ik heb je net gevonden.

Thuis deed ze het buitenlicht uit en ging in het donker op de onderste tree zitten terwijl Finney in de tuin rondsnuffelde. Ze moest hem eigenlijk aan de riem houden, maar het was al laat en de kansen dat er iemand voorbij zou komen waren gering. Hij had de gewoonte om zich op voetgangers te werpen, die zich een hartverzakking schrokken. Oma's schuld; ze moedigde hem stiekem altijd aan. 'Pák ze,' had Caddie haar tegen de hond horen fluisteren terwijl een of andere arme ziel over het trottoir voorbijliep. 'Pák ze.' 'Oma!' zei Caddie dan, als het tumult voorbij was. 'Waarom deed je dat nou?' Dan keek ze tegelijkertijd geamuseerd en schuldig en gaf geen antwoord. Al zei ze een keer: 'Dan blijven ze op hun hoede.'

Christopher had een typisch Amerikaanse familie. Hij vertelde graag over die keer, een paar jaar geleden met Kerstmis, dat ze allemaal rond de versierde eettafel zaten te wachten tot mam, een vrouw die Caddie zich altijd voorstelde met een schort over een katoenen bloemetjesjurk, het kerstgevogelte binnenbracht. De tijd verstreek en eindelijk was een van de zussen gaan kijken waarom het zo lang duurde. Ze kwam terug met een rood gezicht en huilend van het lachen. 'Sst, ik heb beloofd dat ik het niet zou zeggen – ze heeft de kalkoen op de grond laten vallen!' Toen mevrouw Fox binnenkwam, zei niemand iets, iedereen gedroeg zich perfect totdat ze met een uitgestreken gezicht met de grapjes kwamen. 'De kalkoen is dit jaar echt anders, mam,' zei de een. 'Er zit een soort aardeachtige smaak aan,' en een ander vroeg: 'Wat voor vulling zit er in? Deze is echt knapperig.'

'We vertelden het haar pas na het eten,' vertelde Christopher. 'Ze was zo kwaad! En sinds die tijd zegt mijn vader iedere Kerstmis aan het eind van het gebed met zo'n droge stem: "En bovenal, Heer, danken we U omdat U de kalkoen dit jaar veilig op tafel heeft laten zetten," en mam slaat hem dan zogenaamd op zijn hoofd met de vleesvork. Dat is gíeren.'

Vorig jaar Kerstmis zette oma goedkope damespruiken op de beelden in de kerststal voor een katholieke kerk in Pine Street om te protesteren tegen seksisme in religie. Ze zei dat haar kersttafereel de Heilige Maagd, haar levenspartner Josephine, de Drie Koninginnen en baby Christina voorstelden.

Caddie stond op en ging het huis binnen. Oma bewaarde haar kunstbenodigdheden voor haar buitenwerk altijd op de veranda, maar Caddie had ze in de kelder gelegd de dag nadat oma naar Wake House was gegaan. Ze vond ze waar ze ze had achtergelaten, tussen de verwarmingsketel en de boiler. Ze was niet geïnteresseerd in de troffels of de hark. Ze pakte de schop en de spade en liep naar de trap, maar draaide zich om en liep terug om het houweel te pakken.

De maan gaf niet veel licht, maar hij stond hoog en de hemel was onbewolkt met heel veel sterren. Ze liep met haar gereedschap naar *Godin van de Vruchtbaarheid*, haar persoonlijk minst favoriete, en mikte op het aarden, met gras begroeide midden met de platte kant van de schop.

Bam.

Haar tanden klapperden op elkaar; de hele rechterkant van haar lichaam werd gevoelloos. Toen ze weer gevoel kreeg, zag ze dat ze niets bereikt had, omdat ze te laag had gemikt. De sculpturen waren zo massief en ze stonden er al zo lang dat het geen zin had om ze bij de onderkant aan te pakken, dat was net zoiets als proberen een heuvel omver te werpen. Ze gooide de schop op de grond en pakte het houweel.

Tik.

Veel beter. Ze moest ze stukje bij beetje vanaf de top afkalven. Finney stoof geschrokken naar de veranda, kwam teruggehold en rende rondjes om haar voeten. Ze sloopte *Godin van de Vruchtbaarheid*, bracht het terug tot enorme hompen aarde en zoden, en begon aan *Hartstochtelijken Verenigd.*

Die kwam gemakkelijker naar beneden, maar maakte wel meer lawaai. Het licht in de slaapkamer van mevrouw Tourneau ging aan. Wat er over was van *George Bush Verliefd* bleek lastig, omdat oma bouwlijm had gebruikt om de cowboylaarzen aan elkaar te plakken; het beste wat Caddie kon doen was hem omver halen zodat de suggestieve vorm plat op de grond lag en niet in de lucht stak. De volgende: *Onderdrukking.*

Het kostte anderhalf uur om al oma's sculpturen te verwoesten. Halverwege liep ze naar binnen, haalde een koud biertje uit de keuken en liep er mee naar de veranda om hem op te drinken. Het licht van mevrouw Tourneau was uit, maar haar jaloezieën waren open; ze gluurde in haar donkere slaapkamer natuurlijk nog steeds door het raam. Sinds die keer dat oma een pop die de burgemeester verbeeldde aan de galg had gehangen, was er nooit meer zoiets goeds als dit gebeurd. Ze hief het flesje bij wijze van heildronk op naar mevrouw Tourneau en ging weer aan het werk.

Finney putte zichzelf uit en bleef de rest, zo nu en dan jankend, vanuit een nerveuze, liggende houding op het gras gadeslaan. Maar hij werd weer wild toen de koffieblikken die ze van *Heks* af sloeg alle kanten op vlogen en tegen ander schroot in de tuin afketsten. Toen alles omvergehaald was, liep ze van de ene berg rommel naar de andere en sloeg met haar spade op uitsteeksels om alles nog vlakker te maken. Het afmaken van gewonden na de veldslag.

Ze liet zich op de grond ploffen en sloeg haar armen om haar knieën, zwetend en uitgeput, te moe om de trap naar de veranda op te lopen en naar binnen te gaan. Haar polsen trilden; alles deed pijn, vooral haar handen; ze had blaren op haar handpalmen onder iedere vinger. Maar ik heb ze vermoord! dacht ze, terwijl ze de slachting overzag, wachtend op een gevoel van triomf of blijdschap, op zijn minst bevrediging. Finney kwam naar haar toe geslopen. Hij legde zijn kin op haar knie en keek haar met bezorgde ogen aan.

Wat het ook was dat haar ertoe aangezet had, de kille woede die als een ijspegel over haar rug had gelopen, was een halfuur geleden gesmolten. Ze had de rest uit plichtsbesef, of netheid, gedaan, gewoon om af te maken waar ze mee begonnen was. Ze voelde zich niet beter. Het was niet alsof ze symbolisch het ene had verworpen om iets anders te omarmen. Ze was niet metaforisch met een schone lei begonnen of een nieuw, beter mens geworden. Ze was nog steeds Caddie Winger, en Frances Winger was nog steeds haar grootmoeder. Ze gaf nog steeds viool- en pianoles bij haar thuis en ze had nog steeds niets gemeen met een man als Christopher Fox en dat zou ook nooit gebeuren. En ze was nog steeds zwanger.

16

Alles deed pijn. Ze kon nauwelijks uit bed, uit haar nachthemd komen. Was het maar koud en regenachtig, dacht ze, was het maar winter en had ze maar griep. Wat heerlijk om onder de dekens gedoken in haar warme, schemerige kamer te liggen, om zo nu en dan uit een zweverige, doezelige toestand te komen om een paar bladzijden in een roman te lezen of een beetje thee te drinken en dan weer in te dutten. Maar het was een perfecte zomerzondag en ze had geen goed excuus om zich niet uit bed te slepen en de dag onder ogen te komen.

Maar ze kon maar niet beslissen wat ze aan zou trekken, ze kwam er niet toe om een kop koffie te zetten, de afwas van de avond ervoor weg te werken. Ze werd wakker en staarde dan met een leeg hoofd, of bijna leeg, naar niets: een onbestemde angst lag als een melkachtige, laaghangende nevel aan de basis van iedere gedachte. Zwanger zijn was vast zoiets als een terminale ziekte. Je probeerde door te gaan met wat er van je leven restte, maar je kon het nooit echt vergéten. De grimmige aard van je toestand lag als een zwaar, nat zeildoek over alles heen.

Eén manier om niet depressief te worden was zeggen dat je niet depressief zou worden en dan jezelf gehoorzamen. Proactieve zelftherapie. Ze zou naar buiten gaan en de tuin wieden. Frisse lucht en lichaamsbeweging, dat was het medicijn.

Maar ze had iets moeten kiezen waar meer hersenactiviteit voor nodig was, zoals de zondagkruiswoordpuzzel of een vioolsonate van Mozart, want wroeten in de klei rond haar tomatenplanten in de achtertuin was niet meer dan een uitnodiging voor nog meer sombere, woekerende gedachten. Niet alleen van de geur van de tomatenbladeren werd ze misselijk. O, geweldig, zou ze zo'n vrouw worden die de hele dag liep over te geven?

Ze moest het oma vertellen. Waarschijnlijk. Of misschien ook niet. Wat voor zin had het? Ze zou zich maar zorgen maken. Misschien zou ze zelfs kwaad worden. Weer een onwettig Wingerkind op komst, zou ze misschien zeggen. Fijn dat je de familietraditie voortzet.

Ik heb een moeder nodig, dacht Caddie, terwijl ze verschrompelde gele blaadjes van de vleestomaten plukte.

Denk eens aan hoeveel mensen van je houden.

Een paar weken geleden liep ze nog zingend door het huis. En praatte ze zomaar tegen vreemden, lachte om niets, voelde zich leven, een heel ander mens dan de tobberige slaapwandelaarster die ze was geweest vóór Christopher. Nu was ze niet eens terug waar ze begonnen was, ze was veel verder terug. Ze had nooit echt naar een kind verlangd zoals ze veronderstelde dat de meeste vrouwen deden – maar als Christopher van haar had gehouden, als ze hem over de baby had verteld en hij gezegd had: 'O, schat, o, mijn liefste,' zoals de man in oma's soap, dan geloofde ze dat ze zich blij zou hebben gevoeld. Een baby. O, moet je toch voorstellen, een mensje dat ze samen hadden gemaakt –

Nee, nee, nee, nee, zo zou ze niet gaan denken. Pas als ze wist wat ze zou doen. Ze had nog zo'n vijfenhalve week om te beslissen. Als ze het beschouwde als een baby, dan schreef ze de gemakkelijkste optie van allemaal af. Het was een foetus. Of nog beter, een probleem. En zij was geen moeder, maar een tijdelijke gastvrouw.

Hoe ging dat spelletje ook alweer – probeer niet te denken aan een gevlekte giraf, zoiets dergelijks, en dan kon je natuurlijk alleen maar dáár aan denken. Ze trok de klaver en muur onder een komkommerplant uit en probeerde zich voor te stellen hoe ze een kind zou krijgen, hoe ze het zou opvoeden. Een meisje. Ze zou haar Frances noemen, naar oma, en haar roepnaam zou Frankie zijn. Ze zou haar hier grootbrengen, in dit huis in Early Street. Zuinig leven. Van de hand in de tand en hopen dat er nooit noodgevallen zouden komen.

Wat misdadig onverantwoordelijk. Ze wílde niet eens een kind – ze voelde zichzelf nog een kind. Niet alleen dat, maar de Wingervrouwen waren niet de beste soort moeders. Ze zou weer naar dokter Kardashian moeten wanneer er allerlei dingen naar boven kwamen, een heel moeras vol problemen, met bovenaan de lijst het 'verlatingsgedrag' van haar moeder, en daar moest ze niet meer aan denken. Sommige dingen hoorde je niet te boven te komen, het zou onbehoorlijk zijn om eroverheen te komen. Nee, nee, nee, vanuit welk gezichtspunt ze het ook bekeek, deze baby was een vergissing.

Kleine slakjes hadden de aanval op de sla geopend. Ze plukte ze eraf en gooide ze in de tuin. Dat deed haar denken aan Cornel die tijdens dat rare spelletje tegen iedereen zei dat zij het type mens was dat insecten ving en buiten losliet. Nou én, klaag haar maar aan, het was toch geen tekortkoming? Een minuut later stak een rode mier haar in haar enkel. 'Au!' Ze sloeg er met haar troffel op en nog eens en nog eens, tot hij stil bleef liggen, een verfrommeld lijkje.

Word kwaad, had Thea haar aangeraden. Dokter Kardashian ook; het was bijna zijn mantra geweest. Maar ze was gisteravond kwaad geworden, was als een ware vandaal tekeer gegaan en moet je zien wat het haar opgeleverd had: spierpijn en een hoop uit te leggen. Woede werd overschat. Ze voelde zich erna altijd beroerder in plaats van beter.

De telefoon ging; ze hoorde het door het open keukenraam. Jakkes. Laat het apparaat maar aanslaan. Nee – misschien was het een leerling. Ze rende naar de achterdeur en kwam bij de telefoon aan terwijl haar oma druk bezig was een boodschap in te spreken. 'Hoi,' onderbrak ze haar ademloos, 'ik ben het, ik ben er.'

'Ben je daar?'

'Ja. Met mij. Hoe is het?'

'Moet ik helemaal opnieuw beginnen?'

'Nou, of ik kan het bandje afluisteren, maar –'

'Ik heb een rotdag. Ik dacht dat je er nu al wel zou zijn. Wanneer kom je?'

'Sorry, oma, ik had moeten bellen. Ik denk niet dat ik vandaag kom, ik voel me niet zo lekker.'

'Een kater.'

'Ha. Nee.'

'Omdat je het gisteravond zo gezellig hebt gehad met je vrienden.'

Ze liet zich in een stoel zakken. Oma was gekwetst omdat ze niet was uitgenodigd voor de zogenaamde 'recital'. Maar ze moest niets van drugs hebben, dus Caddie had moeilijk kunnen zeggen: 'Het is geen echte recital, oma, Thea wil alleen maar stoned worden.'

Maar het ging verder dan gekwetste gevoelens. Hoe gek het ook klonk, ze had het idee dat oma misschien jaloers was op Thea. Jaloers omdat Caddie op haar gesteld was.

'Zo gezellig was het nou ook weer niet,' zei ze waarheidsgetrouw. 'Je hebt niet veel gemist.'

'Je klinkt niet goed. Ben je verkouden?'

'Waarom heb je een rotdag?'

'O, alles. De zon misdraagt zich. Ik ben met een schilderij bezig en het licht is niet goed. Ik zette steeds de ezel ergens anders en weer ergens anders en weer ergens anders en boem. Daar ging-ie, ik kwam er met mijn looprek tegenaan, maar denk je dat iemand kwam helpen toen ik op dat ding, de knop, drukte? Nee, hoor. En als ik nou een hartaanval had gehad? Of in het bad was gevallen?'

'Kwam er niemand?'

'Eindelijk kwam Brenda, maar tegen die tijd had ik al dood kunnen zijn. Kom je morgen?'

'Ja, absoluut morgen.'

'Neem je mijn kledingverf mee? Ik heb alleen maar de groene tinten nodig, maar je kunt ze net zo goed allemaal meenemen.'

'Je kleding-wát?'

'Kledingverf, ze zitten in kleine potjes, poeder in potjes, je kunt ze niet missen.'

'Waar liggen ze?'

'In een doos, in een schoenendoos. In de rommelkamer.'

'O, oma!' De rommelkamer was een enorme put waar je nooit meer uitkwam, hij zat zo volgestouwd dat er niets nieuws meer bij kon. Ze gingen er alleen in noodgevallen in.

'Het is een noodgeval. Ik moet mijn verf hebben, het is voor mijn nieuwe project.'

'Kunnen we niet gewoon nieuwe kopen?'

'Nee, deze zijn bijzonder. Moeilijk te vinden, je moet ervoor op dinges. Internet.'

'Heb je enig idee waar ze zitten? Welke helft van de kamer?'

'Misschien liggen ze op het bureau. Of misschien ín het bureau. Nee. Maar misschien. Of in dat plankending bij het raam. Of, eh, een van die dozen in de kast? Een van die dozen onderin de kast. Of anders bovenop die overhemden die ik wilde tie-dyen. Of, en ik denk het niet, maar misschien liggen ze in de kelder.'

Caddie boog zich voorover en legde haar wang op tafel. Ze hield de telefoon in haar ene hand en liet de andere slap op haar schoot vallen.

'Of de kast in mijn kamer? Nee, waarom zouden ze daar zijn? Ik denk toch echt in de rommelkamer. Ergens.'

Op maandagochtend hing ze, lusteloos en uitgeput, in de deuropening van de oude kamer van haar moeder, de nu zo gevreesde 'rommelkamer'. 'Waarom ben je nou geen bloedhond?' vroeg ze aan Finney die aan alles snuffelde dat zich op gelijke hoogte met hem bevond. 'Je zou me een hoop tijd kunnen besparen.'

Toen ze klein was, ging ze graag in deze kamer op het bed liggen en probeerde zich voor te stellen hoe haar moeder de dingen had gezien toen zij klein was. Er hingen aan iedere muur enorme donkere posters, close-ups van het gezicht van een enge man (Bob Dylan, ontdekte ze later), een mooie, maar streng kijkende donkerharige engel (Joan Baez) en andere langharige grimmig kijkende mensen met gitaren. Er lagen fascinerende dingen op de planken onder het raam – bongo's, harmonica's en een Silverstone-gitaar waarvan de snaren ontbraken. Haar moeder had een foto van een man met een vriendelijk gezicht (John F. Kennedy) op haar nachtkastje staan en toen ze heel klein was, verbeeldde Caddie zich dat hij haar vader was. maar toen ze het oma vroeg, zei ze: 'Nee schat, die man is in de hemel. Jouw vader is er gewoon niet meer.'

Soms ging ze de kamer van haar moeder binnen om zich eraan te herinneren, zich ervan te overtuigen dat ze een moeder had. En ze moest wel terugkomen, want er waren nog zo veel spullen van haar; er waren kleren in de bureauladen en in de kast, paarden van keramiek, knuffels, haar lp's, boeken en schriften, zelfs haar jaarboeken van de middelbare school. En soms kwam ze ook terug, maar alleen maar op bezoek en nooit erg lang.

Caddie leerde de signalen al vroeg kennen, wist altijd wanneer haar moeder weer op het punt stond om weg te gaan. Eerst praatten oma en zij niet meer tegen elkaar. Vervolgens begon oma op een vreemde, verstikte manier te praten, hoog en vals, maar ook vol tranen. Daarna begon mama te huilen en dan werd er geschreeuwd en met deuren geslagen. Dan was het nog maar een kwestie van uren of hooguit nog een nacht voor haar moeder haar stevig in haar armen trok en zei dat ze lief moest zijn en alles moest doen wat oma zei. Daarna reed ze weg in haar kleine grijze Volkswagen.

Caddie zuchtte, alweer moe. 'Nou,' zei ze – ze praatte tegenwoordig constant tegen zichzelf – 'daar gaan we dan.'

Ze begon met de kast, die vol hing met niet alleen de oude kleren van haar moeder, maar waar ook kartonnen dozen van oma in stonden met etiketten erop: 'Elektriciteit', 'Bont', 'Ideeën'. Maar toen ze er in keek, klopten de etiketten niet met de inhoud: in 'Bont' zaten knuffels, 'Ideeën' was een verzameling plastic eieren en het enige elektrische in 'Elektriciteit' was een verlengsnoer.

De kast leverde niets op, dus ruimde ze een pad naar het bureau door dozen en fotografiespullen en oud meubilair aan de kant te schuiven. Ze bleef even staan bij een opgerold kleed. Tjonge, wat bracht dat een herinneringen naar boven. En daar stonden de vloerasbak en bijpassende lamp die bij *Vrouw als Man* hoorden, een tableau vivant waarvoor oma in een gemakkelijke stoel zat met haar voeten omhoog, terwijl ze bier dronk en de *Sports Illustrated* las en rookkringen blies van een stinkende sigaar. Het enige probleem was dat ze het in de kelder had gebouwd, zodat niemand het zag, op wat vriendinnen en Caddie na. 'Kunst was geen kunst zonder publiek,' zei oma. Niet lang daarna kreeg ze het idee voor haar buitensculpturen.

Het bureaublad was een hopeloos rommeltje van hard geworden penselen en volle schetsboeken, stempels en inktkussens, kalligrafiebenodigdheden en drukspullen. 'Kledingverf, kledingverf,' herhaalde Caddie om zichzelf niet op een dwaalspoor te laten brengen. Eerst de laden. Ze vond een schoenendoos in de eerste en zei: 'Aha!' tegen Finney die op een teddybeer zat te knagen die hij ergens tevoorschijn gehaald had. 'Nee, dat kan niet, dat zou te simpel zijn.' Ze haalde het deksel eraf en daar was Chelsea. Haar pop.

Ze ging op de grond zitten. Finney kwam op haar toe gehold en probeerde hem uit haar hand te rukken, maar ze duwde hem weg. Ze was haar Chelsea-pop nooit vergeten, maar ze had er al lang niet meer aan gedacht en het was al jaren geleden dat ze haar voor het laatst had gezien. Ze voelde aan de piepkleine franje aan het roestkleurige suède jasje dat oma ervoor had gemaakt; korreltjes, als een strooisel van paprika, kwamen los. Het krullige blonde haar was nog vet van de tijd dat Caddie er vaseline in gedaan had om het steil te maken. Zodat het meer op het haar van mama zou lijken.

Haar moeder had haar de pop gestuurd toen Caddie een jaar of vijf was en ze had onmiddellijk al haar andere speelgoed vervangen. Ze had haar Chelsea genoemd, omdat dat mama's artiestennaam was. Ze had haar iedere avond mee naar bed genomen, waar ze haar wiegde, tegen haar fluisterde, net deed of ze haar dochter was, of soms haar moeder. Ze had zich iedere soort uitdrukking op het nietszeggende gezichtje voorgesteld, had er duizenden gesprekken mee. Haar favoriete spelletje was bellen met Chelsea, die haar vanuit een of andere exotische plaats als Virginia Beach of Wheeling belde. 'Je moet naar me toe komen en bij me blijven,' zei de pop. 'Ik mis je zo erg. Zeg maar tegen oma dat ze een koffer inpakt en je meteen op de trein zet.' Caddie hield haar hand tegen haar wang, deed net of het een telefoon was en zei dan: 'Ja, ik kan komen. Ik kom er meteen aan. Mag ik oma zo nu en dan opzoeken?' en dan zei de pop: 'O ja, natuurlijk, je mag naar haar toe wanneer je maar wilt. Maar je komt bij mij wonen in plaats van bij haar en we zullen het allemaal geweldig hebben.'

Dan stelde ze zich voor hoe ze oma hielp met het inpakken van een koffertje met alleen haar lievelingsdingen, hoe ze elkaar een afscheidskus gaven in de deuropening van een stoomtrein en hoe ze wegreed op een plekje bij het raam, zwaaiend en kushandjes toewerpend. En dan het beste stuk, dat nauwelijks fantasie was omdat er niet zo veel bijzonderheden waren waar ze zich op kon richten: bij mama zijn. Ze had maar een heel vaag idee van wat een hotelkamer was en daar plaatste ze hen beiden, naast elkaar liggend. In een bed met een hoog hoofd- en voeteneinde en een witte sprei. Samen 's middags een dutje doen. Het was een rustpauze, een pauze tussen twee spannende evenementen, of optredens of iets waar mensen klapten en klapten omdat mama geweldig was. Maar tussen de spannende evenementen in gingen ze naar de vage hotelkamer en lagen samen op het bed, stilletjes samen uitrustend, zachtjes tegen elkaar aan wanneer ze zich omdraaiden.

Onderin de schoenendoos lag een pakje papieren met een droog elastiekje erom dat knapte toen Caddie het aanraakte. Er zaten krantenartikelen, advertenties en folders in die het optreden aankondigden van Red Sky in bars en clubs in verre steden, en later een band die Lightning Twice heette. Haar moeder had ze zeker naar oma gestuurd; ze kwamen niet uit de plaatselijke kranten. En ansichtkaarten naar oma, met summiere berichten in het handschrift van haar moeder: *Op weg naar Cincinnati – volgens Eddie meer geld. Kus voor mijn kleine meisje. J.* Een zelfgemaakte verjaardagskaart van rood karton en een opgeplakt onderleggertje: VOOR MAMA VAN CADDIE. IK HOU VAN JOU.

Brieven aan haar moeder van oma. Ze gingen voornamelijk over Caddie, hoe ze de kleuterschool vond, dat haar vaste tanden aan het doorkomen waren, haar rapport van de eerste klas. ('Catherines verlegenheid verhindert sociale contacten, maar ze is een lief, gezeglijk kind. Moet meer zelfvertrouwen opbouwen.')

Een envelop aan haar moeder gericht met een antwoordadres in de Eastern Shore, ergens in Delaware, een plaats die Clover heette. Een postzegel van acht cent. De brief die erin zat, gekrabbeld op een blaadje uit een schrift, was gedateerd op 16-3-'72.

Lieve Jane,
Schrijven is niet mijn sterkste kant, daarom heb ik je nooit eerder geschreven. Denk dat ik hoopte dat het nooit nodig zou zijn. Wilde je nog een keer proberen te zeggen wat er de laatste keer niet goed uitkwam. Dat alles goed gaat en dat je je geen zorgen over me hoeft te maken. Het doet pijn, maar ik was degene die over veranderingen schreef en nu krijg ik ze. Voel je niet rot, dat doe ik al voor ons allebei. Ik mis de jongens en je weet dat ik jou mis, maar zo is het makkelijker. Je had gelijk, een schone lei. Nou, dat is het. Hou je haaks. Word beroemd en draag een nummer aan me op. Ik zal het weten, want ik zal altijd blijven luisteren.
Liefs, Bobby.

16 maart 1972.

Caddies moeder moest zo'n twee maanden zwanger zijn geweest.

Ze reed die middag naar Wake House in de pauze van anderhalf uur die ze tussen de pianolessen had. Ze trof oma onderuitgezakt in haar rolstoel aan, waar ze met een lome, levenloze uitdrukking uit het raam zat te kijken. Ze hoorde Caddie pas toen ze de deur dichtdeed – toen lichtte haar lange, bleke gezicht op, heel haar gezicht. Caddie voelde zich ook vrolijker worden en toen ze elkaar omhelsden, duurde het langer dan normaal.

'Eindelijk,' zei oma, met een lachje om de scherpe kantjes er wat vanaf te halen. 'Het lijkt wel een eeuw geleden sinds ik je gezien heb.'

'Sorry, ik weet het, maar gisteren was het zo –' Ze trok een gezicht en wapperde met haar hand. 'Maar ik ben er nu en ik heb je kledingverf meegebracht. Het lag in de kelder, wil ik toch even zeggen.'

'Mijn wat?'

'Je kledingverf. Voor je project. Weet je dat niet meer?'

'Natuurlijk weet ik het nog.' Ze stak haar lippen naar voren en maakte een pff-geluid. 'Hé, ga je mee naar beneden? Het is de honderdvijfentwintigste verjaardag van Charlie Lorton en er is taart.'

'Achtennegentigste. Ja, natuurlijk, maar wacht even, ik wilde je iets vragen – ik heb vanochtend iets gevonden, een brief in mama's oude bureautje.' Ze trok de bureaustoel dichterbij en zette hem tegenover oma's rolstoel zodat ze elkaar recht in de ogen konden kijken. 'Hij is voor haar, van iemand die Bobby heet. Weet je wie dat is?'

'Bobby?' Oma kneep haar ogen toe en trok haar neus op. 'Er was wel iemand die Bobby heette, maar ik kan me nu niet herinneren…'

'Ik zat te denken dat hij die jongen moet zijn die in hun oude band, Red Sky, speelde.'

'Red Sky.'

'Je hebt gezegd dat je een keer naar ze bent gaan kijken, weet je nog?'

'Echt?'

Caddie trok haar schouders op en liet ze zakken. 'Het was een brief over uitmaken. Zij had het met hem uitgemaakt en hij had verdriet en – oma, volgens de datum moet zij al zwanger van mij zijn geweest. Herinner je je hem helemaal niet? Er zat een Bobby Haywood in de band, ik heb zijn naam samen met de anderen in een folder, in een van hun advertenties gezien.' Oma bleef haar hoofd schudden. 'Bobby Haywood. Weet je het zeker? Omdat ik zat te denken.' Ze boog zich voorover en fluisterde het. 'Dat hij mijn vader zou kunnen zijn. Heb je mijn moeder ooit iets gevraagd?'

'Nee. Nee, hoor.' Oma kwam omhoog en schikte de plooien van haar rok over haar knieën. 'Waarom niet? Niets? Waarom niet, oma?'

'Daarom niet. Het zou geen zin hebben gehad. Ik ben wel de laatste die ze zoiets zou hebben verteld,' zei ze.

Caddies hoop op een onthulling werd de grond ingeboord, maar ze zei bij zichzelf dat ze niet slechter af was dan ervoor. 'Ik weet nog dat mamma en jij vaak ruzie hadden.'

'O, hemel. We vochten als kat en hond. Je moeder moest in die tijd helemaal niets van me hebben.'

Maar ze heeft mij aan jou gegeven, dacht Caddie. Haar oudste wond. En het was eigenaardig dat ze het grootste deel van haar leven in een toestand van halfrouw om haar moeder leefde, maar haar vaderloosheid altijd als vanzelfsprekend had beschouwd.

'Natuurlijk was het in die tijd alsof de hele wereld op zijn kop werd gezet. Welk jaar was het? Die brief? Negentien…'

'Tweeënzeventig.'

'Maar ik, ik leefde nog steeds in de jaren vijftig, als mevrouw Buchanan.' Ze deed haar ogen dicht. 'God zou beter zijn best moeten doen om ons te behoeden voor de goede daden die we voor elkaar doen.'

'Je zou het me toch wel zeggen als je het wist, hè?'

'Wat wist?'

'Wie mijn vader was.'

Ze deed haar ogen open. 'O, schat. Dat was een deur die je mama gewoon nooit voor me open wilde doen. Bovendien weet ik niet eens of zij het wel wist. Dat klinkt onaardig en ze was geen, ze was gewoon... hoe heette die band ook altijd met dat meisje dat in kringetjes ronddraaide? Ze droeg van die dunne kleren en ze noemden hem naar die drummer. Je kent die band wel.'

'Nee.'

'Jawel. Zij trouwde met de ene en het andere meisje trouwde met de andere.'

'Fleetwood Mac.'

'Fleetwood Mac. Nou, zo zat het met Jane en al haar bands. Ze waren niet slecht, ze wisten zich gewoon niet te gedragen. Het was de seksuele revelatie, vrije liefde en zo. Waar ik tegen was. Tóen.'

'Revolutie.' Caddie moest glimlachen. 'Maar nu ben je er voor?'

'O, ik wou dat ik de klok kon terugdraaien. Ik zou niet zo zeuren, ik zou niet zo gemeen zijn.'

'Je was niet gemeen.'

Ze hoorde het niet. 'Ik liep de hele tijd maar bang te zijn, dat was mijn probleem. Bang dat ze erachter zouden komen en nu lijkt het allemaal zo belachelijk. Wat een tijdverspilling. Weet je waar ik een hekel aan heb? Aan mensen die zeggen dat ze geen spijt hebben.'

Ze zagen hoe de ramen van het gebouw aan de overkant oogverblindend goud werden in de late middagzon, terwijl Caddie dacht: ik loop ook de hele tijd bang te zijn. Maar ze had niet het excuus van haar oma; ze probeerde niet een reputatie of een kind te beschermen. In ieder geval was oma ten slotte bevrijd. Tjonge, wat was zij bevrijd.

Wat Caddie deed denken aan het andere dat ze was komen vertellen.

'Oma?'

'Hmm.'

'Ik heb iets verkeerds gedaan. Ik weet niet eens waarom ik het heb gedaan. Precies.'

'Wat heb je gedaan?' Ze glimlachte, klaar om het weg te wuiven.

'Ik heb de sculpturen in de tuin naar beneden gehaald.'

De glimlach stierf weg.

'Het spijt me zo. Ik wil mijn excuses aanbieden. Vind je het heel erg?'

'Mijn sculpturen?'

Ze knikte.

Oma trok wit weg. 'Wat bedoel je met "naar beneden gehaald"?'

'Ik weet het niet, ze... het... ik... ik wilde zien hoe de tuin eruitzag zonder hen. Ze staan er al zo lang en je hebt al een tijdje, al meer dan een jaar, geen nieuwe meer gemaakt, behalve de cowboylaarzen en de buren – ik heb het niet voor de buren gedaan,' verhief ze haar stem om boven oma's smalend gesnuif uit te komen. 'Ik eh... ik dacht... als je thuiskomt, kun je helemaal opnieuw beginnen, een schone lei, een – schoon grasveld. Helemaal nieuw.'

Oma's handen omklemden de armleuningen van haar stoel en liet ze weer los. 'Wanneer heb je het gedaan?'

'Zaterdag.'

'Zaterdag. Voor je vríenden kwamen. Omdat je niet wilde dat zij ze zagen.'

'Nee.'

'Omdat je je schaamde!'

'Nee, ik heb het erna gedaan. Zaterdagavond laat. Ik schaamde me niet.'

'Waarom heb je het dan gedaan? Was je dronken? Hoe kón je, Caddie? Dat was míjn werk, je had het recht niet.'

Ze begonnen allebei te huilen.

'Het spijt me zo, je hebt gelijk, ik had het recht niet. Ik had het niet moeten doen.'

'Ga weg, ik wil je nu niet zien.' Ze rukte aan het wiel van haar rolstoel om hem naar het raam te keren.

'Ik wou dat ik het ongedaan kon maken. Wees alsjeblieft niet kwaad.'

'Ik ben wel kwaad! Je kunt het niet goedmaken, laat me met rust. Ik meen hem, ga weg, ik wil niet meer met je praten. Ik heb verdriet.'

'Oma –'

'Wat ik zou moeten doen is je aanklagen. Misschien doe ik het nog wel ook. Ga uit mijn ogen terwijl ik erover nadenk. Eruit!'

Caddie sloop weg.

Daarna kreeg ze ruzie met Angie.

'God, waarom zorg je hier niet voor airconditioning? Het is half juli, verdikkeme.' Angie zette haar vioolkoffer zo hard op het pianobankje dat het instrument in de koffer resoneerde.

'Ook goeiemiddag,' zei Caddie.

'Ik bedoel, godsie.' Ze trok haar dunne, doorschijnende hemd uit alsof het een bontjas was en zette haar handen op haar heupen; ze zag er mooi en verontwaardigd uit in haar afgeknipte spijkerbroek en roze topje. 'Iedereen heeft airconditioning, Caddie, en jij hebt een ventilator.'

'Het is warm, ik weet het.' Ze richtte de grote vierkante ventilator rechtstreeks op Angie. 'Maar mijn moeder heeft een hekel aan airconditioning, dus wat kan ik eraan doen?' Ze haalde glimlachend haar schouders op.

Angie glimlachte niet alleen niet terug, maar rolde ook vol weerzin met haar ogen. Dat was de eerste aanwijzing die Caddie miste dat ze gekomen was om ruzie te zoeken.

'Waarom speel je niet alvast in terwijl ik iets koels te drinken voor ons ga halen?' Caddie trok zich terug in de keuken.

Het was ontzettend leuk om tieners les te geven, maar ze waren ook onvoorspelbaar. Flexibiliteit was het geheim, omdat je nooit wist in wat voor stemming ze zouden komen. Nou, een van de geheimen; de andere was: vat het niet persoonlijk op. Caddie herinnerde zichzelf daaraan terwijl ze frisdrank over het ijs in de glazen schonk die ze vervolgens naar de kamer bracht.

'Je ziet er leuk uit vandaag.' Ze zette de glazen op onderzetters bovenop de piano. 'Je haar zit leuk zo.' Ze kon Angie meestal van een slecht humeur afhelpen door haar een complimentje te geven. Ze was niet ijdeler dan een zeventienjarige met glanzend bruin haar en grote donkere ogen, een perfecte huid en een geweldig figuur hoorde te zijn, vond Caddie. Door Angie wilde ze dat ze haar eigen jeugd meer had gewaardeerd. Niet dat ze ooit zo knap en zelfverzekerd was geweest, of het ooit zou worden, maar ze wou dat ze zich had ontspannen en meer plezier had gehad. Niet zo ongelukkig over zichzelf was geweest.

'Mijn oom zegt dat ik een beetje op Natalie Wood lijk, wie dat ook mag zijn, en dat ik mijn haar zo moet knippen dat ik nog meer op haar lijk. Maar ik wil het lang houden.'

'O ja, dat vind ik ook.' Hoe Angie haar haar zou doen in de Miss Michaelstown-verkiezing was een onderwerp van eindeloze discussies en besluiteloosheid bij de familie Noonenberg.

'Eerlijk gezegd dacht ik erover om het blond te verven.'

'Néé,' zei Caddie ontzet.

'Maar toen besloot ik het niet te doen. Het was mams idee, alleen voor de missverkiezing, maar ik geloof niet dat ik het doe.'

'O, pff.' Ze klopte overdreven opgelucht op haar borst.

Angie hield op met haar toonladders. 'Eerlijk gezegd weet ik niet of ik wel aan die stomme missverkiezing mee wil doen.'

Er was een tijd dat Caddie ervan zou zijn geschrokken – sinds ze haar kende, was het Angies levensdoel geweest om schoonheidswedstrijden en talentenjachten te winnen – maar de laatste tijd zei ze dat soort dingen, hints van ontevredenheid, verholen dreigementen dat ze ermee op zou houden, bijna iedere les. Caddie besteedde er opzettelijk weinig aandacht aan, aangezien Angies stemmingen met het uur wisselden. 'Oké,' zei ze, 'zullen we er na de les over praten, dan hoeven we geen tijd te verspillen.'

Angie trok een gezicht.

'Ik wilde vandaag trouwens toch iets anders doen,' improviseerde Caddie. 'In plaats van jouw stuk te spelen, dacht ik dat we maar eens naar de opname moesten luisteren die we vorige week gemaakt hebben en er commentaar op geven.'

'Dat hebben we al gedaan.'

'We hebben geluisterd, maar we hebben het niet bestudeerd, en dat is de reden waarom we het opgenomen hebben. Ik denk dat het zal helpen om er zorgvuldig naar te luisteren en de delen eruit te halen die beter kunnen –'

'O ja, uit elkaar plukken, met andere woorden. Dat klinkt leuk.' Ze liet zich op de bank ploffen, stak haar lange, gebruinde benen voor zich uit en staarde onbewogen naar haar gelakte teennagels.

Caddie hield haar mond en stopte een bandje in de cassetterecorder.

Angie dacht dat zíj ziek was van *Meditatie.* Caddie moest zichzelf er telkens weer aan herinneren waarom het nog steeds zo'n goed stuk voor de missverkiezing was en daarom een publiekslieveling, en ja, het was oubollig, maar alleen omdat het zo veel gespeeld werd. Als je het niet al honderd keer gehoord had, dan was het mooi, oprecht ontroerend.

Ze luisterden er de eerste keer in stilte naar. Het kwam uit een opera over een monnik en een prostituee. Een hoop levensangst. 'Nou, hier,' zei Caddie tijdens de tweede keer, 'hier, hoor je het? Je moet die noot nog langer vasthouden, want het is bijna een wiegelied, je kunt het niet langzaam genoeg spelen.'

'Een wiegelied voor een dode.'

'En die maat – hoor je dat je bijna een kwarttoon voor de harp uit bent?' Caddie simuleerde de eenvoudige harpbegeleiding op de piano, niet om de muziek voller te maken, maar om Angie te helpen het rustiger aan te doen. 'Hé, weet je wat ik zou doen? Mezelf opnemen en die opname gebruiken om thuis mee te oefenen. Wat vind je daarvan?'

'Hoor eens, Caddie, ik wil het niet.'

'Oké, maar het is dit of de metronoom en je weet hoe leuk je dat vindt.'

'Nee, ik bedoel het hele gedoe. Ik wil het niet meer. Ik heb het hele weekend niet geoefend.'

'Ah.'

'O, ik wist dat je zo zou kijken!'

'Hoe zo?'

'Dat gezicht! Ik wist dat je dat verdrietige, teleurgestelde gezicht zou trekken en me een rotgevoel zou geven!'

'Nou, sorry –'

'Kun je hem uitzetten?'

Ze zette de cassetterecorder uit.

Toen Angie een diepe, nerveuze zucht slaakte, werd haar navel onder haar topje zichtbaar. 'Het zit zo. Ik geloof niet dat ik nog muziek wil studeren. Ook niet op het conservatorium.' Ze keek uit het raam om haar zin af te maken – Caddie trok vast dat gezicht weer. 'Want het is niet meer leuk, het is alleen maar druk en verplichtingen. Muziek zou leuk moeten zijn, geen studeren. Dat gevoel heb ik echt.'

'Dat is gewoon kortzichtig. Je kunt niet het een zonder het ander. Angie – dat is kortzichtig en onvolwassen.'

'Ik ben niet volwassen! Jíj bent volwassen genoeg voor zes mensen! Ik heb erover nagedacht – als ik van school kom, neem ik een jaar vrij en ga in een band.'

'Wat?'

'Een *bluegrass*-band.'

Caddie moest gaan zitten.

Angie begon door de kamer te lopen. 'Dat is wat ik het liefst wil, de *fiddle* spelen in een band. Maar een moderne, niet zoals Bill Monroe of zo. Er is een jongen op school –'

'O, hó.'

'Nee! Er is een jongen, die speelt drie verschillende instrumenten en hij is heel goed en hij vindt míj goed –'

'Je bent ook goed, maar –'

'Vergeet hem nou maar, ik kan zien wat je denkt en je hebt het mis. Er zijn van die fantastische vrouwelijke *fiddle*-speelster van wie je vast nog nooit gehoord hebt, zoals Deanie Richardson en Martie Maguire, Sara Watkins, om nog maar te zwijgen van Allison Krause –'

'Van haar heb ik wel gehoord.'

'Caddie, dit is wat ik wil doen. Ik heb besloten, mijn beslissing is genomen.'

Een band. Een *bluegrass*-band. Alle dingen die Caddie wilde zeggen klonken onvriendelijk of beledigend – ze had nooit 'kortzichtig en onvolwassen' moeten zeggen. 'Ik – ik heb gewoon het gevoel dat het een vergissing is. Ik ben zo bang dat je er spijt van zult krijgen. Je weet dat ik alleen maar het beste voor je wil en ik kan er niets aan doen, maar ik vind dit – onoverdacht. Het spijt me, maar ik geloof nooit dat je alle gevolgen onder –'

'Jawel!' Ze liet haar handen, die ze tot vuisten had gebald, ontspannen en ging zachter, op een kalme, volwassen toon, praten. 'Ja, dat heb ik wel. Ik heb alle consequenties, gevolgen, wat dan ook overdacht.'

'Maar het is te gevaarlijk, het is te – ik denk in alle eerlijkheid dat je er spijt van zult krijgen als je dit doet.'

'Wat bedoel je met te gevaarlijk? Wat betekent dat?'

Caddie had geen idee wat het betekende.

'Alleen omdat jij bang bent om voor publiek te spelen –' Ze wendde haar gezicht af en klemde haar lippen op elkaar. 'In ieder geval is dat wat ik doe.'

'Geeft het dan niet, doet het er dan helemaal niet toe dat je je geweldige talent vergooit? Dat je de laatste vier jaar van je tijd en harde werk verspild hebt? En de mijne? En het geld van je ouders? Wat vindt je moeder ervan?'

'Ik kan niet geloven dat jij dat tegen me zegt.' Ze smeet haar vioolkist open. 'Jij bent degene die zei dat ik passie moest hebben. Ik kom hier niet meer.'

'Ik denk dat ik je niets meer te leren heb.'

Ze ging liever de kamer uit dan dat ze toekeek hoe Angie haar instrument opborg. Gebeurde dit echt?

Angie kwam met rode ogen de hal in. 'Nou,' zei ze met een beverige glimlach en Caddie smolt.

'We hoeven geen ruzie te maken. O, Angie, dit is dom. Na al die jaren.'

'Het is dom. Ik weet het.'

Ze werd overspoeld door opluchting. 'Ga maar naar huis, ik denk dat je dat moet doen, maar dan zie ik je donderdag weer en dan kunnen we verder praten. Ik heb vandaag helemaal níets goed gezegd.'

Angie werd knalrood. 'Eh, ik denk dat het beter is van niet. Ik heb het gevoel dat we elkaar even niet moeten zien. Ik waardeer alles wat je hebt gedaan, echt waar. Je bent een fantastische lerares, ik heb zo veel geleerd. Nou ja, alles. Maar misschien is het tijd om te, je weet wel...'

Het was weer helemaal als met Christopher. 'Nee, je hebt gelijk, je kunt je frisheid verliezen bij dezelfde leraar. Het is soms wel eens goed om te veranderen, een nieuw, een fris –'

'Mijn moeder heeft gezegd dat ze de cheque van deze week voor allebei de lessen zal sturen, ook al... een soort opzeggen, zeg maar.'

Caddie knikte en glimlachte, maar dat was een dolk door haar hart. Angie had vóór ze kwam geweten dat dit de laatste les zou zijn.

'Nou, Caddie – we houden contact.'

'Natuurlijk. Jazeker.'

Ze keken elkaar aan, onbeholpen en ellendig. Caddie was de eerste die haar armen uitstak. Ze omhelsden elkaar stijfjes en botsten met de wangen tegen elkaar. 'Oké, dag, hoor.'

'Dag.'

En dat was dat. Vol ongeloof ging Caddie de kamer weer in en luisterde naar het geronk van de lelijke, ontoereikende ventilator. De piano was log in haar ogen, een zwart, massief ding, niet in staat tot iets troostends of moois, laat staan muziek. Eerlijk gezegd zag de hele kamer eruit als een vijand. Wat konden dingen snel veranderen. Ze keek op haar horloge ter bevestiging. Ja: binnen vijfentwintig minuten was Angie gekomen en weer weggegaan. Haar lievelingsleerling, haar lieve, grappige vriendinnetje. Caddie had niet eens de kans gekregen om met een compromis te komen. Of zich over te geven! Ze zou zich gewonnen hebben gegeven als ze de tijd had gehad; tegen Angie gezegd hebben dat ze voor haar part rapper kon worden. De gedachte dat het niet geholpen zou hebben, maakte haar ziek, letterlijk misselijk. Angies besluit had al vastgestaan voor ze kwam.

Een *bluegrass*-band. 'Walgelijk,' zei ze hardop terwijl ze haar handen op haar maag hield. Te gevaarlijk, had ze tegen Angie gezegd. Wat had dat te betekenen? Levensbedreigend, meer dan gewoon riskant. Iets ergs.

Ze was zo moe dat ze op de bank moest gaan liggen. Alles viel in duigen, alles tegelijk. Wat kon er verder nog misgaan? Ze boog zich over de rand van de bank en klopte met haar knokkels op de houten poot. Vraag nóóit was er verder nog fout kan gaan – oma had haar dat geleerd. Hoe dan ook, ze zou een vierling kunnen krijgen, oma zou haar andere been kunnen breken – blijf ver, heel ver uit de buurt van retorische vragen. Bijgelovig, ja, maar in sombere tijden, waarom zou je dan het lot tarten? Ze deed haar ogen dicht, probeerde haar hoofd te zuiveren van gevaarlijke gedachten en viel diep in slaap.

De telefoon die overging wekte haar uit een droom, iets met Finney die een nest jongen in de piano kreeg, ze kwamen als wormen uit de toetsen gekropen tijdens de les van mevrouw Patterson – het duurde een paar seconden voor tot haar doordrong wat Brenda tegen haar zei. Oma had iets in de wasmachine gestopt dat naar azijn rook en nu kwamen de kleren van iedereen er groen uit.

'Zal ik langskomen?' vroeg Caddie angstig. Deze dag kon niet snel genoeg voorbij zijn. Als ze naar buiten ging, het huis verliet en de buitenwereld in stapte, wie weet wat er dan zou gebeuren.

'Nou, er is niets dat je momenteel kunt doen.' Brenda, normaal gesproken het geduld zelve, klonk geërgerd. 'Ik laat de machine nu maar zonder was en met alleen waspoeder en bleekmiddel draaien, dus hij zal wel een keer schoon worden.'

'Het spijt me verschrikkelijk. Ik begrijp niet wat er over haar is gekomen.'

'Ik ook niet.'

'Als iemand iets kostbaars is kwijtgeraakt, betaal ik het wel.'

Brenda slaakte een diepe zucht. 'Nee, nee, volgens mij niets kostbaars. Maar het is gewoon vervelend.' Haar stem klonk zwakker, alsof ze te moe was om de hoorn bij haar mond te houden. 'Voor ik het vergeet – ik moet van Cornel zeggen dat hij klaar is voor zijn interview. Voor het herinneringenboek.'

'O. Prima.'

Ze zuchtte opnieuw. Caddie zag voor zich hoe ze in haar ogen wreef. 'Hij zegt dat hij je een kwartier zal geven, dus zorg dat je al je vragen bij de hand hebt.'

'O nou,' zei Caddie lachend, 'dan kan ik maar beter –'

'Hij zegt dat hij tussen nu en het avondeten tijd voor je heeft.'

Ze hield op met lachen.

Interview met Cornel Montgomery

V: Hoe heet je?

A: Cornel Windermere Montgomery.

V: Wanneer en waar ben je geboren?

A: 3 augustus 1925, Michaelstown, Maryland.

V: Hoe ben je aan de naam 'Windermere' gekomen?

A: Staat dat op je lijst van voorbereide vragen?
V: Nee.
A: Ga dan maar door.
V: Mag ik geen vragen toevoegen?
A: Nee.
V: Hoe waren je ouders?
A: Aardige mensen.
V: Kun je wat gedetailleerder zijn?
A: Staat dat op je lijst?
V: Cornel!
A: Als je het dan moet weten, mijn vader kwam rond 1890 uit Schotland en heeft zijn hele leven voor de spoorwegen gewerkt. Hij was streng. Presbyteriaans. De enige die hem aan het lachen kon maken was mijn moeder. Die Alice Windermere heette, om je andere nieuwsgierige vraag te beantwoorden, en zij kwam uit Mount Airy.
V: Heb je een gelukkige jeugd gehad?
A: Staat dat op de lijst?
V: Ja.
A: Hij was gelukkig, hij was goed. Een tijdlang.
V: En je had een broer? Frank? Die overleden is?
A: Als je alles weet, waarom vraag je het dan? Ik had een broer. Twee jaar jonger dan ik.
V: Je hoeft niets te zeggen als je dat niet wilt.
A: Jezus, dat weet ik ook wel. Het is een kort verhaal. We gingen altijd zwemmen in een kreek bij ons achter. Natuurlijk is het nu allemaal bebouwd, de kreek is er zelfs niet eens meer. We speelden vaak Tarzan en dan zwaaiden we aan die lange slingers. Ik was naar huis gegaan, ik was er niet bij toen het gebeurde. Een slinger knapte, hij viel op de rotsen en zijn hoofd barstte open. Een van de kinderen zette het op een lopen en haalde iemands vader en ze droegen Frank naar het huis, ons huis. Te laat om nog iets voor hem te doen. Dus dat is dat, ga verder met je volgende vraag. Toe, ga door. Is dat het?'
V: Wat was je beste vak op school?
A: Rekenen en aardrijkskunde. Ik vond het ook leuk om gedichten uit het hoofd te leren. 'In de vallei des doods reden de zeshonderd.' Dat ken ik nog uit mijn hoofd. Wil je het horen?
V: Ja hoor.
A: (Declameert *The Charge of the Light Brigade.*)

V: Van welke sporten hield je?
A: Honkbal. Goh, wat was ik gek op honkbal. Maar het draait nu allemaal om geld, ik doe geen moeite meer om te kijken sinds Ripken er niet meer is. Het is allemaal show, ze hebben het verpest.
V: Vertel me eens iets over je eerste afspraakje. Of over je eerste verkering, een van de twee. Ze staan allebei op de lijst.
A: Mijn eerste afspraakje en mijn eerste verkering waren allebei met Erma McDormond. Wil je nog meer weten?
V: Veel meer.
A: Nou, er is niet veel meer te vertellen, jammer genoeg. Ze had lang blond haar en bruine ogen. Haar broertje was doof geboren, herinner ik me. Ze ging naar dezelfde kerk als ik, maar niet naar dezelfde school, dus ik zag haar alleen op zondag. Op een keer trok ik de stoute schoenen aan en vroeg of ze met me meeging naar de kerkbazaar.'
V: Hoe oud was je?
A: Dertien, veertien. We gingen op een zaterdagmiddag. Ik had twee dollar en zestig cent, een kapitaal, en verbraste het allemaal aan het dartspelletje omdat ik een beer voor haar probeerde te winnen. Won verdomme helemaal niks. Zij trakteerde ons op een paar glazen limonade en dat was ons eerste afspraakje.
V: Hoeveel waren er verder nog?
A: Niet zo veel.
V: Heb je haar ooit gekust?
A: Gaat je niks aan. Nee.
V: Wie was het eerste meisje dat je kuste?
A: Wat is dit, de vragenlijst van *Playboy*?
V: Wil je het niet zeggen?
A: Nee.
V: Oké, wat ging je doen toen je van de middelbare school kwam?
A: Ik ben bij de luchtmacht gegaan. Ik wilde direct na Pearl Harbor in dienst, maar ik mocht niet van mijn ouders.
V: Heb je in de oorlog gevochten?
A: Lang verhaal, maar uiteindelijk werd ik sergeant boordschutter van de 306e *Bombardment Group*. Ik vloog negen missies als staartschutter in B-17's.
V: Wauw. Maar je praat er nooit over.
A: Niemand wil oude oorlogsverhalen horen.
V: Heb je medailles gekregen?

A: Een paar.
V: Wat? Vertel eens wat ze waren, Cornel, dit is jóuw levensgeschiedenis.
A: *Air Medal with Oak Leaf Cluster, Bronze Star, Theater Medal with Combat Star*. Volgende vraag.
V: En toen?
A: Gaan studeren met een beurs van het leger. Haalde mijn ingenieurstitel. Baan als inspecteur. Begon een zaakje als slotensmid erbij. Trouwde. Slotenzaak werd groter, stopte als inspecteur –'
V: Ho! Wacht even!
A: Dit gaat een eeuwigheid duren. Ik ben een oude man, mijn tijd is kostbaar.
V: Je trouwde. Met wie?
A: Peggy Craddock.
V: Hoe oud was je? Hoe hebben jullie elkaar ontmoet? Waarom werd je verliefd op haar?
A: Waarom ben jij zo nieuwsgierig?
V: Het is interessant. Het is jouw leven!
A: We ontmoetten elkaar door middel van een *double date.*
V: Een *blind date*?
A: Nee, een *double date*. We vonden elkaar leuker dan degenen met wie we uitgingen, dus ruilden we.
V: Die avond nog?
A: Nee, niet die avond, het volgende afspraakje. Zij was vierentwintig, ik was achtentwintig. Ze werkte voor een telefoonmaatschappij. Zo slim als een vos. Het klikte meteen. Ze was makkelijk om mee te praten en mooi, je kon met haar lachen. We hadden een maand of acht verkering en toen hebben we de knoop doorgehakt.
V: Hoe lang zijn jullie getrouwd geweest?
A: Vijfendertig jaar. Ik heb haar in 1989 verloren.
V: En jullie hadden een zoon.
A: We noemden hem Frank, naar mijn broer. Zijn bijnaam was Junior tot hij groot was. Ze leken niet op elkaar, Junior was een grote, stoere jongen met blauwe ogen en krullend haar net als zijn moeder, maar ze hadden een hoop gemeen. De manier waarop ze lachten, de dingen die ze leuk vonden. Het kattenkwaad dat ze uithaalden. Toen Peg en ik Junior kregen, was het bijna alsof ik Frank terugkreeg. Maar natuurlijk duurde het niet lang, want zo gaat het in het leven nou

eenmaal niet. Voor alles wat je krijgt, moet je iets anders opgeven. Eerst Peg, toen Frank zes jaar later. Hij stopte om een vrouw te helpen een band te verwisselen. De barmhartige Samaritaan. Een vrachtwagen reed hem aan en hij was op slag dood. Achtendertig, met een vrouw en een zoontje van tweeënhalf. Dus wil je weten wat mijn filosofie is? Hou je helm op en je hoofd gebogen. Het zal je niets helpen, maar iets anders ook niet en in de tussentijd heb je iets om je mee bezig te houden.
V: En je kleinzoon Zack?
A: Wat is er met hem?
V: Mis je hem niet?
A: Je luistert niet. Dat heb ik trouwens allemaal gehad, daar ben ik te oud voor.
V: Waar te oud voor?
A: Heb je nog meer vragen? Ik kan hier niet de hele dag aan besteden.
V: Je was een van de eerste bewoners van Wake House. Weet je nog wat je eerste indruk was?
A: Ja: 'Godallemachtig, die vrouwen lijken allemaal op mijn moeder.'
V: Waar ben je het meest trots op en waar heb je het meest spijt van?
A: Mijn zoon.
V: Waar ben je dankbaar voor?
A: Mijn gezondheid. Als je mijn schildklier, artritis, staar en maaghernia niet meerekent. Ik ben dankbaar dat Bernie nu 's nachts die neusstrip gebruikt; hij klinkt nu alleen als een vrachttrein in plaats van een B-52. Ik heb nooit iemand gekend die zo veel lawaai maakt bij het omslaan van een krantenpagina als hij. Of op zijn kunstgebit zuigt. Hij slaakt zo'n diepe zucht als hij gaat zitten, alsof hij iets belangrijks en bevredigends doet. Knipt zijn neusharen met een schaartje en laat ze achter in de wastafel. Ontziet het niet om 's nachts in bed een lange wind te laten – al houdt hij zich overdag in, wat meer is dan ik van sommige anderen kan zeggen.
V: Nog iets waar je dankbaar voor bent?
A: Ik ben dankbaar dat dit bijna afgelopen is.
V: Ben je ooit een vrolijk, optimistisch mens geweest?
A: Voor zover ik me kan herinneren niet.
V: Als je erop terugkijkt, heb je dan het gevoel dat je leven ertoe gedaan heeft?
A: O jee, nee.

V: Wat is je grootste angst?
A: Dat ik altijd zal blijven leven.
V: Dank je, Cornel, dat is het volgens mij.
A: Hé, wat is er met jou?
V: Niks, ik ben gewoon een beetje gedeprimeerd.

17

Enge, punkachtige stylisten en Europese dansmuziek, dat was wat Thea wilde terwijl ze haar haar rood liet verven. 'Ik streep een onderwerp op mijn lijstje af, ik wil dat dat een evenement wordt.' Jammer dat ze in Michaelstown niet iets dergelijks hadden, of als er zoiets was, dan wist Caddie er niets van. Ze nam Thea mee naar de Watergolf, want daar liet ze haar haar altijd knippen.

'Hé,' zei Wanzie, de kapster waar Caddie, af en aan, al vijftien jaar kwam. 'Hoe gaat het, meid? Is dit je vriendin?' Caddie had vorige week al een afspraak voor Thea en zichzelf gemaakt. Wanzie, stevig gebouwd en van middelbare leeftijd had een moe, maar alert gezicht en ogen die niet meer te verrassen waren omdat ze alles gezien en gehoord hadden. Caddie voelde zich altijd opgelaten omdat ze nooit een lekkere roddel voor haar had. Tot nu toe dan. Wat zou Wanzie zeggen als ze haar vertelde dat ze zwanger was?

'Thea kan beter eerst gaan, want bij haar moet het meest gebeuren,' zei Caddie en Wanzie zei okiedokie, liet Thea plaatsnemen en sloeg een bruine doek om haar heen. 'Wat kan ik voor je doen, meid?'

Thea's ogen fonkelden van opwinding; haar gewoonlijk zo kalme gezicht had roze vlekken op de wangen. Ze stak haar vingers in haar haar en trok het met handenvol omhoog. 'Alles!'

Wanzie lachte en inspecteerde zelf Thea's haar; ze ging er met haar handen doorheen, bekeek de wortels en de punten. 'Dus je wilt rood, hè?' Caddie had haar van tevoren gewaarschuwd. 'Hoe rood?'

'Nou.' Thea vouwde haar handen en trok een kritisch gezicht. 'Ik word dit jaar zeventig. Niet vuurtorenrood.'

Wanzie bleef met haar haar spelen, terwijl ze Thea's hoofd verschillende kanten op duwde. Na een minuut nam een andere blik de plaats in van haar gewoonlijk aangenaam verveelde uitdrukking. In vijftien jaar had Caddie die nooit gezien. Creatief enthousiasme. 'Wacht even, ik ben zo terug.'

Ze kwam terug met vier plukjes haar, als kleine matjes. Caddie wist niet eens dat er zoiets bestond. Haarkleuren als verfstalen. 'Wat vind je van een van deze?'

De drie vrouwen bogen zich over de stukjes gekleurd haar. Ze varieerden van licht blondachtig rood tot donker blondachtig rood. Thea wees naar de eerste.

'Dat dacht ik ook. Mooi bij je teint.' Wanzie hield het lokje bij Thea's wang. 'En wat dacht je van lichte puntjes?'

'Lichte puntjes,' fluisterde Thea, in vervoering.

'Dan ziet het rood er in de eerste plaats natuurlijker uit, maar het wordt ook mooi. Licht je gezicht op. Maar iets subtiels, hè, niet te druk en vooral aan de voorkant.'

'Oooo, laten we het doen. Vind je niet?'

'Heel gewaagd,' zei Caddie. Iemand moest de voorzichtige zijn.

'Dat weet ik,' zei Thea, gerechtvaardigd. 'Heel gewaagd. Het is unaniem!'

'Als je het geleidelijk aan wilt doen, dan kan ik beginnen met een spoeling. Dan kun je daar een tijdje mee leven, kijken wat je ervan vindt.'

'Er een tijdje mee leven? Op mijn leeftijd?' Thea lachte hartelijk. 'Vérven!'

Caddie ging in de lege kapstoel naast die van Thea zitten terwijl Wanzie aan de slag ging met reepjes folie en een schaaltje witachtige smurrie. Terwijl ze in een tijdschrift bladerde, kwam ze bij een artikel over hoeveel sekspartners mensen hadden gehad. 'Kijk,' zei ze, terwijl ze het aan Thea en Wanzie liet zien en ze lachten om de foto's van gewone vrouwen, geen beroemdheden, die bordjes omhoogstaken met nummers: veertien, twee, acht. Eén vrouw had haar haar over haar gezicht gekamd, omdat zij op haar bordje tweeënveertig had staan. Twééënveertig, riepen ze stomverbaasd uit. Caddie wachtte, half hopend dat Thea of Wanzie iets persoonlijks zou zeggen over hun eigen liefdesleven, misschien zelf een aantal zou noemen. Maar dat deden ze niet, dus deed zij het natuurlijk ook niet. Als ze het had gedaan, zou haar aantal vier zijn geweest.

'Zwangerschap hoeft mode niet in de weg te zitten!' zei een kop boven een artikel over zwangerschapskleding. Ze hield het tijdschrift vlak voor haar gezicht en bestudeerde de serene gezichten van de modellen. Waren ze echt zwanger? Nee, kwam ze tot de conclusie; ze droegen alleen maar een kussen op hun buik. Ze sloeg het tijdschrift dicht, niet langer geïnteresseerd. Ze keek als een spion naar zwangere vrouwen op de tv of op straat of in de supermarkt, op zoek naar aanwijzingen, een geheim. Ze herkende haar motief: het was dezelfde manier waarmee ze andere meisjes op school bestudeerde toen ze tiener was, op zoek naar een teken van datgene dat zij wisten en zij niet. Ze had nu dezelfde fascinatie en naijver wanneer ze naar zwangere vrouwen keek. Verlangen. Een soort honger.

Ze had erover gelezen, dus ze wist dat het niet mogelijk was dat ze de baby al voelde, maar toch was het zo. Soms was het als een zacht, laag gezoem, andere keren een krassende sensatie. Ze stond in dubio over alles, dus was het onmogelijk om van het krassende gevoel te genieten. Ze werd heen en weer geslingerd tussen idiote persoonlijke trots dat alles in haar lichaam het had gedáán – ik heb dit gedaan, ik heb perfect gefunctioneerd, mijn eierstokken, mijn follikels, mijn eileiders hebben allemaal gesmeerd gewerkt – en een ziekmakende, paniekerige angst omdat het ding dat binnenin haar groeide minstens zo als een kankergezwel aanvoelde als een baby. Wat moest ze doen? Wat moest ze doen? Dit was geen kiespijn of een geheimzinnig knobbeltje, een of ander persoonlijk kwaaltje waar ze mee door kon blijven lopen als ze wilde. Van uitstel zou dit niet weggaan.

Terwijl Thea met haar hoofd vol reepjes aluminiumfolie onder de droogkap zat, staarde Caddie naar zichzelf in de spiegel van Wanzie's werkgebied en dacht na over haar vragen: 'En wat kan ik voor jou doen, Caddie?' Toen ze niet meteen antwoord gaf, zei Wanzie op een meer berustende toon: 'Het gebruikelijke, alleen maar een stukje eraf?'

'Ja, doe maar. Of – misschien kort dit keer,' zei ze dapper. 'O, ik weet het niet.' Ze dacht aan iets dat Magill had gezegd. Ze zaten op de veranda en het was een winderige dag, de wind waaide haar haar in haar ogen, in haar mond. 'Ik laat het afknippen,' had ze geërgerd gezegd – niet serieus, maar alleen uit ergernis – en hij had gezegd: 'Nee, dat moet je niet doen, je haar is het enige dat je niet getemd hebt.' Wat had dat te betekenen? Ze staarde in de spiegel naar hetzelfde oude, wat lange gezicht, haar rechte lippen en rechte wenkbrauwen. Vond hij haar haar te wild? Ze probeerde het netjes gekamd te houden. Vanaf dat ze klein was, had ze een scheiding links en liet ze het loshangen, tot op haar schouder. Een enkele keer kamde ze het achterover en zette het met twee haarspeldjes vast.

'En een pony?' zei Wanzie. 'Voor de verandering.' Ze was nog steeds aangestoken door Thea's moed.

'Een pony? Ik heb nog nooit een pony gehad...'

'Als je het niet leuk vindt, dan groeit het snel genoeg weer aan.'

'Een pony. Ik weet het niet. Ik denk... dat ik het gewoon net als anders wil.'

Wanzie haalde haar schouders op. Niet verbaasd.

Een uur later zag Caddie er hetzelfde uit en was Thea een nieuwe vrouw.

'O, ik vind het prachtig, prachtig,' riep Thea uit, terwijl ze haar hoofd alle kanten op draaide in de spiegel. 'Het is een jongenskopje – ik lijk op Shirley MacLaine!'

'Bijna een jongenskopje.' Wanzie keek trots vanaf een afstandje toe. 'Het is iets langer bovenop dan een jongenskopje, maar je hebt er goed haar voor, lekker vol.'

'Het is zo natúúrlijk,' zei Caddie verwonderd. 'Je ziet er zo jong uit!'

'Het toverwoord,' riep Thea uit en sprong uit haar stoel om een gelukkige Wanzie om de nek te vliegen. 'Het is fantastisch – jíj bent fantastisch.'

Bij de kassa voelde Caddie zich terneergeslagen. 'Ik had ook iets dramatisch moeten doen. Waarom heb ik dat niet gedaan? Mijn haar is zo muizig.'

'Nee, nietwaar,' zei Thea, terwijl ze met een creditkaart voor het knippen en verven betaalde. 'Je hebt heel mooi haar.'

'Dan ben ik het. Ik ben een muis.' Ze pakte een fles shampoo van een plank met haarproducten en zette hem weer neer. Conditioner, glansmiddel, gel, spul om het haar lichter te maken, spul om het haar steiler te maken. 'Herinner me eraan dat ik nooit mousse koop,' lachte ze ineens, 'want dan word ik nog muiziger.' Ze deed net of ze Thea een por tussen de ribben gaf.

Thea gaf een speels rukje aan haar haar. 'Mooi. En je bent niet muizig. Dat denk je alleen maar.'

'Wat gaan we nu doen?' vroeg Caddie op het parkeerterrein. Het was een warme middag, maar eindelijk eens niet drukkend; het rook fris en er was geen wolkje aan de hemel te bekennen.

'Wat ik nu zou willen doen, is een ritje in jouw auto maken met de kap naar beneden.'

'Sorry, maar hij gaat niet meer naar beneden. Bovendien zou je haar maar in de war raken.' Ze slaakte een kreet toen Thea beide handen in haar gloednieuwe kapsel stak en er met haar vingers in woelde.

'Daar is het voor!' Ze lachte om Caddies geschokte gezicht. 'Laten we dan maar een ritje met de kap omhoog gaan maken. Kom mee, dan laat ik je zien waar ik gewoond heb.'

Er moest een nieuwe demper op de Pontiac; hij klonk als een *hot rod* toen Caddie hem startte en Main Street in draaide. 'Is er veel veranderd sinds je klein was?' vroeg ze terwijl ze langs het stadhuisplein – het hart van het centrum – met zijn oude stenen banken op drie van de hoeken reden.

'Het is natuurlijk groter, uitgebreider. Hier is het het minst veranderd. Ik herinner me al die bankgebouwen. Waar nu taekwondo wordt gegeven,' zei ze wijzend, 'dat was een snoepwinkeltje, het heette Emmy Lou's. En de Triple A was een schoenwinkel, maar daar weet ik de naam niet meer van.'

'Welke kant ga ik op?' Caddie stopte bij het licht op het kruispunt van Main en Antietam, het laatste kruispunt voor het centrum ophield en de buitenwijken begonnen.

'Mijn oude school is weg,' zei Thea, terwijl ze weemoedig naar de Best Western keek.

'Jouw school? Je hebt toch niet op dat geval met één lokaal van Cornel gezeten, hè?'

'O, líeve, ik heb op Miss Adams' Academie voor Jonge Dames gezeten. Ik kan niet geloven dat die weg is. Draai eens om, Caddie, dan laat ik je het oude huis van mijn oom en tante zien.'

Ze reden over het stuk van Antietam dat nog in het centrum lag, een saaie straat met niets anders dan parkeerterreinen en anonieme bakstenen gebouwen. Je nam Antietam alleen om de vier blokken van Main naar Maryland Street te nemen, een eenrichtingsstraat die de andere kant op ging. Caddie zag een bord en trapte op de rem. 'Thea, kijk eens!' De auto achter haar toeterde en ze reed naar de kant. 'Kijk – dat is het bedrijf van Magill.'

'Waar?'

'Daar. Ik herken de naam, Kinesthetics, Inc.' Het bord stond voor een lang, laag, uit twee verdiepingen bestaand bakstenen gebouw naast een parkeerterrein. Een zwarte glazen deur gaf de bescheiden ingang aan en voor alle ramen hingen opengedraaide luxaflex. 'Daar maakt hij voeten.' Het zag eruit als een kruising tussen een huis en een fabriekje.

'Het ziet er leeg uit,' merkte Thea op.

'Toch denk ik van niet. Er staan auto's op het parkeerterrein.' Maar slechts twee. Thea had gelijk, het zag er verlaten uit.

'Henry zou ons eens een rondleiding moeten geven, een excursie voor ons verzorgen.'

Caddie lachte onzeker, maar Thea keek ernstig. 'Zouden ze op een lopende band staan, denk je?' Ze zag de schaarachtige apparaten die hij haar had laten zien voor zich en hoe ze in een rij over een lange lopende band stapten. 'Hij belt me wel eens.'

Thea keerde zich naar haar toe. 'Henry?'

'Om me op te vrolijken.'

'Huh. En lukt dat?'

'Ja,' kwam ze na een seconde tot de conclusie. 'Hij maakt grapjes over Christopher. Ik kan er niets aan doen – ik moet erom lachen.'

'Uitstekend.'

Ze keken nog een poosje naar Magills trieste, stoffige, verwaarloosde voetenfabriek. Niemand gaf de verdroogde struiken of de bruine planten water. Het bedrijf hinkte, ha-ha, dan misschien wel voort, zonder Magill, maar het miste zijn hart. En hij miste het bedrijf. Het was haar soms zo duidelijk wat andere mensen nodig hadden.

Het huis van Thea's oom en tante was een stenen huis in koloniale stijl met een rechte voorkant in een met bomen omzoomde laan in het oudste deel van de stad. 'Wat ziet het er klein uit,' riep Thea uit terwijl ze achterover in de kussens leunde, zodat Caddie langs haar kon kijken. 'O, de wilg is weg. Er zat een lange lage tak aan waar ik vaak op lag te lezen. Dat was mijn kamertje,' zei ze, terwijl ze naar de hoek van de tweede verdieping wees. 'Ik vraag me af wie er nu woont. Geen speelgoed in de tuin.'

Het was niet zo klein in Caddies ogen. En Thea's buurt was een stuk eleganter oud geworden dan de hare. Early Street was verlopen; Thea's straat was gewoon oud. 'Wil je aankloppen? Tegen de mensen zeggen dat je er vroeger gewoond hebt?'

'O... nee, dat geloof ik niet. Ik was niet zo aan dat huis gehecht. Mijn oom kreeg een baan in Washington toen ik twaalf was en we verhuisden.'

'Dus hier ben je niet echt opgegroeid?'

'Ik ben hier komen wonen nadat mijn moeder was overleden.'

'Toen je negen was,' zei Caddie aansporend. Ze wilde het verhaal horen.

'Toen ik negen was.'

'Was het onverwacht? Was ze ziek?' Ze dacht aan de moeder van Bea en Edgie en hoe ze de twee kleine meisjes gevraagd had in haar grote bed te komen om afscheid te nemen. Labelle heette ze. 'Hoe heette jouw moeder?'

'Grace. Nee, ze was niet ziek. Ze is in het kraambed overleden.'
'O nee. Was ze thuis?'
Thea keek haar bevreemd aan. Was ze te nieuwsgierig? Maar ze wilde het weten, wilde een beeld vormen van hoe Thea haar moeder verloren had, zodat ze... het naast een beeld kon houden van hoe ze de hare verloren had?
'Nou, het begon thuis – mensen kregen hun baby's in die tijd in hun eigen bed, of tenminste, in mijn familie. Met een hoop dokters en verpleegsters in de buurt, nota bene.' Ze legde haar hoofd tegen de hoofdsteun. 'Het was een grote familie, een hoop ooms en tantes en mijn grootouders, een hoop neven en nichten, maar ik was enig kind. Toen mijn moeder me vertelde dat ze in verwachting was, was ik niet jaloers, Caddie, nog geen seconde. Omdat ze zo gelukkig was. Ik herinner me een feestje in de zomer op onze voorgalerij – ik geloof niet dat het een feestje vanwege de baby was, gewoon een feestje, en mijn moeder in een witte jurk met haar buik tot hier. Lachend. We hadden een schommel en ik herinner me hoe ze mijn vader duwde terwijl hij er in zat, omdat ze van hem niet mocht schommelen.'
Ze keek met omfloerste ogen uit het raam. 'Wanneer ik aan mijn kindertijd denk, zie ik dat. Dat feest die zomer. Mijn moeder in haar witte jurk en mijn lange, knappe vader. Buiten op het gazon met alle anderen, iedereen lachend en etend, lachend en drinkend. De mannen die sigaren rookten. Een warme zomer, zoals deze – mijn grootvader die zijn colbert uittrok, zodat alle andere mannen die van hen konden uittrekken.'
Caddie wachtte op het akelige gedeelte.
'Ze overleed in september, dus ik denk dat ze een maand of zeven zwanger was op dat feest. Eerst ging alles goed. Mijn grootvader had een verpleegster in dienst genomen en zij kwam en toen de dokter. Ik mocht niet naar binnen; ze zeiden dat ik maar moest gaan slapen en zodra ik wakker werd, wie weet, had ik misschien wel een broertje of een zusje.' Ze keek naar haar handen. 'Het leek wel de avond voor Kerstmis. Ik dacht dat ik nooit in slaap zou vallen, maar dat gebeurde toch. Ik hoorde niet dat de ambulance kwam die haar naar het ziekenhuis bracht. Daar is ze gestorven. Ik heb haar nooit meer gezien.'
'En je vader?'
'O, mijn vader. Hij ging weg. Hij ging naar het westen – dat zeiden de mensen: "Je vader is naar het westen vertrokken." Ik zag altijd een woestijn voor me en tafelbergen en – dicht struikgewas, als in een western met John

Wayne. Mijn vader reed over een bergrug op zijn oude paard. Ik woonde eerst bij mijn grootouders en toen ging ik bij oom Nate en tante Dot in dit huis wonen en ze waren heel, heel lief voor me. Ze hadden twee kinderen, allebei jongens, dus het was bijna alsof ik twee broers had. Ik was helemaal niet ongelukkig. Maar ik miste mijn vader. Ik hield van hem.' Ze draaide zich om om Caddie recht aan te kunnen kijken, met een hand onder haar rossige hoofd. 'Hij stierf toen ik twaalf was. In Chicago. Ik denk dat hij nooit westelijker is gekomen.

Dus trouwde ik natuurlijk met een man zoals hij – lang, donker en elegant. En afstandelijk. Weet je wat ik zat te denken?'

'Nou?'

'Dat jij en ik verschillende dingen hebben gedaan om dezelfde reden.'

'Wat bedoel je?'

'Jij werd verliefd op Christopher omdat hij het tegenovergestelde van je oma was en ik werd verliefd op die arme, oude Carl omdat hij net als mijn vader was.'

'Nee. Mijn oma – is niet als jouw vader. Ik hád mijn oma. Jij had je vader niet, je verlangde naar hem, zei je.'

'Nou ja, hoe dan ook denk ik dat we allebei een man gevonden hebben van wie we dachten dat hij ons kon redden, denk je niet? O, ik wou dat ik weer net zo oud als jij was,' zei Thea zuchtend. 'Om die ene les te leren terwijl er nog tijd is om er iets aan te doen.'

'Maar – wat ís de les?'

Thea lachte, niet onvriendelijk. 'Ik weet het niet zeker, maar ik denk dat het is de breuk tussen het verleden en het heden nú te helen, hem niet ons hele leven met ons mee te slepen.'

Was dat de les? Caddie ging met haar vinger over het laagje stof en stuifmeel onderin het stuur. De klok op het dashboard stond permanent op tien voor halfelf. De radio gaf alleen AM door en de airconditioning deed het af en toe, net als de verwarming. 'Ik moet een nieuwe auto hebben,' zei ze.

Thea wipte het kapotte knopje van het raam omhoog en omlaag. 'Ja, dat geloof ik ook.'

'Ik heb ook nooit afscheid van mijn moeder genomen. Ze is omgekomen bij een spectaculair auto-ongeluk in Californië. Zo noemde oma het, "spectaculair". Ik weet niet waar ze dat woord vandaan haalde – het klinkt niet als iets dat ze in een politierapport zetten, hè? Ze werkte voor een radiostation, waar ze advertenties verkocht. Ik denk dat dat wel een teleurstelling voor haar was, een beetje een afgang.'

'Je vertelde me dat ze in de muziek zat.'

'Nou, eerlijk gezegd heb ik wél afscheid van haar genomen, nu ik erbij stilsta. Dat is, eh –' Ze lachte zodat het niet zielig zou klinken. 'Dat is het beeld dat ik heb als ik aan míjn jeugd denk – hoe ik afscheid neem van mijn moeder. In de deuropening van oma's huis, wij allebei naar haar zwaaiend. Ze heette Jane. Ze ging altijd weg. Ze droeg een suède jasje met franje en haar gitaar in een zwarte koffer. Ze had lang blond haar, net als Joni Mitchell.'

'En toen ze weg was,' zei Thea, 'verlangde je naar haar.'

Caddie knikte. 'Ik had zo veel theorieën over waarom ze me niet wilde. Je weet wel, scenario's.'

'Ik deed alsof mijn vader als undercoveragent voor Pinkerton werkte. In het westen.'

'Ik deed alsof mijn moeder een grote ster was, ze had zo veel optredens en concerten dat ze niet naar huis kon komen. Mensen waren afhankelijk van haar.'

'Caddie.'

'Hmm?'

'Laten we gaan winkelen. Voor we onze polsen doorsnijden. Start de auto, dan gaan we winkelen.'

'Oké. Wat gaan we dan kopen?'

'Vrouwendingen, oorhangers en gave wenskaarten en kaarsen, dingen die we niet nodig hebben. Potpourri.'

'Gave.' Ze keerde de auto op iemands oprit. 'Ik ken niemand anders dan jij die dat zegt.'

'Dat weet ik. Dat is je probleem,' zei Thea met een moederlijke glimlach en zette de radio aan.

Ze liepen de boekwinkels en antiekzaken in Federal Street in en uit, en de geschenkenwinkels en boutieks waar Caddie zelden iets kocht, omdat ze niet in haar prijsklasse lagen. En tja, wie had nu echt hoge knooplaarzen nodig of een cape van paars fluweel met reliëf? Uiteindelijk kochten ze bijna niets, maar het was leuk om te kijken. En daarna voelde Caddie zich beter, omdat ze wist dat ze eigenlijk toch niet veel wilde uit de winkels die ze zich niet kon veroorloven.

'Ik vond dingen vroeger leuker dan nu,' zei Thea weemoedig, terwijl ze aan een bedrukte zijden sjaal voelde in een winkel die Ampersand heette. 'Iedere keer dat je een stap zet, op mijn leeftijd, laat je meer achter. Als ik lang genoeg leef, heb ik alleen nog mijn handtasje en een tandenborstel.' Caddie lachte. 'Ik meen het, het is alsof je een paard bent. Hoe ouder je wordt, hoe minder je wilt dragen.'

In een winkel met badartikelen hadden ze een woordenwisseling over een paar stukken zeep die ze allebei lekker vonden ruiken. 'Koop ze dan,' zei Thea. 'Nee, koop jij ze maar.' 'Ik heb ze niet nodig.' 'Nou, ik ook niet.'

Thea kocht ze en stopte ze in Caddies handtas toen ze even niet keek.

'Hierna ben ik toe aan een borrel. Waar is er hier een bar in de buurt?' Thea keek Federal Street door. 'Ik weet helemaal niets van kroegen in deze stad, ik was te jong toen ik wegging.'

'Er is hier een café – het is wel een beetje deftig, maar ik weet zeker dat ze drank hebben.'

'Breng me er maar heen.' Ze gaf Caddie een arm.

'Heb je last van je teen?'

'O, mijn bezoeking. Ze kunnen een man op de maan zetten, maar ze kunnen niets aan de artritis in mijn teen doen. Ik zou hem moeten laten amputeren en dan kan Henry een nieuwe voor me maken.' Ze gniffelden.

De knappe jonge serveerster in het Amaryllis café wilde hen naar een van de kleine houten tafeltjes met harde, iele metalen stoelen brengen, maar Thea vroeg, met een glimlach en precies de juiste hoeveelheid charme, of ze misschien in een hoek op een lekkere comfortabele bank mochten zitten. Natuurlijk, zei de serveerster, die volgens haar badge Ginger heette, op plezierige toon en Caddie dacht: waarom doe ik dat nou nooit? Ze ging altijd ergens heen waar andere mensen zeiden dat ze heen moest, altijd zitten waar anderen zeiden dat ze moest zitten. Ze was als de dood om bazig of agressief over te komen – hoe klein die kans ook was. Misschien moest je oud zijn voor je je zin kon krijgen, maar dat geloofde ze niet.

'Ahh,' zuchtte Thea terwijl ze op het kussen ging zitten en haar spullen om zich heen legde. 'Ik trek mijn schoenen uit.' Ze keek naar zichzelf in de spiegelwand naast hen. 'Ik vind mijn haar zo fantastisch, fantastisch, fantastisch. Vinden jullie het niet fantastisch?'

'Ja hoor,' verzekerde Caddie haar, en Ginger vond het ook.

'Wat kan ik voor u doen, dames?'

Salades, besloten ze, maar eerst wijn. Caddie bestelde zonder erbij na te denken en de serveerster bracht twee grote prachtige glazen Chardonnay. 'Op de ijdelheid,' toostte Thea. 'Op er prachtig uitzien zo lang we kunnen.' Ze klonken en namen een slok.

'O, heerlijk,' zei Caddie. 'Ik heb geen borrel meer gedronken sinds...'

'Sinds je het weet.' Thea wachtte tot ze uitlegde waarom ze er nu wel een nam.

'Ik weet nog steeds niet wat ik ga doen. Behalve dat ik weet dat ik het niet kan houden.'

'De laatste keer dat we erover praatten, zei je dat je het niet kon "krijgen".'

'Nou, dat is een stap vooruit.'

Thea beantwoordde haar flauwe glimlach niet.

'Ik heb er wel over gedacht om het te houden. Even, ongeveer een uur, voor Christopher – zei wat hij zei.' Ze schoof haar wijnglas langs de randen naar de vier hoeken van haar placemat. 'Ik zag zo'n beeld voor me, weet je, van ons en een baby. Een gezinnetje.' Ze had het beeld van achteren gezien, twee handen naar beneden uitgestoken die de handjes van een peuter vasthielden. Volmaakte symmetrie. 'Maar toen, daarna, toen ik wist dat hij geen van ons tweeën wilde, was het alsof hij de baby uitgewist had. Alsof ik een miskraam had gehad of dat er nooit zoiets was geweest. Hier.' Ze zuchtte en schoof haar glas naar de andere kant van de tafel. 'Ik kan dit niet opdrinken. Ik kan niet helder denken. Ik zal de baby krijgen, omdat het anders net is alsof...' Alsof ze zichzelf, haar eigen leven uitwiste. Ze zou nog liever een orgaan uitrukken.

Thea stak haar hand uit en legde hem op de hare. 'Het zal niet makkelijk worden.'

'Ik ben naar een bureau geweest en ik denk dat het goed zal komen. Thea, die mensen – ze laten je foto's van ze zien en ze willen allemaal zó graag een kind. Het enige dat ik hoef te doen is het stel uitkiezen dat mij het geschiktst lijkt.'

De stellen 'Jackie en Todd', 'Maria en Bernard' hadden beschrijvingen van zichzelf onder hun foto geschreven. Natuurlijk beweerden ze allemaal dat ze liefhebbend en evenwichtig waren, dol op elkaar, maar je kon nog steeds met ze lachen, en het enige dat ze nodig hadden om hun geluk samen compleet te maken was een baby. Die ze zwoeren lief te hebben en te verzorgen en te koesteren alsof het hun eigen kind was. Caddie hoefde het stel maar uit te kiezen waarvan het uiterlijk haar het meest aanstond en de consulent zou een ontmoeting regelen. Of niet; als ze wilde, kon ze een paar uitkiezen zonder ze überhaupt ontmoet te hebben. Ze moest het zelf weten.

'De natuurlijke moeder heeft alle rechten, de ouders hebben niets. Het is net een contactbureau dat helemaal voor mij is ontworpen.'

'Ik weet niet of dat beter of slechter is,' zei Thea glimlachend.

'Dat weet ik. Soms denk ik dat het vroeger beter was.' Wanneer je maar gewoon vertrouwen moest hebben in het systeem om het perfecte gezin te vinden, aan wie je je pasgeborene overhandigde via tactvolle tussenpersonen zonder dat wie dan ook elkaar ontmoette. Net als moderne oorlogsvoering; zonder rommel, zonder drukte.

'Alle stellen klinken fantastisch – het is onmogelijk om een keuze te maken. Ze zijn allemaal zo veel beter dan ik. Als ouders, snap je, dus – dat maakt het gemakkelijker. Een beetje.'

De enigen die ze niet vertrouwde waren degenen die haar, de onbekende moeder, in alle toonaarden complimenteerden met haar 'moed'. Zodra ze begonnen over de 'onbaatzuchtigheid' van haar besluit en hoeveel kracht en 'heldhaftigheid' er voor nodig was, streepte ze ze door. Zij begreep niet eens haar eigen motieven, dus laat staan dat anderen dat konden.

Thea wilde zeggen: 'Caddie, ben je –' Maar ze hield op.

'Wat?'

'Niks.' Ze schudde haar hoofd. 'Hoe voel je je – hoe is het met je gezondheid?'

'Perfect, geen problemen. Behalve dat ik dikwijls erg moe ben. En ik heb zo'n sterke reukzin, ik lijk wel een hond.'

'Al zwangerschapslusten?'

'Nee, maar ik heb wel weerzin, dingen die ik niet door mijn keel krijg. Zoals mayonaise. En gesmolten kaas.'

'Heb je het Frances al verteld?'

'Dat wilde ik wel, maar ze is kwaad op me.'

Thea leunde achterover. 'Is Frances kwaad op je?'

'Woedend.'

'Waarom?'

Hoe moeilijk het ook was geweest om oma te vertellen wat ze met haar sculpturen had gedaan, het was nog moeilijker het Thea te vertellen.

'Nee, toch. O, Caddie.' Haar ogen waren helemaal wit om de irissen geworden van verbazing.

'Ik weet het. Het was afschuwelijk. Het was gemeen.'

'Het is gewéldig. O, ik wou dat ik erbij geweest was om het te zien. Die nacht? Met een schop en houweel? Caddie Winger – je bent een bijlmoordenaar!'

'Ja!'

'Gaf het een goed gevoel?'

'Ja! Nou, daarna niet meer. Maar tijdens, ja, het was geweldig, alsof ik op een missie was. Maar daarna was het afschuwelijk. Ik had het recht niet, Thea, ik had het recht niet en ik heb haar gevoelens gekwetst. Ik weet niet eens waarom ik het gedaan heb!'

Thea glimlachte terwijl ze een wenkbrauw optrok. 'Echt niet?' Toen Caddie niet reageerde, zei ze: 'Ik heb je steeds willen vragen – waarom heeft Frances groene verf in de wasmachine gegooid? Ik vond het niet erg, want mijn ondergoed begon toch al smoezelig te worden, maar wat wilde ze ermee bereiken?'

'Ik denk dat ze dingen groen verfde als symbool voor nieuwheid. Als contrast. Voor de oude dingen in haar project – je weet dat ze met een project over oudheid bezig is.'

'Wat voor kleur hebben oude dingen?'

'Je zou het haar moeten vragen. Maar ze doet er nu heel geheimzinnig over. Het hele gedoe heeft haar nogal in verlegenheid gebracht.'

'Wat heeft Brenda gezegd?'

Caddie had haar best gedaan er niet aan te denken. 'Ze zei dat het "te denken gaf". Oma wil niet naar huis, ze vindt het heerlijk in Wake House, maar Brenda zegt dat het misschien zal moeten. Ze kan haar niet houden als ze – echt knetter wordt.'

'Nou, dat begrijp ik niet. Wat voor bejaardentehuis leidt ze eigenlijk als ze iemand als Frances niet kan huisvesten?'

Hun salades kwamen. Terwijl ze aten, vertelde Caddie Thea over de brief die ze in de oude kamer van haar moeder had gevonden. 'Hij is getekend "Bobby" en er was een Bobby Haywood in de band waar ze toen bij speelde. Er stond geen adres bij, maar het poststempel is uit een plaats die Clover heet, in Delaware. Ik heb het op een kaart opgezocht,' gaf ze toe. 'Het is heel klein, ongeveer vierhonderd inwoners.'

Thea keek verwonderd. 'Wie is hij?'

'Nou.' Ze slaakte een diepe zucht. 'Hij is misschien mijn vader.'

'O, Caddie.' Ze bracht haar gevouwen handen naar haar mond. 'O, schat.'

'Ik weet het.'

'Heb je geprobeerd hem te bellen?'

'Nog niet.'

'Je hebt niet gebeld? Waarom niet?'

Ze deed net of ze nadacht. 'Muizigheid? Ik gá het doen. Een keer. Maar weet je, Thea, hij woont er vast niet meer, het is al meer dan dertig jaar geleden. Als hij er ooit heeft gewoond – misschien was hij alleen maar op doorreis, misschien reed hij toevallig langs een brievenbus. Hij zou overal kunnen wonen.'

Thea keek geduldig.

'Ik ga het doen! Een dezer dagen. Ik denk er de hele tijd aan. Maar – dit is niet iets dat je zomaar dóet.'

De serveerster kwam vragen of ze nog iets wilden drinken. 'Nee, dank je. Er is niets aan als ik de enige ben,' zei Thea, die haar glas leeg had en een derde van dat van Caddie had gedronken. 'Trouwens, misschien word ik zelfs wel verstandiger.'

Caddie betaalde de rekening terwijl Thea naar het toilet was. 'En,' zei Ginger om een praatje te maken, 'hebben u en uw moeder een gezellig dagje uit gehad?'

Caddie glimlachte naar haar. 'We zijn wezen winkelen, hebben ons haar laten doen.'

'Leuk.'

'Ja. We hebben een heel leuke dag gehad.'

Thea bevestigde het op de terugweg. 'Ik vond het zo gezellig. Dank je voor de lunch – stiekemerd, ik krijg je nog wel.'

'Ik vond het ook hártstikke leuk.' Ze vond een plekje voor Wake House en parkeerde.

'Ik weet wat ik ga doen,' zei Thea geeuwend. 'Een dutje. Van wijn overdag krijg ik altijd slaap.'

'Ik ga maar mee naar binnen, even bij oma kijken. Zien of ze al tegen me wil praten.' Ze gaf Thea een arm terwijl ze de straat overstaken. Op dit moment van de dag zaten mensen meestal op de veranda en keken naar de zonsondergang terwijl het koeler werd. Maar de veranda was verlaten. Binnen was er ook niemand, behalve Cornel en Bernie die op de bank in de Rode Salon zaten, voorovergebogen met hun handen tussen hun knieën. Ze zagen er verloren uit.

'Waar is iedereen?' vroeg Caddie vanuit de hal.

'In hun kamer.' Cornel stond op.

'Mijn oma ook?'

Hij knikte.

'Wat is er gebeurd?' vroeg Thea terwijl ze naar hem toe liep en hem een arm gaf.

Hij klopte op haar hand, knipperde met zijn ogen en zijn schildpaddenlippen vormden een gepijnigde glimlach. 'Edgie heeft een beroerte gehad.'

'Edgie! O nee.'

Bernie kwam ook naar hen toe gesjokt. 'Het is gebeurd kort nadat jullie weggegaan waren.'

'Edgie?' zei Caddie met trillende stem. Ze had hier gezeten, Bea en zij, samen op de bank. De beide zussen hadden hen nagewuifd en tegen Thea en haar gezegd dat ze 'als filmsterren' uit de schoonheidssalon moesten komen!

'Ze las "Het Beste" voor aan Bea,' vertelde Cornel. 'Bea zei dat ze moeilijk begon te praten en dat ze ineens niet meer goed kon zien. Bea wist meteen wat er aan de hand was en ging Brenda halen, die een ambulance belde. In de tussentijd zit Edgie op de bank – Bea had tegen haar gezegd dat ze zich niet moest bewegen, maar ze staat op en bám, haar been valt uit. Ze wist het niet, ze dacht gewoon dat het sliep. Ze heeft een blauwe plek op haar gezicht, maar verder niet veel. Van de val.' Hij sloeg bedroefd zijn ogen neer.

'Ligt ze in het ziekenhuis?'

'De ambulance kwam,' zei Bernie, 'en de broeders hebben haar op een brancard gelegd. Brenda is met Bea en Magill in haar auto meegegaan en mevrouw Brill is bij Edgie in de ambulance gestapt.'

'Mevrouw Brill?'

'Zo koel als een kikker. Heel efficiënt. Goed in een crisis, blijkt.'

'Zullen wij ook gaan?' vroeg Caddie aan Thea. Moesten ze niet íets doen?

'Nog niet, we lopen maar in de weg.' Thea liep tussen de twee mannen door en liet zich met een gedempte kreun op de bank zakken. 'We kunnen niets doen en Bea heeft Brenda en Henry. En mevrouw Brill.'

'Arme Edgie,' zei Caddie, terwijl ze van de een naar de ander keek. 'Wat zal er gebeuren?'

Bernie schraapte zijn keel. 'Hangt ervan af hoe erg de beroerte is. Soms is het het einde van alles en zijn ze nooit meer dezelfde, soms komen ze er helemaal overheen. Hangt er helemaal vanaf.'

'Van welk deel van de hersenen getroffen is,' legde Cornel uit.

Thea knikte langzaam.

Ze wisten alles van beroertes, die drie, dacht Caddie. Van oud worden werd je een expert in allerlei dingen waar je nooit iets van wilde weten.

'Magill zou bellen als er iets te melden was,' zei Cornel, terwijl hij krakend zijn achterste naast Thea op de bank liet zakken.

Bernie trok een stoel bij en liet zich er op vallen.

'Ik wil graag bij jullie blijven wachten,' zei Caddie. Thea schoof opzij om plaats voor haar op de bank te maken. 'Maar ik vind dat ik naar boven moet en bij oma moet wachten. Want ze is misschien...' Ze wist niet wat oma zou zijn. Maar misschien bang en overstuur en als dat zo was, wilde Caddie bij haar zijn. 'Laten jullie het me weten zodra jullie iets horen?' vroeg ze en Cornel zei ja, natuurlijk.

'Dank je,' riep Thea zachtjes. 'Dank je, Caddie.'

Ze draaide zich in de deuropening om. 'Waarvoor?'

'Voor een heerlijke dag.'

'Het was fantastisch – we zullen het snel weer doen.'

Thea verbloemde een triest gezicht door haar een kushand toe te werpen. 'Dat hoop ik!'

18

Bea was de enige die Edgie de eerste paar dagen mocht zien. De eerste keer dat Caddie ging, lag Edgie te slapen en de tweede keer was ze naar fysiotherapie. Eindelijk, een volle week na de beroerte trof Caddie haar klaarwakker in haar kamer aan.

Ze hadden haar een driepersoonskamer gegeven, maar er lag niemand in de andere twee bedden. Ze zag Caddie in eerste instantie niet – Bea, die op de rand van het bed zat, belemmerde haar uitzicht – maar Magill zag haar wel. Hij hing een beetje op het verwarmings/airconditioningapparaat onder de vensterbank; hij stond voorzichtig op terwijl hij de vensterbank met een hand vasthield en met zijn andere zijn haar achterover streek. 'Hé.' Hij begroette haar met zijn verlegen-sluwe glimlach. 'Kijk eens wie hier is, Edgie.'

Bea stond ook op. 'Hé, het is Caddie – kijk eens, Edgie, Caddie is voor je gekomen.'

Bea zag er uitgeput uit; in een week was ze tien jaar ouder geworden. Caddie zette haar jampot met petunia's op het rommelige nachtkastje en omhelsde haar. Bea was net zo lang als zij en sterk voor haar leeftijd; ondanks al haar kwalen had ze altijd sterk geleken, als een boerin, een pionierster, iemand die de touwtjes in haar ruwe, vaardige handen nam. Maar de beroerte van haar zus was een klap voor haar geweest en had alles veranderd. Ze zag eruit alsof ze op het punt stond om over te geven.

Edgie maakte een geluid als 'uhhmm' vanuit het bed. Ze hing een beetje opzij, met haar ene arm onder het laken gestopt, maar ze hief de andere en stak hem Caddie toe. 'Jij,' zei ze. 'Ein-lijk.'

'Ik weet het.' Caddie gaf een kus op haar koele wang en pakte haar ene sterke hand. Als antwoord kreeg ze een stevige handdruk. 'Je ziet er prima uit,' zei ze opgelucht en het was bijna waar. Edgie zag er bleek en moe uit, maar de ondeugende fonkeling in haar ogen was nog dezelfde en toen ze Caddie zag, deed een blije glimlach haar gezicht oplichten.

'Ik heb haar haar gedaan.' Bea ging aan de andere kant van het bed tegenover Caddie zitten. 'De verpleegsters deden het helemaal verkeerd.'

'O, het is mooi.' Net lichtgele katoen. 'Ik heb gehoord dat je binnenkort weer naar huis komt.'

Edgies glimlach was scheef, maar vol geluk. 'Ook gehoord.'

'Goh, wat hebben we je gemist. Het is niet hetzelfde als jij er niet bent.'

Ze zei iets dat Caddie niet kon verstaan.

'Ze zegt dat ze niet kan wachten,' zei Bea.

'Hier,' zei Edgie duidelijk en trok toen een gezicht, waarbij ze haar roze tong uitstak.

Caddie moest zichzelf dwingen om niet te langzaam of te hard te spreken: Edgie was niet doof en er was niets aan de hand met haar hoofd. 'Nou, het zal niet lang meer duren voor je op de veranda in je schommelstoel zit.' De groene schommelstoel was die van Edgie, de blauwe ernaast die van Bea. Officieus.

Edgie legde haar rechterhand op haar lippen alsof ze bad.

'Praten,' drong Bea aan, 'geen pantomime. Ze wordt zo moe, maar ze moet praten.'

Haar zus zuchtte, gromde. 'Ik praat,' zei ze met moeite.

'En dan te bedenken dat ik vroeger wel eens wilde dat ze eindelijk haar mond hield.' Bea lachte met natte ogen en Edgie sloeg met haar goede hand tegen haar heup.

'Ze doet het geweldig,' zei Magill vanaf het voeteneinde. 'Ze is de koningin van de revalidatie. Je had haar vandaag aan de brug moeten zien, Caddie. Sheena van de jungle.'

Edgie gniffelde. 'Door haar,' zei ze, terwijl ze op de knie van haar zus klopte. Toen kwam er iets verhaspelds uit. Ze trok gefrustreerd een gezicht en probeerde het opnieuw. Caddie kon het nog steeds niet verstaan; het klonk als *tijersen*.

'Tijd is hersenen,' verklaarde Bea. 'Dat is wat dokter Cao, de neuroloog, heeft gezegd. Ze was snel in het ziekenhuis waar ze haar meteen stolselopruimers hebben gegeven. Hoe sneller hoe beter.'

'Het had veel erger kunnen zijn,' zei Magill. 'Als je 112 niet zo snel had gebeld.'

Caddie wist dat al, iedereen in Wake House wist het, maar het was goed dat hij het nog een keer zei waar Bea bij was. Het was het enige dat haar troostte, het enige lichtpuntje in deze ramp: dat ze het juiste had gedaan, goed had gehandeld.

Caddie was gewaarschuwd dat ze het bezoek kort moest houden. Ze praatte nog even door en toen stond ze op en zei dat ze moest gaan.

'Ik loop wel even met je mee,' zei Bea snel.

Caddie boog zich voorover en legde haar wang tegen die van Edgie. 'Ik kom je snel weer opzoeken.'

'En of,' zei ze duidelijk.

'Word maar snel beter, hoor, en kom snel naar huis. Want we missen je echt.'

'Mis jullie.' Ze sloeg haar arm om Caddies nek en omhelsde haar stevig. 'Pas goed op haar.'

'Dat zal ik doen, dat zal ik doen.' Ze gaven elkaar weer een kus en Caddie kwam snel overeind – wat afschuwelijk om te huilen waar Edgie bij was. 'Dag, hoor, tot ziens. Rijd je mee?' vroeg ze aan Magill. 'Ik was van plan om bij mijn grootmoeder langs te gaan.'

'Ik denk dat ik nog eventjes blijf,' zei hij, terwijl hij haar plekje op het bed innam. 'Maar bedankt.'

Bea stond al in de hal. 'Zullen we hier even binnengaan?' zei ze, terwijl ze Caddie een kleine, te fel verlichte wachtkamer binnenleidde. Hij zat vol mensen; er waren maar twee lege plaatsen onder een schetterende tv. 'Nee, laten we –' Ze draaide zich met een ruk om en ze liepen de hal weer in. 'Hier is nog een plek.' Een bank onder een mededelingenbord aan de andere kant van de gang. 'Kun je even komen zitten, Caddie, heb je even tijd?'

Het was zondag, ze had alle tijd van de wereld. Ze gingen op de met kunststof beklede bank zitten met aan de ene kant een drinkfonteintje en aan de andere kant de nooduitgang met een rood lampje erboven. Geen echte privacy, maar de doodlopende gang was betrekkelijk verlaten. Maar goed ook, dacht Caddie, want Bea sloeg haar handen voor haar ogen en barstte in snikken uit.

Ze had haar handtas meegenomen, een grote zwarte vierkante tas met een zilveren gesp. Toen ze hem opendeed, ving Caddie de geur van munt en cellofaan op uit oma's handtas en vroeg zich af of de handtassen van alle oude dames hetzelfde roken. 'Ik ben aan het eind van mijn Latijn,' mompelde Bea in haar verfrommelde zakdoek. 'Ik hou het niet meer vol.'

'Je krijgt niet genoeg rust. Edgie is in betere vorm dan jij.' Ze had Bea nooit eerder zien huilen. Ze kon er bijna niet tegen.

Slierterige pieken loodgrijs haar piepten uit haar keurige vlechten; ze ging er met haar hand langs. 'Ik hou me helemaal niet goed. Ik schaam me dat ik zo bang ben.'

'Maar Edgie wordt beter, dat weet ik zeker. En vooral dankzij jou, Bea. En als ze eenmaal thuis is, zal ze zich ook een stuk beter voelen.'

'Ze komt niet naar huis.' Bea hief haar natte gezicht uit haar doorweekte zakdoek; nieuwe tranen liepen door de diepe groeven in haar wangen. 'Ze kan niet naar huis, Brenda kan haar niet opvangen.'

'Wat? Waarom niet?'

'Ze denkt dat ze wel naar huis gaat en ik kan haar niets anders vertellen. Ik ben bang dat ze dan doodgaat.'

'Waarom kan ze niet naar huis komen?'

Bea drukte het harde deel van haar handen in haar oogkassen alsof ze de tranen terug naar binnen kon duwen. 'Ze heeft onmiddellijk speciale therapie nodig, anders heeft het geen zin: spraaktherapie, fysiotherapie, bezigheidstherapie – Medicaid betaalt geen thuiszorg en al onze spaarcenten gaan al op aan Wake House. Ik weet niet eens of de verzekering therapie hier dekt, niet alles. Brenda wil haar wel terugnemen, maar het mag op de een of andere manier niet als ze bedlegerig is. Ik weet niet wat ik moet doen. We zijn nooit eerder van elkaar gescheiden geweest en ik weet niet wat ik moet doen. Waarom had ik het nou niet kunnen zijn geweest? Dat vraag ik God maar steeds. Het had mij moeten treffen, niet Edgie.'

Caddie sloeg haar armen om haar heen. 'Nou, ik ben het er niet mee eens,' zei ze op zo'n krachtig mogelijke toon. 'Als het een van jullie moest zijn, dan is het beter dat het Edgie is.'

'Nee.'

'Ik denk van wel. Het arme mens, ze zou er helemaal niet tegen hebben gekund als het jou was overkomen, Bea. Ze zou zich geen raad weten omdat ze nooit de oudste is geweest. Dat is jóuw baan.'

'Ik kan het niet. O, heremetijd.'

'Je hebt een hoop vrienden die je willen helpen.'

Ze slaakte een diepe zucht en ging rechtop zitten. 'Dat is het enige goede aan de oudste vrouw van de wereld zijn. Iedereen is jonger.' Nadat ze haar neus had gesnoten, haalde ze haar zakdoek er langs. 'Het is niet waar dat we nooit van elkaar gescheiden zijn geweest. Toen pa er voor het eerst achterkwam dat er iets met zijn hart was, stuurden ze hem naar het Johns Hopkins-ziekenhuis voor onderzoek. Ik bracht hem erheen en we sliepen twee nachten in een motel. Edgie bleef thuis om de boel gaande te houden. De eerste avond ging ze uit haar bol – nam een glas sherry in haar eentje en zette de radio op een dansprogramma. Hárd – ze vertelde me dat zo trots, Caddie, je zou denken dat ze heroïne in haar arm had gespoten. Ze bleef tot halftwaalf op en luisterde niet eens naar het nieuws. Snel! Maar de volgende avond was de lol er voor haar af. Ze belde me op en jammerde hoe eenzaam ze was, of we alsjeblieft wilden opschieten en naar huis komen.' Ze lachte terwijl ze de laatste traan uit haar oog wreef.

'Ik weet niet hoe gezond het is, dat wij altijd zo hecht zijn geweest. Je ziet dat tegenwoordig niet meer zo bij zussen, iedereen is zo onafhankelijk. Meisjes met een baan en die hun naam houden als ze trouwen. Nou ja, er is niets aan te doen, we zijn nu eenmaal wat we zijn en als zij vóór mij gaat, ik zweer het –' Ze leunde met haar hoofd tegen de muur en kneep haar ogen dicht. 'Het zou zoiets zijn als mijn been eraf halen. Alletwee mijn benen.'

Caddie wist niet wat ze moest zeggen. Behalve: 'Ik denk dat ze beter wordt. En Brenda zal wel iets bedenken, dat weet ik zeker.'

Bea deed een poging tot een glimlach. 'Ik vind het vervelend om te zeggen, maar soms denk ik wel eens dat de dingen echt zo akelig zijn als ze lijken. Soms is er geen happy end. En als dat het soort wijsheid is dat de ouderdom met zich meebrengt, dan hoef ik niet zo nodig.'

Magill trof hen even later aan, terwijl ze tegen elkaar aanleunden en elkaars hand vasthielden. 'Eh,' zei hij en ze gingen rechtop zitten terwijl ze hem trillerige, geruststellende glimlachjes toewierpen. 'Edgie is in slaap gevallen, dus ik...'

'Nou, dat is goed,' zei Bea op haar flinke toon, terwijl ze met een kreun overeind kwam, 'nu kun je met Caddie naar huis. Je bent hier al sinds vanochtend, je ziet er verschrikkelijk uit.'

'Het is andersom, juffrouw Bea, behalve dat laatste dan natuurlijk.' Hij had een grappige, hoffelijke manier van praten tegen de oude dames in Wake House die ze heerlijk vonden. 'Ga, jij maar met Caddie mee, dan blijf ik nog even.'

'Nee. Brenda komt me ophalen, we hebben het allemaal afgesproken. Toe, vooruit.' Ze gaf hem een duw. 'Bovendien ben ik iets van plan: ik ga zitten, leg mijn voeten op Edgies bed en ga een dutje doen.'

Toen ze Bea omhelsde voor ze wegging, fluisterde Caddie in haar oor: 'Ik wéét dat alles goed gaat komen.' Ze wist niet zeker of ze er wel in geloofde.

Buiten op het trottoir viel de warmte als een klamme deken over hen. Caddie pakte Magill bij zijn arm toen hij wankelde en hij pakte de hare, naar ze aannam omdat ze zwanger was, en ze staken het trillende parkeerterrein over naar haar kokendhete auto.

'Hé, moet je kijken, je hebt spieren gekweekt,' merkte ze op terwijl ze in zijn blote biceps onder zijn overhemd met korte mouwen kneep, en natuurlijk moest hij de spier voor haar spannen en zij moest er met nog meer enthousiasme haar bewondering over uitspreken. 'Spieren kweken' was overdreven, maar toch voelde hij steviger, harder aan. 'Ja, ik heb getraind,' zei hij met een zware, quasi-mannelijke stem. Ze vertelde hem dat ze 's ochtends lange wandelingen maakte, voor haar gezondheid en om Finney zijn maniakale energie van zich af te laten lopen, maar dat ze eigenlijk meer moest doen. De hele dag viool- en pianoles geven hield je niet bepaald in vorm. Magill zei dat hij vond dat ze er prima uitzag.

'Eerlijk gezegd geef ik niet de hele dag les,' bekende ze, terwijl ze van het parkeerterrein probeerde te rijden zonder haar handen aan het stuur te branden. Ze had alle ramen opengedraaid, behalve dat aan Magills kant, dat vastzat, maar de auto was nog net een sauna. 'In deze tijd van het jaar raak ik een hoop leerlingen kwijt vanwege de vakantie en dat soort dingen. Mijn lesschema is maar de helft van wat het anders is.'

'Geen leerlingen, geen inkomsten,' realiseerde Magill zich. 'Dat zal niet makkelijk zijn.'

'Nou ja, je weet dat het eraan zit te komen, dus je probeert er tijdens de goede tijden rekening mee te houden.' Maar het leek deze zomer erger, of anders maakte ze zich gewoon meer zorgen. Oma's pensioen was genoeg geweest voor de eerste twee maanden in Wake House, maar met de hogere tarieven, zouden ze hun spaargeld moeten gaan aanspreken. Oma's verband was eraf en ze was van de rolstoel naar het looprek gepromoveerd – ze kon naar huis wanneer ze maar wilde. Maar ze wilde niet.

'Het is gewoon de aard van mijn werk,' zei Caddie. 'Het is seizoenarbeid. Ik was van plan geweest om parttime in de muziekwinkel te gaan werken, dat heb ik eerder gedaan, maar ja, ik weet het niet, ik had er geen zin meer in.' Nee, wat er was gebeurd was dat ze afspraakjes met Christopher kreeg en dat het zo spannend en onverwacht was geweest, dat het hele idee van 's avonds in een winkel werken terwijl ze bij hem kon zijn, zo zonde en belachelijk leek. Nóg een verkeerde keus in een zomer van verkeerde keuzes.

'O, nee, wat is dit nou? O, jemig, een file. Op zóndag. Er is zeker een ongeluk gebeurd. Of anders komt het door die wegwerkzaamheden in Lee Street...' Auto's kropen vooruit op haar baan en op de baan naast haar stonden ze stil. 'Maar goed dat we geen haast hebben,' zei ze, in een poging het van de zonnige kant te bekijken. Maar als de Pontiac op een warme dag te lang op één plek bleef staan, begon de radiateur te koken. Ze keek naar Magill, die niet leek te luisteren. Hij trommelde met zijn vingers op de knieën van zijn spijkerbroek en keek fronsend naar het dashboard. Hij keerde ineens zijn gezicht naar haar toe en schraapte zijn keel. Maar hij zei niets.

'Het is het verkeerslicht, denk ik,' zei ze terwijl ze in de verte tuurde. 'Ik zie een agent. O jee, nu zitten we in de problemen.'

'Ik, eh.' Hij schraapte opnieuw zijn keel. 'Ik wilde een geschikter moment afwachten, maar ik weet niet wanneer dat komt.'

'Wat?' Ze gaf hem haar volle aandacht. Hij keek alsof hij een cadeautje voor haar had, iets riskants waarvan hij niet helemaal zeker wist of ze het wel leuk zou vinden. Het zonlicht door het raam viel op de ene kant van zijn gezicht en verlichtte zijn baardstoppels. Sommige mannen schoren zich alleen maar om de paar dagen omdat het mode was; Magill deed het omdat scheren voor hem een gevaarlijk avontuur was.

'Ik zat te denken aan de situatie, jouw situatie, en ik dacht...' Hij grinnikte zonder haar aan te kijken, maar staarde langs haar naar de auto die naast hen was komen staan. 'Wat je eerder zei over de twee generaties van Wingerbastaards, en het gaf me –'

'De wat?'

'De tweede generatie onwettige dochters. Je zei dat, weet je nog, of anders zei Frances het, die keer dat we –'

'O. Ja.'

'Ja, en ik dacht, dat ik je misschien, wellicht, zou kunnen helpen. Aangezien je wel een beetje een... conservatief mens bent. Vind je niet?'

Ze tuurde naar hem. De auto voor hen kroop een paar meter vooruit; ze zette de Pontiac in de versnelling en kroop erachteraan.

'Op een goede manier, niets aan de hand met conservatief zijn, vooral voor een vrouw. Vandaag de dag. Dat is trouwens niet het juiste woord; ik bedoel... voorzichtig, misschien, niet... niet nou, in ieder geval.' Hij gaf zijn zoektocht naar het juiste woord op. 'Ik vroeg me af of het niet alles zou oplossen als jij – en ik' – hij spreidde zijn armen in een soort allesomvattend gebaar – 'trouwden.'

Ze giechelde. Hij was zo komisch.

'Ik meen het.' Hij hield op met hoopvol glimlachen; zijn gezicht verstijfde.

Mijn God, hij meende het echt. Ze barstte in lachen uit.

'O, oké, nou ja.' Hij sloeg zijn armen over elkaar en liet zich onderuit zakken.

'Het spijt me!' Was hij beledigd? Maar het was zo kómisch. Ze was verbaasd en verrukt over zijn lieve voorstel. 'Ik ben gewoon verrast – je hebt me overvallen.'

'Laat maar, ik weet dat het idioot klinkt. Ik ben het met je eens. Maar in zekere zin is het een briljant idee.'

'Ja?'

'Ja.' Hij hees zich op toen zijn enthousiasme terugkeerde. 'Het is heel logisch als je erbij stilstaat. Jij bent min of meer gebonden – ik ben vrij. Ik ben geen lot uit de loterij, daar zijn we het over eens, maar dat is het móóie ervan. Hier ben ik, volledig beschikbaar. Magill. Het is een goede, respectabele naam. We komen uit Cork, geloof ik, ik weet het niet helemaal zeker, mijn vader zei het altijd, maar hij was niet bepaald een genealoog.'

Hij sloeg zijn handen in elkaar en werd weer ernstig. 'Ik doe dit niet zo goed. Jij loopt je zorgen te maken over de baby, dus vandaar dat ik het je wilde laten weten. Ik zou je kunnen helpen met het oplossen van je probleem. Zie het maar als –' Zijn gezicht lichtte op: inspiratie. 'Zie het maar als elementen van een legering. Jij bent titanium, je bent sterk, maar je wordt nog sterker als we er aluminium aan toevoegen.'

'Jij bent aluminium?'

'Ja. En niobium, ik ben aluminium en niobium, Ti-6Al-7Nb – oké, dat is niet de beste analogie, omdat het om drie, niet twee, elementen gaat, maar je snapt het wel.'

'Ik snap het wel.' De auto achter haar toeterde. Het was zo warm dat ze het zweet in haar knieholten voelde. Magills gezicht glom ervan. En zijn ogen zwommen van oprechtheid terwijl ze in de hare keken. 'Waarom,' zei ze ten slotte. 'Waarom zou je dat doen?'

'Omdat ik het kan. Hier ben ik – ik heb geen andere plannen.' Hij grinnikte ontwapenend. 'Gebruik me.'

'Heb je geen toekomst voor jezelf in gedachten?'

'Nee. Momenteel niet.'

'Dus het doet er niet toe wat je wilt?'

'Nee.'

'Omdat het afgelopen met je is. Je verdient geen geluk.'

Begrip schemerde door op zijn gezicht, gevolgd door schrik.

'Je denkt dat je vriendin dood is door jou. Dus blijf je jezelf voor altijd pijn doen en straffen door bijvoorbeeld met míj te trouwen, omdat dat het enige is dat je verdient.'

'Hé, wacht even. Laten we even teruggaan.'

'Het is net zoiets als jezelf uithongeren.'

'Nee.'

'Ik waardeer het aanbod – ik weet zeker dat je het vriendelijk bedoelt.'

'Ja. Nee, niet vriendelijk.'

'Ik ben ook geen lot uit de loterij,' zei ze lachend. 'Kennelijk.'

'Ik heb het niet goed gezegd.'

'Jawel, en ik begrijp het echt. Ik ga er niet moeilijk over lopen doen. Bedankt. Echt. Bedankt.'

Ze hield zo lang mogelijk een bevroren glimlach op haar gezicht. Ze voelde zich de hele dag al huilerig en down – hormonen. Een grote blubberige plas emotie stond op het punt om over te stromen; ze kon alleen haar beheersing behouden door een zwak vonkje boosheid. Aanstoot. Ze had nooit iemand gekend die zo vol zelfhaat zat als Magill en nu vroeg hij haar om deel te komen uitmaken van zijn boetedoening. Een geval van liefdadigheid om hem te helpen zijn traditie van lijden voort te zetten. Caddie het boetekleed. Ze zou niet boos moeten zijn, maar ze was het wel.

'Er is beweging. Godzijdank.' De gehate remlichten van de auto voor haar gingen uit en het verkeer begon vooruit te kruipen. Ze schakelde naar zijn twee en eindelijk begon er wat lucht te circuleren. Goed zo: ze hadden een verandering van lucht nodig in de auto.

Ze reden de rest van de weg in een gepijnigd stilzwijgen. Tegen de tijd dat ze bij Wake House kwamen, was ze niet boos meer, maar wilde wel graag weg. Ze parkeerde op hetzelfde plekje, maar liet de motor draaien. 'Nou, ik denk dus dat we niet trouwen, maar nogmaals bedankt voor het aanbod.' Ze zei het op een afrondende manier, zodat hij zou uitstappen.

Hij keek diep ongelukkig, wat een milde troost was. 'Kom je niet naar binnen?' vroeg hij. 'Ik dacht dat je naar Frances wilde.'

'Ik kom later wel. Het is zo warm, ik denk dat ik maar naar huis ga.' Dat sloeg nergens op, in Wake House was airconditioning en in haar huis niet, maar Magill ging niet tegen haar in. Ze dacht dat hij het niet eens gehoord had.

'Oké, je had gelijk. Het was een stom idee. Sorry. Ik weet niet' – hij maakte een schokkerige beweging met beide handen om zijn hoofd – 'hoe ik erbij kwam.'

'Het geeft niet. Het is wel komisch eigenlijk.'

Ze probeerden naar elkaar te glimlachen.

'Ik dacht aan een betere analogie dan titanium en aluminium. Maar die zul je zeker wel niet willen horen?'

'Weet je... ik –'

'Laat maar.' Hij boog zich voorover en begon aan de randjes van een oude vredessticker op het dashboard te pulken. 'Maar het is net alsof jij een illegale buitenlander bent en met me trouwt omdat je dan een verblijfsvergunning krijgt. We kennen elkaar al. Je hebt me op m'n ergst gezien en jij, jij hebt niet eens een ergst. Ik zou er duidelijk op vooruit gaan.'

Daar moest ze om glimlachen. 'Christopher heeft me gebeld,' zei ze om de een of andere reden. 'Hij wilde me zijn adres geven en me over zijn nieuwe baan vertellen. Erover opscheppen, eerlijk gezegd.'

Magill mompelde iets vulgairs.

'Ik heb tegen hem gezegd dat het niet zijn baby is.'

Hij ging rechtop zitten en keek haar aan.

Ze had het niemand willen vertellen, zelfs Thea niet. 'En hij geloofde me – dat is het verbazingwekkende. Ik heb gezegd dat ik in de war was geraakt bij het tellen van de dagen. Vind je dat niet gek?'

'Ik dacht – ik dacht dat hij het niet eens wíst.'

'Hij wist het wel. We deden alleen maar alsof hij het niet wist.'

Magill fronste zijn voorhoofd terwijl hij die informatie verwerkte. 'Waarom zou je hem dan ook maar íets vertellen?'

'Nou, voor het geval hij er ooit achter zou komen. Ik wilde er zeker van zijn – ik wilde hem uit beeld hebben. Zodat alle beslissingen mijn eigen beslissingen zijn.' Alsof ze ze ooit kon maken.

Magill keek op een gekke, blije manier naar haar alsof hij iets wist dat zij niet wist.

'O, nee – nee, je moet niet denken dat het is omdat ik de baby voor mezelf wil houden. Dat is het niet.'

'Weet je het zeker?'

'Absoluut. Nee. Ik ga de baby afstaan.'

Hij kromp ineen. 'Nee.'

'Waarom niet?' Door zijn schok werd ze in de verdediging gebracht. 'Ik ben bezig met een bureau, ik hoef alleen nog maar wat papieren in te vullen. Ik hoef alleen maar te tekenen. Nou, wat vind je ervan? Ik kan hem niet houden.'

'Waarom niet?'

'Waarom niet? Ik zou een ongeschikte moeder zijn! In de eerste plaats ben ik arm, ongetrouwd, ik wil geen kind – en bovendien is oma mijn kind.'

'Zie je, als je met me zou trouwen, dan zou je niet arm of alleenstaand zijn, dan zou je – nou ja, arm, oké, maar niet voor altijd, niet –'

'Magill, kunnen we er alsjeblieft over ophouden? Ik trouw niet met je,' zei ze met een boze lach.

'Goed.' Hij stak zijn duim door een gat in de knie van zijn spijkerbroek en trok, *scheur*. 'Goed.'

Na een minuut voegde ze er vriendelijker aan toe: 'Maar toch bedankt, hoor. Dat je me wilt redden.'

Een wesp vloog naar binnen en begon woest tegen de ruit te beuken. Magill verstijfde. Caddie maakte een kommetje van haar hand en leidde het diertje zachtjes het raam uit.

Hij bleef zitten, verbluft of zoiets. Dit gesprek was afschuwelijk. Ze probeerde een boodschap zijn linkerslaap binnen te telegraferen: Doe de deur open. De motor maakte op het juiste moment een ziek, hees geluid en eindelijk legde hij zijn hand op de deurkruk.

Eenmaal buiten boog hij zich als een ooievaar voorover om haar door het open raam aan te kijken. 'Wat ik fout heb gedaan, Caddie, is mezelf zien zoals ik vroeger was. Je zou mij toen echt als mogelijkheid overwogen hebben.'

'Wat?'

'Ja, ik weet het, maar je moet me op mijn woord geloven. Ik was vroeger het soort vent dat je in overweging zou hebben genomen.'

'Magill, wacht even.'

Hij bracht haar een schaapachtige groet. 'Sorry dat ik het verpest heb,' zei hij en ging op weg, met een stijve arm langs de stenen muur om in een rechte lijn te blijven. Hij liep langs de trap naar Wake House en bleef doorlopen. Hoe verder hij liep, een magere man in wapperende kleren, hoe minder zeker Caddie ervan was wie van hen tweeën het nu eigenlijk verpest had.

19

Caddie verontschuldigde zich vijf keer bij vier verschillende gelegenheden voor oma zich eindelijk gewonnen gaf en haar vergaf vanwege het vernielen van haar gazonsculpturen. De laatste keer zei Caddie dat het zo genoeg was geweest omdat ze geen manieren meer kon bedenken om te zeggen dat het haar speet. Als oma haar niet kon vergeven om wat ze had gedaan, dan moesten ze maar de rest van hun leven vervreemd van elkaar leven. Aangezien ze nu niet eens vervreemd waren, was het een tamelijk loze bedreiging. Het ging er gewoon om dat oma zich er niet toe kon brengen om 'ik vergeef je' in woorden te zeggen.

Caddies ultimatum, of wat waarschijnlijker was, haar ergernis, hielp eindelijk. 'O, verdomme. Hou er nou maar over op,' knorde oma op een avond na het eten. 'Je bent vergeven.'

'Nou, dánk je wel. Dat werd tijd.'

'Maar het was fout wat je hebt gedaan, laten we dat duidelijk stellen. Hartstikke fout.'

'O jee, dat is duidelijk gesteld. Maar je hebt me vergeven, ik heb je gehoord. Je kunt het niet terugnemen.'

Oma had haar nachtjapon al aangetrokken. Ze lag in bed met haar schetsboek op haar knieën en een handvol pastels die een kalkachtige troep op de sprei maakten. 'Caddie, wat is de essentie van ouderdom?'

'Pardon?'

'O, laat ook maar, hoe zou jij dat moeten weten. Wat is er trouwens de laatste tijd met je? Je ziet er raar uit.'

Ze lachte nerveus. 'Ja?' Er was nog niets te zien, haar kleren pasten nog prima, maar ze was al negen weken zwanger en ze had het oma nog steeds niet verteld. Dit was een perfecte kans – ze kon het haar meteen vertellen.

'Je ziet er gespannen uit of zo. Slaap je wel genoeg?'

Wat schérpzinnig. Ze was tegelijkertijd moe en gespannen, maar dat oma dat zág. Caddie schraapte haar keel, maar de drie woorden die alles zouden verklaren, kwamen er niet uit. 'Ik voel me goed, hoor. Waar ben je mee bezig, iets nieuws?'

'Nee, iets ouds.' Ze giechelde. Ze zag er heksachtig uit met haar grijze haar los op het kussen. 'Zo oud als de bergen, zo oud als de tijd. Kom je naar mijn programma?'

'Ik wil het voor geen goud missen.'

'Je mag die hondenman meenemen.'

'Nee, dat heb ik je al verteld. Ik ga niet meer met hem om.'

'Verdomme, dat was ik vergeten.' Ze keek met toegeknepen ogen op, haar voorhoofd gerimpeld van medeleven. Ze pakte haar bril van het nachtkastje.

Caddie wilde niet beter gezien worden. 'Ik moet gaan.' Ze boog zich voorover en gaf haar grootmoeder een snelle kus. 'Welterusten, slaap lekker. Ik bel je morgen.'

Oma was niet de enige die vroeg naar bed ging. Er klonk duidelijk zacht gesnurk toen Caddie langs de kamer van mevrouw Brill liep. Doré zong onder de douche en Maxine zat tv te kijken. Het ingeblikte gelach klonk hard en spottend, maar Caddie zei bij zichzelf dat het alleen maar kwam omdat ze in een stemming was. Ze was de laatste tijd altijd in een stemming en niet altijd een slechte. Soms voelde ze zich euforisch, zonder enkele reden. Hormonen, had ze in een boek gelezen. Ze kreeg ook puistjes; vanochtend was ze er met een op haar kin wakker geworden. Leuk.

Een zijgang van de hoofdgang van de eerste verdieping leidde naar een privé-trap, een van de twee toegangen tot Thea's torenkamer; de andere was op de derde verdieping. Zeventig jaar geleden was haar kamer de oudersuite van de Wakes, de mooiste van het huis. Thea nam altijd de lift, maar Caddie nam de privé-trap. Door het raam van de overloop kwam het licht van bliksemschichten die het stokoude gestreepte behang in flitsen verlichtten. De deur bovenaan de trap stond halfopen, waarschijnlijk voor een zuchtje wind – het was een verstikkend warme nacht en tegen de tijd dat de airconditioning bij de tweede verdieping kwam, was het niet echt meer wat je indrukwekkend kon noemen.

De zitkamer was leeg, maar er scheen licht onder de slaapkamerdeur door. Caddie klopte op de muur. 'Thea?' riep ze zachtjes. 'Ik ben het.'

'Kom binnen!'

Thea zat onder een staande schermlamp met kwastjes in haar grote fauteuil met haar boek op schoot en haar benen op een leren voetenbank. Ze had het stevige, maar saaie meubilair van Wake House naar de kelder verbannen en de torensuite met haar eigen spullen ingericht, een comfortabele bank bekleed met dik, donkerrood velours, een oude schommelstoel, enorme kussens over de vloer verspreid, alles zacht en warm en altijd geurend naar bloemen. Caddie was dol op Thea's kamers. Ze waren de fantasiestudentenkamer van de gaafste, meest trendy student die je ooit had gekend.

'Heb je het niet warm?' Ze liet zich op de rand van het grote hemelbed ploffen. 'Het is kokend heet in deze kamer. O, je hebt het raam open, geen wonder.' En Thea was nog steeds volledig gekleed in een dunne broek en een zijden hemd met orchideeën waarvan ze de panden om haar middel had gebonden. Maar ze zag er niet warm uit.

Ze wriemelde met haar blote voeten op de voetenbank. 'Niet bewegen, dat is het geheim. En er komt een heerlijk zacht zuchtje wind binnen. Veel lekkerder dan airconditioning.'

'Wat ben je aan het lezen?'

'Ik hoopte al dat je het niet zou vragen.'

'Ooooo. Iets pikants?'

'Absoluut niet.' Ze veegde roestkleurige vlekjes van haar schoot. 'Dit boek is zo oud dat de kaft uit elkaar valt.'

'Wat is het?'

'*Freckles*, van Gene Stratton Porter. Een vrouw, geen man. Ik las dit boek voor het eerst toen ik tien was.' Ze trok een gezicht. 'Het is dus eindelijk gebeurd, ik ben terug in de kindertijd.'

'Oma houdt tegenwoordig alleen nog maar van Jane Austen, ze leest niemand anders.'

'Zie je wel? De langzame verkinderlijking van de geest. Heel triest. Maar het kan me niets schelen, ik herlees alle boeken waar ik ooit van smulde en ik krijg er een gelukkig gevoel van.'

'Oma zegt dat ze het fijn vindt om te weten hoe ze aflopen.'

'Nou, dat ook. Freckles komt erachter dat hij niet de arme wees is, maar de zoon van een edelman, en iedereen leeft lang en gelukkig. O, het is een heerlijk boek.' Ze legde een nagelvijl tussen de pagina's en legde het boek neer. 'Hoe is het met jou? Je ziet er een beetje afgepeigerd uit.'

'Dat ben ik ook wel.'

'Is er iets?'

'Nee. Ik weet het niet. Ik ben gewoon... ik weet het niet.'

Thea wachtte, maar toen Caddie er niets anders uit kon brengen, haalde ze haar voeten van de voetenbank en stond op. 'Als je zin hebt om te praten, dan weet ik een geweldig plekje. Maar het is een geheim, je mag er niemand over vertellen.'

'Is het er koel?'

'Koeler.'

'Laten we gaan.'

Door de gang langs de slaapkamers van de mannen, langs de kamer van Edgie en Bea, langs de trap en de hoek om, door een donkere, ongebruikte gang naar een deur die Caddie nooit eerder had gezien. Hij was niet op slot en leidde naar twee korte, smalle trappen waar zwart rubber of linoleum op lag, verlicht door een stoffig peertje dat Thea onderaan aanknipte. 'Zijn dit bediendetrappen?' vroeg Caddie, om de een of andere reden fluisterend.

Thea bleef even staan, met haar hand om de leuning om op adem te komen. 'Nee, gewoon zoldertrappen. Daar gaan we heen.'

'O.' Ze volgde plichtsgetrouw terwijl ze dacht: Hoe kan het op zolder nou koeler zijn?

Bovenaan de trap stopten ze opnieuw. 'Pff,' zei Thea terwijl ze op haar borst klopte. 'Ik moet meer bewegen. Kijk eens, Caddie. Zou het niet leuk zijn om hier op onderzoek uit te gaan? Je krijgt een hele les in Amerikaanse geschiedenis hier.'

'Of een allergie,' zei Caddie met verstopte neus voor ze twee keer nieste. Ze kon in de halve duisternis met moeite vormen onder de dakspanten onderscheiden, koffers en kasten, afgedankt meubilair, dingen onder lakens. Alles rook naar droog hout. 'Poeh, het is enorm. Is dit waar we, eh...'

'Nee, gekkie.' Ze lachte, nam Caddie bij de hand en nam haar zelfverzekerd mee over een kronkelend pad tussen stapels en hopen van van alles en nog wat. Bleek licht scheen om de randen van een enorm, oud kabinet of kleerkast die tegen de ruwe, schuine, niet-geïsoleerde muur stond. Niet er strak tegenaan: Thea liet Caddies hand los en glipte langs de achterkant van het zware meubelstuk. Een klik; een schril gepiep. Nog meer licht. Caddie gluurde om de hoek en zag een hoog, openslaand raam. 'Hoe is het mogelijk.' Ze perste zich achter Thea langs en een ogenblik later keek ze uit over een lage, stenen balustrade naar een hemel vol voortjagende wolken en een stadsgezicht van daken, zwarte boomtoppen en knipperende lichtjes. 'Waar zijn we?' riep ze verrukt uit. 'Ik wist niet eens dat dit er was.'

'Is het niet geweldig?'

'Daar is de brandgang, dus we zitten aan de noordkant, maar waar?'

'We zitten tussen twee schuine daken, bijna verscholen. Dat is echt de enige plek vanwaar je ons kunt zien.' Ze wees naar een huis verderop in het volgende blok. 'Ik zei toch al dat het een geheim was.'

'Hoe ben je er ooit achtergekomen?'

'Door op onderzoek uit te gaan.'

'Zat dit raam niet eens op slot? Er zouden andere kunnen zijn –'

'Direct tegenover zit er nog een, ik zal het je laten zien als we teruggaan, maar het wil niet open. Waaróm je twee onzichtbare balkonnetjes aan de zolder zou bouwen, ontgaat me, maar ik ben er dankbaar voor. Ga zitten, Caddie, die stenen zijn 's avonds lekker koel.'

Er was plaats voor hen om tegenover elkaar op het kleine balkonnetje te zitten met hun rug tegen tegenoverliggende muren en hun benen naast elkaar gestrekt, maar verder niet. 'Weet je zeker dat het veilig is?' Caddie tikte op een van de balkonspijlen, half schertsend, maar niet helemaal.

'O, dit huis staat er nog lang nadat wij verdwenen zijn. Ik in ieder geval.'

'Oma zegt dat ze de familie Wake heeft gekend. Erover heeft horen praten, bedoelt ze. Ze waren zeker wel belangrijk hier. Heb jij ze gekend?'

'Ik was nog erg jong toen de zeepbel uiteenspatte en ze alle windrichtingen uit zwierven. De Wake-diaspora.'

Wat verdrietig om alles kwijt te raken, zelfs je huis. Triest voor iedereen, maar nog erger als je bekend was en de hele stad meekeek. Caddie slaakte een diepe zucht.

'Wat is er toch met jou? Je ziet er zwaar uit. Moedig,' verhelderde Thea toen Caddie naar haar buik keek, 'zwaarmoedig. Waar denk je de laatste tijd aan?'

'Niets eigenlijk, mijn hoofd is leeg. Maar ik heb er gewoon last van, dat emotionele... op en neer. Ik heb net een stel uitgezocht. De familie Benedict. Ze zijn perfect,' zei ze somber. 'De vrouw is dierenarts en de man is maatschappelijk werker. Er is níets mis met ze.'

De bliksem flikkerde, dichterbij, en onthulde de verrassende contouren van wolken. Elektriciteit knetterde in de lucht en het doffe gerommel was bijna constant. Onweer op komst.

'O God, o God. Ik weet het niet. Misschien had ik me moeten laten aborteren.'

'Waarom zeg je dat?'

'Daarom. Uiteindelijk komt ze erachter dat ik haar afgestaan heb.'

'Ze?'

'Hij, zij. Ik denk dat het een meisje is – die krijgen we altijd.'

'Dus...' Thea sprak langzaam alsof ze aan het aftasten was, 'het zou beter voor deze baby zijn dat ze niet geboren werd dan dat ze erachter komt dat ze geadopteerd is.'

'Nee, niet dat ze geadopteerd is, maar dat ik haar weggegeven heb. Ik zeg niet dat dit logisch is.'

'O, goed.' Thea leunde met haar hoofd tegen de muur. 'Wanneer ben je precies uitgerekend?'

'Eind maart.'

'Vlak voor het voorjaar.'

'Ja.' Er viel een regendruppel op haar pols. 'Dan is het mooi weer en kan ze buiten op een deken in de schaduw liggen.' Caddie vouwde haar armen voor haar ogen. 'Ik probeer er niet aan te denken, de details. Als ik van haar een echt mens maak, als ik mezélf in het beeld plaats – maar soms kan ik er niets aan doen. Wat denk je dat erger is,' zei ze, terwijl ze haar armen liet zakken, 'je moeder kwijtraken omdat ze overleden is – of omdat ze weggegaan is, ze je, snap je, niet wilde, zich niet echt om je bekommerde. Wat is erger, denk je?'

'Wie van ons had het het moeilijkst, is dat wat je wilt weten?'

'Nee. Oké, ja. Jouw moeder, in ieder geval heb je altijd geweten dat ze van je hield. Maar Thea, wat was voor jou het ergst, haar overlijden of je vader – die naar het westen ging?'

'Dat is een uitstekende vraag, maar wat doet het ertoe? Het is een mensenleven geleden.'

'Dat weet ik, maar hoe ben je eroverheen gekomen?'

'Dat ben ik nooit. Maar ik ben ermee opgehouden het me als een verdwaalde hond te laten volgen.'

'Hoe?'

Ze haalde haar schouders op. 'Door het alternatief onder ogen te zien. En ook door om me heen te kijken en te zien hoe kórt het leven is, Caddie,' zei ze intens.

'Het alternatief onder ogen zien. Je bedoelt, iemand zoals ik worden.'

Thea glimlachte in het donker. 'Er zijn heel wat dingen erger dan worden zoals jij.'

'Maar dat is wat je bedoelde.'

'Nee, wat ik bedoelde was, bang zijn vreet te veel energie en is maar zelden de moeite waard. Ik heb heel wat liever pijn dan angst voor pijn. Mijn ergste fout, en ik heb er meer gemaakt dan jij denkt, was met Carl trouwen en ik deed het om te proberen het verleden te corrigeren. Wat onmogelijk is. Wat een tijdverspilling, de verspilling van de korte, kostbare tijd van twee mensen.'

Caddie zei: 'Ik dacht dat ik op Christopher verliefd werd, omdat hij zo normaal was en hij *míj* normaal zou maken. En onzichtbaar – dat is altijd een doel van me geweest. Maar... misschien is de ware reden dat ik verliefd op hem werd, dat ik hem niet kon krijgen. Misschien wil ik eigenlijk – *wílde* ik eigenlijk,' verbeterde ze zich hoopvol, 'niemand. Lekker rustig. Alleen oma en ik, omdat ik dan veilig zou zijn. Niemand zou me ooit in de steek kunnen laten. Thea...'

'Hmm?'

'Hoe ben jij zo dapper geworden?'

Ze lachte terwijl ze haar hoofd liet zakken en met haar handen door haar haar woelde. 'Een van de dingen die ik zo heerlijk aan je vind, Caddie... is... hoe zal ik het zeggen... dat je geen idee hebt.'

'O, dank –'

'Van hoe lief je bent. En hoeveel sterker je bent dan je denkt.'

'Dat zeg je, maar ik voel me niet sterk.'

'Je hebt gewoon niet genoeg oefening gehad. Je moet gaan vragen om wat je wilt. En soms *níet* vragen.'

'Maar er zijn dingen die met ons te maken hebben die we niet kunnen veranderen,' betoogde ze, 'heb je dat gevoel niet? Soms wil ik de baby houden, maar ik weet dat ik het niet moet doen. Het is alsof – ik een kind ben en er is iets dat ik heel graag wil, maar ik weet dat mijn ouders het niet kunnen betalen, maar toch wil ik het. Dus dan schaam ik me.'

'Omdat je je eigen baby wilt houden? *Schááám* je je?'

Het was zo moeilijk om uit te leggen. 'Luister. Net zoals ik ooit in mijn moeder zat, zit die baby nu in mij.'

'Ja?'

'Dat zeg ik ook tegen mezelf, maar ik kan het maar niet reëel maken. Op welk niveau dan ook. Als mijn moeder me in de steek kon laten, als mijn vader me in de steek kon laten –' Ze stak haar handen uit. 'Wie zijn we, Thea, als we niet de mensen zijn die ons gemaakt hebben?'

Thea pakte Caddies schoen beet. 'Goed, prima, doe wat je doen moet, om wat voor ingewikkelde redenen dan ook, maar je moet naar me luisteren. In de eerste plaats is "normaal" zijn een vals doel, een kinderdoel. En dat is "onzichtbaar" zijn ook.'

'Dat weet ik.' Ze verborg haar gezicht tegen haar opgetrokken knieën. Het begon te regenen; ze voelde de dikke druppels als kleine klapjes op haar rug neerkomen.

'Je weet het. Goed.' Thea schudde aan de schoen. 'Weet je ook dat je niet je moeder bent? Je bent het tegenovergestelde van haar, begrijp ik uit wat je me verteld hebt. Je hebt jezelf het tegenovergestelde van haar gemaakt – dat is jouw prestatie. Mijn lieve Caddie, je zou zo'n goede, liefhebbende moeder voor deze baby zijn.'

Plotseling prikten de tranen achter haar ogen. Haar borst deed pijn, alsof er een barst in haar hart was ontstaan. 'Echt?' was het enige dat ze kon zeggen. Anders brak er een dam door.

'O jee, ja. Gelukkige, gelukkige baby. Heel jammer voor meneer en mevrouw Benedict, maar als ze zo perfect zijn, dan vinden ze binnenkort wel een andere.'

'Maar het is zo eng, het is zo eng. Om een miljoen redenen.'

'Je zult mij niet horen ontkennen dat het leven eng is. Maar het leven mijden ook. Je kunt jezelf bevrijden wanneer je maar wilt. Alles wat je zoekt, alles wat je nodig hebt, zit al binnenin je. Als je leven aan het aflopen was in plaats van beginnen – als je zo oud was als ik, of ouder, als je je zoiets kunt voorstellen – als je een ongeneeslijke ziekte had – en laten we eerlijk zijn – we hebben allemaal een ongeneeslijke ziekte – wat zou er dan het meest toe doen, wat zou het allemaal de moeite waard maken? Denk je dat het is omdat je erin geslaagd bent om onzichtbaar te blijven?'

'Nee, dat weet ik.'

'Ik weet dat je het weet, ik zeg niets *wíjs*. Nee, dit is wijs – je houdt niet genoeg van jezelf, Caddie, en dat is wel een beetje een zonde, vind ik. Dat is een beetje kleinzielig van je. Het is dat gedoe met die schaamte weer. Hoe noem je het wanneer twee woorden bij elkaar horen?'

'Bedoel je zoals –'

'Zoals winterharde chrysanten; je ziet nooit gewoon chrysanten te koop staan, het zijn altijd winterharde chrysanten. Nou, zinloze schaamte is voor mij nog zo'n stel. Schaamte is bijna altijd zinloos. Als je een liever meisje was geweest, was je moeder niet bij je gebleven. Of mijn vader. Wij konden er niets aan doen.' Ze boog zich verder voorover en keek Caddie diep in de ogen. Maar de boodschap was niet zo intens als ze had kunnen zijn, omdat het op dat moment begon te gieten.

Ze krabbelden overeind. Caddie ging achteruit om Thea voor haar door het raam met het traliewerk te laten gaan, maar in plaats daarvan sloeg Thea haar armen uit en deed haar hoofd achterover. Ze stak haar tong uit. 'Mmm, er smaakt niets zoals dit. Puur. God, vind je onweer niet heerlijk? Will had een aanlegsteiger in de kreek gebouwd en daar gingen we tijdens onweersbuien op liggen. Plat – zodat we niet getroffen zouden worden.'

'Was je niet bang?' Caddy moest niet veel hebben van de nabijheid van grillige bliksemflitsen boven hun hoofd of harde donderklappen die kort na elkaar kwamen.

'Ja! En opgewonden – we werden kletsnat, zoals nu –'

'Thea, die blouse is geruïneerd.'

Ze keek omlaag alsof ze zich niet kon herinneren welke blouse ze ook alweer aanhad. 'Je hebt gelijk.' Ze maakte de panden los, knoopte haar zijden blouse los, trok hem uit en gooide hem door het raam. 'Da's een stuk beter.' Ze lachte om Caddies gezicht. 'Een stuk!' Ze hief haar armen weer en maakte kommetjes van haar handen om de regen op te vangen. Ze daagde Caddie niet uit, ze keek niet eens naar haar, ze hield haar ogen dicht en ving weer regendruppels op haar tong op – maar ineens trok Caddie haar eigen T-shirt uit. Een ogenblik lang dacht ze erover om het over de balustrade op het lagergelegen dak te gooien, maar dat ging haar een beetje te ver. Ze gooide het op zolder, Thea's blouse achterna.

Thea lachte. Ze keek blij maar niet stomverbaasd – dat vond Caddie geweldig. Ze stonden in de koele, harde regen, draaiend en wervelend in hun bekrompen ruimte, twee vrouwen in witte beha's die lavendelblauw in het onweer oplichtten, hun gelach slechts hoorbaar in het waterige gebrul tussen zware donderklappen in.

'We zijn mooi!' kraaide Thea.

'Ja!' Het water striemde in haar gezicht en stroomde in haar ogen.

'Ik was vroeger ballerina! Ik heb het opgegeven om met Carl te trouwen.' Plotseling pakte ze Caddie bij haar glibberige schouders en rammelde haar lang en hardhandig door elkaar. 'Waag het niet om ooit met jouw muziek op te houden. Jóuw muziek.'

'Nee!' beloofde Caddie.

Later, terwijl ze zich in Thea's kamer afdroogde, had Caddie graag de achting voor haarzelf en de levensvreugde van haar vriendin langer vast willen houden, maar ze moest haar ook de waarheid vertellen. 'Ik weet nog steeds niet zeker wat ik ga doen. Met de baby. Het is een belangrijk besluit.'

'Natuurlijk is het dat.' Thea stond voorovergebogen terwijl ze haar haar met een handdoek droogwreef. 'Wat jij ook beslist, ik sta achter je.' Ze kwam overeind. 'Ik meen het, wat je ook beslist. Ik wil alleen maar dat je de beslissing vanuit de juiste kant van je hart maakt, daar ging de hele preek over.'

'Het was geen preek.'

'Je bent lief.' Ze ging de badkamer in en kwam snel terug met een korte, vlotte ochtendjas van felgroen satijn aan. 'Nieuw. In de uitverkoop. Vind je hem leuk?'

'Jij zou peetmoeder kunnen zijn,' realiseerde Caddie zich.

'Trek deze maar aan,' zei Thea, terwijl ze haar een droog T-shirt toewierp. 'Hij zal wel passen, we zijn allebei smal van boven. Van een broek weet ik het niet.'

'Thea, jij zou haar peetmoeder kunnen zijn. Als ik haar hield.' Thea zei niets, dus Caddie draaide zich bescheiden om, deed haar natte beha uit en trok het T-shirt over haar hoofd. Ze draaide zich weer terug. 'Wat denk je?'

'En Frances dan?' Thea liep naar haar dressoir en zocht in de onderste la.

'Zij is de overgrootmoeder, ik heb nog steeds een peetmoeder nodig. Als ik haar hield.'

Thea stond met lege handen op. 'Geen broek.'

'Wat denk je?'

Ze zette haar handen op haar heupen. 'Zijn we aan het onderhandelen? Is dit een of andere overeenkomst?'

'Nee.'

'Wat dan?'

'Ik zeg – áls, dat is alles. Laat maar, het is onnozel, ik liep gewoon hardop te denken.' Ze voelde een opgelatenheid en het begin van pijn. Wat belachelijk was. Toch, hoe nieuw het idee ook was, het kwam als een schok dat Thea misschien niet de peetmoeder van haar baby wilde zijn.'

'Schat.' Thea kwam met uitgestoken handen naar haar toe gelopen. 'Alles wat ik zeg is dat ik geen overeenkomst wil sluiten. Of een belofte doen, zelfs al maakt het dat gemakkelijker voor jou.' Ze streek een lange, natte lok haar achter Caddies oor en legde haar hand zachtjes op haar wang. 'Denk niet aan mij of aan wie ook terwijl je je besluit neemt. Kijk in je hart, nergens anders.'

'Oké.' Ze voelde zich tegelijkertijd getroost en terechtgewezen. Was dat het ware, volwassen doel, om in je eentje sterk te zijn, nooit om hulp te vragen van degenen die je liefhad? Ze nam aan dat Thea het beter wist, maar misschien gaf Caddie gewoon niet zoveel prioriteit aan autonomie als zij. Maar het was het belangrijkste om je niet afgewezen te voelen. Want dat zou echt heel stom zijn.

'Waarom blijf je niet hier in plaats van zo laat nog in je eentje naar huis te gaan? Je zou op de bank in de zitkamer kunnen slapen, hij ligt heel lekker. Ik heb er genoeg dutjes op –'

'Ik kan niet, ik moet naar Finney.'

'Ik was hem vergeten.'

'Bedankt dat je me het geheime balkon hebt laten zien.' Caddie vond haar tas en hing de riem over haar schouder. 'Dat was geweldig.' Klonk ze stijfjes? Nadat ze net samen halfnaakt in de regen hadden gedanst? Thea keek haar met samengeknepen, bezorgde ogen aan. 'Echt geweldig,' herhaalde Caddie en omhelsde haar. Toen ze haar wilde loslaten, bleef Thea haar vasthouden.

'Het kan me niet eens schelen wat je beslist, behalve voor jóu,' zei ze over Caddies schouder in de lucht. 'Ik wil dat je trots op jezelf bent, zonder enige spijt. Je verdient het om gelukkig te zijn.' Ze drukte haar tegen zich aan. Caddie begreep het waas van tranen in Thea's ogen niet, maar ze was er blij mee.

Terwijl ze de Pontiac startte en naar de ruitenwissers keek die regen en weggewaaide kamperfoelie over de voorruit uitsmeerden, bedacht ze wat een interessant mens ze tegenwoordig was. Hoe gevarieerd en complex haar reacties waren. Thea wilde niet echt de peetmoeder van haar baby zijn en dat vond ze prima. Daar had ze geen moeite mee. Bijna niet. Magill, daarentegen, had haar gevraagd met hem te trouwen zodat de baby een naam zou krijgen en ze had hem afgesnauwd. Ze had bijna een eind aan hun vriendschap gemaakt! Ze tikte op haar kin en voelde aan de gevoelige plek waar het puistje zat. Het waren vast hormonen.

20

De Grijze Goeroes hadden voor iedere derde vrijdag van de maand om 8 uur 's avonds in de Blauwe Salon iets op het programma staan. Doré Harris, de zelfbenoemde coördinator, zei dat twaalf programma's per jaar een gelukkig toeval was, omdat Wake House twaalf bewoners kon huisvesten. Sommige mensen waren al aan hun tweede of derde presentatie toe, terwijl anderen, zoals Cornel, die hen de Grijze Ganzen noemde en hen per definitie als niet ter zake doende beschouwde, er nooit een hadden gegeven. De omvang van het publiek varieerde. Voor oma's presentatie 'Vlekken op de Schildpad, Ringen van de Boom: Gedachten over Ouderdom in Woorden en Eén Groot Doek,' was de Blauwe Salon afgeladen. Er waren alleen nog staanplaatsen.

Er was geen katheder; sprekers stonden of zaten achter een kaarttafeltje voor de open haard terwijl het publiek op klapstoelen om hen heen zat. Om tien over acht ging Doré, die naast Caddie op de tweede rij zat, staan en liep naar de kaarttafel.

'Terwijl we op onze spreekster wachten, die hier ieder moment kan zijn, wil ik graag van de gelegenheid gebruikmaken om u alles te vertellen over ons prachtige aanbod van de komende paar maanden.' Doré kleedde zich altijd voor de presentaties; vanavond, waarschijnlijk omdat het onderwerp kunstzinnig was, droeg ze een lange, pluizige, donkerbruine tuniekjurk met een ketting van zware, rammelende houten sterren en halvemanen. 'In september hebben we een favoriete bekende – Bernie gaat ons dia's laten zien en ons vertellen over zijn cruise naar het Panamakanaal.'

Cornel kreunde en zakte nog verder onderuit in zijn stoel op de eerste rij. 'Jakkes, niet weer.'

'Ik weet dat we allemaal van dit níeuwe programma zullen genieten, dat we niet moeten verwarren met Bernies reis naar Puerto Rico, die heel boeiend was en waar we afgelopen maart over gehoord hebben. En in oktober is het mijn beurt weer. Wat vliegt de tijd toch!'

'Niet snel genoeg,' zei Maxine Harris, aan Caddies andere kant, op zachte, maar duidelijke toon. 'Als ze maar niet weer "Beelden uit Excalibur" doet. Ik had mijn pillen tegen reisziekte nodig om daar doorheen te komen.'

Magill, die tegen de deurpost geleund stond, kreeg een hoestbui.

Doré's smalle neusvleugels trilden. Haar mondhoeken gingen naar beneden voor ze ze met een ijskoude glimlach optrok. 'Daarna, in november, zullen we iets van Maxine horen, die iets gaat doen over verzekeringen, ik heb niet precies begrepen –'

'"De Wijsheid van de Levensverzekering met Gewaarborgde Rente",' zei haar aartsvijand op luide toon. 'Mijn zoon, Stewart Ray júnior is een van de best verkopende levensverzekeringsagenten in de oostelijke regio. Ze geven hem om de haverklap een bonusreis naar de Cariben.'

'Tjonge, is dat niet aardig! We kunnen allemaal niet wachten om dat te horen.' Voor het geval dat Maxine dit sarcasme ontgaan was, vertraagde Doré haar zuidelijke accent tot een suikerzoet gekweel en voegde eraantoe: 'Er is niets waar ik persoonlijk zo dol op ben als iemands verslag uit de tweede hand van een ietepieterig stukje van de stierlijk vervelende beroepsspecialiteit van haar zoon.' De ijskoude glimlach flitste weer voor ze naar haar stoel terugging en ging zitten.

Caddie staarde naar haar nagels en probeerde het gevoel van hitte te negeren dat van twee kanten op haar af kwam. Vanuit haar ooghoek zag ze hoe Maxine, die met haar benen over elkaar had gezeten, haar voeten in haar Dr. Scholl-sandalen op het kleed plantte. 'Het is beter dan voeten.'

Beter dan voeten? Ze ving toevallig Thea's blik op en moest zich snel afwenden. Dit was niet om te lachen.

'Het is beter dan de hele dag aan mensen hun voeten zitten sleutelen,' verduidelijkte Maxine. 'En het betaalt vast ook beter.'

O, nu wist ze het weer – Doré's dochter was podotherapeute. Op de voorste rij keken Susan Cohen en mevrouw Brill naar elkaar en rolden met hun ogen. Brenda schraapte haar keel op een zachte, verdraagzame, redelijke manier.

Doré liet een twinkelende lach horen. Caddie kromp ineen toen ze zich naar haar keerde en haar een vertrouwelijk klopje op de hand gaf. 'Is het niet triest,' mompelde ze, 'als mensen over de prestaties van hun kinderen lopen op te scheppen, omdat die van henzelf zo schaars en zielig zijn?'

'Is het niet triest,' deed Maxine haar na, 'als de kinderen van mensen helemaal naar het andere eind van het land verhuizen om bij ze uit de buurt te zijn?'

Doré snakte naar adem.

'Is het niet triest, Caddie, als mensen denken dat "Dodo" een koosnaampje is?'

Doré's houten ketting maakte holle ketsende geluiden toen ze zich lang maakte. 'Wat triest is –'

'Is het niet triest' – Maxines stem trilde van onderdrukte woede – 'wanneer mensen die drie huwelijken achter elkaar kapotgemaakt hebben, je recht in je gezicht zeggen, Caddie, dat ze nooit iets om materiële bezittingen hebben gegeven? Vind je dat niet tríest?'

'Ik zal je zeggen wat triest is, dat zijn vrouwen die hun man niet kunnen vasthouden en ieder ander de schuld geven –'

'Niet ieder ander, alleen de sloerie die verantwoordelijk is voor het kapotmaken van haar gelukkige gezin!'

'Gelukkige gezin! Ha!'

'Gelukkige gezin! Tot iemand het kapotmaakte. Iemand die dat romantisch noemt – alleen is ze niet als Romeo en Julia, maar als Lady Macbeth!'

Doré maakte zich op voor een tegenaanval toen Bea Copes achterin de salon uitbarstte: 'Hou op! Schaam jullie allebei, schááám je!'

Caddie draaide zich met alle anderen om en zag hoe Bea zich overeind hees met behulp van meneer Lorton die op de stoel voor haar zat. Ze zag er door haar dagelijkse bezoek aan haar zus afgetobd uit, haar ogen stonden hol en ze was magerder dan Caddie haar ooit had gezien. Maar ze was zo kwaad dat haar gevlochten haar eruitzag alsof er vonken af sprongen. Ze schudde met haar vuist!

'Jullie idiote vrouwen. Hoeveel tijd hebben jullie verspild, hoeveel van míjn leven verzuurd met jullie gebekvecht? Wat voor sufkoppen zijn jullie?'

Doré zei: 'Nou, eh –'

'Hoe bestaat het dat jullie niet weten wat je hebt? Ik zou jullie met de hoofden tegen elkaar willen knallen!' Caddie was er bijna zeker van dat ze het gedaan zou hebben als ze naast elkaar hadden gezeten. 'Vinden jullie het fijn om alleen en eenzaam te zijn? Want dat zijn jullie, maar het is niet nodig, en ik vreet me erover op. Als jullie ook maar iets verder zouden kijken dan je neus lang is –' Ze haalde snel een hand over haar wang, kwaad over haar tranen. 'Jullie zouden elkaar kunnen redden als jullie ook maar een beetje verstand hadden, van dat gif zouden afkomen. Godallemachtig, als jullie eens wisten.' Ze fladderde met haar hand naar hen en liet haar schouders zakken. 'O, verdorie.' Ze liet zich met een plof op haar stoel zakken en begon in haar zak, haar mouw te zoeken; mensen wendden zich af zodat ze wat privacy kreeg om zich te herstellen.

Magill maakte zich van de muur los en liep naar haar toe met iets wits in zijn hand: een schoon papieren zakdoekje. Ze legde haar wang tegen zijn schouder toen hij naast haar stoel knielde. Toen keek Caddie ook weg.

Aan weerszijden van haar keken Maxine en Doré strak voor zich uit met hun handen in hun schoot, zo stil dat het net was of ze niet ademden. Hun zwijgen klonk geschokt en spijtig, zo interpreteerde Caddie het tenminste; maar de stilte in de salon klonk tevreden, als een rechtszaal nadat de jury is teruggekomen met een populaire uitspraak.

Ten slotte zei Brenda: 'Nou! Zal ik eens even gaan kijken waar onze – o! Daar is ze al.'

Oma vond het heerlijk om een entree te maken; Caddie had de mensen misschien moeten waarschuwen dat ze niet op tijd zou zijn voor haar programma. Ze zag er een beetje verwilderd uit terwijl ze de salon in kwam gestrompeld met een wandelstok in plaats van haar looprek, met een stapel losse papieren in haar andere hand geklemd. Wat had ze aan? Het leek wel een laken. Dat was het ook, een wit laken dat als een toga om haar lange, uitgezakte lichaam was gewikkeld en met een koord om haar middel was geknoopt. Ze had ook witte tennisschoenen aan en ze droeg haar witte emaillen oorhangers, waar op de ene 'Schoonheid' en op de andere 'Waarheid' stond. Waren die vegen witte verf een ongelukje of hoorden ze bij de uitrusting?

Ze had de hele middag aan iets gewerkt, een kunstwerk dat het sluitstuk van haar programma zou zijn, maar het was heel mysterieus; ze wilde er niets anders over zeggen dan dat het 'eenvoudig' zou zijn. Goed, had Caddie gedacht, en wat een verandering ten opzichte van haar gebruikelijke, allesomvattende artistieke visies. Wat het ook was, ze was van plan het te onthullen aan het eind van haar formele praatje, dat slechts een inleiding was; het grote project was boven in haar kamer.

Ze liep prikkend naar de kaarttafel/katheder en tuurde bijziend om zich heen. 'En? Wie stelt me voor?'

Er was een moment van onzekerheid terwijl Doré, Brenda en Caddie alledrie aarzelden en vervolgens wilden opstaan, net als mysterieuze gasten in die oude quiz – maar voor iemand kon opstaan, zei oma: 'O, laat maar, ik begin gewoon wel.' Haar bril bungelde aan een ketting om haar nek; ze tilde hem van de boezem van haar toga en zette hem op haar neus. Ze herschikte de volgorde van haar papieren. Schraapte haar keel.

Caddie verbrak de doodsgreep waarin ze haar eigen handen had en haalde diep adem. In, uit, vanuit het middenrif. Er was maar één ding dat haar nerveuzer maakte dan in het openbaar optreden en dat was haar oma die in het openbaar optrad. Het oude, deprimerende gevoel daalde over haar neer, net als altijd, de neiging om weg te lopen, te verdwijnen, alles behalve opnieuw een zweethanden en onrustige houding veroorzakende gêne die werd opgewekt door oma's behoefte om zich voor gek te zetten. Waarom kon het Caddie zo veel schelen? Ze was tweeëndertig, wanneer werd ze nu eens volwassen? Nooit. Het was te veel een deel van haar, net als haar moleculaire opbouw, haar vingerafdruk. Oma zou haar met enige regelmaat doen ineenkrimpen van schaamte tot een van hen doodging.

'Ouderdom. Wat is ouderdom? Laten we zeggen dat het puurheid is. Ouderdom, een zuiveringsproces. Het afwerpen van alles dat overbodig is, tot op het bot gaan. Mummies. Indiaanse begrafenisrituelen.' Oma kneep haar lippen op elkaar en sloeg een paar pagina's om, verwerpend wat er geschreven stond.

'Cycli. Dichter bij de wijsheid, zich steeds hoger in spiralen verheffend. Waar eindigt het? Sommigen zeggen in eeuwige overpeinzing tegenover God, een mystieke ervaring die ik zelf heb gehad en ik weet zeker dat ik hierin niet de enige ben. Ik kan jullie vertellen dat het niet saai is. Het klinkt saai, maar dat is het niet, het is net of je met Montgomery Clift of Leon Russell in bed ligt, het is de hele tijd net goede seks. Het is perfect.'

Afgezien van mensen die gingen verzitten, hun benen over elkaar sloegen of beide voeten op de grond zetten, was het doodstil in de salon.

'Het is moeilijk te geloven, dat weet ik, omdat de jeugd alles bezit. Dat is altijd zo geweest, maar tegenwoordig is het volledig uit de hand gelopen. Wij zijn roependen in de woestijn. Wij zijn schimmen. Mensen kijken dwars door ons heen alsof we huishoudfolie zijn. Maar waar de jeugd het mis heeft is, dat ze denken dat de dood het einde is – daarom deprimeren we ze zo. Zelfs de gelovigen denken dat, diep in hun hart. Je moet oud worden om het licht te zien, of misschien schijnt het licht alleen op de ouderen. Wie gelooft in God?'

Het duurde een ogenblik voor de mensen beseften dat het geen retorische vraag was. Alle handen gingen de lucht in behalve die van Cornel en, tot Caddies verbazing, die van Brenda.

'Zie je wel, wij allemaal, het is unaniem,' zei oma, die altijd alleen zag wat ze wilde zien. 'Waar zijn we dan bang voor?'

Caddie was bang dat ze zou gaan preken. Dit was een nieuwe kant van oma. Ze had zich altijd beziggehouden met religie, hoe verder verwijderd van het gewone, hoe beter, maar haar spirituele zoektochten waren altijd meer ter verstrooiing dan tot lering geweest. Maar ja, ze was ook pragmatisch en alles diende haar kunst; als God hielp haar nieuwe schepping te rechtvaardigen, dan gebruikte ze hem net zo makkelijk als penseel nummer tien.

'Doorsta het of houd je mond, God redt of Hij redt niet. We gaan hoe dan ook naar de hemel of rotten in de grond, maar in ieder geval, net als er op het T-shirt staat, geen angst. Geen angst.' Ze glimlachte en draaide haar hoofd van de ene naar de andere kant alsof ze een zegening uitsprak. Daardoor raakte ze de draad kwijt.

'Ouderdom. Wat is de essentie van ouderdom? Is het verzwakking? Is het verval? Ja en nee. Neem een worm. Als u wilt. Een worm eet om te leven, net als wij allemaal, maar wij noemen een worm verdorven. Dat ding van Milton – ik wilde het opzoeken, maar dat ben ik vergeten. Maar een worm is net als een vogel of een vlinder. Ondergronds, bovengronds, God heeft de grond gemaakt. Schepsels boven of onder, wat maakt het uit? Het idee is verdorven, vind ik.

In ieder geval, de essentie van ouderdom is puurheid, dat is de sleutel. Een ding wordt geboren, het bestaat, het houdt op te bestaan. Het is een gegeven. Wat is daar zo erg aan? Waarom zou je alles zo persoonlijk maken? Och, arme ik,' zei ze op een huilerige, quasi-zielige toon, 'het is zo erg, ik ga dood, we gaan allemaal dood, mijn beste, lieve vrienden, alle mensen van wie ik zo hou, o, het is zo erg, zo erg.

Het is groter dan wij,' hervatte ze op energieke toon, 'dus kop op en wees sterk. Boeddha heeft gezegd – blablabla – in ieder geval, kijk verder dan dit tranendal, mensen. Het gaat niet om jou, jij bent een vlo, een vlek. Het komt allemaal goed. Op de een of andere manier. Het probleem is dat we ons te veel zorgen maken. Nou, ik in ieder geval. Jullie doopsgezinden, jullie maken je niet genoeg zorgen.'

Mevrouw Brill keek verontwaardigd.

'Het hele punt van ouderdom is niet wanhoop, maar victorie! Wij hebben gewonnen! Zitten we niet hier? Liggen zij niet onder de zoden? Het punt is, nu halen ze ons in, want je wordt sneller oud onder de grond. Ik bedoel, véél sneller. Ik, persoonlijk, wil gecremeerd worden, dan is er geen competitie. Over zuivering gesproken, hè? Denk eens aan je huid die van het bot smelt. Denk aan éénvoud. Denk aan klaar zijn om God te ontmoeten, wie ze ook moge zijn. Je ziel is nu een reusachtige oogbal. Volgen jullie me?'

Magill was de eerste die zich realiseerde dat het afgelopen was en begon te klappen. Al snel deden de anderen mee en tot Caddies verbazing en intense opluchting klonk het applaus oprecht, niet beleefd of eenvoudig opgelucht omdat oma's toespraak voorbij was. Ze hadden ervan genoten.

Sorry, ze kon geen vragen beantwoorden, haar werk moest voor zich spreken, zei ze toen mevrouw Brill haar hand opstak om te vragen wat ze had bedoeld met die opmerking over de doopsgezinden. Het was tijd voor de onthulling van haar 'installatie'. Ze had witte wijn in plastic bekertjes in haar kamer willen serveren, net als bij de opening van een tentoonstelling, maar Brenda had het plan afgewezen op basis van het feit dat het geen door het tehuis gesanctioneerde feestdag was. 'Wacht op me in de hal, niemand mag voor mij naar binnen gaan.' instrueerde oma toen de groep zich verspreidde en mensen op weg naar de trap of de lift gingen. 'Heel interessant,' sprak meneer Lorton haar aan. 'Wie is Leon Russell?' En Brenda zei dat ze een paar 'heel ongebruikelijke punten' naar voren had gebracht. Oma glunderde. Caddie wilde zielsgraag weten wat Magill ervan gevonden had, maar toen ze om zich heen keek, was hij weg. Hij meed haar. Oma en zij namen de lift samen met Susan Cohen, die hun alles wilde vertellen over het joods begrafenisritueel. Oma probeerde aandachtig te kijken, maar ze luisterde niet. Te opgewonden. Ze was niet zenuwachtig geweest voor het praatgedeelte van haar presentatie, maar wat in haar kamer lag te wachten maakte dat ze het handvat van haar wandelstok stond te kneden als koekjesdeeg. Dat was grappig, want nu was Caddie helemaal niet zenuwachtig.

De geur van verf was vaag maar duidelijk in de lift, maar toen de deur op de eerste verdieping opengong werd het een doordringende stank. Maxine mopperde: 'Ik doe geen oog dicht met die afschuwelijke lucht,' in het groepje dat voor oma's deur stond te wachten. Oma haastte zich de gang door naar hen toe, bonkbonk met haar wandelstok, haar toga wapperend als wasgoed aan een lijn. 'Caddie,' riep ze over haar schouder, 'blijf jij daar staan en doe het licht uit als ik het zeg.' De groep ging uiteen; ze waadde erdoorheen en ging met haar rug naar de deur van haar slaapkamer staan, haar benen uit elkaar en met haar wandelstok als een wapenstok in haar handen.

'Dit is een visuele ervaring. We kunnen blijven praten over de essentie van ouderdom, wat de essentie is van óns, maar een beeld is altijd meer waard. Dat is mijn geloof en mijn filosofie. En nu – hier is mijn visie. Ik zeg verder niets meer.

Alleen mogen jullie pas binnenkomen als ik het zeg.' Ze zocht achter zich naar de deurknop. 'Caddie, doe nu dat ganglicht maar uit.'

Caddie aarzelde, bang om al die oude mensen in het donker te hullen, bang dat al die mensen zouden struikelen en tegen dingen oplopen, vallen. Magill kon zijn evenwicht verliezen en zich bezeren.

'Caddie!'

Ze deed het licht uit.

Geluiden van opgelaten gegniffel. Oma's deur die openging. Oma die zei: 'Oké, kom maar binnen, maar kijk uit. Kom maar binnen, je kunt nergens over vallen. Het licht gaat aan zodra we allemaal binnen zijn.' Beweging, geschuifel van voeten.

Caddie aarzelde opnieuw. Moest zij hier blijven? Bedoelde oma dít licht? Ze hadden een generale repetitie moeten houden.

'Kom op, iedereen naar binnen,' zei oma. 'Oké, zijn we er allemaal?'

Caddie wilde uitroepen: 'Ik niet,' maar haar gevoel voor het theatrale, zo zwak als het was, waarschuwde haar dat ze daarmee wellicht het begin van de voorstelling zou verstoren. Met behulp van de muur liep ze op de tast door de donkere gang en de volgende seconde ging in de kamer van oma het licht aan, dat een streep geel op het gangkleed en op de tegenoverliggende muur wierp. Binnen: kreten.

Met een streep licht om zich op te richten draafde Caddie verder naar de kamer. Ze wervelde oma's kamer binnen. Wit! Het deed pijn aan haar ogen – ze kneep ze toe in het onverwachte oogverblindende licht. Wit!

'O, hemeltjelief.'

'Lieve hemel.'

'Wat ter wereld?'

In het middelpunt van dat alles kneep oma in haar wandelstok en probeerde te glimlachen, glimlachen, maar haar lippen begonnen te trillen van onzekerheid.

Ze had alles in de kamer wit geverfd. Alles. Het behang op de muren, het dressoir en alles wat erop lag, haar nachtkastje, haar bureau, haar klok, de voetenbank, beide stoelen. Het bed! De fotolijsten aan de witte muren, de lamp en het lampensnoer, de boekenplank en de ruggen van alle boeken die er op stonden – de ruiten! Haar kleien standbeeld van David! Alles. Alles was wit. De vloer – nee, godzijdank, godzijdank, ze had witte lakens op de prachtige oude houten vloer gelegd.

In de onthutste stilte beging Caddie een vergissing. Ze zei: 'O, oma, wat heb je gedaan!'

Het gezicht van haar oma zakte in. Binnen een fractie van een seconde ging ze van angstig naar wanhopig en het was allemaal Caddies schuld. Ze stak automatisch haar handen naar haar uit, maar oma draaide zich met een ruk om voor ze haar kon aanraken.

'Ga dan maar weg! Eruit, jullie filistijnen. Het is vanwege de puurheid, maar dat is jullie vreemd. Iedereen mijn kamer uit. Eruit, eruit, eruit, eruit, eruit.'

Ze gingen zo snel als ze konden. Toen Doré langs de deurpost streek, slaakte ze een kreetje – er zat verf aan de schouder van haar donkerbruine tuniek. 'Ik denk dat het latex is,' riep Caddie, 'ik was het wel!' Brenda liep met de anderen de deur uit – Caddie hield haar tegen door haar bij de hand te pakken. 'Het spijt me, het spijt me zo verschrikkelijk, ik maak het in orde, ik zorg dat het allemaal opgeruimd wordt. Alles dat verknoeid is, zal ik vergoeden.'

Brenda, het toppunt van kalmte, kreeg nauwelijks een woord over haar lippen. 'We hebben het er wel over.'

Thea was de laatste die ging. Ze wilde niet weg; ze vroeg aan Caddie wat ze kon doen. 'Nee, jij ook,' snauwde oma en ging op een dreigende manier op haar af, om haar met haar ampele boezem de kamer uit te werken. Zodra Thea buiten stond, sloeg ze de deur achter haar dicht.

Dat was de laatste druppel. 'Oma!'

'Wat?' Ze strompelde in cirkels door de kamer en sloeg iedere keer dat ze erlangs kwam met haar wandelstok op het witte bureau. 'Het gaat om púúrheid, hoe kunnen ze zo stom zijn, hoe kunnen ze zo stóm zijn? Ik weet niet waarom ik verbaasd ben. Ik weet niet waarom ik dacht dat zíj het zouden begrijpen toen het vanochtend bij me opkwam.'

'Wat?'

'Ik kon er zo lang maar niet achterkomen. Ik vroeg het mensen zelfs, waar gaat ouderdom om? Wat is een symbool voor een lang leven, voor blijven en overleven, voor ouderdom. Cornel zei een doodskist, maar dat is de dood. Wat is de wezenlijke vorm van een hoge lééftijd?' Ze maakte een armgebaar door de kamer. 'En hier is het, puurheid en licht, de terugkeer van de onschuld. Dit is het.'

'Maar –'

'Maar wat?'

'Maar oma, had je verdorie geen doek wit kunnen schilderen?'

'Je snapt het niet. Natuurlijk niet, hoe zou je anders het gevoel kunnen krijgen?' Ze stak haar handen uit en legde ze toen op haar hart. 'Ik begrijp het niet, ik zweer dat ik het gewoon niet begrijp. Hoe mensen zo –'

'Echt niet? Begrijp je echt niet waarom mensen, de meeste mensen, denken dat dit geschift is?'

'Oooo, Caddie.' Ze dempte haar stem tot een zachte, diepe, hese beschuldiging, het ultieme geluid van verraad. Caddie zou er kapot van zijn geweest, als het niet dezelfde toon was die oma gebruikte vóór Finney zindelijk was en ze een van zijn ongelukjes tegenkwam.

'Oma, het spijt me, maar we zitten in de puree. Ik weet niet eens of Brenda je hierna wil laten blijven.'

'Doe niet zo gek, dit is toch mijn kamer?'

'Nee!'

'Nou, dan zou ik wel eens willen weten waarom het ons iedere maand een rib uit ons lijf kost. Goed, goed, goed. Goed!' Ze legde haar handen op haar oren. 'Hou op met praten. Hou op met redeneren. Je bent net als zij – ga jij ook maar weg. Te bedenken dat ik je opgevoed heb. Je bent nog erger, want je bent een schijtluis en een filistijn. Schijtluis, schijtluis! Bang voor je eigen schaduw!

Nee, ga niet weg! Ik weet niet eens meer wat ik zeg.' Haar schouders zakten. Ze liet haar handen zakken en sloeg ze voor haar ogen. 'O, God! Kijk eens wat ik gedaan heb.'

'Het geeft niet.' Caddie liep naar haar toe en leidde haar naar het bed.

'Nee, niet doen, het is nog nat!'

'Wat kan ons dat schelen, oma. Het is maar verf.' Ze liet zich op de plakkerige katoenen sprei ploffen en negeerde het soppige geluid.

Oma aarzelde. 'O, nou ja,' zei ze en plofte naast haar neer.

Dertig centimeter brede banen van de roller hadden witte diagonalen achtergelaten, die de vrolijk gekleurde vierkanten uitgewist hadden. Oma had twee lagen moeten aanbrengen; het rood en blauw trokken er hier en daar doorheen.

'Nou, daar zitten we dan,' zei oma, 'en ik ben gek aan het worden.'

'Nee, niet waar.'

'Daarom wilde ik eigenlijk voornamelijk hierheen komen. Zodat je het niet zou zien.'

'Je bedoelt – je bent hier voor mij naartoe gegaan?'

'Soms weet ik het, soms niet. Caddie, heb geen hekel aan me.'

'Nooit.'

'Herinner me niet zoals je me nu ziet.'

'Maar het gaat goed met je. Je bent net als anders.'

Ze schudde haar hoofd, terwijl ze tegelijkertijd grinnikte en snufte. Ze had achterover geleund en op haar handen gesteund. Ze legde ze op haar schoot, met de witte handpalmen naar boven, alsof ze wilde zeggen: kijk, hier is het bewijs. Ze raakte met haar vingers Caddies gezicht aan en keek haar diep in de ogen, waarbij ze zichzelf liet zien.

'Wel waar,' hield Caddie vol. 'Een beetje excentriek, dat ben je.'

Ze kneep in Caddies knie en liet een handpalmafdruk achter. 'Ik meende niet wat ik zei. Wat het ook was. Ik weet het niet eens meer.'

'Het geeft niet.'

'Maar dat is juist waar ik het over heb,' verklaarde ze, opnieuw angstig. 'Laat ze me er niet uitschoppen, laat ze me niet naar huis sturen, want ik wil niet dat je voor me zorgt. Luister naar me. Luister.'

'Ik luister.'

'Laat ze niet, laat ze me niet naar huis sturen. Schiet me nog eerder dood. Dit is geen grapje! Luister je?'

'Ik luister.'

'Ik wil geen mikpunt van spot worden. Ik ben een kunstenares.'

'Dat weet ik.'

Ze duwde haar weg. 'Nee, nietwaar, je denkt dat ik gek ben, je hebt je altijd voor me geschaamd. Vanaf dat je klein was, ben je mijn schaduw geweest, mijn kleine zwarte wolkje. O, dat bedoel ik niet – ik ben zo moe, ik heb zo hard gewerkt om alles af te krijgen –'

'Ik weet het. Het geeft niet.'

'Hoe moet ik hierin slapen? Snap je?'

'Ik zal Brenda vragen –'

'Ik heb er geen moment over nagedacht, de consequenties. Zie je wel? Je hebt gelijk, iedereen heeft gelijk, ik ben gek aan het worden.' Ze liet zich voorover zakken en wiegde zich, met haar armen steunend op haar knieën.

Caddie legde haar armen om haar heen en wiegde met haar mee. 'Het komt goed, oma, maak je geen zorgen, alles komt goed, alles is goed.' Er ging een plekje in haar hoofd pijn doen door de verflucht. Oma had haarspeldjes op haar nachtkastje wit geschilderd, evenals de omslag van een pocketboek, een nagelvijl en haar leesbril. Onder het bed staken de hakken van haar wollen pantoffels uit, wit. De kastdeur was dicht; misschien had ze haar kleren ook wel geverfd. 'Het is echt... het is echt ongelooflijk, oma. Dit is dus ouderdom.'

'Een symbool.' Ze ging rechtop zitten. 'Het is mislukt als ik het moet uitleggen.'

'Nee, ik snap het, geloof ik. Puurheid, net wat je zei. Je ontdoen van alle dingen die je niet nodig hebt.'

'Tot je niets meer dan licht bent.' Ze fronste. 'Misschien had ik een kaal peertje moeten gebruiken. Een kamer vol kale peertjes – je loopt naar binnen en bam. Of het hele huis! Of, ik weet het al, vuur in plaats van licht...'

'Oma.'

'Ik had het huis in brand kunnen steken, dan –'

'Oma –'

'Je weet niet eens meer wanneer ik een grapje maak.'

'O.' Ze liet haar grootmoeder haar een stomp tegen haar schouder geven en om haar giechelen. Ze leunden tegen elkaar.

'Laat me dit allemaal niet vergeten,' zei oma even later, haar stem weemoedig. 'Herinner me eraan. Anders vergeet ik het misschien.'

Wat zou dat een zegen zijn, dacht Caddie ondanks alles. Misschien was het ergste voor oma aan het aflopen terwijl het voor haar nog maar net begon. Het voelde aan als drijfzand, het gevoel dat ze oma aan het kwijtraken was, of alsof ze in een zinkende boot zat. Zo hoorde het niet te gaan, dit was achterstevoren. Laat me niet in de steek, oma, ik ben er nog niet klaar voor. Ze was van plan geweest haar vanavond over de baby te vertellen. Ze had uitgekeken naar de opluchting daarvan, van het natuurlijke om het nieuws van haar baby te delen met de vrouw die eigenlijk haar moeder was. Nu kon ze het niet doen, ze wist niet goed waarom het niet kon, maar het kon niet, niet nu, en misschien was dit het begin van oma niet alles vertellen.

'Zo hoort het eigenlijk niet te gaan,' zuchtte oma en Caddie glimlachte omdat ze haar gedachten had gelezen. 'Het hoort aan het eind vrolijker te worden.'

'Dat komt ook. Het zal vrolijker worden.'

'Wanneer?'

'Binnenkort.'

Natte witte verf maakte een soppend geluid toen ze hun handen in elkaar sloegen. Oma hield haar zo stevig vast dat het pijn deed.

21

Augustus liep ten einde en september nam het tamelijk futloos over. Het najaar 'hing' nog niet in de lucht, zoals mevrouw Tourneau die ochtend had uitgeroepen toen Caddie en zij tegelijkertijd naar buiten kwamen om hun krant op te halen. 'Nee, hè?' had Caddie vrolijk en op een dat-was-het-dan toon teruggeroepen, niet omdat ze het met haar eens was, maar omdat mevrouw Tourneau haar op die manier niet aan de praat kon houden.

Er was iets aan het veranderen, maar het was niet het weer, dat zich dag na dag warm en drukkend voortsleepte, contouren wazig maakte en ieder initiatief een vroege dood liet sterven. Alles zag er moe uit, van de stro-achtige gazons tot de blauwgroene bladeren van de ahornbomen die over Early Street hingen, mooi en te zwaar om zichzelf overeind te houden. Een troosteloos niemandsland, waarin de zomer aan het sterven was en de herfst zich nog maar in het kiemstadium bevond, misschien nog niet eens was verwekt. Dagen als droesem. Dagen als opgebrande sigarettenpeuken. Dagen als stukken nagloeiende houtskool –

Jason Newbinder krijste een toon op zijn A-snaar zo erg vals, dat Finney onder de piano jankte. 'Laten we die nog maar eens proberen,' adviseerde Caddie, op zo'n vriendelijke toon dat ze zichzelf verbaasde. Want wat ze eigenlijk wilde, was Jasons viool uit het raam mikken in de kale voortuin, ontdaan van sculpturen, ontdaan van alles behalve van onkruid, en vervolgens Jason erachter aan gooien.

'Ik snap trouwens niet waarom ik die stomme toonladders moet leren.' Hij was zeven, een blauwogig, blond engeltje dat was gestuurd om haar te kwellen. Te jong voor vioollessen, maar zijn moeder had erop gestaan. En Caddie had het geld nodig.

'Ik snap het ook niet.'

Hij keek haar achterdochtig aan, verdacht op een valstrik, maar ze meende het. Als hij nu zijn instrument inpakte en naar huis zou gaan, zou ze geen enkele poging doen om hem tegen te houden. Ze zou de deur voor hem openhouden.

Ze bedwong zich en sloeg in zijn muziekboek 'Vader Jacob' op. 'Laten we dit dan maar eens proberen. Eens kijken hoeveel beter je dit al kunt dan vorige week.'

'Oké,' zei hij, terwijl zijn gezicht oplichtte. Hij begon erop los te zagen en iets in de manier waarop hij zijn zachte wangetje tegen de kinhouder legde, de strijkstok in zijn mollige handjes nam en zijn tong tussen zijn ingezogen lippen hield, prikte een gaatje in Caddies ergernis. Ze voelde hoe het wegsijpelde tot er niets anders meer was dan een eigenaardige, schrijnende weemoed, als het wakker worden uit een fijne droom die je je niet helemaal meer kunt herinneren.

Jasons lessen duurden maar een halfuur, maar zelfs dat was te lang voor een kind van zeven. Toen hij meer foute dan goede noten begon te spelen en haar uitbundige complimenten hem niet langer konden opvrolijken, stelde ze voor dat ze zouden eindigen met limonade en een duet op de veranda. Daar werd hij weer té vrolijk van; ze riep niet op tijd: 'Niet rennen!' en hij botste met zijn instrument tegen de rand van de hordeur op weg naar buiten. 'O jee,' zei hij bezorgd, terwijl hij haar de kras naast het staartstuk liet zien. 'Wil je het niet tegen mijn moeder zeggen?' Caddie beloofde het.

'Wat is dat?' vroeg hij, terwijl hij zijn limonade opslurpte en naar een stapel verfbenodigdheden onder de schommelbank keek.

'Dat is verf. En kwasten en spullen die nog schoongemaakt moeten worden, omdat ik er nog geen tijd voor heb gehad.'

Het had haar het hele weekend gekost, met enige hulp van Brenda en Claudette, om oma's kamer weer in orde te krijgen. Voor oma de muren wit had geschilderd, zat er donker bloemetjesbehang op dat niemand overigens mooi vond, dus had Caddie ze in een mooie tint perzik geschilderd. Ze had een tweede laag wit op het meubilair aangebracht, verfverwijderaar gebruikt voor harde, niet-poreuze oppervlakken en de rest weggegooid, inclusief het beddengoed en de gordijnen. Resultaat: een frisse, luchtig uitziende kamer, veel vrolijker dan ervoor. Echt een geweldige verbetering. Dat bleef ze maar op hoopvolle toon tegen Brenda zeggen, maar het gezicht van de oudere vrouw was terughoudend gebleven. 'We hebben het er nog wel over,' antwoordde ze iedere keer dat Caddie zich verontschuldigde, wat vaak was.

Zelfs op de veranda was Jasons poging om dubbelgrepen te spelen pijnlijk. Niet veel leerlingen, misschien drie in alle jaren dat Caddie al lesgaf, hadden haar er ooit toe verleid om oordopjes in te doen, en hij was er een van. Ze mocht mevrouw Newbinder niet, die ambitieus en ongevoelig was en niet wilde luisteren – maar het was een opluchting toen ze in haar donkerbruine stationcar kwam voorgereden en toeterde, ver uit het raampje hing om te zwaaien en 'Jaaaa-son' te schreeuwen.

'Je deed het vandaag geweldig,' loog Caddie, terwijl ze hem hielp zijn strijkstok terug in de koffer te stoppen. 'Ik zag zo'n verbetering. Jij niet? Vond je het leuk?'

Hij gromde; hij was niet zo'n prater.

'Volgende week, ik weet het – als je heel goed op je nieuwe stuk oefent, dan houden we vijf minuten voor het einde op en dan maken we limonade met ijs erin. Als je moeder het goedvindt. Wat zeg je daarvan?'

Hij was nog zo jong, zo klein, maar de kunst van de schampere opmerking al meester. 'Ja, misschien,' zei hij uit de hoek van zijn lieve engelenmondje. Ze keek hem na terwijl hij het pad afliep met zijn stoere-binkenloopje en bedacht opnieuw hoe ongeschikt hij voor de viool was. Mevrouw Newbinder moest hem op gitaarles doen. Heavy metal.

In ieder geval was hij de laatste leerling van vandaag. Terwijl ze aan de gootsteen stond en de kwasten schoonmaakte waar ze eerder te moe voor was geweest, dacht ze aan de bespreking die ze afgelopen zondagavond eindelijk met Brenda had gehad. Die vond plaats in Brenda's kantoor. Ze had de stoel vanachter haar bureau gesleept en naast die van Caddie gezet – geen goed teken. Caddie vond het onmogelijk om Brenda's leeftijd te schatten; ze kon een afgetobde vijfenveertigjarige zijn of een vlotte zestigjarige, of ergens tussenin. Ze was een weduwe met een getrouwde dochter ergens in het westen, maar Caddie wist niet veel meer dan dat.

Caddie was begonnen met zich weer te verontschuldigen, hoe erg ze het vond van oma's 'hersenspinsel', zoals ze het was gaan noemen en dat ze hoopte dat het niet tot al te drastische maatregelen zou leiden – waarmee ze bedoelde dat Brenda oma uit Wake House zou schoppen.

De oudere vrouw had geduldig geluisterd, voorovergebogen met haar grote handen om haar knieën gevouwen, haar donkere ogen meelevend, tot Caddie uitgepraat was. 'Het punt is,' begon ze, 'dat er niets is veranderd sinds jij en ik er voor het eerst over spraken. Wake House tobt nog steeds door, met te weinig geld, te veel taken, en we zijn nog steeds niet uitgerust of zelfs maar veilig om demente bewoners op te nemen.'

'Maar zijn er geen gradaties? Je stuurt iemand niet weg omdat diegene vergeet naar het middageten te komen, er moeten toch niveaus zijn! De witte kamer was niet goed, dat weet ik, maar nu is hij weer in orde en – het is niet zo dat oma haar kleren uittrekt en naakt rondloopt, ze heeft niets in brand gestoken, ze heeft niemand bedreigd. Ik beloof je dat ik nooit een rechtszaak zal aanspannen. Helpt dat? Als ze zich bezeert of verdwaalt, dan beloof ik dat ik je niet aansprakelijk stel. Oma zit niemand in de weg, de meeste mensen mogen haar –'

'Ik mag haar graag, ik ben dol op Frances, ik moet om haar lachen. En ja, er zijn zeker gradaties. Ze hoeft ook niet morgen al weg, ik probeer gewoon –' Ze blies vermoeid haar pony uit haar ogen. 'Ik maak je alleen attent op de mogelijkheden, Caddie. Voor de toekomst. Het kan geen kwaad om alvast op zoek te gaan naar een ander tehuis voor je grootmoeder.'

'Een verpleegtehuis.'

'Er zijn wel aardige.'

'Niet zoals Wake House,' had ze kinderlijk tegengesputterd. Ze stelde zich voor hoe ze oma vertelde dat ze weg moest, naar een echt tehuis moest verhuizen. 'Ik weet niet eens of ze wel zou gaan.'

'Het zal moeilijk worden,' had Brenda beaamd. 'Ik zal alles doen om te helpen.' Ze had haar middelvingers tegen de zijkanten van haar neus gedrukt alsof ze hoofdpijn had. 'Je kunt je niet voorstellen hoe frustrerend het is. Ik probeer Edgie terug in het huis te krijgen, we zijn bezig met een regeling, maar er zijn zo veel hindernissen, juridisch, logistiek, je hebt er geen idee van. Ik wil dat dit tehuis een thuis is, geen instelling, maar de verzekering gaat maar omhoog en de reparaties houden nooit op en dan moeten ik de tarieven weer verhogen. Het voelt aan als een hopeloze strijd.'

Ze had Caddie hulpeloos aangekeken. 'Ik probeer mensen te helpen, niet ze weg te sturen als ze juist het meest hulp nodig hebben. Maar hoe meer je doet, hoe meer het gereguleerd wordt en hoe meer je het reguleert, hoe meer het kost. Mijn overleden echtgenoot zei altijd dat ik te idealistisch was. Ik weet het niet. Maar ik ben dol op oude mensen. De meeste mensen niet. Ik vind het fijn om te proberen het leven aangenaam, of al was het maar redelijk, voor ze te maken nadat ze bijna alles dat ze hadden, hebben moeten opgeven. Hun leven krimpt zo. Ze leven in van die kleine kamertjes, Caddie, slapen in een eenpersoonsbed, ze eten wanneer ik zeg dat ze mogen eten. Ze hadden hun eigen thuis, een gezin, mensen hadden hún hulp nodig. Nu is het beste dat ik kan doen hen in mijn huis laten wonen. En ik weet niet hoeveel langer ik het nog kan doen.'

Caddie was die avond met een zwaarder gemoed weggegaan dan ze was gekomen. Zij had maar één persoon om zich zorgen over te maken, Brenda had er twaalf. Het leven was te zwaar. Ze moest die avond opstaan en een uur pianospelen voor ze in slaap kon komen.

De telefoon ging. Ze nam op met natte, onder de verf zittende handen.

'Caddie! Ben je druk bezig met iets?'

'Hoi, Thea – nee, mijn laatste leerling is net weg. Prima timing.'

'Goed, want we hebben je nodig. De kleindochter van mevrouw Brill is hier, of misschien is het haar achterkleindochter, ja, volgens mij is het een schattig kind en haar ouders hebben haar gisteren een viool voor haar verjaardag gegeven en niemand heeft enig idee hoe je hem zelfs maar moet stémmen. Dus dat arme schaap is nu hier, op bezoek bij oma, wil dolgraag iets voor haar spelen op haar nieuwe speelgoed en niemand heeft ook maar een idee hoe het ding werkt. Dus we hebben jou nodig om haar uit de brand te helpen. Ze heet – o, ik weet het niet meer, dat is ook stom. Even een ouderenmomentje. Ze heet...'

'Marcy?' Mevrouw Brill had een achterkleindochter die Marcy heette. Ze was een jaar of twee en ze woonde in Cleveland.

'Marcy, dat is het. Kun je komen? Ik weet dat het een inbreuk is –'

'Ik kan komen.'

'Fantastisch! Meteen?'

'Eh...'

'Nou ja, nadat je opgeruimd hebt en alles, natuurlijk. Je wilt je misschien omkleden en dat is prima, je hoeft je niet geweldig te haasten, maar niet te lang, want ze gaan weg, weet je – straks.'

Caddie had de duivelse neiging om het Thea moeilijk te maken, haar doordringende vragen te stellen of zich ineens een eerdere afspraak te herinneren. Maar dat zou gemeen zijn. Maar wel leuk. 'Oké, ik kleed me om en kom zo snel mogelijk.'

'Super! Tot zo.'

'Nou, dat was behoorlijk flauw,' zei ze tegen Finney terwijl ze in haar kast zocht naar iets om aan te trekken. 'Ik verwachtte een slimmere truc.' Ze hadden meer dan een week gehad om het te organiseren, of zelfs nog langer, voor zover ze wist. Maar vorige week had oma er per ongeluk uitgeflapt dat Caddie een surpriseparty te wachten stond. Ze was vandaag drieëndertig.

Het was niet moeilijk om verrast te doen. Ze liep over de geheimzinnig lege veranda en kwam de vreemd stille hal binnen en vanuit de vier hoeken van beide salons sprongen mensen met feestmutsen naar voren die 'Surprise!' riepen en papieren roltongen in haar gezicht bliezen. Ze sloeg haar handen voor haar mond en overdreef een geschrokken gil, maar niet heel erg, en daarna, wanneer er iemand aan haar vroeg of ze écht verrast was, zei ze 'Absoluut' en had niet het gevoel dat ze erg loog.

'Stiekemerd,' zei ze tegen Thea, die buiten zichzelf van vrolijkheid was. 'Je hebt me zo'n rotsmoes verteld!'

'Ik weet het! Ik bedacht het op het allerlaatste moment. Caddie, was je écht verrast?'

'Met stomheid geslagen. Dit was jouw idee, hè?'

'Absoluut niet,' ontkende Thea, maar Caddie zag overal Thea's hand in, van de bloemen en cadeautjes in de eetkamer tot de tafel die gedekt was met papieren bordjes en bijpassend tafelkleed, tot de schaal met punch en de kleine sandwiches in de Blauwe Salon, tot het ezeltje-prik dat met een punaise aan de muur zat. Er hingen overal slingers van crêpepapier. 'O, van harte gefeliciteerd, Caddie,' zei ze en gaf haar een flinke knuffel. 'Ik hoop dat dit het begin is van je allerfijnste jaar ooit. O, dat hoop ik zo!'

Caddie zag niet hoe het dat ooit zou kunnen worden, maar door Thea's intensiteit fleurde ze op. Ze schudde haar somberheid van zich af en keek om zich heen waar Magill was. Meed hij haar nog steeds? Zelfs vandaag? Dat kwetste haar. Natuurlijk was het gespannen tussen hen geweest en zij meed hém min of meer, maar hoe kon hij niet naar haar feestje komen? Misschien was hij ziek.

'Waar is Magill?' vroeg ze aan Brenda, toen aan Cornel, maar ze wisten het niet.

Ze moest op de bank tegenover een stapeltje cadeautjes op de salontafel gaan zitten – de meeste mensen hadden haar gewoon een kaart gegeven, zag ze tot haar opluchting – en cadeautjes openmaken. 'Van wie is dit?' Ze las alles kaarten voor. 'O, jongens. Wat geweldig. Ik heb geen surpriseparty meer gehad sinds – o, jee, ik weet het niet eens meer.' Sinds die afschuwelijke waar oma haar op haar zestiende verjaardag mee verrast had. 'O, mevrouw Brill. Heeft u deze gemaakt?'

'Met mijn eigen twee handen.'

Gehaakte pantoffels met zijden linten om de enkels. Caddie hield ze omhoog zodat iedereen ze kon zien.

'Vind je ze mooi?' Mevrouw Brill keek haar aan over haar intimiderende neus. 'Ik hoop dat ze passen. Frances zei dat je maat eenenveertig hebt.'

'Enorme voeten,' deed oma een duit in het zakje. 'Reusachtig.'

'O, maar ze zijn zo smal en aristocratisch,' riep Thea uit. 'Lange, smalle voeten, heel anders dan de mijne – ik ben een boerin.' Ze stak haar prima, in sandalen gestoken voeten naar voren, waarbij ze Cornels schouders gebruikte voor evenwicht. Mensen begonnen over hun voeten te praten, welke maat ze nu hadden, wat voor maat ze veertig jaar geleden hadden, voetdokters die ze gehad hadden, inclusief Doré's dochter in Seattle.

'Jij hebt goede voeten,' zei Cornel tegen Thea, 'goede, stevige voeten. Gezonde voeten. Ik heb ze altijd bewonderd.' Hij hoestte hevig en Thea lachte, waardoor zijn oren rood werden. Ze zei iets tegen hem waardoor zijn lippen over zijn grote valse tanden terugtrokken tot hij eruitzag als de Cheshire-kat.

Nog meer kaarten, nog meer lieve cadeautjes, een cactus van Maxine, een herdenkingsmunt van twee dollar ter ere van het tweehonderdjarig bestaan van meneer Lorton. De kaart van Bea en Edgie was grappig, een grapje over ouderdom, maar bij het zien van Edgies bibberige, nauwelijks leesbare handtekening ging er een steek door Caddies hart.

Ze raadde al wat er als volgende zou komen, toen Thea zei dat iedereen moest opstaan en meegaan naar de Rode Salon, waar de piano stond. 'Mijn laatste verrassing van de dag,' kondigde ze aan, terwijl ze zwierig op het pianobankje ging zitten. Caddie ging rechts van haar staan, zoals ze zo vaak voor hun lessen had gedaan. Ze glimlachten beschroomd naar elkaar.

'Dit is mijn cadeau voor Caddie, maar het is eigenlijk haar cadeau aan mij. Alvast mijn verontschuldigingen voor alle fouten, die volledig toe te schrijven zijn aan de leerling en niet aan de leraar!' Ze legde haar vingers op de toetsen. 'En ook mijn verontschuldigingen aan iedereen die me dit minstens zeshonderd keer heeft horen verkrachten. Jullie hebben een engelengeduld.' Ze haalde diep adem. Caddie realiseerde zich hoe nerveus ze was en haar eigen pols schoot onmiddellijk omhoog. Thea sloeg de twee inleidende basnoten overtuigd aan en dook in de *Maple Leaf Rag*.

Ze verslikte zich maar een keer in de zevende maat, die snelle, rollende, linkerhand-over-rechterhand valstrik, maar toen hij weer kwam, speelde ze hem perfect. Speel ragtime nooit snel: dat had Scott Joplin zelf gezegd en Thea was een gehoorzame leerling. Haar tempo was eerder statig dan vrolijk, maar zo stabiel, dat het niet lang duurde voor voeten begonnen te tikken en hoofden meedeinden. Thea had gelijk, dit nummer maakte mensen gelukkig. Bea was al zo lang verdrietig en bezorgd; heerlijk om haar te zien ontspannen en het ritme met haar handen op haar heupen mee te slaan. De oude meneer Lorton danste bijna een horlepiep met zijn korte O-beentjes.

Toen het afgelopen was, lachte en klapte Thea met iedereen mee, duizelig van plezier en opluchting. Caddie gaf haar een kus op haar warme wang en riep uit: 'Prachtig, perfect, dank je, o, geweldig, speel het nog eens!' en dat deed ze.

Ze zag Magill naar binnen glijden – letterlijk, met zijn rug tegen de muur en zijdelings, als een krab, binnenkomen. Hij had zeker een slechte dag wat zijn evenwicht betrof. Ze zwaaide naar hem over de dansende hoofden heen en hij knipoogde en salueerde jolig terug. Precies wat ze wilde, de oude Magill, eigenzinnig en plagerig, niet serieus. Thea's cadeau voor haar was dit liedje en dat van Magill was zijn grappige glimlach die zei – waarvan ze dacht dat die zei – dat ze weer vrienden waren.

Thea pakte Caddie bij de hand en liet haar samen met haar een buiging maken voor het applaus, als de solospeler en de dirigent. 'Is dat het?' zei Brenda. 'Verder geen cadeautjes meer? Oké – wie wil er taart en ijs?'

Het verbaasde Caddie niets toen oma haar, midden in de schuifelende uittocht naar de eetkamer, een por tegen haar schouder gaf en haar meenam naar een leeg hoekje van de hal. 'Wacht even. Je dacht toch zeker niet dat ik je verjaardag vergeten was, hè?' Ze had een typische blik in haar ogen. Ze had zich voor de gelegenheid uitgedost in haar favoriete zomerjurk en had zelfs een strik aan de lange vlecht gedaan die ze in haar weerbarstige grijze haar had gemaakt. Maar er ging iets schuil achter de twinkeling in haar glimlach. Ze had iets in de zin.

'Nee, oma, natuurlijk niet. Jij vergeet het nooit.'

'Hier.' Ze pakte Caddies hand en legde er iets kleins in. 'Kijk uit, het is breekbaar. Geen pakpapier, maar daar kan ik niks aan doen. Ik leef hier als een monnik.'

Caddie haalde voorzichtig het vloeipapier van het voorwerpje. 'O, het is een... een...' Een figuurtje van klei. Van een vrouw. Ze had een instrument in haar ene hand, een viool. Met haar andere hand hield de naakte, glimlachende, langharige vrouw met kleine borsten een enorme, hellende, zwangere buik op.

'Vind je het mooi?'

Caddie voelde haar wangen warm worden. Ze bleef naar het figuurtje kijken en keek niet op. 'Hoe wist je het?' wist ze ten slotte uit te brengen.

'Ik ben helderziende.'

'Nee – echt.'

'Een grootmoeder voelt die dingen aan.'

'Wie heeft het je verteld?'

'Maxine.'

Ze keek op. 'Maxine!'

'Die het gehoord had van Bernie, die het wist van Cornel. Iedereen weet het, Caddie Ann. De vraag is, wanneer zou je het míj vertellen?'

'Vandaag,' flapte ze eruit. 'Vandaag, oma – het was mijn verjaardagscadeau aan jou.'

'Hé, jullie,' riep Brenda vanuit de eetkamer, 'het ijs smelt!'

'Nou, nou. Dat is het enige dat ik kan zeggen,' zei oma terwijl ze haar armen over elkaar sloeg. 'Nou, nou, nou.'

'Ben je kwaad?' vroeg Caddie. Ze voelde zich net een klein kind.

'Natuurlijk ben ik niet kwaad. Wie denk je wel dat ik ben?' Haar strenge gezicht verzachtte. Ze klopte zachtjes met haar hand op Caddies buik. 'Zo oma, zo kleindochter,' zei ze teder. 'Van wie is het, die hondenman?'

Caddie knikte.

'Hmm. Nou ja, maak je geen zorgen, samen maken we er wel wat van.'

'Dat weet ik.'

'Zoals altijd.' Ze gaf Caddie een arm en ze liepen in de richting van de eetkamer. 'Je weet dat ik altijd heb gezegd dat mannen stinken.'

'Je hebt nooit gezegd dat mannen stinken.'

'Nou, dat had ik wel moeten doen. Het punt is dat je veel beter af bent zonder die kerel.'

'Denk je?'

'O, jazeker. Op deze manier is het puurder. Jij, ik en de baby – die natuurlijk een meisje is, dat spreekt vanzelf. *Winger power*. Zoals het altijd is geweest, hè?'

Caddies dappere glimlach trilde een beetje bij de mondhoeken.

Maxine en Doré hadden een drie verdiepingen hoge chocoladeverjaardagstaart gemaakt. Niet samen – Maxine had de taart gebakken en Doré had hem geglazuurd en versierd – maar toch. Bea had iets bereikt met haar uitbarsting, ook al was het subtiel, een verandering in de sfeer, zo niet bij de vrouwen zelf. Na het zingen en kaarsen uitblazen was er een heildronk met champagne – Caddies verjaardag telde als feestdag van het huis, dus mocht er gedronken worden – en met haar eigen ogen zag ze hoe Doré en Maxine over tafel bogen en met hun glazen klonken. Wauw. Wat jammer dat Bea het niet kon zien, maar ze was al vroeg weggegaan, terug naar dat revalidatiecentrum om bij Edgie te zijn. Ze ging iedere ochtend en bleef tot de verpleegsters haar naar huis stuurden.

Ze hadden Caddie aan het hoofd van de tafel gezet, met Magill rechts van haar. Tijdens het *Lang zal ze leven* had ze ontdekt dat zijn stem een volle, echte tenor was. Maar hij zag er belachelijk uit met zijn puntige feestmuts die hij als een hoorn laag op zijn slaap droeg. 'Waarom voel jij je toch nooit bespottelijk?' vroeg ze.

'Zie ik er dan bespottelijk uit?' Hij trok een geschokt gezicht.

Ze giechelde – dat kwart glas champagne. 'De meeste mensen, vooral mannen, ze, ik weet het niet...'

'Geven iets om hun waardigheid.'

'Ja. Nee.'

'Hé, ik heb waardigheid in mijn grote teen.' Met zijn theelepeltje sneed hij voorzichtig het dikke gele rozetje van glazuur van zijn stuk taart en liet het op haar bord vallen. Ze had bezwaar moeten maken, maar ze had zo'n zin in dat hoopje suiker, ze moest het gewoon hebben – hoe wist hij dat? Hij zei: 'Vind je niet dat clowns waardigheid hebben?'

'Jij bent geen clown.' Zelfs met zijn idiote feestmuts, zelfs met de maffe glimlach deed hij haar iets. Ze waren van dezelfde leeftijd, maar door zijn magerte, zijn holle wangen en knobbelige polsen, de manier waarop zijn adamsappel op en neer ging, zoals zijn kleren om hem heen zwabberden, zag ze hem vroeger als jochie. Maar nu allang niet meer. De jongen en de man waren samengevloeid en nu dacht ze hem te kennen. De ware Magill.

'Beloof me iets,' zei hij.

'Wat?'

'Beloof het.'

De humor in zijn ogen stelde haar gerust. 'Oké, ik beloof het. Wat?'

'Dat je vanmiddag een liedje met me zingt.'

'Hardop? Je bedoelt voor al die mensen?'

Hij lachte.

'Wacht even, ik –'

'Te laat, je hebt het beloofd.' Hij stond op. 'Tijd voor Caddies grote cadeau,' kondigde hij aan en iedereen werd stil. Caddie kreeg het op haar zenuwen van hun verwachtingsvolle gezichten, vooral die van Thea. 'Je kan wel een handje gebruiken,' zei Cornel en wilde opstaan, maar Magill zei nee, dat hoefde niet, hij had het bij de hand. Hij liep naar het raam met het lange gordijn aan de zijkant. 'Caddie, doe je ogen dicht.'

'Waarom?'

'Ogen dicht!' schreeuwde iedereen.

'Omdat ik het niet ingepakt heb,' zei Magill, 'daarom.' Ze hoorde geschraap, iets zwaars dat over de vloer haar richting uit werd geschoven. 'Het gaat, het gaat,' zei Magill toen Cornel hem weer probeerde te helpen. Wat ter wereld? Iets groots en onhandigs, iets zwaars. Ze had geen idee.

'Oké. Klaar?'

'Nee.'

'Wacht – mijn fototoestel,' zei Thea.

'Oké. Doe je ogen maar open.'

Een apparaat. Een groot, zilverkleurig apparaat met een miljoen toetsen, knoppen en schuifjes. Een bandrecorder? Nee, te groot, en er zaten microfoons aan de zijkanten en twee enorme luidsprekers onderin, een plek voor cd's. Een gettoblaster? Toen wist ze het.

'Het is een karaokeapparaat.'

'Ja!' Geklap en vreugdevolle uitroepen, gelach. 'Geweldig, hè?' 'Het was Magills idee.' 'Vind je het niet fantastisch?'

'Oooo.' Meer wist ze niet uit te brengen. Ze boog zich eroverheen en sloeg haar handen in elkaar, alsof ze sprakeloos was. Ze was sprakeloos. Ze vonden het allemaal zo leuk! 'Wat leuk,' zei ze enthousiast. 'Wat een giller.'

'Je sluit hem op de tv aan en dan zie je de woorden,' vertelde Bernie haar, 'dan zing je in de microfoon en hoor je de stem van de echte zanger niet meer.'

'We hebben hem gisteravond uitgeprobeerd,' zei Thea.

'We dachten dat je het niet erg zou vinden,' zei Maxine. 'We wilden kijken hoe hij het deed.'

'Maar het was geen enkel probleem,' zei Magill. 'Er is niets aan, je zet hem gewoon aan en stopt er een cd in.'

'Je hebt er toch niet al een, hè?' vroeg mevrouw Brill bezorgd.

'Nee, hoor,' zei Caddie. 'Nee, zeker niet.'

'Sluit hem aan, dan gaan we spelen,' zei Cornel en mensen begonnen al op te staan. Bernie pakte hem aan de ene en Cornel aan de andere kant en samen droegen ze hem de kamer uit.

'O,' zei Caddie. 'Nu? Meteen? Hier?' Niemand hoorde haar, ze waren veel te druk bezig linea recta naar de Blauwe Salon te gaan.

'Nou,' zei Magill terwijl hij haar vriendschappelijk een arm gaf. 'Hoe goed ken jij *I Believe I Can Fly?*'

Ze wílde sportief zijn, nou en of. Waarom niet? Het was toch veel makkelijker om mee te gaan met wat iedereen wilde dat ze deed – zingen! – dan nog meer aandacht te trekken door te smeken of ze niet hoefde. Wat was dat toch? Ze dacht dat er iets veranderd was, ze dacht toch zeker dat ze over die stomme, ziekmakende plankenkoorts heen was gekomen op die avond dat ze voor Thea en Cornel en Magill piano gespeeld en gezongen had, maar nu was het weer terug in één grote, hete brij, niet beter dan het was. Erger.

'Caddie, kom op, iedereen doet het,' 'Het is jouw cadeau, je móet wel, als je ons niet wilt kwetsen,' 'Maar je bent zo goed en het stelt niets voor, toe, Caddie...'

Gelukkig voor haar waren er zo veel verrassende amateurs in Wake House – mevrouw Brill! Maxine Harris! – dat haar terughoudendheid werd afgedaan als tijdelijk, grappig, niet asociaal, niet een negatief commentaar op het cadeau zelf. Zeker geen bewijs van een vernederende persoonlijke frustratie.

Het ergste moment kwam toen Magill op zijn hurken voor haar kwam zitten – ze had een plaats tussen het 'publiek' ingenomen, zo ver mogelijk bij het 'podium', dat wil zeggen, de ruimte voor de televisie en het gehate karaokeapparaat, vandaan – en probeerde haar over te halen tot een duet. Hij liet het klinken als zulk onschuldig, oubollig, ouderwets plezier dat het pijnlijk was om hem af te wijzen. 'Ik heb *It's Only Rock 'n Roll* dus we kunnen Mick Jagger en Tina Turner doen. Kom op, Caddie, laten we het doen.'

Ze schudde hulpeloos haar hoofd.

'Nee? Oké, heb je wel eens dr. John en Etta James gehoord –'

'Nee, eerlijk, ik kan dat niet. Ik weet dat ik het beloofd heb, maar jij hebt me erin laten tuinen.'

'Natuurlijk kun je het wel. Oké, kijk eerst maar een tijdje, dan doen we er straks wel een. Wat dacht je van de Carpenters? Dan ben ik Karen.'

En het was niet dat wat voor nummer ze ook gekozen zou hebben om met het apparaat mee te 'zingen', al dan niet met Magill, zo veel erger of gekker of dommer zou zijn geweest dan de spontane optredens van de anderen. Maar aan de andere kant, misschien niet zo spontaan: Brenda, Maxine en oma deden *Stop! In the Name of Love* met zo veel gecoördineerde handbewegingen dat ze de avond tevoren geoefend moesten hebben. En Bernie deed *New York, New York* helemaal niet gek, al verdraaide hij wel de woorden omdat hij zijn bril niet kon vinden. De beste zanger was mevrouw Brill – ze zong *Amazing Grace* en iedereen juichte – en de slechtste was Doré Harris die vals zong. Ze koos *Somewhere over the Rainbow* en ze zong het op een cocktail-loungeachtige manier, heel dramatisch; ze gebruikte zelfs een sjaal. Maar niemand lachte of gniffelde; ze glimlachten, maar ze lachten niet – en als dat geen goede reden was om op te staan en mee te doen, dan wist Caddie het ook niet meer.

'O, blijf het haar toch niet vragen,' adviseerde oma ten slotte iedereen die probeerde haar over te halen, 'ze doet het toch niet, in geen miljoen jaar. Ze is een angsthaas.'

Nee, het ergste was toen Magill het nog één keer wilde proberen. Hij knielde weer voor haar neer en dit keer pakte hij zelfs haar handen. Zijn vleiende grijns was niets anders dan hoopvol en lief en ze dacht vaag: Goed, jij weet het nog steeds niet van me. Wat een flop ik ben. 'Wat is het probleem toch?' vroeg hij terwijl hij zachtjes met haar handen schudde. 'Je bent niet echt bang. Je hebt eerder voor Thea en Cornel en mij gezongen en je was...' Hij keek langs haar, alsof hij zich die avond voor de geest haalde. 'Ongelooflijk. Ik ging helemaal uit mijn dak, Caddie. Wat is het dan?'

Hij maakte haar aan het blozen. 'Ik weet het niet. Het ligt aan mij, ik ben gewoon zo. Ik dacht dat ik eroverheen was, maar – kennelijk niet. Het is een prachtig cadeau, echt, je hebt het zo lief bedacht. Ik hoop dat het niet te veel heeft gekost.'

Hij keek haar door zijn zwarte wimpers aan, zijn ogen een en al tolerantie en acceptatie. 'Het is hier veilig, weet je. Niets om bang voor te zijn. Acteer een beetje,' zei hij zachtjes. 'Je wordt er niet je moeder van.'

'O.' Ze trok haar handen weg en sloeg haar armen over elkaar. 'Hé, zo erg is het toch niet? Ik doe dat niet.' Ze gebaarde naar haar oma, die *Mack the Knife* probeerde te doen. 'Dat is alles, ik doe het niet.'

'Oké.'

'En ik zou het op prijs stellen als je niet probeert iets achter mijn motieven te zoeken. Je zei tegen mij dat ik je niet moest analyseren, dus ik zou het – op prijs stellen –'

'Oké.' Hij wiebelde een beetje toen hij opstond. 'Je hebt gelijk. Zo erg is het niet. Sorry dat ik zo gezeurd heb.' Hij maakte een buiging – ze vond het verschrikkelijk; hij bedoelde het waarschijnlijk vriendelijk, maar in haar ogen was het ironisch en verschrikkelijk definitief – en liet haar alleen.

Ze zag er vast zielig uit. Thea kwam naar haar toe en ging op de armleuning van haar stoel zitten. 'Gefeliciteerd,' zei ze en trok haar naar zich toe om een kus op haar hoofd te geven. Wat zou het heerlijk zijn om haar hoofd even op Thea's schoot te leggen, dacht Caddie. Het zou haar van niets genezen, maar het zou haar wel een beter gevoel geven. 'Sorry dat ik zo'n sufferd ben,' mompelde ze.

'O, stil toch.'

'Nee, echt. Ik kan niets. Ik kan geen liedje zingen, ik kan niet eens een familie uitkiezen voor mijn baby. Ik kan niet eens de telefoon pakken en... een of andere man bellen.' Die mogelijk haar vader zou blijken te zijn.

'Alles op zijn tijd.'

Ze slaakte een diepe zucht. 'Wat betekent dat?'

'Mmm.' Thea tikte op haar lippen terwijl ze nadacht. 'Ik denk dat het betekent dat jij en ik een ander tijdschema hebben.' Ze zag er moe en dromerig uit, alsof Caddies problemen op dat moment niet echt belangrijk voor haar waren. 'Ik zal een nieuwe melodie moeten leren, hè? Wat moet het worden? Chopin? Je zou een van de preludes voor me kunnen vereenvoudigen.' Caddie kon niet zien of ze een grapje maakte of niet. Waarschijnlijk niet. De hand waarmee Thea haar rok glad over haar knie streek, had roze nagels. Ze had kleine handen, met dikke aderen vanwege haar leeftijd; de mooie trouwring die Will voor hen gemaakt had, was te groot voor haar. 'Het spijt me dat ik het meer naar mijn zin heb op je feestje dan jij.'

'Mij ook.' Caddie glimlachte toen ze Thea's lichte lach hoorde. 'Je weet me altijd op te vrolijken.'

'Dat is grappig,' zei Thea, 'jij vrolijkt mij altijd op.' Ze stond op. 'Ik ga naar buiten om de zon te zien ondergaan.'

'Oké. Magill is kwaad op me.'

Thea rolde met haar ogen.

'Teleurgesteld, niet kwaad.'

'Dus?'

'Dus. Dat vind ik rot.'

'Doe er dan wat aan.' Ze liep weg.

'Doe er dan wat aan,' zei Caddie haar na.

Thea hoorde het, maar ze lachte alleen maar en liep door.

Mensen vroegen haar niet langer om te zingen. Ze had zich opgelucht moeten voelen, maar in plaats daarvan voelde ze zich uitgerangeerd, alsof er geen hoop meer voor haar was en ze het eindelijk allemaal wisten. Het was erg genoeg om privé een flop te zijn, maar in het openbaar was het nog veel erger, te midden van zo veel mensen om wie je was gaan geven.

Magill, die een tijdje weg was geweest, was terug. Hij had een oorring in zijn oor gehangen – een gouden ring, hij zag eruit als een van Doré – en een blauwwitte zakdoek tot een haarband gedraaid die hij om zijn hoofd had gebonden. Zonder schoenen en met dezelfde spijkerbroek vol gaten en het schreeuwerige hawaïshirt dat hij al de hele middag droeg, nam hij bezit van het karaokeapparaat en barstte uit in een heel realistische cover van *Lively Up Yourself*. Hij slaagde erin zijn evenwicht te bewaren terwijl hij schokkerige kniebewegingen maakte op het reggaeritme, terwijl hij het Jamaicaanse accent heel goed nadeed. Caddie moest met de anderen mee lachen, vol met hetzelfde gevoel van genegenheid en tederheid voor hem. En ook nog iets anders, een steek van pijn of plezier, ze wist niet goed wat.

Weet je waarom Henry is gaan parachutespringen? had Thea haar een keer gevraagd. Omdat hij hoogtevrees had.

Magill was verdergegaan met *I Shot the Sheriff*, maar Caddie voelde zijn ogen op haar toen ze voor hem langsliep en tussen de collecties karaoke-cd's begon te zoeken. De artiesten waren niet echt de artiesten, ze klonken hetzelfde, maar zoals Maxine Harris zei: 'Ze lijken er genoeg op voor ons!' Een cd met *Pop Duets by Your Favorites* was precies wat Caddie zocht. Het nummer van Bob Marley was afgelopen; ze verwisselde hem voor haar cd.

'Hoe werkt dit?' vroeg ze aan Magill. 'Hoe kun je hem nummer zeven laten afspelen?'

Hij keek haar argwanend fronsend aan. 'Zo.' Hij drukte op twee knoppen op de afstandsbediening.

Sonny en Cher begonnen *Baby Don't Go* te zingen.

Caddie stak haar hand uit.

Magill grinnikte; hij keek blij, maar niet stomverbaasd – en het viel haar op dat Thea net zo had gereageerd op die avond dat Caddie haar T-shirt uittrok en ze zich nat hadden laten regenen op het dak: blij, maar niet vol ongeloof. Haar vrienden hadden meer vertrouwen in haar lef dan zij.

Magill gaf haar de tweede microfoon. '*Baby, don't goooooo*,' kweelden ze in nasale, moeiteloze harmonie, de originelen imiterend alsof ze de hele dag geoefend hadden. Ze stonden hand in hand en keken elkaar diep in de ogen, terwijl Magill zijn donkere wenkbrauwen treurig optrok en Caddie probeerde Cher na te doen door haar gezicht volkomen uitdrukkingloos te houden. Het viel niet mee, want het kostte haar grote moeite om niet in lachen uit te barsten.

Ze waren een enorm succes. 'Meer!' riepen de mensen uit. 'Wij willen meer!' Nummer acht van de popduetten was het volgende: *Don't Go Breakin' My Heart*.

'Wacht, dat is te hoog,' zei Caddie, die voor het refrein stopte. 'Hier kan ik niet bij.'
'Oké. Dan ruilen we.'
'Ruilen?'
'Jij bent Elton John.' Magill begon het deel van Kiki Dee met een geweldige, belachelijke falsetstem te zingen. Ze waren een overweldigend succes, maar Caddie bedierf het einde door de slappe lach te krijgen. Ze lachte zo hard dat haar buik pijn deed. Ze sloeg haar armen om Magills dunne middel en ze zwaaiden heen en weer in een lange, liefdevolle, bevredigende omhelzing terwijl hun goedwillende publiek klapte en juichte. O, misschien moeten we maar gewoon trouwen, dacht ze, dronken van het succes. Hij maakt ons de hele tijd aan het lachen. De baby en mij.
Hij snuffelde in de collectie cd's, op zoek naar iets. Het waren er zo veel; het moest hem een kapitaal hebben gekost en ze kon zich niet voorstellen dat hij een collecte in Wake House had gehouden. Nee, hij had ze voor haar gekocht. Voor haar.
Ze herkende het nummer dat hij opgezet had na de eerste klank: *I'll Be Seeing You*, heel dicht bij de oude opname van Jo Stafford. Ze had hem; ze zong hem thuis graag mee.
Magill reikte haar Doré's sjaal aan. 'Je kent deze, Caddie, ik heb hem gezien. Zingen,' commandeerde hij.
'In mijn eentje? Dat heb ik niet beloofd!' De vlinders, waarvan ze hoopte dat ze definitief weggevlogen waren, fladderden weer in haar buik.
Magill ging op een stoel naast meneer Lorton zitten en sloeg zijn armen over elkaar, terwijl hij lief, verwachtingsvol naar haar keek. Iedereen glimlachte. Bereidwillig om de muziek goed te vinden, bereidwillig om haar goed te vinden. Meneer Lorton stampte in plotselinge herkenning met zijn wandelstok op de vloer. 'Dit was ons liedje,' zei hij vol verwondering, 'Van Sarah en mij. Wat was ze dol op dat liedje. Lieve hemel.'
Caddie begon te zingen.
Jo Stafford en zij zongen niet in dezelfde toonaard, maar Magill had iets met het apparaat gedaan, het hele ding anders afgesteld zodat het langzamer en lager afspeelde. Maar nog steeds zo'n prachtig lied, vol verlies en verlangen en heerlijk romantisch smachten. Ze deed er haar best op. Halverwege drong het tot haar door dat ze niet nerveus was. Dat was zo'n schok dat ze er bijna zenuwachtig van werd. Maar de duidelijke, melancholieke frasering hielp haar erdoorheen en tegen het einde dacht ze aan niets anders meer dan aan de muziek.

Vanaf dat moment was het de Caddie Winger-show. Ze zong *What Will I Do?* Zoals Rosemary Clooney, *Night and Day* als Keely Smith. Ze zong *Ain't Misbehavin'* en *I'll Get By*, en ze zong *You've Got to See Mamma Ev'ry Night (Or You Can't See Mamma at All).* Ze hield zich aan de standaardzangers tot Magill *Any Old Time* opzette en dat zong ze als Maria Muldaur. Mevrouw Brill kon zich niet inhouden; ze stond op en danste in haar eentje een dromerige jitterbug, ondanks haar slechte heup, tot Bernie naar haar toe kwam en met haar meedeed.

'Zo is het mooi,' zei Caddie tegen Magill na *Georgia on My Mind*, in de stijl van Anita O'Day en iedereen zei: 'Aaaaah.' Maar het was tijd om op te houden. In de eerste plaats was ze uitgeput, nog bedwelmd door de opwinding van het succes, maar emotioneel uitgewrongen, en in de tweede plaats liet een slimme entertainer haar publiek altijd naar een beetje meer verlangen. Ze vertelde dat haar leerlingen voor optredens, dus het moest wel waar zijn.

Oma bracht haar een ontloken roze roos uit het bloemstuk dat op het midden van de tafel in de eetkamer stond. 'Caddie, meisje,' zei ze terwijl ze haar de roos in de hand stopte en haar vingers om de doornloze steel klemde. 'Caddie, schat, ik weet niet wat ik moet zeggen.' Haar verbleekte ogen waren nat. 'Het spijt me van die sneer. Van die "angsthaas"-sneer. Weet je, ik denk dat er toch een beetje van mij in jou zit. Niet dat dat het grootste compliment ter wereld is.'

'Jawel,' zei Caddie en kuste haar op beide wangen.

Aan de andere kant van de salon ving Magill Caddies blik op. Hij zag er ook uitgeput uit, hangend tegen de deurpost, wachtend tot ze hem zag. Toen ze hem inderdaad zag, ging hij rechtop staan en zwaaide en ze wierp hem met beide handen een kushand toe. Ze zou hem later bedanken, hem proberen uit te leggen wat vandaag voor haar betekend had, maar hij wist het waarschijnlijk wel. Misschien zou ze hem vanavond bellen. Misschien zou ze hem ten huwelijk vragen.

'Waar is Thea?' vroeg Cornel haar. Hij zag er tegenwoordig om door een ringetje te halen uit, geen stokoude golfshirts met slobberige katoenen broek meer. Hij had een vlinderdas omgedaan voor het feestje, en droeg een nieuwe broek, en had zijn dikke bos platinakleurig haar met olie achterovergekamd. Hij werd veel geplaagd met die verbeteringen, vooral door Bernie, maar hij trok zich er niets van aan. 'Sommige mensen zien er graag goedverzorgd uit,' zei hij dan, 'en anderen verwaarlozen zichzelf.'

'Ze stond door het raam te luisteren, geloof ik,' zei Caddie. 'Ze ging naar buiten om naar de zonsondergang te kijken. Ik ga met je mee,' besloot ze toen hij zich omdraaide en naar de deur schuifelde. Ondanks de nieuwe aandacht voor zijn uiterlijk droeg hij nog steeds bij iedere gelegenheid sportschoenen. Eeltknobbels.

Er was een zuchtje wind gekomen tussen de vermoeide bomen, dat een droge, krassende achtergrond vormde voor het monotone geluid van de cicades. Thea had misschien Caddies concert gemist, maar ze had het juiste idee gehad; het was hier veel koeler dan in het huis en nu de zon onder was, vlamde de hemel in felrode en roze strepen door de bladeren van de bomen. Onweersvliegjes knipperden en scheerden door de lucht; krekels tjirpten.

Thea lag languit op de bank en was in slaap gevallen, met haar ene arm over haar middel en haar andere slap naast haar. 'O,' zei Caddie besluiteloos terwijl ze zachter ging lopen. 'Moeten we haar wakker maken –' Ze botste tegen Cornels rug en trapte op zijn hiel toen hij onverwacht bleef staan. 'Oeps. Sorry –'

Hij stak zijn armen uit. Hij maakte een geluid, onbeschrijflijk.

Caddie snakte naar adem. Ze keek over zijn schouder. Er was niets met Thea aan de hand! Ze had verwacht iets te zien dat haar had gestoken of gebeten, een slang, een dier – maar er was niets aan de hand! Ze had een kussen van de rugleuning van de bank gepakt en tegen de metalen armleuning gelegd als kussen voor haar hoofd. Ze had haar schoenen uitgedaan; ze staken onder de bank uit, keurig, met de neuzen naast elkaar. Ze... ze zag er meisjesachtig uit in haar witte blouse, haar heup een zachte ronding onder haar rok. 'Wat is er?' fluisterde Caddie angstig.

'Haal Brenda.'

'Thea?'

'Zeg dat ze een ambulance moet bellen.'

'Waarom?'

Cornel pakte haar bij de arm en schudde eraan. 'Nu.'

Ze rende het huis binnen. Brenda was in geen van de salons. Mensen wierpen één blik op Caddie en schrik kwam in de plaats van de uitdrukking die ze op hun gezicht hadden. Ze rende de gang door naar achteren en stoof Brenda's kantoor in.

Ze zat aan de telefoon, glimlachend, en zei: 'Dat weet ik,' maar toen ze Caddie zag, hield ze de hoorn van haar oor en stond op.

'Er is iets met Thea. Ze wordt niet wakker. Cornel zegt dat er een ambulance gebeld moet worden.'

'O God.' Ze gooide de telefoon neer en schoot bij haar bureau vandaan, achter Caddie langs en rende de deur uit.

'Wacht!' Caddie pakte de hoorn van het bureau. Iemand zei: 'Hallo?' 'Hang op,' zei Caddie, maar de persoon aan de andere kant van de lijn, een man, begreep er niets van; hij bleef maar zeggen: 'Brenda? Hallo?' Ze drukte de knop voor de tweede lijn in en toen ze een kiestoon kreeg, toetste ze 112 in.

Een mevrouw wilde niet wakker worden, zei ze tegen de telefoniste. Ze lag op de veranda, in Wake House in Calvert Street – 'Ik weet het nummer niet meer! Het is op de hoek van Calvert en Ross en er staat een bord in de voortuin met "Wake House".' In orde, er zou meteen een ambulance gestuurd worden. Was de mevrouw bij bewustzijn? Ademde ze? Caddie wist het niet, ze wist niets. 'Rustig maar, mevrouw, blijft u kalm, er is een team onderweg.'

'Ik hang nu op,' waarschuwde ze, 'ik kan hier niets doen!' en de telefoniste zei, goed zo, rustig, probeer kalm te blijven –

Ze hing op.

Mensen hadden zich in een dichte halve cirkel, maar op een afstandje, om de bank verzameld, en de vrouwen hielden hun hoofd afgewend. Doré Harris huilde in haar handen. Caddie drong zich tussen de massieve lichamen van meneer Lorton en mevrouw Brill. 'Ik heb een ambulance gebeld, hij is onderweg. Wat doe je? Wat doe je?' Brenda legde Doré's sjaal over Thea's gezicht. 'Niet doen!' Caddie liet zich op haar knieën zakken en griste de sjaal weg.

'Kindje,' zei Brenda, 'ze is er niet meer.'

'Néé, we moeten haar reanimeren tot ze komen. Wie kan dat?' Ze keek paniekerig om zich heen. 'Wie kan dat? Brenda, help. Is het een hartaanval?' Thea's gezicht was slap, maar warm, niet koud – wat haar ook was overkomen, het was nog maar nét gebeurd. 'Je hebt van die apparaten, die defibrillators, ik heb het gezien –'

'Ze had een codicil.'

'Codicil –'

'Dat ze niet gereanimeerd wilde worden.'

'Nee. Wáárom?'

'Omdat ze een zwak hart had.'

'Nee, niet waar, ze heeft een slechte teen.'

Brenda schudde alleen maar haar hoofd.

'Ze zou het me verteld hebben.'

'Ze heeft het niemand verteld. Maar ze wist dat het niet lang meer zou duren.'

'Nee.' Thea dood? Niemand keek verbaasd. Afgezien van Cornel, die ineengedoken op de schommelbank met zijn gezicht in zijn handen zat, keken ze allemaal berustend, maar niet geschokt. Niemand stribbelde tegen of probeerde te blijven toen Brenda ze vroeg om naar binnen te gaan. Hoe konden ze zomaar gáán, als schapen, hoe konden ze het zomaar opgeven zonder iets te proberen?

Thea lag op haar zij alsof ze op het punt stond om op te staan, met haar gezicht naar de vloer gekeerd; ze keek naar beneden door half geloken ogen naar haar schoenen. Het was te vroeg, ze kon nog beter worden, ze kon niet verloren zijn. 'Thea,' mompelde Caddie terwijl ze zich diep voorover boog om in haar blinde ogen te kijken. Ze kon haar wakker maken – niet met behulp van kunstmatige middelen of heldhaftige maatregelen, maar gewoon door Caddies stem die haar riep, haar terugriep. 'Thea?' Ze raakte haar wang aan met lichte, eerbiedige vingers. 'Thea?'

Er werd een hand op haar schouder gelegd. Ze stak er automatisch haar hand naar uit. Een ruwe, knoestige, knokige oude hand, niet die van Brenda. Die van oma.

'Ik vind het zo erg, meisje. In ieder geval kun je zien dat ze geen moment geleden heeft.'

Caddie knikte. Een sirene loeide. Een ambulance stopte voor het huis. Lichten bleven flitsen, maar de sirene ging uit met een laatste, dramatische loei. Brenda ging de trap af om de ambulancebroeders tegemoet te lopen.

Caddie pakte Thea's slaphangende hand. Er was bijna geen tijd meer, ze konden er ieder moment zijn. Maar ze kon niet 'vaarwel' in haar hoofd vormen en oma zei iets tegen haar. 'Wat?'

'Ik zal beter mijn best gaan doen. Ik kan niet haar zijn, dat weet ik.'

Caddie keek op en zag haar grootmoeder door een waas van tranen heen. Oma stak haar hand uit en Caddie nam hem in haar hand. Nu was ze in het midden, het kind tussen haar twee moeders, maar geen van tweeën kon haar troosten.

Voetstappen op de trap naar de veranda. Ze drukte Thea's vingers tegen haar wang. Ze voelden koel en licht aan, al los van het lichaam. Heb je alles op je lijstje afgemaakt? Ik hou van je.

Ze stond op en nam oma mee naar de schommelbank. 'Cornel? Wil je haar zien of –'

'Nee.'

'Laten we dan hierheen gaan. Laten we op de zijgalerij gaan zitten, Cornel. Kom mee.' Ze moest hem helpen overeind te komen tot hij stond. Ze leidde hem de hoek om, met oma in haar kielzog. Niemand zat er ooit, het was er bedompt en er was geen uitzicht, alleen stoffige, slungelige hydrangea's en rododendrons die over de balustrade van de veranda hingen en met hun rottende bladeren vlekken maakten op de vloer. Cornel ging in een houten schommelstoel zitten en oma in die ernaast.

Caddie probeerde haar oren te sluiten voor de geluiden en zachte stemmen die van om de hoek kwamen. Dit is wat er gebeurt, dacht ze. Ze had Wake House onterecht aangezien voor een vrolijke plek, een aangename vervanging voor thuis, een maf, oud pension met interessante oude mensen. Wat naïef. Kijk eens naar Cornel en oma, dacht ze. Kijk naar hun broze, blauwgeaderde, uitgeholde handen, die nutteloze holte tussen de duim en de wijsvinger, als een paarse put. Hun krakerige stemmen. Waarom raakten oude mensen hun stém kwijt? Ze verloren alles, de ene vaardigheid na de andere, en daarna de spieren en het vlees dat van hun botten smolt. Kijk naar Cornels dijen, gewoon horizontale stokken die zijn broek overeind hielden, kijk naar de zware, onbestemde zak tussen zijn benen die vroeger zijn testikels waren. Zijn levenskracht. Ik hou niet van deze mensen, dacht Caddie. Ik haat ze.

De hartstochtelijke weerzin loste net zo snel op als hij opgekomen was. De lichamen van Cornel en die van haar oma werden weer zichzelf. Ze hield weer van ze. Haar oude wereld was weer op zijn plaats en het enige dat ze moest doen was leren erin te leven zonder haar vriendin.

22

Liefste Caddie,

Als je dit nu leest, betekent het dat de gebeurtenissen me ingehaald hebben. O jee, wat een eufemisme! Het betekent dat de dingen iets sneller zijn gegaan dan de dokter aannemelijk achtte. Dokters zeggen dit soort dingen nooit rechtstreeks, weet je, ze achten alleen maar iets aannemelijk. De mijne acht het aannemelijk dat ik 'ieder moment kan overlijden', maar het wordt hoogstwaarschijnlijk tussen de negen en twaalf maanden vanaf nu.

(Had ik het je eerder moeten vertellen? Ik denk van tijd tot tijd over die vraag na en het antwoord is altijd nee, absoluut niet. Het zou maar een hoop stof en rook en wolken hebben doen opwaaien en ik heb de dingen het liefst schoon en helder. Trouwens, wat maakt het uit? We lijden allemaal aan een dodelijke ziekte – dat zei ik vanavond tegen je tijdens de stroom van ongevraagd advies op het dak – dus wat doet het ertoe dat de mijne wat verder gevorderd is dan die van de meeste mensen?)

Het lijkt er inderdaad op dat ik arme jou wel erg veel preken en adviezen heb lopen geven. Je zegt van niet, maar ik denk dat het waar is. Ik weet niet precies waarom ik zo veel van je hou, Caddie, ik bedoel, afgezien van het overduidelijke feit dat je zo beminnelijk bent. Je doet me niet denken aan mezelf toen ik jouw leeftijd had of zoiets dergelijks. Die eerste dag dat die idiote hond van je me beet, mocht ik je meteen zo graag. Je was zo heel lief, zo geschrokken en zo bezorgd. Dit is een vriendelijke ziel, dacht ik, dit is een heel goed mens die ik graag wil leren kennen.

Gelukkig voor mij – niet voor jou – was je eenzaam en had je hetzelfde gevoel. Ik wist niet wat ik moest verwachten toen ik naar Wake House kwam. Ik ga gewoon naar huis, dacht ik – verder niet veel. Ik kan in alle eerlijkheid zeggen dat ik nooit verwacht had dat ik bevriend zou raken met een vrouw die meer dan half zo jong was als ik. We waren niet helemaal moeder en dochter, hè? Maar ook niet zomaar vriendinnen. Iets ertussenin, denk ik. Wat we ook waren, je hebt deze herfst van mijn leven een stuk vrolijker gemaakt dan ik ooit gedacht had dat het kon zijn. Je zult verdrietig zijn dat ik dood ben, maar maak je blij met de wetenschap hoeveel onverwachte vreugde en plezier je me gegeven hebt. Je beroert iedere moederlijke snaar die ik ooit heb gehad. En ik kan *Maple Leaf Rag* spelen! Als je me niets anders had gegeven, dan zou ik je nog dankbaar zijn, maar dat heb je natuurlijk wel. Je hebt deze kinderloze oude dame tevreden gemaakt. Ik dank je.

Ik voel me ertoe bewogen om deze brief nu te schrijven, omdat je me vanavond gevraagd hebt de peetmoeder van je baby te zijn. Ik probeerde te verbergen wat dat betekende, maar ik geloof niet dat het erg goed gelukt is. Alles, Caddie. Het betekende alles voor me. Had ik maar ja kunnen zeggen! Maar onder de omstandigheden... nou, je weet het. Ik mag geen beloften meer doen. Maar ik wil je laten weten dat ik de béste peetmoeder zou zijn, ik zou zielsveel van dat kleine meisje houden en zij zou van mij houden, ze zou er niets aan kunnen doen. Ik heb het theeserviesje nog dat mijn grootmoeder aan mij heeft gegeven toen ik vijf was – ik zal het je in ieder geval, hoe dan ook, geven, maar wat wilde ik dat ik het haar zelf kon geven. Nou ja, wie weet, misschien gebeurt er nog een wonder. Je kent me, ik sluit wonderen nooit uit.

Nu is het tijd om mijn andere geheim te onthullen. Deze is helemaal niet belangrijk. Oude geschiedenis. Waarom houd ik het dan geheim? Och, ik denk omdat ik bang ben dat de waarheid weer zal vertroebelen en je weet hoe ik voor helderheid ben. En dit geheim doet er echt helemaal niet toe; het is een detail, een kwestie van toevallig ergens geboren zijn – maar ik ben bang dat mensen er een punt van zullen maken en in dit geval, dit ene geval, ben ik het met je eens over de voordelen van onzichtbaarheid.

Ik weet het – ik zal mijn levensgeschiedenis opschrijven (Kort! Maak je geen zorgen) en jij zult zo vriendelijk zijn om het voor me aan te passen voor het herinneringenboek. Je bent er zo goed in, Caddie, je hebt er echt aanleg voor, en het is een deel van wat jou zo speciaal maakt. Ik vertrouw erop dat je het persoonlijke eruit laat en het geschikt maakt voor andere ogen. Maar krijg nu niet te veel hoop, want mijn levensgeschiedenis is helemaal niet zo interessant, het is niet mijn bedoeling om het mooier te maken dan het is, het is niet bepaald zo dat ik een hoop bereikt heb of de wereld of zoiets veranderd heb. Ik heb bemind en ben bemind, waar het allemaal zo'n beetje op neer lijkt te komen. Als ik spijt heb, dan is het in de trant van 'Waarom heb ik het niet eerder gedaan?' Daarom heb ik zo veel vervelend advies voor je – ik wilde niet dat je dezelfde fouten maakt die ik heb gemaakt.

Ik ben geboren als Dorothea Elizabeth Alexandra Wake, in dit huis, op 2 november 1934. Niet in deze kamer – dit was de torensuite van mijn grootouders – maar in de grote hoekslaapkamer op de eerste verdieping, waar Maxine Harris tegenwoordig haar domicilie heeft. Mijn vader was Alexander Pankhurst Wake, jr.; hij werkte voor zijn vader, mijn grootvader, op de Bank of Michaelstown, en hij was een lange, dramatisch knappe man die me op zijn schouders zette en door Calvert Street rende terwijl ik deed of hij mijn paard was. Mijn moeder, oorspronkelijk Julia Grace McGregor uit Philadelphia, hield van feesten en dansen en flirten en tennissen voor ik geboren werd en na mijn geboorte hield ze van mij. Ze was mooi en vrolijk, met witgoud haar en een lach als muziek en ik aanbad haar. Ik had een kindertijd die ik alleen maar intens gelukkig kan noemen, vol liefhebbende ouders, ooms en tantes, neven, nichten, grootouders, tientallen vriendjes en het was net of ze allemaal tegelijkertijd in dit huis waren. Ik was enig kind, maar nooit eenzaam, nooit. Ik was ongetwijfeld vreselijk verwend, maar zo voelde het voor mij niet. Het voelde als liefde.

En toen in 1943, na een talloze reeks miskramen, overleed mijn moeder in het kraambed. Ze was dertig jaar. Er ging een licht uit in mijn leven en in dat van mijn vader ook; hij liet me achter in het gezin van zijn zus en vertrok. Een jaar later verloor mijn grootvader alles door verkeerde investeringen. Om zijn schulden min of meer te dekken, verkocht hij de bank en dit huis en mijn grootmoeder en hij woonden de rest van hun leven (nog maar twee jaar voor hem, vier voor haar) in een huisje aan de westkant in wat nu Clarendon Street heet.

In de loop der jaren gingen de Wakes alle windrichtingen op en sinds het begin van de jaren vijftig heeft er (voor zover ik weet) geen enkele Wake meer in Michaelstown gewoond. Tot nu. Ik ben thuisgekomen, dus nu is er één.

Toen ik twaalf was, verhuisde ik naar Washington, D.C., met mijn oom en tante, Geoffrey en Sarah Townsend en hun drie zoons, mijn neven Geoff, Teddy en Blake. We begonnen opnieuw, bescheidener dan we in Michaelstown hadden geleefd, maar nog steeds comfortabel en gelukkig. Mijn oom, die jurist was, richtte ten slotte de firma Townsend en Magaffin op, die nog steeds kantoor houdt in K Street. Ik kwam in 1951 van de middelbare school – en moet tot mijn schande zeggen dat dat het einde van mijn schoolloopbaan was. Geen universiteit en tot de dag van vandaag heb ik er spijt van. Mijn hartstocht was ballet, ik was er gék van, ik wilde dolgraag naar New York en daar een opleiding tot ballerina volgen.

Maar mijn neef Teddy nam zijn kamergenoot mee van Princeton voor de voorjaarsvakantie en dat was het einde van die droom. Carlton Spencer en ik trouwden elf maanden later en in plaats van ballerina werd ik de vrouw van het jongste directielid van een beleggingsbank.

We waren zeventien jaar samen, twee jaar van tafel en bed gescheiden, korte tijd herenigd en officieel gescheiden in 1976. Als we kinderen hadden kunnen krijgen, als we iets belangrijks gemeen hadden gehad, als ik de moed had gehad om mijn leven in eigen handen te nemen en er iets van te maken, dan waren we er misschien wel uitgekomen. Ik verwijt Carl helemaal niets; we pasten eenvoudigweg niet bij elkaar. Hij is hertrouwd en geniet van een heerlijk pensioen in Taos, New Mexico. Fijn voor hem.

Daar zat ik dan, tweeënveertig jaar, en niet bepaald een vrolijk gescheiden vrouwtje. Ik dacht dat ik mijn beste tijd gehad had, ik dacht dat mijn leven voorbij was! O, als we toch terug konden komen, wetend wat we als bejaarden weten. Ik bracht de rest van de jaren zeventig door met goede daden, Caddie, als vrijwilligster voor goede zaken en liefdadigheidsorganisaties, comités en stichtingen, terwijl ik er de levensstijl op nahield waar ik door het geld van mijn man en de naam van mijn grootvader aan gewend was geraakt.

Het enige dat ik voor mezelf deed, was weer gaan dansen – het was alsof ik opnieuw ging leven! Waarom, waarom had ik datgene dat me altijd het meeste plezier had gegeven laten varen? Uit veiligheidsoverwegingen, vrees ik. Ik zag Carl als een kans om iets terug te krijgen van wat ik kwijtgeraakt was en ging te zeer op in dat vooruitzicht om te zien wat ik in ruil ervoor had opgegeven. Maar toen ik weer begon te dansen, voelde ik me voor het eerst in jaren en jaren weer eerlijk tegenover mezelf.

Ten slotte trok ik uit Washington weg en verhuisde naar het huis aan Heron Creek dat ik na de scheiding van Carl mocht houden. Het was altijd een zomerhuis geweest, het was niet eens geïsoleerd, dus ik had mijn handen vol om het bewoonbaar te maken voor alle seizoenen. Toen ik daarmee begon, richtte ik ook mijn dansschooltje voor kinderen op, een heel bescheiden onderneming waar ik een enorm en volledig buitenproportioneel genoegen uit putte. Ik denk dat ik toen mezelf vond – voor ik Will ontmoette, ben ik blij te kunnen zeggen, want het betekent dat ik geen man nodig had om me compleet of gelukkig te maken. Ik moest gewoon mijn werk vinden.

De rest is 'en we leefden nog lang en gelukkig' en dat is nooit het interessantste deel van het verhaal. Ik ontmoette Will en alle plekjes in me die nog sluimerden, werden eindelijk wakker. Ik denk dat dat is wat liefde doet; het maakt ons wakker uit die lichte sluimering waar we mee door het leven gaan. Will en ik vonden het jammer dat we elkaar niet eerder ontmoet hadden, dat we zo veel tijd zonder elkaar doorgebracht hadden, maar afgezien daarvan maakten we er een punt van om spijt uit ons huis te weren. Hij leefde echt voor het moment en ik deed mijn best om hem na te doen. Het moet me een beetje gelukt zijn, want ook al waren we maar negen jaar samen, het leek veel langer. Het leek een heel leven.

Ik vond het prachtig wat Charlie Lorton aan het eind van zijn levensgeschiedenis schreef (of wat jij schreef, eigenlijk) – 'Nu komt zeker het stuk waar ik iets wijs hoor te zeggen.' Het spijt me te moeten zeggen dat ik op het gebied van wijsheid net zo beperkt ben als Charlie. Maak hier iets elegants en waardigs van voor me, Caddie. Ik heb een heerlijk leven gehad. Ik wou alleen dat het langer had geduurd, dat is alles. En dat van alle anderen ook. Geloof jij in God? Als Hij bestaat, moet ik zeggen dat hij de dingen heel eigenaardig geregeld heeft. Waarom heeft hij het op het eind zo moeilijk gemaakt? Ik kan niet eens aan het eind van de avond afscheid nemen! Dus doe ik het nu niet. Dat wil ik niet. Ik ga maar weer terug naar: dank je.

Dank je, en wees alsjeblieft gelukkig. Dat is het minste wat je kunt doen voor een arme, oude dame. Die heel veel van je houdt. Mijn laatste verzoek: noem dat arme, onschuldige schaap in godsnaam niet Dorothea.

Ik hou van je,

Thea.

23

Een vroege start, maar niet heus. Terwijl ze voor Wake House geparkeerd stond, trommelde Caddie met haar nagels op het stuur en het viel haar op dat haar horloge en de kapotte klok van de Pontiac hetzelfde aangaven: tien voor halfelf. Finney hield op van het ene naar het andere raam te rennen en sprong op de passagiersstoel voor. Haar raam stond open; hij klom op haar schoot en stak zijn kop eruit om te snuffelen.

Door de hoek van het zonlicht lichtte ieder wit of glanzend zwart of reebruin haartje op zijn lijfje op. Terwijl ze wachtte, keek ze naar de uitdrukking op zijn snuit die veranderde bij iedere sensatie die hij oppikte. Hij sperde zijn neusgaten open, zijn amandelvormige ogen knipperden en staarden, zijn snorharen bewogen. Een auto toeterde en hij draaide zijn kop terwijl hij een bruin oor spitste. Ze vond het heerlijk om hem te aaien, zijn ruwe vacht te strelen, hem onder zijn halsband te krabben tot hij in extase op zijn rug rolde. Ze hield zelfs van zijn geur, een soort hondenmannengeur, een zorgeloze aardegeur.

Finney kon haar zichzelf een paar minuten doen vergeten, de perfectie van zijn lijf, zijn gedachteloze genegenheid. Net als een bepaald muziekstuk of het woeste geluid van de wind midden in de nacht, de onverwachte glimlach van iemand. Dit krijgen we, dacht ze vaak, die dammen die we opwerpen tegen de wetenschap dat ons einde met rasse schreden nadert. Met niets anders om ze bezig te houden, begonnen haar gedachten weer het vertrouwde traject af te leggen. Wat was de beste manier om hier doorheen te komen? Ze had een denkrichting, een betere religie nodig. Hoe moeten we leven? Ouder worden en doodgaan: wat een vreemde combinatie van het gewone en buitengewone. Iedereen werd oud en ging dood, het was zo simpel als – plassen, en toch nog steeds het grootste mysterie, topgeheim, gruwelijk en vreemd, ingrijpender dan geboorte. En zo verdrietig, zo verdrietig dat je hart ervan brak. Vaarwel. Nooit meer. De stekende pijn van 'jij bent weg en ik blijf hier achter'. Hoe kon je je daarmee verzoenen en toch nog rust vinden?

Ze was blij toen ze eindelijk Cornel zag die een oude Samsonite-koffer, wit met vuile vegen en zo hard als een doodkist, van de trap af sjouwde. Ze stapte uit om de kofferbak open te doen en haar kleine tas en Finney's kussen en zijn kartonnen doos met voorraden aan de kant te schuiven, maar ze wist dat ze Cornel niet hoefde te vragen of hij hulp nodig had. 'Ik dacht dat dit een tocht van twee dagen was,' kon ze toch niet laten te zeggen terwijl hij met een grom zijn enorme koffer in de kofferbak gooide.

'Hij zit niet vol,' zei hij, waar het volgens haar niet om ging. 'Je neemt die hond toch niet mee, hè?'

'Ik moet wel. Van oma mag hij niet in een pension. Het zal geen probleem zijn, hij vindt het heerlijk in de auto. Hij zal waarschijnlijk wel slapen. Je ziet er knap uit, Cornel.'

Hij had hetzelfde donkerbruine pak aan dat hij ook op Thea's begrafenis had gedragen, maar met een oude groene legertrui in plaats van een overhemd en stropdas. 'Het zal wel winderig op die veerboot zijn,' waarschuwde hij, 'dus ik zou maar een jas meenemen. Ik heb dit én een jas.'

'Zijn we dan dus klaar?'

'Ik ben klaar. Al kan ik verdomme mijn bril weer niet vinden, ik moet terug naar binnen.'

'Hij staat op je hoofd.'

Hij keek geschrokken en trok toen een gezicht. 'Dat is mijn leesbril en ik heb mijn bril voor veraf nodig. Wat denk je, ben ik gek?'

Nadat ze had gezien hoe hij weer de trap op sjokte, wilde ze instappen, maar veranderde van gedachten. 'Ik ben zo terug,' zei ze tegen Finney door het raam. 'Blijf zitten en ga niet blaffen.' Ze had iedereen al gedag gezegd, onder wie oma, maar ze was rusteloos en kon alleen maar peinzen over de zin van het leven.

'Alweer terug?' grapte Bea vanuit haar blauwe schommelstoel op de veranda. Ze had haar grote geruite sjaal tot onder haar kin ingestopt tegen de ochtendkilte en Edgie, in de groene schommelstoel, zat in een regenjas en een roze sjaal gewikkeld. Caddie had ze een half uur geleden lopen betuttelen vanwege het feit dat ze al zo vroeg buiten gingen zitten, dat ze kou zouden vatten met die wind, maar Edgie zei dat ze het zo beu was om binnen opgesloten te zitten dat ze het erop waagde.

'Het is heerlijk om jullie tweeën te zien,' zei Caddie spontaan. 'Ik ben zo blij dat je terug bent.' Ze doelde op Edgie die uit het revalidatiecentrum was gekomen en een week geleden naar Wake House was teruggekeerd, maar in zekere zin doelde ze ook op Bea. 'Deze veranda hing scheef zonder jou.'

'Ja, hè?' zei Bea. Ze stak haar hand uit om het kussen op de leuning van Edgies stoel te verleggen; Edgie moest haar elleboog erop leggen, anders kostte het haar te veel moeite om overeind te blijven en niet naar opzij te zakken. 'We zijn net twee boekensteunen, haal er één weg en de hele plank valt om.'

'Waarom ben je nog steeds hier?' Edgies spraak was een stuk duidelijker geworden, maar om de een of andere reden was ze een octaaf kwijtgeraakt; ze sprak met een hese, schorre stem die iedereen sexy vond. Dat vond ze prachtig.

'O, je weet wel. Mannen. Cornel is zijn bril vergeten.'

Bea zei: 'Nou, ik vind het hartstikke lief van je om alles waar je mee bezig bent te laten vallen en helemaal naar Cape May te rijden voor die man.'

'Ik heb niet zo veel moeten laten vallen.' Morgen was het zondag, geen lessen; ze had alleen die van vandaag moeten afzeggen. 'En het is niet alleen voor Cornel, maar voor mezelf ook.'

Cornel wilde in oktober naar Cape May gaan, de tijd van de vogeltrek, vanwege Thea. Het was het laatste op de lijst van dingen die ze in haar leven nog wilde doen, zei hij, en aangezien zij niet kon gaan, wilde hij het voor haar doen. In haar plaats gaan. 'Het is echt geen opoffering,' zei Caddie tegen de zussen. 'Als het niet regent, is het prachtig en het is maar voor één nacht.'

'Vergeet niet wat ik heb gezegd,' zei Edgie schor.

'Nee.'

Ze wilde dat Caddie een gebed voor Thea zei zodra ze op Cape May waren. 'Ik meen het. Ik denk niet dat ik hier nog zou zijn als zij er niet was geweest.'

Dat was het gerucht. Caddie wist niet of het waar was, maar mensen zeiden dat Thea in haar testament geld had nagelaten aan Wake House. Hoeveel, wist niemand, maar Edgie was niet de enige die dacht dat Brenda's ommezwaai om haar terug te nemen te maken had met een onverwachte financiële meevaller.

'Rijd voorzichtig,' zei Bea opnieuw tegen Caddie. 'En zorg ervoor dat je even rust neemt als je daar behoefte aan hebt.' Een subtiele verwijzing naar haar toestand. 'Jammer dat geen van die twee mannen je kan helpen met rijden als je moe wordt.'

'O, het komt wel goed.' Maar ze had last van haar rug. Net genoeg om irritant te zijn.

Binnen liep ze de twee salons en de eetkamer door, vroeg er zelfs in de keuken naar, maar niemand had Cornels bril gezien. Ze groette Bernie en meneer Lorton die in de Rode Salon de krant zaten te lezen. Susan Cohen woonde er niet meer, zij was bij haar vriend ingetrokken. Niemand was tot nu toe in Thea's torensuite komen wonen, maar vorige week had een vrouw die mevrouw Shallcroft heette, Susans kamer betrokken. Ze leek heel aardig.

Caddie bleef in de hal staan, aangetrokken door de ingelijste foto's aan de muur. Ze had er altijd graag naar gekeken, maar nu ze van Thea's geheim wist, hadden ze een sterkere fascinatie; ze kon niet meer door de hal lopen zonder er even naar te kijken. De grote man zelf, de witharige, buikige pater familias die op de trap aan de voorkant of onder een dikke, allang verdwenen eik in de voortuin stond, omringd door vrouw, broers en zussen, zonen en dochters, kleinzoons en kleindochters – de oude Wake, stadsvader en oprichter van de respectabele Bank of Michaelstown, vergaarder en verliezer van het enorme Wake-kapitaal, was Thea's grootvader.

En zij was het kleine meisje in de witte jurk op het tuinfeest van de familie. De datum onderop was 15 juli 1939. De foto was vol Wakes van allerlei leeftijden, maar dat was Thea, kon alleen maar Thea zijn, niet alleen omdat ze in 1939 vijf moest zijn geweest, maar omdat die mooie, in een lichte japon geklede, zwangere dame die haar hand vasthield, niemand anders dan haar moeder kon zijn. En de man die op zijn hurken naast haar zat, donkerharig, schelmachtig knap in gestreepte hemdsmouwen met bretels, moest haar vader zijn.

De kleine Thea had pijpenkrullen, glanzend als goud – misschien waren ze van hetzelfde rossige blond als ze haar haar afgelopen zomer had laten verven – en een elfengezichtje met een verlegen glimlach. 'Intens gelukkig', had ze haar kindertijd genoemd. Het zou niet lang genoeg duren – een paar jaar nadat deze foto was genomen, overleed haar moeder en vertrok haar vader 'naar het westen' – maar zij had een uitstekende start gehad. Negen jaar om lessen voor het leven te leren over vertrouwen en optimisme, en het geloof dat de wereld een veilige plek was. Uiteindelijk maakten die haar tot wie ze zou worden.

Nadat ze Thea's brief had gelezen, wist Caddie in eerste instantie niet wat ze moest denken of voelen. Waarom had je het me niet verteld? was haar reactie, die al snel plaatsgemaakt had voor aanvaarding, zelfs een vaag gevoel dat ze het ergens in een verborgen hoekje in haar hoofd al geweten had. Thea had nooit tegen haar gelogen, alleen om dingen heen gedraaid. 'Dus je bent hier niet echt opgegroeid?' had Caddie die dag voor het huis van de oom en tante gevraagd. 'Daar ben ik gaan wonen nadat mijn moeder was overleden,' had ze geantwoord. In haar gretigheid om dat verhaal te horen, was Caddie de vaagheid over de details niet opgevallen. Uiteindelijk was ze gaan inzien dat Thea's redenen om haar niet te vertellen wie ze was zo onlosmakelijk verbonden waren met haar reden om thuis te komen – die eenvoudigweg was om dood te gaan (al zou ze dat op een andere manier gezegd hebben; om tot het einde te leven of iets anders positiefs) – dat ze niet het een zonder het ander had kunnen prijsgeven. Zelfs niet tegenover Caddie.

'Ben je er nu nog?' Brenda kwam bedrijvig uit haar kantoor de gang in gestapt. 'Ik dacht dat jullie nu wel weg zouden zijn.'

'Ik ook,' zei Caddie met grote ogen van verbazing. Een half uur geleden had ze tegen Brenda gezegd dat ze niet bij haar langs kon komen om over oma te praten, omdat ze geen tijd had, o, nee, ze stond op het punt om weg te gaan. Duidelijk een overdrijving en nu had Brenda haar betrapt. 'En ze zeggen dat vrouwen altijd te laat zijn,' grapte Caddie ter afleiding. Ze was niet klaar voor een preek over oma die ochtend.

'Nou, we praten wel als je terug bent, want het is echt – o, daar is Cornel.'

'Ik kan hem niet vinden,' mopperde hij nog voor de liftdeuren helemaal open waren. 'Iemand heeft hem gepakt en dat zou niet de eerste keer zijn.'

'Wat?'

'Die rotbril.' Hij liep als een geïrriteerde gans op Brenda af. 'Wat wij nodig hebben is een "gevonden voorwerpen".'

'We hebben een "gevonden voorwerpen".'

'Ja, maar er zit nooit iets van mij bij.'

Zoals ze stonden te bekvechten, deed Caddie denken aan oma's eerste dag in Wake House. Ze hadden toen over de aanvoer van warm water staan ruziën, hier, onder de kroonluchter. En toen was Magill op zijn blote voeten de hoek om gekomen, tegen de muur gebotst, en had het glas in een van de fotolijsten gebroken.

Daar kwam hij – de hoek om.

Niet op blote voeten. Hij had bergschoenen en een corduroy broek aan, een spijkerjasje over een T-shirt en een uitpuilende rugzak over zijn schouder.

'Is dat alles?' wilde Cornel weten. 'Is dat alles wat je meeneemt?'

'Ja. Het is toch maar voor één nacht? Hoi,' zei hij, terwijl hij naar Caddie glimlachte. 'Sorry dat ik zo laat ben, maar er werd op het laatste moment gebeld. Hé, je haar. Wat heb je ermee gedaan?'

Godzijdank dat iemand het zag. 'Coupe soleil,' zei ze, terwijl ze verlegen op haar hoofd klopte. 'Subtiel, hè? Het hoort eruit te zien alsof het door de zon komt.'

'Het is hartstikke leuk!'

'Dank je.' Ze was zo blij hem te zien. De gedachte aan twee dagen op de weg met niemand anders dan Cornel en Finney kostte haar al bijna tien jaar van haar leven. 'Ik was bang dat je ziek geworden was of dat je van gedachten was veranderd of zo.'

'O nee, ik voel me geweldig. Zul je me missen?' vroeg hij aan Brenda en verraste haar met een smakkerd op haar wang.

Ze lachte; misschien bloosde ze zelfs. 'Iemand loopt over van energie. Kijk maar uit met hem, Caddie. Waar is je wandelstok?' vroeg ze.

'Heb ik niet nodig.'

'Weet je het zeker?'

'Abso –' Hij dook naar voren en gaf haar bijna een kopstoot.

'Leuk, hoor,' zei Brenda. 'Cornel, heb jij je bloeddrukpillen bij je?'

Om elf uur gingen ze eindelijk op pad.

Magill moest voorin bij het open raam zitten, anders werd hij misschien wagenziek. Achterin nam Cornel de kaart in beslag en kondigde aan dat hij de navigator was. Hij vatte zijn taak serieus op, dus Caddie hield het feit dat ze de weg al kende voor zich. Finney kon niet beslissen bij welke man hij op schoot wilde, en hij sprong heen en weer, hen allebei irriterend, voorbank, achterbank, voorbank, achterbank. Caddie legde alle dingen uit die aan haar auto niet werkten. 'Wat een mooie dag, hè?' Ondanks het sombere doel van hun tocht was ze bijna in net zo'n goede stemming als Magill. Het was een goed gevoel om met honderdtwintig over de snelweg te rijden met haar twee goede vrienden en haar hond. Ze hadden niet een bepaald tijdschema, gewoon een rustige halve dag rijden naar Delaware, waar ze in Lewes de veerboot zouden nemen naar Cape May. Ze wisten niet eens waar ze zouden overnachten als ze er eenmaal waren. Ze ving Magills blik op; de wind blies zijn haar door de war en bracht een roze gloed op zijn wangen. Ze grijnsden naar elkaar. Dit zou leuk worden.

Ze praatten over koetjes en kalfjes, niet over de reden van hun tocht, tot ze bij de ringweg rond Baltimore kwamen, toen Cornel iets vanaf de achterbank mompelde.

'Wat?'

'Ik zei, ik heb iets opgeschreven. Een gedicht.'

'Een gedicht?'

'Voor Thea.'

'O, Cornel.' Caddie keek hem via de achteruitkijkspiegel aan. 'Dat is geweldig. Dat zou ze fantastisch gevonden hebben.'

'Het is nog niet klaar.' Hij viste een bladzijde uit een schrift uit zijn jaszak.

'Mogen we het horen?'

'Jee, nee, het is persoonlijk.'

'O, toe.'

'Lees het voor,' zei Magill.

'Hardop? Nee.'

'Laat het ons horen. Het is vast goed.'

'Nee, ik wil het niet voorlezen.'

'Laat mij dan.'

'Huh?'

'Ik zal het wel voorlezen.' Magill stak zijn hand uit.

'Jij kunt het niet voorlezen.'

'Toe, Cornel.' Net als Magill voelde Caddie dat hij hun zijn gedicht wilde laten horen, maar dat hij het alleen niet wilde toegeven.

Nog meer getrek en gevlei. Ten slotte: 'Nou, goed dan, lees het dan maar voor als jullie het zo belangrijk vinden,' en hij gaf het papier aan Magill. 'Maar het is nog niet af, hoor. Het is een ruwe versie.'

Het schuine handschrift besloeg beide kanten van het papier, zag Caddie vanuit haar ooghoek. Een lang gedicht. Ze hoopte dat Magill niet misselijk zou worden als hij het in de auto voorlas.

Hij kneep zijn ogen tot spleetjes en hield het papier dicht onder zijn neus.

Er was eens een harde en kromme man,
met stenen in zijn zak en stokken in zijn hand.
Hij hield niet van mensen en zij niet van hem.
Zijn hart was van steen, die kromme oude man.

Hij zat in een huis vol lieve mensen en lol,
maar hij droeg een blinddoek, was van somberheid vol.
Vervloekte zijn lange leven, wou dat het overging,
zag geen enkel doel, slechts leegheid en verveling.

Toen kwam op een dag een dame, een held're straal licht.
Zij scheen een lamp in het duister en hij kreeg weer zicht.
Ze kwam onverwacht, want de man had gedacht
dat alles voorbij was en het leven hem niets meer bracht.

Het gebeurt niet zo vaak dat een man als die vent,
klaar voor het einde, toch nog een toekomst erkent.
Haar naam betekende 'Geschenk van de godin'.
Dorothea, Dorothea, voor hem was ze zijn redding.

Het is nu donker en somber, het leven is als voorheen.
Het lijkt simpel ermee te stoppen, vaarwel en ik ben heen.
Maar zij zou het niet willen, dat was niet haar stijl,
dus betracht hij geduld en zal hier nog een tijdje zijn.

En intussen warmt hij zich 's nachts aan liefdevolle gedachten
wanneer de eenzaamheid pijn doet die niemand kan verzachten.
Hij zal haar nooit vergeten, hij weet dat dat niet kan.
Want zonder haar was hij nog steeds die kromme oude man.

Caddie wist niets te zeggen. Magill ook niet; hij hield zijn hoofd gebogen, alsof hij stukken van het gedicht voor zichzelf herlas. Ze wilde hem niet met complimenten overladen, want dan zou Cornel zich dood generen, maar ze was ontroerd. Hij had de hele begrafenis met een als uit steen gehouwen gezicht gezeten zonder iets te zeggen, zonder een traan te laten. Caddie dacht eigenlijk dat dit tochtje naar Cape May het uiterste was dat hij kon doen, dat hij Thea alleen maar kon eren met actie, en niets anders.

En ze bleek het helemaal bij het verkeerde eind te hebben.

'Nou, ik zei toch dat het een opzetje was,' zei hij met een trillende, uitdagende stem en op de een of andere manier maakte haar dat vrij om hem te zeggen wat ze vond: dat ze het een prachtig gedicht vond, dat Thea zo ontroerd en blij zou zijn geweest, het was een schitterend gedicht – hoe kwam het dat hij kon dichten?

Magill echter zei nog iets beters. 'Ik heb jou eigenlijk nooit zo krom gevonden. Ik weet dat het niet hetzelfde is, maar iedere keer dat je het gevoel hebt dat je weer eens wat recht moet zetten, kun je bij mij terecht. Dat weet je, hè?'

'Waarom,' zei Cornel, terwijl hij zijn gedicht terugpakte, 'omdat er aan jou ook een steekje los is?' Hij zei het met een grimas maar probeerde nuchter te doen, omdat hij waarschijnlijk half en half spijt had dat hij zo veel van zichzelf blootgegeven had.

'Ja,' zei Magill, terwijl hij hem recht in de ogen keek.

Cornels schildpaddenlippen plooiden zich in een oprechte glimlach voor hij zijn hoofd boog en mompelde: 'Oké. Afgesproken.'

Er daalde een prettige verlegen stilte over hen neer.

'Ze zei altijd dat ik mijn eigen biografie moest schrijven,' verbrak Cornel de stilte. 'Hem laten eindigen zoals ik wilde.'

'Dat zei ze tegen mij ook,' zei Magill.

'Tegen mij ook,' zei Caddie.

Ze keken elkaar glimlachend aan en wendden hun gezicht af. Ze gingen een heuvel over en alle herfstkleuren ontvouwden zich als een tapijt naar de horizon. Roodbruine paarden graasden bij een beek in een weelderige weide in de verte; de wolken dreven hoog langs de hemel en wierpen schaduwen als bewegende bergen over de snelweg.

'Maar,' zei Cornel, 'ik ben soms wel eens boos op haar. Dan zou ik haar een standje willen geven.'

'Waarvoor?'

'Voor liegen.'

Caddie vond het akelig dat het woord in verband met Thea werd gebruikt. 'Dat moet je niet zeggen.'

'Wat wil je het dan noemen? Waarom kon ze ons in ieder geval niet vertellen wie ze was? Waarom dat geheim houden?'

'Waarom het niet geheim houden?' zei Magill. 'Wat voor zin zou het hebben gehad als ze het wel had verteld?'

'In ieder geval had ze míj kunnen vertellen dat ze ziek was. We hadden het over dat soort dingen. Ik vertelde háár dingen.'

'Wat zou je gedaan hebben als ze het je had verteld?' vroeg Magill.

'Ik zou...'

'Niet van haar gehouden hebben?'

'Misschien zou ik me een beetje ingehouden hebben. Als je naar de dierenwinkel gaat en ze verkopen je een zieke hond, dan...'

Magill draaide zich om in zijn stoel.

'Dan zou je ze willen aanklagen,' eindigde Cornel zwakjes. 'Je bent bedrogen. Heupdysplasie. Kijk niet zo naar me.'

'Ik weet hoe je je voelt,' gaf Caddie toe. 'Ik heb hetzelfde gevoeld, boos op haar omdat ze het me niet verteld had, me niet vertrouwde. Maar Cornel, we kunnen ons niet inhouden. We willen niet dat ons hart gebroken wordt, maar we kunnen niet alleen – van de gezonde honden houden.'

'Jezus, dat weet ik wel.'

'Ik weet dat je dat weet.'

Magill keek alsof hij er niet zo zeker van was.

Wat een opluchting om op deze manier over Thea te kunnen praten. In Wake House was er een soort vriendelijkheid of terughoudendheid over de mensen gekomen, ze konden alleen de meest conventionele dingen over haar zeggen en over hun verdriet omdat ze haar verloren hadden. Misschien ging het altijd zo als ze een van hen verloren hadden – misschien kwam het te dichtbij, konden ze alleen de dingen die ze hadden willen zeggen over zichzelf zeggen, wanneer de tijd daar was. Maar vandaag, met zijn drieën in de auto, konden de mensen die het meest van Thea gehouden hadden, elkaar de waarheid vertellen en het hoefde niet mooi of waardig te klinken, het mocht net zo verward zijn als ze zich zelf voelden. Ze konden toegeven wat ze niet aan haar begrepen en hoefden zich er geen zorgen over te maken dat iemand het per ongeluk aanzag voor ontrouw of wantrouwen.

'Hé, jongens,' zei Caddie. 'Ik heb iets besloten.' Was dit het juiste moment om het hun te vertellen? Ze had het gevoel van wel. 'Thea heeft me geholpen te beslissen. Niet rechtstreeks, omdat we er eigenlijk helemaal niet zo veel over gepraat hebben en ze er heel erg voor oppaste me geen raad te geven in de zin van doe dit, doe dat niet.' Ze keek om zich heen. Ze had hun aandacht, al begon Cornel ongeduldig te kijken.

'Ik heb besloten de baby te houden.'

Ze wist dat ze blij zouden zijn. Cornel boog zich voorover en sloeg haar hard op haar schouders terwijl hij uitriep: 'Goed! Goed!' Magill lachte hartelijk. 'Dat is...' Hij schudde zijn hoofd. 'Geweldig. Het is geweldig, Caddie. Eindelijk eens goed nieuws.'

'Ik weet het – dat dacht ik ook, eindelijk eens goed nieuws. En ik weet dat het een zelfzuchtige beslissing –'

'Nee, nietwaar,' zeiden ze in koor.

'Nee, maar je zou die mensen moeten zien die zich bij het bureau laten inschrijven, ze zijn perfect! Ze zouden veel betere ouders zijn dan ik, ze hebben geld, ze hebben elkaar – ze hebben alles.'

'Poeh,' zei Magill. 'Wie wil nu perfecte ouders?'

'Bovendien,' zei Cornel, 'bestaat er niet zoiets.'

'Zoiets dacht ik eigenlijk ook.' Ze lachte en liet het daarbij. De grootste beslissing van haar leven was wel iets ingewikkelder geweest, maar dit was niet het juiste moment om het uit te leggen.

'Hoe ver ben je nu, vier maanden? Wanneer ben je uitgerekend?' vroeg Magill.

'Drieënhalf. Ze wordt eind maart verwacht, wat perfect is. Omdat het dan voorjaar is, en daarna zomer. Dus dan kan ze naar buiten.'

'Ze?'

'Geen enkele twijfel. Dat is wat wij krijgen.'

'Jullie Winger-vrouwen.'

Ze vertelde hun over haar dokter, die op Patty Duke leek. 'Ze zegt dat ik vijftien tot achttien kilo mag aankomen, vanwege mijn lengte. Kun je je dat voorstellen?'

Magill keek naar haar alsof hij het zich probeerde voor te stellen.

'Ik moet een andere auto hebben, iets nieuwers en veiligers. Maar ik kan de hele tijd blijven doorwerken en erna kan ik meteen weer beginnen ook.' Ze bleef maar doorgaan, zich ervan bewust dat ze aan het leuteren was. Arme mannen, zij waren de eersten, na oma, die over haar beslissing hoorden en ze had een hoop ingehouden. Ze was niet meer misselijk, vertelde ze hun, maar ze kon niet eens in hetzelfde vertrek zijn waar vlees gebraden werd. Zwanger zijn kostte een hoop landerige, leeghoofdige energie, dus was ze vaak moe. De tijd verstreek er ook langzamer door; ze bracht veel tijd door met in de verte staren en aan niets denken, omdat niets er erg toe leek te doen. Behalve groeien.

Ze vertelde hun niet hoe ze zich schaamde over het feit dat ze ooit had gedacht dat ze haar baby zou kunnen weggeven. Ik bied mijn excuses aan, vertelde ze de hele tijd. Ik zal het je nooit vertellen. Ik hoop maar dat je het niet weet, door bloed of enzymen of zo. Ze vertelde hun niet hoe primitief haar liefde was. Ze was als een vlieger geweest waarvan het touw was geknapt, vrij in de lucht rondzwevend, en nu was er iemand die het touwtje strak hield, klaar om in te halen wanneer zij trok. Nu ze wist dat ze haar mocht houden, liet ze zichzelf toe heel veel van de baby te houden.

'Ik heb honger,' zei Cornel. 'Wanneer eten we?'

Ze waren nog niet eens bij de Bay Bridge. Een snelle hap was niet voldoende; hij moest naar een restaurant waar je kon zitten, met obers en zilveren bestek en waterglazen. 'Oké, oké,' zei Magill instemmend en Caddie sloot zich er snel bij aan: 'Goed, geen probleem.' Ze spanden samen om het Cornel naar de zin te maken zodat hij niet driftig zou worden. Met hamburgertenten zou het beginnen en vanaf daar was het afval, beton, auto's, graffiti, normvervaging – vervolgens immigranten en uitkeringstrekkers, smog, wachtrijen, rap en MTV. En dan hoe betrekkelijk geweldig het in zijn tijd was geweest. Dan was het makkelijker om een restaurant te zoeken waar ze konden zitten.

Hij nam zijn kaart mee naar binnen in een restaurant aan de Route 50 die de *Pig and Hen* heette. 'Ik heb wat groene routes in gedachten.' Hij spreidde de kaart op tafel uit, over de menukaarten heen, en gooide het zoutvaatje om.

'Mooie routes?' Caddie keek op haar horloge.

'Kijk eens.' Hij legde zijn hoornachtige wijsvinger op Talbot County. 'Natuurlijk kun je de 404 nemen als je hier wilt komen. Maar waarom zou je niet eens een paar binnenweggetjes nemen, het echte land bekijken, het Amerika dat aan het verdwijnen is.'

'Dat is de Delmarva,' zei Magill. 'Dat is vlak boerenland.'

'Het kan mij niet schelen,' zei Caddie, 'zolang we de veerboot maar vroeg kunnen halen, zodat we een hotel of pension op Cape May kunnen vinden voor het donker wordt.' Ze hadden moeten reserveren, ze wíst het gewoon.

'Geen probleem,' zei Cornel luchtig. 'Kijk, we gaan gewoon langs hier in plaats van hier en dan zien we meer. Het is beschaafder.'

'Je kunt toch niets zien zonder je bril,' merkte Magill op, 'dus wat kan jou het schelen?'

Dat was het begin van een van hun eeuwige, stekelige woordenwisselingen. Caddie keek op de kaart en er sprong een naam af. *Clover*. Het lag aan een van Cornels binnenwegen.

Ze bestelde een broodje tonijn en een vanillemilkshake en bemoeide zich niet meer met het gesprek. De mannen moesten de route maar bepalen. Ze vond alles goed. Ik trek mijn handen ervan af. Toen zei Cornel dat het op die manier meer een pelgrimstocht was, waarbij ze meer van het land zagen waar Thea had gewoond (wat niet waar was; Will en zij hadden in Maryland gewoond, in de buurt van Berlin, ver weg van Clover, Delaware) en daarna had Caddie helemaal geen reden meer om tegen de groene route te protesteren. Wie kon er nu tegen een pelgrimstocht zijn?

Dus was het het lot.

En ze reden er toch alleen maar doorheen.

24

Magill had gelijk, Talbot County was overwegend vlak boerenland. Caroline County ook. Maar het was rijp, gouden land en de brede akkers met bruine, halve meter hoge korenhalmen strekten zich ver uit naar bossen met eiken en platanen in hun herfstkleuren en slordige pijnbomen. Ganzen snaterden terwijl ze in formatie overvlogen of in grijswitte horden over de laagliggende grassen struinden. Er lagen pompoenen zo ver het oog reikte en het was stoffig en loom. De akkers, de paar huizen, zelfs de bomen in hun herfstkleuren zagen er slaperig en sjofel uit, alsof ze aangenaam moe waren en passief wachtten tot het winter werd.

'Hier afslaan,' zei Cornel.

'Wacht even.' Borden langs de weg waar ze afgeslagen waren, hadden vermeld dat het een 'Groene Route' was; deze nieuwe omweg zou een groene route maal drie zijn.

'Afslaan!'

Ze draaide zich om. 'Waarom? Wat is hier dan?'

'Niets voor zover ik weet.'

Magill grinnikte, maar Caddie kon er niet om lachen. Hoe moest dat nou met het lot? En met door Clover rijden? Als Cornel de groene route ging veranderen wanneer hij er maar zin in had, dan zouden ze er voorbij rijden. Dat was niet het lot, dat was – kinderachtig. 'De weg hier heeft niet eens een nummer,' klaagde ze. 'Cornel, je hebt groen en je hebt –'

'Niets.' Magill had Finney op zijn puntige dijen en hield hem stevig vast terwijl de auto scherpe bochten nam. De hond keek strak voor zich uit met opengesperde ogen en gespitste oren, als een motorkapversiering.

Farmer John's Market, witte houten banken onder een open tent, was gesloten voor het seizoen. Een huis op gasbetonblokken had een satellietschotel op het dak en een eenzame zwarte geit in de tuin. Boerenland, boerenland. Met plastic bedekte kassen, kippenhokken, een kleine begraafplaats midden in het land.

'Je weet maar nooit waar je terechtkomt,' legde Cornel uit. 'Daar gaat het om. Toen ik klein was, stapte ik op mijn fiets en nam ik een cent of een stuiver mee en bij iedere hoek deed ik kruis of munt. Rechts, kruis, links, munt. Het is een avontuur.'

'Dus kon je nooit rechtdoor,' merkte Magill op.

'Nee, soms zei ik kruis, rechtdoor, munt – en wat je verder nog hebt. Waar het om gaat is –'

'Maar dat is vals spelen.'

'Waar het om gaat – Welnee.'

'Hoe lang van tevoren besloot je dat kruis rechtdoor was?'

'Hoe moet ik dat nou weten? Een blok.'

'Dus je zag wat eraan kwam en je veranderde de regels als je wist dat je de ene kant op wilde in plaats van de andere.'

'Nietwaar. Trouwens, ik had hoe dan ook een fifty-fifty kans, ik veranderde geen regels. Hou je nou je mond? Ik was tien, godbe – Waarom stoppen we?'

Dat wilde Caddie ook wel weten. Het gaspedaal deed het niet. Het ene moment waren ze nog lekker aan het rijden en het volgende moment had de auto helemaal geen vermogen meer. 'Kijk – niets.' Ze liet het hun zien door op het gaspedaal te trappen. 'Hij gaat niet!'

'Draai aan het stuur en rijd de berm in,' zei Magill. 'Snel.'

Te laat. Met schrikbarende snelheid kwam de auto tot stilstand, met de achterkant anderhalve meter over de vervaagde witte zijlijn uitstekend.

'Zet hem in z'n vrij en stuur. Doen de lichten het? Zet de alarmlichten eens aan. 'Kom,' zei hij tegen Cornel terwijl hij het portier opendeed, 'we moeten duwen.'

Gelukkig kwamen er geen auto's aan. Gelukkig stonden ze niet op een heuvel. Ze duwden en zij stuurde, door de berm, tussen de weg en een sloot op een strook gras. Achter de sloot lag een breed, stoffig korenveld en verder niets. Hetzelfde aan de andere kant.

'Blijf,' zei ze tegen de opgewonden hond en stapte uit. 'Nou, dit is geweldig. Niet te geloven.'

'Ik snap niet waarom je verbaasd bent,' mopperde Cornel, 'je auto is een hoop oud roest.'

'Hij heeft net een beurt gehad. Weet je, als we op de 404 waren gebleven en daarna naar de 18 –'

'Dan zou dit niet gebeurd zijn?'

'Dan zouden er auto's langsgereden zijn die ons konden helpen.'

'Tut, tut, dames.' Magill frunnikte aan een hendel, deed de motorkap open tot boven zijn hoofd en staarde in de zwarte sissende motor. 'Ja,' zei hij ten slotte terwijl hij de kap met de stang vastzette. 'Het is je idionator.'

'De –' O. Ha, ha.

'Is het lampje van de dynamo gaan branden?'

'Eh, dat weet ik niet,' zei Caddie. 'Ik had geen tijd om erop te letten.'

'Kijk eens even.'

Ze keek door het raampje. 'Ja! Het is aan!'

'Het zou je dynamo kunnen zijn,' zei Cornel, terwijl hij zijn lippen tuitte en over zijn kin wreef.

'Nee, dan zou hij toch nog een eindje op de accu zijn blijven lopen. Dan zou hij niet ineens stilstaan.' Magill wriemelde met leidingen en voelde aan bevestigingen alsof hij wist wat hij deed. 'Het zou de brandstofpomp kunnen zijn.' Hij maakte een leiding los die in een groot rond ding verdween waarvan Caddie dacht dat het de carburateur was. 'Caddie, draai de contactsleutel eens om.'

'In de auto?'

Hij keek naar haar en glimlachte.

'Oké.' Ze stapte in de auto en draaide de sleutel om.

'Oké.'

'Wat is er gebeurd?' Ze moest Finney bij zijn halsband pakken om zonder hem uit de auto te kunnen stappen.

'Niets aan de hand met de pomp.' Magill veegde met een rode zakdoek benzine van zijn handen.

'Iets elektrisch?' opperde Cornel.

'Nou, dan zou hij nog een tijdje op de accu zijn blijven lopen. Maar ja, als er een spiraal kapot is... maar dat is niet waarschijnlijk. Mijn gok is dat het de tandriem is.'

'Huh,' zei Cornel, wijs knikkend. 'De tandriem.'

'Wat is dat?' vroeg Caddie.

'Die zit hier.' Hij raakte een metalen klepje achter de tikkende radiateur aan. 'De riem loopt vanaf de krukas en bedient de kleppen, zie je, twee kleppen per zuiger. Hij staat in verbinding met de nokkenas en draait –'

'Kun je hem maken?'

'Nee. Nou ja, als ik gereedschap had. Maar om erbij te kunnen, moet je de radiateur eruit halen en de ventilatorriem, wat elektrische leidingen, misschien wat pompen. Wat wij nodig hebben is een monteur.'

Ze keken elkaar aan. Ze keken om zich heen naar het vaalgele uitgestrekte niets. In de akker aan de andere kant van de weg vloog plotseling een zwerm spreeuwen op als een rafelig zwart net.

'Heb je een mobiele telefoon?' vroeg Magill.

'Nee.' Ze stak haar hand door het portier aan de passagierskant en aaide Finney om hem rustig te krijgen. 'Sorry. Nee. Een auto!'

Een pick-up die hen vanaf de andere kant tegemoet kwam gereden. Hij ging langzamer rijden naarmate hij dichterbij kwam – dat kon ze aan de motor horen – maar de inzittenden, een man met een rood gezicht en bakkenbaarden en een vrouw met wit haar keken reikhalzend en met uitpuilende ogen, maar stopten niet.

'Hoe komt het dat jullie geen mobiele telefoon hebben?' wilde Cornel weten. 'Iedereen in de wereld heeft een mobiele telefoon.'

'Behalve wij drieën,' zei Magill, terwijl hij hem een ironische blik toewierp. Mislukkingen, dacht hij. Caddie wist het, want zij dacht het ook.

'En ik neem aan dat niemand lid is van een autoclub,' raadde Cornel. 'Godallemachtig. Wat een stelletje.'

Er reed opnieuw een auto voorbij zonder te stoppen, zelfs toen ze alledrie zwaaiden.

'Ik snap het niet. Zien we eruit als Bonny en Clyde of zo? Als toch niemand stopt, kan ik net zo goed de hond uit de auto laten. Hij is al een uur niet meer uit geweest,' voegde Caddie er knorrig aan toe.

'Hijs de volgende keer je rok op,' opperde Cornel. 'Heb je die film ooit gezien? Claudette Colbert hijst haar rok op –'

'Ik heb hem gezien. Ik hijs mijn rok niet op.' Ze had erge last van haar rug. Dit hoorde niet te gebeuren. Ze hoorden nu in Lewes te zijn, waar ze keurig in de rij op de veerboot zouden wachten. Niet alleen dat, maar de lucht die een half uur geleden nog strakblauw was, liep vol met grimmige, grijze wolken. O, geweldig, een onweersbui, daar zaten ze net op te wachten.

'Ik neem hem wel.' Magill pakte zachtjes Finney's riem uit haar hand.

De hond trok hem onmiddellijk over de sloot en de andere kant het stoppelige korenveld in. 'Val niet –!' maar ze moest lachen, want ze zagen er zo komisch uit, de man met de lange benen die achter een hond met korte pootjes aan rende, het colbert van de man achter hem aan fladderend en zijn broekspijpen om zijn kluiten wapperend. Finney had de geur van iets te pakken, waarschijnlijk een veldmuis, en wanneer dat het geval was, hield niets hem tegen.

'Hij wordt beter, hè?' zei Cornel terwijl hij met zijn achterste tegen het achterlicht leunde.

'Finney? Niet echt, hij is –'

'Magill.'

'O.' Ze keek met toegeknepen ogen tegen de zon naar zijn donkere silhouet, zijn magere benen op en neer gaand, één lange arm uitgestrekt naar de hond. Hij deed haar denken aan Ichabod Crane. 'Dat hoop ik wel. Denk je van wel?'

Cornel keek haar op een bozige, onderzoekende manier aan. 'Waarom besteed je niet meer aandacht aan hem?'

'Wat?'

'Weet je niet wat zijn gevoelens zijn?'

'Eh, over...'

'Jóu.'

Ze wendde haar gezicht met een ruk af. Ze lachte. Ze liep zijwaarts weg, de lege weg op. 'Nee. Ben je gek. Nee. Doe niet zo raar.'

Cornel klakte met zijn tong en schudde zijn hoofd, maar zei verder niets meer.

'Gekkie,' herhaalde ze om hem aan te moedigen. Ze had zo'n vreemde opvlieger, ze voelde de warmte ervan via haar hals omhoogkruipen. 'Je bent gek, zo zijn we niet.'

Cornel keek niet eens naar haar, hij keek over haar schouder. 'Auto. Hijs je rok op.'

Ze wilde nadenken over wat Cornel had gezegd, ze wilde peinzen en beschouwen en erachter komen wat ze ervan vond. Maar een oude stationcar, ouder dan de Pontiac, en roestiger, minderde vaart en stopte toen vlak achter haar. Een man met brede schouders draaide zijn raampje naar beneden en legde zijn elleboog op de rand. Hij had wit kroeshaar en een gerimpeld, waardig gezicht met de kleur van modderige koffie en droeg een eigenaardige bril met ronde, kobaltblauwe glazen. Alsof hij blind was.

'Hallo,' zei Caddie en Cornel zei 'Goeiedag', toen de man in eerste instantie niets zei. 'We hebben autopech.'

Hij knikte langzaam. Op dat moment zag Finney zijn auto; hij begon als een gek te blaffen en Magill er over de akker naartoe te sleuren.

'Mijn hond,' zei Caddie snel, 'hij is verschrikkelijk, hij blaft naar iedereen.' Dat was waar; Finney was een niet-discriminerende lastpak.

Geen antwoord; de oude man bleef berustend, stoïcijns zitten, alsof het valse hondje van een stel blanken de minste van zijn problemen was. Hij zag eruit als een plattelandspredikant, vond Caddie, behalve dat hij niet veel te zeggen had.

Magill tilde Finney op en slaagde erin bij de auto te komen zonder te vallen. Terwijl hij zachtjes vloekte, plantte hij hem op de voorste stoel, met riem en al, en sloeg het portier dicht. 'Hallo,' riep hij vrolijk. Hij begon achterover te hellen en greep zich aan de zijspiegel vast. Met de auto als steun, kwam hij eindelijk bij de plek waar Caddie en Cornel stonden. 'Hoe gaat het? Bedankt dat u gestopt bent.'

'Is er een tankstation in de buurt?' vroeg Caddie. 'Of een garage? Met een monteur? Iemand met een sleepwagen?'

De oude man tuitte zijn lippen terwijl hij nadacht. Toen hij recht voor zich uitkeek, zag ze via de zijkant van zijn blauwe bril dat hij waterige, lichtgrijze ogen had. 'We hebben Ernest Holly,' antwoordde hij ten slotte met een soepele, verrassend jonge stem.

'Is hij monteur? Kan hij auto's maken?'

Hij knikte weer zo lang en bedachtzaam.

Stilte.

'Heeft u misschien een mobiele telefoon?' vroeg Magill beleefd.

Finney wierp zich van de ene kant van de auto naar de andere; de fanatieke, gedempte dreunen klonken als een psychiatrische patiënt die uit zijn cel probeerde te komen.

De oude man schudde zijn hoofd.

Lange stilte.

'Ik zou jullie wel naar Ernest kunnen brengen.'

'Dat zou geweldig zijn! Hoe ver is het?' vroeg Caddie.

'Een kleine kilometer.'

Ze besloten dat Magill met meneer Clark mee zou gaan, zoals hij bleek te heten, terwijl Caddie en Cornel bij de auto en de hond achterbleven. Magill was vrijwel meteen weer terug, in een roodwitte pick-up naast een magere, jonge man met een scherp gezicht, gekleed in een denim overall en met een leren pet op. Ernest Holly.

Ernest had al snel de diagnose gesteld. 'Het moet uw distributieriem zijn. Ooit een nieuwe gehad? Van welk jaar is deze, '83, '84? Riemen kunnen twintig jaar meegaan, maar dan zijn ze op.'

'Kunt u hem maken?'

'O ja.'

Aha. 'Vandaag nog?'

Ernest had een gouden hoektand. Caddie zag hem toen hij naar haar grinnikte alsof hij haar gevoel voor humor wel kon waarderen. 'Vandaag niet.'

'Waarom niet?'

'Ik moet naar Denton of Bridgeville bellen voor het onderdeel. Het is zondag, dus ze zijn allemaal om een uur dicht. Maar ik kan hem meteen morgenochtend te pakken krijgen, dan bent u om elf uur weer op weg. Als ik tenminste niks geks tegenkom.'

'Geks?'

Ernest wipte zijn pet aan de achterkant op en krabde aan zijn hoofd. Hij rook naar verbrande olie. 'Bij een auto van die leeftijd weet je het maar nooit. Ik zou iets tegen kunnen komen.'

Ze keek naar Magill. Deugt deze vent? Kunnen we hem vertrouwen? Niet dat ze enige keuze hadden.

Cornel had zijn kaart op de kofferbak van de auto uitgespreid. 'Goed, maar waar kunnen we hier in de buurt overnachten? Hebben ze een motel in Denton?'

'In Denton?' Ernest liet zijn gouden tand weer flitsen.

'Of Bridgeville?'

'Niet dat ik er ooit van gehoord heb.' Hij legde een vinger die zwart van de olie was op de kaart. Opnieuw het lot: Caddie verwachtte half dat hij zou zeggen dat er een motel in Clover was. 'Iets dergelijks hier, misschien zo'n dertien, veertien kilometer ten noorden van hier, en dat is hier. Het is een soort van motel, zeg maar.'

Hmm.

'Was vroeger voor ganzenjagers, gewoon hutten, geen elektriciteit of wat je luxe noemt.'

'Nou, weet u –'

'Maar het is verkocht, en weer verkocht en die nieuwe mensen hebben ze opgeknapt. Heb ik gehóórd; ik beloof niks.' Hij keek met een zekere voldaanheid naar hun gezichten. 'Slechte plek om pech te krijgen. Jullie zitten behoorlijk omhoog, hè?'

'Hoe kunnen we daar komen? Kunt u ons brengen?' vroeg Caddie.

'Nee. U heeft al die auto's gezien die ik heb staan,' zei hij tegen Magill, die dat moest bevestigen door te knikken. 'Iedereen wacht tot het eind van de maand met een beurt, niemand denkt vooruit. Maar luister.' Hij kneep zijn ogen tot spleetjes en keek hen om beurten aan. Ze zagen er kennelijk onschuldig genoeg uit, want hij besloot: 'Ik zet er vijfentwintig dollar op de rekening bij en dan kunnen jullie de auto van mijn vrouw lenen.'

'Vijfentwintig dollar!' barstte Cornel uit.

'Afgesproken,' zei Magill.

'Misschien moeten jullie nog tanken. Ze vergeet altijd te tanken.'

'Weet je, hiervandaan zien ze er niet zo slecht uit.'

Caddie schonk nog eens koffie voor iedereen in en deed room in haar eigen kopje. Ze nam vroeger nooit room, maar tegenwoordig kreeg ze brandend maagzuur van zwarte koffie.

'Ze zíjn ook niet zo slecht,' zei Magill terwijl hij zijn bord opzij schoof waar nog een half broodje ham op lag.

'Nee, maar de buitenkant is leuker dan de binnenkant, dat moet je toegeven,' zei ze. 'Eet je die niet op?'

Goose Creek Vakantiebungalows, vroeger Hunter Haven's Hutten, lagen aan één kant van de vlakke tweebaansweg en het kantoor van de eigenaar, de receptie en deze koffieshop lagen aan de overkant, achter een tankstation dat uit een eiland met één pomp bestond. Texaco. Gelukkig was het een slaperige snelweg, dus was al het heen en weer gesjouw dat je hier moest doen niet zo gevaarlijk. Vroeger waren het zes hutten, allemaal duplex (dus eigenlijk twaalf), maar de eigenaars hadden de muren in het midden gesloopt om de kamers groter te maken. Vroeger waren ze piepklein; nu waren ze gewoon klein. En turkoois, met een oranje rand. Magill zei dat ze eruitzagen als een Howard Johnson-creatie. Ze hadden twee bungalows naast elkaar genomen voor de nacht ($49.99 per huisje, inclusief ontbijt in de koffieshop), tot grote vreugde van de eigenaars, meneer en mevrouw Willis, Peg en Ethel – Peg was de man. Ze zouden misschien niet zo verheugd zijn geweest als ze wisten dat Finney op dit moment in het verst afgelegen huisje, dat wat je niet kon zien omdat er een reclamebord voor stond, een dutje lag te doen. Maar ja, misschien waren honden wél toegestaan, wie weet? Maar tijdens een snel overleg voor ze zich inschreven, waren Caddie, Magill en Cornel overeengekomen dat het in dit geval beter was om stiekem te doen dan spijt te krijgen.

Cornel had zijn kaart weer tevoorschijn gehaald. Nu was het zover dat als Caddie er nog maar een blik op wierp, het woord 'Clover' er als flikkerend neon uitsprong. De mannen waren aan het redetwisten over Maryland en Delaware, welke staat het beste was op het gebied van belastingen of zo – Caddie legde hun het zwijgen op door op te staan. 'Ik moet even bellen.'

Ze keken naar haar alsof ze aankondigde dat ze naar Dover zou liften. 'Naar wie?' wilde Cornel weten.

Ze zou het hun vertellen als het iets was. Hoewel ze in deze situatie geen idee had wat 'als het iets was' betekende. 'Ik, eh, heb een vriendin hier ergens in de buurt. Misschien; dat moet ik even nagaan. Ben zo terug.'

Peg bemande de receptie van het motel en het tankstation terwijl zijn vrouw de koffieshop runde. 'Heeft u hier een openbare telefoon?' vroeg Caddie aan Ethel, een stevige vrouw van in de veertig met een netje over haar golvende bruine haar. Ze deed Caddie een beetje aan Brenda denken.

'Om de hoek, naast de herentoiletten.'

'Ligt er ook een telefoonboek?'

'Jazeker.'

Waarom waren gangen naar de toiletten altijd met van die donkere, deprimerende schrootjes betimmerd? Ze hadden ook allemaal dezelfde vloerbedekking, donkerblauw gestippeld met vlekken en ingelopen kauwgom. Het telefoonboek hing onder een metalen blad onder de telefoon. Het besloeg vier county's en twee staten, maar was maar zo'n tweeënhalve centimeter dik. Voor Kent County stond er maar één Haywood in Clover. Mevrouw C.R. Haywood. Een vrouw?

Zodra ze haar geld tevoorschijn had gehaald, kreeg ze zweethanden. De kwartjes plakten aan haar handpalm. Ze moest haar gewicht op haar ene been laten rusten, omdat haar andere been trilde. Ze draaide twee keer achter elkaar verkeerd en bij de derde poging nam iemand zo snel op dat ze niet kon horen wat er gezegd werd, of het een man of een vrouw, of een kind was. 'Hallo?' zei ze. 'Hallo?'

'Hallo?' Het was een vrouw. Oud, met een trillende stem.

'Hallo – mijn naam is Caddie Winger en ik probeer een meneer Bobby Haywood op te sporen.'

'Bobby? Wie is dit?'

'Caddie Winger. Ik ben –'

'Caddie? Wie is dit? Waar is Bobby?'

'Nee, ik ben...' Ze hoorde een scharrelend geluid, een vrouwenstem die zei: 'Moeder, ik neem hem wel,' en toen –

'Hallo? Wie is dat?' Een sterk Eastern Shore-accent.

'Eh, hallo.' Ze begon opnieuw. 'Mijn naam is Caddie Winger. Ik sta in een telefooncel in de buurt en ik keek – in het boek en vroeg me af of Bobby Haywood hier misschien woont.'

'Bobby?' Niet onbeleefd, maar scherper. 'Sorry, maar met wie spreek ik?'

Ze herhaalde haar naam. 'Ik denk dat hij mijn moeder heeft gekend, als ik het juiste nummer heb. Jaren geleden.' Drieëndertig jaar geleden. Als ze het juiste nummer had. 'Met wie spreek ik?' vroeg ze beleefd.

'Nou, ik heet Dinah Krauss, maar...' Ze aarzelde. 'Mijn broer heette Bobby Haywood. Robert Charles Haywood.'

Caddies huid prikte; ze had het gevoel alsof ze een lichte stroomstoot kreeg. 'Is hij –' Ze moest haar keel schrapen. 'Is hij er?'

'O, meid.' De stem verzachtte. 'Bobby is al heel, heel lang geleden overleden.'

Ze voelde niets. Toen ineens wel, een golf van teleurstelling die haar zo overviel dat ze er slap van in de benen werd. Ze wilde ter plekke op de vloer gaan zitten, maar het telefoonsnoer was niet lang genoeg.

Ze kwam er snel overheen, omdat het stom was; hoe kon je om iemand rouwen die je nooit had gekend en nooit zelfs verwacht had te ontmoeten?

De vrouw kuchte een beetje bezorgd in de stilte.

'Eh?' zei Caddie. 'Hij was musicus, hè?'

'Ja, jazeker. Wie zei je dat je moeder was?'

'Jane Buchanan.'

'Jane...'

'Maar ze gebruikte de naam Chelsea.'

'O jee, jij bent Chelsea's dochter.'

'Ja, heb je haar gekend?'

'Ik heb haar nooit gekend, maar heb wel heel veel over haar gehoord van Bobby. Hoe gaat het met haar?'

'Zij is ook overleden. Bij een auto-ongeluk in Californië, heel lang geleden.'

'O nee, toch. Echt? Nou, dat vind ik heel erg.'

'Dank je.' Er klonk zo veel medeleven in de stem van de vrouw door dat Caddie een stomme brok in haar keel kreeg. 'De reden dat ik een idee had waarheen ik moest bellen – ik heb een brief van Bobby aan mijn moeder gevonden, en het leek alsof... ze elkaar heel best kenden.' Heel best. Ze nam om de een of andere reden Dinahs woordgebruik over. Misschien om zo haar vertrouwen te winnen.

'Nou, ik weet dat Bobby heel erg verliefd op haar was,' liet Dinah haar na een vreemde stilte weten. 'Dat weet ik wel. Zoals ik al zei, ik heb haar nooit zelf ontmoet.' Ze zei dat voorzichtig, alsof ze eerlijk wilde zijn.

'Dinah?' Ze moest het er maar meteen uitgooien. 'De reden dat ik bel is dat ik denk, ik weet het bijna zeker door de brief en de data en alles, dat jouw broer, eh –' ze durfde bijna niet meer – 'misschien mijn vader was.'

'Ho.' Een bonk, alsof Dinah was gaan zitten. 'O, heremijntijd. Caddie?'

'Ja?'

'Je naam is Caddie?'

'Catherine Ann Winger. Mijn moeder heette Buchanan, nou, eigenlijk Buckman, maar – o, dat is een lang verhaal, maar ik heet Winger.'

'Waar bel je vandaan?'

Ze vertelde het.

'O, dat is hier vlakbij!'

'Ja, dat weet ik. Zou je me willen ontmoeten?'

'Ja, nou en of, jij niet?'

Ze lachten samen.

'Nou, je zou hierheen kunnen komen als het –'

'Nee, kom maar hierheen,' onderbrak Dinah haar, 'Carl is aan het werk en ik kan moeder niet alleen laten. Trouwens, ik wil dat je het huis ziet. Bobby is hier opgegroeid.'

Caddie trok haar gespannen schouders opgewonden op. 'Ik ben op reis met een paar vrienden, twee mensen, ik was echt in de buurt –'

'Nou, neem die ook maar mee.'

'Echt? Dat zou ik wel fijn vinden. Er is hier niet zo veel te doen en ik vind het vervelend om ze zomaar achter te laten –'

'Neem maar mee. Ik zal zeggen hoe je er moet komen, maar het is hartstikke simpel. Carl, mijn man, komt straks ook thuis en je kunt moeder ook ontmoeten. Goh, Caddie, moet je nagaan. Ze is waarschijnlijk je oma.'

25

Zelfs het centrum, de straten van Clover, Delaware, was niet meer dan anderhalve rijstrook met een hobbelige berm als je wilde passeren. Céntrum – ha. Twee kerken, een tankstation, het postkantoor en een loket waar je loten kon kopen, dat was het zo'n beetje. De rest bestond uit Victoriaanse huizen en huizen met versierde gevels, oud en niet gerestaureerd, met vlakke, grasgroene tuinen die maar een halve tree onder de veranda's lagen. De grote verganeglorie-huizen maakten binnen een blok plaats voor kleinere, ook oud en de meeste van hout, in wit, blauw en lichtgeel geschilderd. 'Slaperig' was een te dynamisch woord voor Clover, maar Caddie vond het leuk. Mijn vader is hier opgegroeid, oefende ze. Mijn vader. Hij is in dit dorp opgegroeid.

'Nogmaals bedankt, jongens, dat jullie mee wilden. Ik stel het erg op prijs.'

'Geen dank, hoor. Wat hadden we anders moeten gaan doen?'

'Niet zo zenuwachtig zijn,' zei Magill. 'Dit wordt een makkie.'

'Ik weet niet waarom ik het ben – ze klonk heel aardig. Ik weet dat ze me niet zullen opeten.'

'Wees gewoon jezelf, dan zijn ze meteen gek op je.'

Ze glimlachte dankbaar. 'Dat hoop ik.' Toen ze Cornel en hem voor het eerst over het telefoongesprek vertelde, had Magill gezegd: 'Caddie Winger, je zit vol verrassingen,' en hij had haar aangekeken met zo'n lieve mengeling van bewondering en medeleven. Cornel had gezegd: 'Nou moet het verdomme toch eens klaar zijn met al die onthullingen.'

'Hier afslaan,' instrueerde hij. Zelfs nu nog moest hij navigeren, van het papiertje waar ze Dinahs aanwijzingen op had geschreven.

'Hier?' Het dorp uit? Ze reed een ventweg op die parallel aan de snelweg liep, omringd door stoppelige, droge velden vol maïsstoppels en huizen in de verte, te midden van groepjes hoge bomen. De auto van mevrouw Ernest Holly was een terreinwagen. Caddie was niet gewend aan haar nieuwe, superieure verhouding tot de grond, of aan de versnellingspook die ze maar tussen de eerste en tweede versnelling bleef duwen. Ze was bloednerveus. Nadat ze met Dinah had gepraat, was ze naar haar kamer gegaan om zich op te knappen en het beeld in de spiegel van haar doodgewone zelf – op de lichtpuntjes in haar haar na, die Magill leuk vond, godzijdank – was ontmoedigend geweest. Ze had er nooit meer aantrekkelijk, vlot en karaktervol uit willen zien dan nu en ze zag er gewoon als altijd uit.

'Het zou het volgende huis moeten zijn. Ik kan het nummer zo veraf niet zien,' zei Cornel.

'Krauss,' las Magill op een zwarte brievenbus in de verte. 'Daar is het.'

Het gebeurde allemaal te snel. Ze kon haar omgeving niet in zich opnemen, ze kon zich niet voorbereiden. Hier was een oprijlaan van kiezels die naar een uit één verdieping bestaand houten huis, geel met een bruine rand, leidde en daarachter naar een groene aluminiumschuur en een geparkeerde schoolbus. Op het huis stond een windvaantje en er was een Pennsylvaanse versiering boven de deur. Iemand had een bladloze kornoelje in de tuin versierd met plastic pompoenen. Waar moest ze parkeren? Bij de schoolbus? Hier? En als ze nu iemand de weg versperde?

Magill wilde net zeggen: 'Dit is prima, hier,' toen de voordeur openging en een vrouw de twee treden naar het betonnen pad af stapte. Ze wachtte, glimlachend, met haar armen langs haar zij, maar de handpalmen naar buiten, en verplaatste haar gewicht van de ene voet op de andere. Omdat ze niet onder haar ogen wilde klungelen met de versnelling, liet Caddie hem in zijn drie staan en zette de motor uit. 'Nou!' zei ze vrolijk, om moed te verzamelen. Magill knipoogde naar haar. Ze haalde diep adem en stapte uit.

Ze was nog maar halverwege het pad toen de vrouw, lang en stevig gebouwd, met kroezig haar dat dezelfde kleur had als de roestkleurige geraniums in een bak bij de voordeur, haar armen uitstak en zei: 'O, heremijntijd, ik zie Bobby helemaal in jou. Kom hier, schat, ik ben je tante Dinah.' Ze had tranen in haar lichtbruine ogen. Caddie moest zelf haar tranen wegknipperen en dook in haar armen, onvoorbereid op het vuur van haar omhelzing. Dinah duwde haar van zich af om haar beter te kunnen bekijken – 'Wat zie je er leuk uit!' – en pakte haar toen weer beet, haar plettend tegen haar boezem. Ze droeg een lang, kriebelig vest met een blouse eronder, een groene stretchbroek en witte sandalen.

'Ik weet het niet,' zei Caddie met een bibberige stem. Haar handen voelden klein en kinderlijk aan in Dinahs stevige greep. 'Misschien lijk ik wel op jou.' Niet de ogen of de vlezige gelaatstrekken, maar iets in Dinahs glimlach, blij en triest tegelijk.

Caddie stelde Magill en Cornel voor, die zich verlegen op de achtergrond hielden, niets wilden missen, maar ook niet wilden staren. 'Goh, hé,' zei Dinah en omhelsde hen ook. 'Kom binnen, allemaal, allemachtig, jullie zien er allemaal uitgehongerd uit!'

Een kleine salon vol foto's en ditjes en datjes en een bankstel. 'De kamer waar nooit iemand zit,' legde Dinah uit, terwijl ze hen er dwars doorheen meenam naar een kleinere kamer, een televisiekamer met een breedbeeldtelevisie tegen de ene met schrootjes betimmerde wand en een stel gemakkelijke stoelen en voetenbanken eromheen. Het geluid van de tv stond uit en woorden rolden onderlangs over het beeld. Caddie zag de vrouw niet die languit in een van de gemakkelijke stoelen lag tot Dinah zei: 'Moeder? Moeder, kijk eens wie hier is. O, hemel,' zei ze op zachtere toon, 'ik denk niet dat ik het haar nu meteen ga proberen uit te leggen. Móeder – dit is Caddie, en dit zijn haar vrienden, meneer Montgomery en meneer – Magill. Ze zijn op bezoek. Op bezoek!'

Ze zag eruit als een verschrompelde pop, heel klein in de enorme stoelkussens met haar handen gevouwen, haar voeten naast elkaar in wollige, witte pantoffels onder een gebreide plaid. Caddie boog zich voorover en kuste haar zachtjes op haar wang. Haar haar was zo wit als katoen. Ze rook naar babypoeder. Ze knipperde met haar waterige, blauwe ogen en glimlachte vol vertrouwen op een lieve manier. 'Hallo,' zei Caddie. 'Ik ben zo blij u te ontmoeten.'

'Moeder praat niet veel meer,' zei Dinah zachtjes, 'al een tijdje niet meer.' Ze streek met haar hand over het voorhoofd van de oude dame. 'Ze maakt het goed – kom allemaal maar mee naar de keuken, ik heb net twee vlaaien gebakken, ik hoop dat jullie van pompoen houden. Ga zitten, ga zitten. Wie wil er koffie? Ik heb net gezet. Caddie, ik wou dat je moeder anderhalf jaar geleden had gezien, zo scherp als een scheermes. Ze woonde hier in haar eentje, reed auto, ging naar de kerk, noem maar op.'

'Hoe oud is ze?' Caddie ging in de vrolijke gele keuken op een krukje aan een lange formica eetbar tegenover het aanrecht zitten. Magill en Cornel gingen aan weerszijden van haar zitten. Voor de rest van haar leven zou ze de geur van kaneel en warm, pasgebakken gebak met haar tante Dinah associëren.

Dinah draaide aan een knop, waarmee ze de lichten in een hanglamp in de vorm van een wagenwiel boven hun hoofd dempte en leunde op haar gemakje tegen het aanrecht alsof dat haar plekje was, haar vaste plaats. 'Ze is in januari vierentachtig geworden, volgend jaar is ze vijfentachtig. De dokter zei dat het de ene lichte beroerte na de andere was, die iedere keer weer een stukje van haar hersenen aantastten. Carl en ik zijn een jaar en drie maanden geleden bij haar ingetrokken.'

'O, dit is eigenlijk niet je woonplaats?'

'Nou, dit is het huis waar ik opgegroeid ben. We wonen in Salisbury, maar we zijn hierheen gekomen toen moeder niet meer voor zichzelf kon zorgen. Lang verhaal, maar dit was makkelijker. Ze ziet er klein en onschuldig uit, maar ze wilde absoluut niet verhuizen – maar dat wil je allemaal niet horen. Iemand ijs erop?'

Ze sneed enorme stukken vlaai af en schoof de borden over het blad. 'In ieder geval zitten we hier nog voor ik weet niet hoe lang en ik liep net te denken nadat jij opgehangen had, Caddie, dat het maar goed is dat Carl er nooit toe gekomen was om de telefoon te veranderen. Hij heeft zijn zakentelefoon hierachter, maar tot dusver hebben we moeders naam in het boek gelaten, ook al praat ze er nooit meer door – dat ze vandaag opnam was heel ongewoon – en als we dat niet hadden gedaan, als we er Carl en Dinah Krauss in hadden laten zetten, dan zou je ons nooit gevonden hebben!'

'Allemachtig lekkere vlaai,' zei Cornel tegen Dinah, terwijl hij waarderend met zijn lippen smakte. Zelfs Magill, die zichzelf meestal moest dwingen om te eten, kwam een aardig eind met zijn stuk. Dinah vroeg hoe ze elkaar allemaal hadden leren kennen en Caddie liet het de mannen uitleggen terwijl Dinah en zij telkens naar elkaar keken en elkaar snelle, opgewonden glimlachjes toewierpen.

'Ik wou dat ik de brief had meegenomen die je broer heeft geschreven,' zei Caddie toen er even een stilte viel. 'Ik kan hem wel naar je toesturen als je wilt. Hij was heel lief. En triest. Het klonk alsof hij heel veel van haar hield.'

'O, dat was zo, dat weet ik zeker. Bobby was vier jaar jonger dan ik, dus hij vertelde me van alles. We waren een heel hecht stel, al zag ik hem niet zo veel meer toen hij eenmaal met zijn bands bezig was. Muziek betekende alles voor hem; vanaf het moment dat hij een jaar of twintig was, was hij niet meer te houden, altijd bezig met reizen en spelen, proberen door te breken. Je weet wel, die grote doorbraak die er ieder moment aan kan komen, bijna voor het oprapen ligt. En toen Chelsea er eenmaal als zangeres in Red Sky bij kwam, nou, dat was het helemaal, níets zou hen nog tegenhouden.'

'Heb je ze ooit horen spelen?'

'Niet in persoon, niet nadat je moeder erbij was gekomen. Daarna trokken ze zo veel rond dat het wel leek of ze altijd te ver weg waren om erheen te gaan en ik had natuurlijk bovendien net mijn eerste baby, Sherry, zij is iets ouder dan jij, Caddie, maar niet veel. Zij moet dan je nichtje zijn. Ze woont in Dover en heeft nu zelf al twee kinderen; ze zal het geweldig vinden je te leren kennen.'

Caddie huiverde van opwinding.

'Barbara, onze andere dochter, die woont in Duitsland met haar man, dus je zult even moeten wachten voor je haar kunt ontmoeten. Maar dus, nee, ik heb Bobby en Chelsea nooit in persoon horen spelen, maar ik heb een band die je kunt beluisteren, een demo die hij voor hen maakte om te proberen een platencontract te krijgen. Dat is nooit gelukt, maar je moeder zingt er op en Bobby ook.'

'O, echt? Een opname van hen samen?'

Magill kneep in haar knie en toen ze naar hem keek, dacht ze dat haar ogen net zo moesten stralen als de zijne.

'Waar ze uiteindelijk door uit elkaar zijn gegaan was, voor zover ik weet, dat Chelsea – Jane – solo verder wilde en meer *rock and roll* wilde maken, met Red Sky alleen als back-upband. Bobby was juist zo tevreden met hun *country*geluid en vond dat het Red Sky moest blijven met een zangeres. Ik geloof dat je moeder een soort Janis Joplin wilde worden of zo, en Bobby wilde een band als, o, de *Flying Burrito Brothers*. Jij kunt je ze vast niet herinneren, maar het was een gekke soort *country-rock*, zo klonk het wat mij betreft.

Dus ze gingen uit elkaar en Bobby kwam terug om alles weer een beetje op een rijtje te krijgen. Hij nam een baan in de bouw aan om geld te verdienen terwijl hij probeerde een andere band op de rails te krijgen. Hij schreef die winter een hoop liedjes, echte trieste liefdesliedjes – maar hij stopte er altijd humor in, ze waren niet oubollig, weet je, ze dreven een beetje de spot met degene die in zijn bier zat te huilen of zo. Jammer dat hij er niet één opgeschreven heeft, anders zou ik ze aan je geven, maar hij kon geen muziek lezen, hij speelde alles op het gehoor. Hij bespeelde meer instrumenten dan wie ook, allerlei verschillende soorten gitaar en banjo, de mandoline, *fiddle*, noem maar op. Mondharmonica. Hij was een eenmansband. O, schat, wat heb ik gezegd?'

'Niks.' Er liep een traan over haar wang. 'Ik ben muzieklerares, dat is alles. Dat is mijn beroep.'

'Echt?' Ze keken elkaar hoofdschuddend in triest-blije verwondering aan. 'Kom, dan laat ik je wat spullen van Bobby zien. Als jullie allemaal nog meer koffie willen, pak dan maar, hoor. Wat je maar wilt, jullie weten waar de koelkast staat. Of kijk tv als jullie willen, het maakt moeder niet uit welk kanaal.'

In een smalle gang deed ze een kastdeur open, ging op haar tenen staan en haalde er een witte kartonnen doos uit. 'Laten we naar mijn kamer gaan.' Caddie volgde haar een slaapkamer in. 'Let maar niet op de rotzooi, Carl is met een project bezig.' Het was niet echt een rommel, maar er lagen overal vogelhuisjes, op ieder oppervlak, gemaakt van hout of twijgjes en sommige waren van die eetbare – een en al noten en zaden en de vogels aten dan het hele huisje op.

'Hij komt zo thuis,' zei Dinah terwijl ze vier vogelhuisjes van het bed pakte en op de grond zette. 'Ga zitten.' Ze gingen op het bed zitten. 'Moeder heeft nog meer spullen op zolder, maar dit is een mooi begin. En natuurlijk zijn er overal foto's van Bobby.' Ze deed de kartonnen doos open.

Het leek in eerste instantie een rommeltje, papieren en brieven, losse foto's, een honkbal, krantenartikelen, linten en medailles, een geboorteakte. Caddies hand viel op een van de kiekjes en onwillekeurig slaakte ze een kreet. 'Is dat hem?'

'Diploma-uitreiking middelbare school.'

Lang, blond haar en een ziekenfondsbrilletje, rechte wenkbrauwen, brede schouders onder een koningsblauwe toga. Haar vader had zijn baret scheef op zijn hoofd staan en hield de kwast tussen zijn tanden, met een enorme grijns, waarschijnlijk lachend.

'Hij liep altijd gek te doen, je zult hier geen serieuze foto tussen vinden. Kijk, hier is hij een jaar of twee.'

'Ben jij dat?'

'Ja.'

Ze zaten samen in een zandbak, Bobby in de V van de benen van zijn zusje, met een plastic schepje in zijn ene hand en een rubberen slang in zijn andere. 'Hij is zo blond!'

'Wit. En het is nooit bruin geworden, het was nog steeds licht toen hij overleed. Veel lichter dan dat van jou, maar met dezelfde slag erin. Je lijkt op hem, ik zweer het je.'

Ze zag het nog steeds niet. Ze keek naar foto's van Bobby in een honkbalteam, zijn jaarboekfoto's, kiekjes van hem met zijn vrienden, zijn familie – 'O, kijk eens, je moeder,' riep Caddie uit, 'wat was ze mooi.'

'Ja, hè?'

'Zijn er ook van je vader?'

'Niet hierin, maar ik kan er wel een paar voor je vinden. Hij overleed voor Bobby geboren werd. Ik herinner me hem zelf amper.' Ze zocht in de doos. 'Hier heb ik hem, dit is de foto die je wilt zien.'

'O, Dinah.'

'Red Sky. De hele band.'

'O God. Het zijn allemaal hippies.'

'Ik weet het.'

'Mijn moeder. O, mijn God.'

'Je mag hem hebben.'

Ze had geprobeerd zich in te houden, maar nu brak er iets. Dinah sloeg haar armen om haar heen en ze huilde op de kriebelige wollen bloemen van haar vest tot de stroom ophield. Toen ze zich losmaakte, zag ze tot haar opluchting dat Dinah het ook niet bepaald droog had weten te houden.

'Hoe is hij overleden?' vroeg Caddie, terwijl ze haar neus snoot in een tissue die Dinah uit een doos op het nachtkastje had getrokken.

'Een aneurysma. We dachten eerst dat het een beroerte was, maar ze zeiden dat hij het waarschijnlijk al jaren gehad had en dat het ieder moment had kunnen gebeuren. Het ging heel snel, dat was wel een zegen.'

'Denk je dat hij van mij af wist?'

'Nee, dat denk ik niet. Anders zou hij het me wel verteld hebben. Hij had nooit geheimen, Bobby was zo open als de zon.'

'Ik wil denken dat hij het niet wist.' Ze pakte een klein, vergeeld krantenberichtje. Zijn overlijdensadvertentie. Hij was overleden op 8 januari 1974. Dus ze hadden samen vier maanden geleefd.

'Hij zou zijn eigen kind gehad willen hebben, ambities of niet. Je moeder heeft het hem niet verteld, dat weet ik zeker, al begrijp ik niet waarom. Vooral als zij je wilde houden, want Bobby was betrouwbaar – misschien té betrouwbaar voor haar. Hij vertelde me wel het een en ander. Niet dat ze slecht was, maar nog zo jong. En onvoorzichtig. Onnadenkend en vol grote dromen over zichzelf.'

'Ja.'

'Dus je oma heeft je opgevoed en je woont nog steeds in Michaelstown? Wat doe je verder, afgezien van muzieklessen geven? Kom mee naar de keuken, ik wil nu alles van jou horen.'

'Je zei dat je een bandje hebt?'

'O, dat was ik vergeten, het ligt in de andere kamer. Vroeger luisterde ik er nog wel eens naar, maar het is zo lang geleden. Een momentje.'

Ze kwam terug met een cassette en een stoffige gettoblaster die ze, kreunend, in een vol stopcontact achter het nachtkastje stak. Caddie keek naar haar, voorovergebogen en onelegant, haar achterste dat de stof van haar groene broek tot het uiterste spande, en ze dacht, ik hou nu al van je. Echt waar.

'Oké, luister jij maar en neem er de tijd voor. Kom maar binnen als je er klaar voor bent, we zitten waarschijnlijk nog wel vlaai te eten. Die ene, die jonge, lieve hemel, die ziet eruit als een hongerige kraai.' Ze bukte zich voor een nieuwe heftige omhelzing en toen was ze weg.

Er stonden twee nummers op de demo. Caddie stopte de cassette in de recorder en bleef doodstil zitten met haar vinger op de afspeelknop, zonder ergens aan te denken, alleen luisterend naar de stilte van haar eigen ademhaling. Het moment uitstellen. Ze bewonderde de vorm van haar hand, hoe lang en slank de vingers waren, precies de juiste hand voor het spelen van een viool. Ze kon zich de handen van haar moeder niet goed herinneren. Misschien had ze de handen van haar vader. Zodra ze op Play drukte, zou ze hun stemmen horen. De zijne voor het eerst van haar leven. Wat een dag.

Ze drukte op de knop.

Elektrische gitaren speelden een snel, scherp weerklinkend intro tot aan de zang – haar moeder die zong dat ze wilde dat ze een thuis had, dat ze genoeg had van het snelle leven. Há, dacht Caddie, oprecht geamuseerd, zonder cynisme, wachtend op het refrein. Daar was het – maar het was de hele band en ze wilde de stem van haar vader zo graag alleen horen. O, mamma, dacht ze. Ze had Janes stem al lang niet meer gehoord; hij was zachter en hoger dan ze zich herinnerde. En mooi, maar niet hard of bluesachtig, helemaal geen echte rock-'n-rollstem. Had ze Linda Ronstadt of zo iemand willen zijn? Haar sopraan was te licht en zelfs te vrouwelijk voor deze *road song* over hoe ze al te lang op de weg zat en haar geliefde miste.

Net goed, dacht Caddie onwillekeurig, en het volgende ogenblik, arme mamma. Ze voelde in gelijke mate het een en het ander. Ze was waarschijnlijk nog steeds kwaad – gek, dat had ze niet van zichzelf geweten.

Het tweede nummer was een liefdesliedje. Janes stem was hier precies goed voor – ja, want, o Gód, dat was Bobby's stem die er de harmonie omheen wikkelde. Caddie zag niets meer, raakte ieder zintuig op één na kwijt.

Als het had gekund, was ze in de recorder geklommen. Maar ondanks haar intense concentratie kon ze zich het nummer toen het afgelopen was niet meer herinneren. Ze spoelde terug en speelde hem opnieuw af. Dit keer was haar hoofd helderder, de weg tussen haar oren en haar hersenen niet zo afgeladen. Ze kon horen. Nou, het was niet echt een liefdesliedje. In weerwil van de melodie moest ze lachen om de subversieve tekst.

Schat, ik heb me niet meer zo rot gevoeld
als op de dag voor ik je liet staan.
Dus als je het op kunt brengen,
laten we 't dan nog eens doen.
Uit elkaar gaan.

Ze wilde meer van zijn stem horen; ze wou dat ze al het andere eraf kon halen, als omgekeerde karaoke. Ze draaide het nummer nog een keer met haar ogen dicht.

Hij was een tenor. Warm, maar niet getraind, een beetje ongeschaafd. Hij klonk als een volwassen man, maar voor haar was hij op zijn foto's een jongen. Nou, geen wonder: zij was nu ouder dan hij was geweest toen hij stierf. Lieve hippiejongen. Op de foto van Red Sky, genomen voor een roestige oude boerenschuur, droeg hij een vale heupbroek en een kraagloos Mexicaans hemd, een riem met een turkooizen gesp, ingezakte suède laarzen en een zwarte hoed met zilveren sterren. Ze moest erom lachen, maar ze drukte hem tegen haar hart.

Haar moeder droeg ook een spijkerbroek – iedereen op de foto droeg een spijkerbroek – en een felrode poncho tot op haar knieën. Geen schoenen, en veren in haar haar. Bobby en zij stonden samen, met de andere bandleden achter hen of een beetje opzij. Als ze nu eens bij elkaar waren gebleven – en waren blijven leven, elkaar op de een of andere manier hadden gered. Als ze nooit opgehouden waren van elkaar te houden.

Zou Dinah haar dit bandje lenen? Ze kon er niet genoeg van krijgen. Ze wilde het draaien tot het een deel van haar was, tot de muziek haar bloedbaan binnendrong en in haar slagaderen en aderen klopte. Hoe zou ze anders haar ouders terug kunnen krijgen? Ze luisterde er keer op keer naar hoe ze samen zongen, en ze droomde.

Toen ze terugkwam in de keuken, was Dinah bezig de tafel voor zes te dekken. Magill en Cornel zaten nog aan de eetbar. Ze draaiden zich om toen ze haar hoorden en bekeken haar vol belangstelling, zoals je naar iemand kijkt die terug is van een lange reis of een ziekte. Om te zien hoe ze veranderd zijn. Een potige, kale – volkómen kale – man met een dikke nek die tussen hen in zat, draaide zich ook om en klauterde van zijn kruk.

'Caddie, dit is Carl,' zei Dinah glimlachend terwijl ze een stapel borden tegen haar buik hield.

'Caddie.' Hij legde zijn enorme handen op haar schouders en schudde haar zachtjes en hartelijk door elkaar. 'Welkom in de familie.'

'Dank je.'

Hij had een lang, bruin, kogelvormig hoofd en een dopneus, dikke lippen en doordringende, blauwe ogen met lachrimpels. Zijn buik hing over de rand van zijn broek, maar voor de rest was hij gebouwd als een verhuizer. 'Ik kende Bobby al vanaf zijn geboorte,' zei hij, terwijl hij zijn handen op haar schouders hield, 'net als Dinah. Hij was ook bijna mijn kleine broertje. Ik wou dat ik geweten had dat hij een kind had toen hij overleed. Hij was nog zo jong en iedereen was er kapot van.' Ineens sprongen de tranen in zijn ogen en ze rolden over zijn gladde wangen. Hij eindigde met een hoge stem: 'Als we van jou hadden geweten, denk ik dat het allemaal ietsje makkelijker geweest zou zijn.'

'Toe, Carl, straks heb je iedereen aan het snotteren. Je zou hem moeten horen als hij bidt voor het eten als de hele familie er is. We zeggen wel eens dat hij dominee had moeten worden.' Ze trok een gezicht naar Carl alsof ze hem wilde waarschuwen dat hij Caddie niet in verlegenheid moest brengen.

Hij besteedde er geen aandacht aan. Hij pakte haar weer beet en drukte haar tegen zijn flanellen overhemd, dat naar chemicaliën of mottenballen rook, en ze vond het helemaal niet erg.

Ze bleven eten, verkondigde Dinah, het had geen zin om tegen te sputteren. Mocht iedereen varkenskoteletjes eten? Caddie stampte de aardappelen en vroeg zich af waarom ze niet naar de wc hoefde te rennen van de geur van gebakken vlees – misschien was zwangerschap meer een gemoedstoestand – terwijl ze Dinah en Carl op de hoogte bracht van haar onavontuurlijke leven, waar ze woonde, hoe ze opgegroeid was, wat ze tegenwoordig deed. 'Tjonge, jonge,' en 'Mmm, mmm,' zeiden ze na iedere onthulling alsof ze trots op haar waren. Alsof ze al bij hen hoorde.

Heb ik het gevonden? dacht ze. De familie die ze altijd had gewild, met de La-Z-Boy-stoelen in de televisiekamer en een quiz op tv en een merklap met 'Home Sweet Home' in de keuken in de vorm van een haan? Een familie waar de buren op vertrouwden, die naar de kerk gingen maar er geen punt van maakten, die normale problemen hadden en in de keuken aten en naar de film en de bibliotheek en voetbalwedstrijden van de middelbare school gingen? Had ze hen gevonden?

'Carl, wat doe jij voor je beroep?' Ze voelde zich voldoende op haar gemak om de vraag te stellen tijdens het avondeten, een feestmaaltijd van sappig varkensvlees, aardappelpuree met jus, maïs, verse boerenkool, pudding met stukjes ananas en slagroom uit een spuitbus. Dinah zat naast moeder Haywood, sneed haar eten in kleine stukjes en de oude dame zat er in tevreden stilzwijgen in te prikken.

'Nou.' Carl hield op met eten en zette zijn ellebogen op tafel, mes in zijn ene hand, vork in de andere. Hij was blij met de vraag, dat zag ze. 'Ik heb tegenwoordig mijn eigen bedrijf. Vroeger werkte ik voor een kippenboer en zette daarnaast een beetje dieren op, maar nu heb ik het knap druk met mijn eigen kleine bedrijfje.'

'Niet zo klein meer,' deed Dinah een duit in het zakje.

'Wat doe je dan?'

'Nou, ik vriesdroog huisdieren van mensen.'

Caddie aarzelde even, een vorkvol aardappelen halverwege haar mond. 'O?' Als ze thuis was geweest, zou ze haar hoofd op tafel hebben gelegd. Daar ging haar droom.

Ze maakte de fout om naar Magill te kijken, wiens ogen dansten. Hij had haar gedachten gelezen. Ze voelde hoe ze overspoeld werd door tederheid, zo'n sterk gevoel dat ze even duizelig werd. Ze vond het leuk dat hij haar uitlachte. God helpe haar, ze vond het leuk dat het zijn werk was om voeten te maken.

Cornel was enthousiast, hij wilde alles weten van het vriesdrogen van huisdieren. Was er een speciaal apparaat? Hadden de dieren hun ingewanden nog? Hoeveel kon je verdienen met dat soort werk? Hij bestookte Carl met een miljoen vragen, behalve die ene die Caddie wilde vragen en die was: waarom zou iemand zijn of haar huisdier willen laten vriesdrogen?

'Wat de meeste mensen niet snappen,' deelde Carl hun mee, 'is hoeveel kunst erbij komt kijken. Tuurlijk, je klant stuurt je foto's en schrijft een brief over hoe hun kat altijd zat, hoe ze haar kopje scheef hield of zoiets, maar een dier dat je nooit levend gekend hebt in de juiste pose zetten is iets dat niet zomaar iedereen kan. Je moet er gevoel voor hebben. De meeste preparateurs raken een huisdier niet aan, dat is te persoonlijk. Een havik, marlijn, hertenkop, kalkoenenkop, geen probleem, maar Fluffy de kat? Ze kunnen er niet tegen.'

Een kalkoenenkop?

'Nou, kijk, ik ben net klaar met een golden retriever, de mooiste hond die je ooit hebt gezien en dat heb ik verrekte goed gedaan.'

'O, is hij klaar?' vroeg Dinah. 'Ziet hij er goed uit?'

'Kom maar kijken.' Hij keek naar hen allemaal. 'Ik bedoel, als jullie willen,' voegde hij er, ineens fijngevoelig, aan toe. 'Sommige mensen willen het niet en dat is prima. Maar nu krijgen die mensen Honey terug, zie je, en ze zetten haar bij de voordeur en iedere keer dat ze erlangs lopen, aaien ze haar over haar kop en zeggen: "Hé, Honey," en dan voelen ze zich goed.'

'Kunnen ze haar kop blijven aaien,' vroeg Cornel, 'of begint uiteindelijk het haar uit te vallen?'

'Nee, nee, je kamt het haar een beetje op en spuit er wat hars op om het glanzend te houden en ze gaat een eeuwigheid mee. Of zo dicht bij als wij ooit zullen komen.' Hij knipoogde.

Dinah schudde welwillend haar hoofd alsof het een zin en een knipoog waren die ze al duizend keer gehoord en gezien had, maar de man bij wie ze vandaan kwamen was voor haar nog steeds een kampioen, een lieverd, dus ze zou niet klagen.

Magill, die tegenover Caddie zat, steunde met zijn ellebogen op tafel en met zijn kin op zijn handen en keek haar langdurig aan, slaperig, maar geboeid. Hij had de langste wimpers die ze ooit bij een man had gezien. Eerder de wimpers van een jongetje. Ze voelde zich zo moe, zo heerlijk moe. Ze had het idee dat al haar mensen moe waren en alle Kraussen klaarwakker waren.

Maar ze pepte zichzelf op om Dinah met de vaat te helpen en Magill en Cornel vonden de energie om naar beneden te gaan en samen met Carl zijn werkplaats te bekijken, Honey te bezichtigen en een pas gevriesdroogde kaketoe die Floyd heette.

'Ik wil niet, maar we moeten gaan,' zei Caddie toen de mannen terugkwamen.

'Ik wou dat jullie hier bleven,' protesteerde Dinah, 'er is ruimte genoeg als Cornel en Magill het niet erg vinden om bij elkaar op een kamer te liggen.'

Nee, legde Caddie uit, ze hadden Finney in het huisje achtergelaten, dan zat hij nu al – ze keek op haar horloge – vierenhalf uur binnen en dat was toch wel zijn limiet.

Ze kuste haar nieuwe grootmoeder gedag. De oude dame lag weer in haar stoel. Ze stak haar hand uit en tikte Caddie op haar wang, terwijl ze vertrouwd glimlachte. 'Dag,' zei Caddie en moeder drukte haar lippen een keer op elkaar alsof ze 'dag' zei. 'Ik kom terug,' beloofde Caddie en moeder knikte alsof ze dat wist.

Buiten in de tuin sloeg Dinah haar sterke arm om Caddies middel. 'Ik heb het gevoel alsof ik een kind erbij heb.'

De mannen stonden al bij de auto; Carl legde uit hoe door het vriesdroogproces de grootte en vorm van het dier bewaard bleven, maar tachtig procent van het lichaamsgewicht verdween.

'Ik ben zwanger.' Ze wilde het Dinah al vertellen, realiseerde Caddie zich, vanaf het moment dat ze elkaar ontmoetten.

'O, echt? Nou, kind toch. Is het van hem?'

'Van wie? Nee.' Dinah keek naar Magill. 'Van iemand anders en hij is niet meer bij me.'

'Nou,' zei Dinah terwijl ze vol medeleven haar hoofd schudde. 'Nou, dat is toch wat. Als ik iets kan doen, laat je het weten, hè?'

'Het gaat goed – ik wilde het je alleen maar laten weten.' Ze sloeg haar armen om het stevige lichaam van haar tante.

Carl hield het portier voor haar open. Ze draaide haar raampje naar beneden zodra ze zat. 'Bedankt. Voor alles. Het was zo...' Ze kon geen woord bedenken dat goed genoeg was.

'Kom snel terug,' zei Dinah met tranen in haar ogen, terwijl ze Carl een arm gaf. 'Nu je weet waar we zijn.'

'Ik bel wel,' zei Caddie.

'We kunnen ook e-mailen,' besefte Dinah. 'Ik ben dol op e-mail.'

Ze gaven elkaar een kus. Caddie reed achteruit de oprit af, zwaaiend, genietend van de geur van kaneel.

26

Finney vond het perfecte polletje gras en plaste er lang en gelukkig op in het weiland achter Goose Creek Vakantiebungalows.

Magill, aan de andere kant van de lijn, zei: 'Goed gedaan, joh,' op een trotse toon, man tot man. Finney negeerde hem, trok hem naar een ander polletje en plaste weer.

De maan was vol, maar ging schuil achter een massa snelle, serieus uitziende wolken en de wind voelde kil en vochtig aan alsof er regen op komst was. Als dit Goose Creek was, dit tamelijk kleine water waar de maan met kokette, onregelmatige tussenpozen op scheen, dan was het meer een meertje, want het troebele zilveren water leek nergens heen te stromen. Finney wilde het beter verkennen door er in te springen, maar Magill hield hem stevig aan de riem en ontmoedigde hem.

'Ik vind het mooier waar wij wonen.' Caddies stem bracht een krekel ergens vlakbij in het struikgewas tot zwijgen. Wat deed hij hier zo laat in het jaar? 'Het is mooi, maar ik hou van heuvels en bergen.'

Magill knikte. 'Hindernissen. Ik wil het gevoel hebben dat er meer achter zit waar ik naar kijk dan ik kan zien.'

'Obstakels die in de weg staan.'

'Zoals het leven.'

'Niet per se bergen, maar er moeten wel heuvels zijn,' zei ze.

'Anders weerspiegelen je innerlijke en uiterlijke geografie elkaar niet.'

Ze knikten wijs.

'Het begint kouder te worden,' zei Magill.

'Het is killer aan het worden,' beaamde ze.

Hij sloeg zijn arm om haar schouders.

'Nou,' zei hij na een korte, prettige stilte. 'Blijkbaar heb je een nieuwe familie gekregen.'

'Blijkbaar.'

'Tante Dinah en oom Carl.'

'En twee nichten en een grootmoeder.'

'Wat voor gevoel geeft dat?'

Ze schudde haar hoofd. Onbeschrijflijk.

'Ik heb neven en nichten,' zei hij peinzend. 'Ik zou ze eens moeten opzoeken.'

'Of je moeder. Je zou haar kunnen opzoeken.'

Hij keek omhoog naar de hemel. 'Heb je het gevoel dat er dingen aan het veranderen zijn? Ik heb het gevoel dat er een groot rad aan het ronddraaien is, net genoeg om alles anders te maken.'

'Ik ben er klaar voor,' zei ze.

'Ik ook.'

Finney stopte met rondsnuffelen, ging voor hen zitten en snoof de lucht op, dronk de nacht in.

'Een keer heeft mijn grootmoeder, ik bedoel oma' – gek om tussen grootmoeders verschil te moeten maken – 'iets georganiseerd dat het Lijstenproject heette. Nou ja, zij noemde het zo en "georganiseerd" – ik geloof dat ze één andere vrouw heeft meegekregen. Het idee was om alles in te lijsten dat zij als kunst zagen. Zodat, snap je, mensen het met nieuwe ogen zouden zien, wat het ook was, een brandkraan, het bankje bij de bushalte, een slapende hond, kinderspeelgoed. En beseffen dat kunst overal is.'

'Een slapende hond,' zei Magill waarderend. 'Waar maakten ze die lijsten van?'

'Van alles, hout, pvc-buizen, wat ze maar konden vinden.'

'Gróte lijsten.'

'Sommige. Ik herinner me dat ze de vuilnisman probeerde in te lijsten. Hij wilde niet stil blijven staan, ik denk dat hij zich neerbuigend behandeld voelde. Maar in ieder geval – je vroeg me wat voor gevoel het geeft. Het Lijstenproject duurde niet lang, maar het is me altijd bijgebleven. Ik doe het soms nog steeds in mijn hoofd, dingen inlijsten. Vanavond – maak ik een lijst om honderd dingen.'

De maan kwam lang genoeg tevoorschijn om, in de vorm van een driehoek, op het oppervlak van het meertje te glinsteren. Toen verdween hij en de sterren die in de gaten tussen de voortjagende wolken te zien waren leken ter compensatie feller. Een uil riep ergens aan de andere kant van het water, oehoe oehoe oehoe. Het begon harder te waaien en de wind rook naar regen en aarde. Hij blies een lok in Caddies gezicht; ze streek hem achterover en met dezelfde soepele beweging legde ze haar arm om Magills middel.

'Ik heb Dinah over de baby verteld,' zei ze.

'Ik hoorde het.'

'Ja?' Hij had zo ver bij hen vandaan gestaan.

'Ik ben blij dat je hem houdt, Caddie. Ik bedoel haar. Je wordt een fantastische moeder.'

'Dat weet ik nog niet zo zeker.'

'O ja. Maar ik vroeg me af.'

'Wat?'

'Betekent het dat we toch gaan trouwen?'

Ze lachte iets te hard. Magill keek vanuit zijn ooghoek naar haar. Ze dacht aan wat Cornel had gezegd – het leek zo veel langer geleden dan vanmiddag. Een heel leven. 'Ik dacht eerder wel eens dat iemand in de steek laten iets was dat je oploopt, zoals een bacterie. Of een gen dat je doorgeeft, van moeder op dochter, vader op zoon. Maar dat is het niet, het kan ophouden wanneer jij maar wilt. Ik heb bedacht dat de enige over wie ik me zorgen moet maken wat deze baby betreft ikzelf ben en ik loop niet weg. Het stopt bij mij. Ik ben stabiel.'

'Jij bent stabiel.'

'Ja.'

Ze waren het met elkaar eens. Een windvlaag blies haar haar weer in haar ogen en ditmaal streek Magill het met zijn vingers weg. 'Het begint laat te worden.'

'We moeten maar eens naar binnen gaan.'

Ze lieten hun armen zakken en stapten bij elkaar vandaan.

'Kom op, Fin.' De hond bleef zitten. Typerend; hij wilde waarschijnlijk wel naar binnen, maar nu hij wist dat zíj dat ook wilden, was hij ertegen. 'Rothond,' zei Magill op vriendelijke toon. 'Nog even en je wordt gevriesdroogd.'

'Nou,' zei Caddie voor de deur van haar huisje. Magill gaf haar Finney's riem. 'Heb je zin om binnen te komen?'

Hij zei ja en volgde Finney en haar de kamer binnen. Dingen konden soms zo simpel zijn.

Toen het nog een hut was, was het waarschijnlijk rustiek, maar toen ze er een huisje van maakten, hadden ze een muurtje tegen de wanden van boomstammen gemetseld en dat groen geschilderd. Dus nu was het een gewone motelkamer met te veel meubelen – twee tweepersoonsbedden, een ladekast, bureau met stoel, tv, kleerkast, minibadkamertje. Finney, die zijn hondenbed negeerde, had het tweepersoonsbed dichter bij de badkamer in beslag genomen. Je kon het zien, omdat hij een van de kussens aan de kant had gekrabd en zich onder de sprei had gegraven, zodat het beddengoed overhoop was gehaald. Caddie en Magill gingen op het andere bed zitten.

'Ben je moe?'

'Ja.' Ze was uitgeput.

'Ik ook.'

'Maar ga nog niet weg.'

'Oké.'

Ze glimlachten naar elkaar. Ze ging met haar vinger over de verbleekte vorm van een bloem op de lapjessprei. 'Snurkt Cornel?'

Hij hield zijn hand om zijn oor. 'Kun je hem niet horen?'

Ze lachte terwijl ze opstond. 'Ga eens aan de kant.' Ze trok de sprei naar het voeteneinde waar ze hem in drieën vouwde. Ze deed haar schoenen uit. 'We zouden de tv kunnen aanzetten.'

Hij ging zitten en knoopte zijn bergschoenen los. Ze gingen in bed liggen met de kussens achter hun rug. 'O jee, de afstandsbediening ligt daar.'

'Jakkes.'

Ze keken ernaar, hij lag bovenop de tv, maar geen van tweeën maakte aanstalten. Caddie kon zichzelf in het stukje spiegel boven de ladekast zien waar de tv net niet voor stond. Ze had rugpijn. Ze moest plassen. Maar ze zag er gelukkig uit. 'Sorry,' zei ze, stond op en ging naar de badkamer.

Toen ze terugkwam, zat Finney op hun bed, waar hij het zich gemakkelijk maakte tussen Magills lange benen. 'Hé.' Ze had wel een páár regels. Finney kende ze zelfs. Hij sprong van dat bed en terug op het zijne terwijl hij expres niet naar haar keek. En net kon doen of het zijn eigen idee was.

'Het lijkt veel langer geleden dan gewoon vanochtend, hè, dat we thuis waren,' zei ze als vervolg op haar gedachtegang in de badkamer. 'Er is zo veel gebeurd. Mis jij Thea?'

'Ja.'

'Ik heb vanavond zo vaak aan haar gedacht, hoe geweldig ze dit zou hebben gevonden. Dinah en Carl, moeder. Alles.'

'Ze zou Carls werk fantastisch gevonden hebben.'

Caddie zag zichzelf in de spiegel glimlachen.

Magill zei: 'Thea zei tegen me dat ik nooit vergeven kan worden. Ze zei dat ik alleen mezelf kan vergeven.'

Was dat wat ze hem toegefluisterd had, die avond in Caddies huis? 'Dat is waar, denk ik. Behalve dat ík je vergeef,' zei ze zachtjes. 'Voor wat dat waard is.'

'Ze heeft inderdaad gezegd dat ik wel wat hulp van mijn vrienden kon gebruiken.'

Ze legde haar hoofd tegen zijn schouder. Ze kon haar gezicht niet meer in de spiegel zien, alleen het wit van haar gebogen nek. 'Je moet meer eten. Je schouder is een en al bot.'

'Holly's ouders kunnen me niet zien.'

'Wat bedoel je?'

'Ze kunnen niet naar me kijken. Ze zeggen dat het niet mijn schuld was, maar ze kunnen me niet in de buurt hebben. Ik neem het ze niet kwalijk.'

'O, ik wel.' Ze legde haar hand op zijn borst. 'Ik wou dat ik je kon genezen,' zei ze zuchtend. Kon ze maar gewoon met haar handpalm zijn hart veranderen. Kon ze hem maar gewoon beter maken. 'Henry.' Ze zei het gewoon om te horen hoe het zou klinken. 'Ik heb je fabriek gezien waar je voeten maakt. Thea en ik zijn er langs gereden.' Hun gezichten waren heel dicht bij elkaar; ze kon vlekjes van haar eigen spiegelbeeld in het blauw van zijn ogen zien. 'Je moet terug. Je kunt niet altijd een vogelverschrikkerman blijven.'

Zijn wimpers gingen naar beneden; haar beeld verdween. Zonder zijn ogen open te doen boog hij zich naar haar toe en legde zijn lippen precies op de plek waar de hare waren. Een zachte, lichte druk. Ze was verbaasd en niet verbaasd. Ze ging met haar hand in een cirkel over zijn overhemd en kuste hem terug, maakte er een echte kus van.

Ze maakten zich los om naar elkaar te kunnen kijken. Wilde hij alleen dat ze ophield met praten? Als dat zo was, dan was het gelukt. Ze glimlachte, bezorgd over zijn ernstige, onderzoekende gezicht. Hij had een grote neus, het was zijn opvallendste gelaatstrek. Maar een mooie neus. Als de boeg van een schip, heel scherp en vastberaden. Ook mooie snorharen, niet te stekelig, zoals ze uit zijn gladde huid kwamen, glanzend bruin en duidelijk.

Hij gleed naar beneden tot hij met zijn hoofd plat op zijn kussen lag. Hij pakte haar hand en trok haar mee naar beneden. 'Als je ja had gezegd, dat je met me wilde trouwen, weet je wat ik bedacht?'

'Nou?' Ze stak haar hand uit en deed het licht uit.

'Er is iets dat je niet van me weet.' Geel licht van het parkeerterrein scheen door de dunne verticale streep waar de gordijnen niet tegen elkaar kwamen. Al snel was het helemaal niet donker meer in de kamer. 'Ik kan saxofoon spelen.' Hij rolde op zijn zij; toen hij zijn knieën optrok, botsten ze tegen haar been. 'Ik stelde me ons 's avonds in de woonkamer van je oma voor, lekker erop los spelend.'

'Familiemuziekavondjes, dat zou ik heerlijk vinden. Welke oma?'

'Jij houdt van jazz, hè? We zouden zulke progressieve jazz kunnen spelen dat niemand hoort of we vals spelen.'

'Ik zie het voor me,' zei Caddie.

'Ik ook,' zei Magill. 'Heel duidelijk.'

Ze wist eigenlijk niet wie als eerste wegdoezelde. Het voelde aan als een dromerige, tedere, wederzijdse verlating. Ze werd door iets wakker – Magill die rechtop ging zitten om zijn spijkerjasje uit te trekken. Zij had het ook warm; ze trok haar trui uit en gooide hem op de grond. 'Cornel zal zich toch geen zorgen maken, hè?' vroeg ze, terwijl ze zich weer onder de dekens uitstrekten. Magill zei nee en ze vielen weer net zo gemakkelijk in slaap als ervoor.

Toen ze weer wakker werd, was het licht van het parkeerterrein geen streep meer, maar een fel vierkant dat in haar ogen scheen. Ze knipperde met de ogen, de kluts kwijt, en keek over haar schouder. Magill lag met zijn hoofd op zijn hand, met zijn ogen wijdopen.

'Ik heb het gordijn opengedaan,' zei hij. 'Sorry.'

'Waarom?'

'Zodat ik je kon zien.'

Ze draaide zich om. Zijn gezicht was een en al scherpe, hoekige schaduwen. Meestal waren zijn ogen van het armste blauw, maar door het harde licht glinsterden ze als steentjes. Ze legde haar hand op zijn stoppelige wang, om hem te verwarmen. Ze wilde dat hij glimlachte. Ze kuste hem.

Ze gleden in elkaars armen, drukten zich tegen elkaar om te kussen, lieten elkaar los om elkaars ogen te kunnen zien. Ze droomde niet en toch ging alles zo langzaam en vanzelf, alsof ze wisten wat ze aan het doen waren, iets aan het herhalen waren dat ze eerder hadden gedaan. Ze zuchtte tegen zijn lippen, zijn heerlijke, zachte lippen, maar hij wilde niet verder gaan, pas toen ze zei: 'Laten we het doen,' heel zachtjes, niet eens een fluistering, die hij al dan niet kon horen. Het was niet meer haar zaak.

Hij hoorde het.

Met hem vrijen was in het begin vreemd, alsof ze met een lang, mager rek botten met een warme huid en een hoop scherpe gewrichten in bed lag. Ze had eerlijk gedacht dat zijn lichaam iets zou zijn waar ze overheen moest komen om ervan te genieten en dat maakte haar tederder tegenover hem. Daarom verborg ze minder van zichzelf dan ze normaal in bed met een man deed. Ze voelde zich grootmoedig en vloeiend, vrouwelijk, alsof haar relatief overvloedige vlees haar geschenk aan hem was, veel vrijelijker gegeven dan daarvoor.

Maar na een tijdje deed dat er allemaal niet meer toe, was het niet eens waar. Niemand schonk de ander iets, het was veel fundamenteler. Romantischer. Er werden laagjes van haarzelf weggeschaafd, ze had het gevoel dat ze door lagen van zachte sluiers dook, zwemmend naar hoe ware naaktheid, niet alleen van het lichaam, aanvoelde. Christopher, haar oude toetssteen voor fysieke hartstocht, kwam zo nu en dan in haar gedachten naar boven, maar steeds werd hij op de een of andere manier overtroffen of ontmaskerd of overschaduwd door de rauwere, feitelijkere, ongelooflijk lieve eerlijkheid van Magill.

'Henry,' noemde ze hem en iedere keer dat ze het deed, werd hij een beetje wakker, begon hij te glimlachen en te fronsen en in haar ogen te kijken. Ze zag dat hij niet wist of hij het prettig vond of niet dat ze hem Henry noemde. Maar zij vond het wel prettig.

Ze vond het heerlijk om met haar handen over iedere uitstekende bobbel van zijn magere wervelkolom te gaan. Ze vond zijn gewicht op haar fijn, precies goed, en ze vond het lekker om haar handen om zijn schouderbladen te leggen en zijn harde platte borst tegen haar borsten te drukken en haar benen om zijn scherpe uitstekende knieën te slaan.

'Laat me niets doen waarmee ik je kan bezeren,' zei hij, net op het randje, het hoogtepunt, en ze wist even niet waar hij het over had. Toen herinnerde ze het zich: de baby.

'Ik was het vergeten,' zei ze en barstte uit in een heel vreemde, borrelende lachsalvo. Nerveuze euforie, nam ze aan. Ze liet hem op de een of andere manier, zonder woorden, merken dat alles goed was en konden ze alsjeblieft verdergaan met wat ze aan het doen waren, al wist ze niet meer precies wat, misschien was het niet één bepaald ding, maar als hij hen terug kon leiden naar die plek, dat moment –

Dat deed hij, of zij, een van de twee. Daarna lag ze heel stil naast hem, dubbend of hij blij of bang zou zijn te horen dat wat haar net overkomen was, nooit eerder was gebeurd. Zelfs niet met Christopher. Of triest, misschien zou hij triest zijn. Zij werd er een beetje triest van, dus vertelde ze het hem niet.

Ze waren gesnapt. Caddie zag het aan de manier waarop Cornel knorrig naar zijn krant keek en geen woord zei tijdens het geheel gratis ontbijt in de koffieshop. Magill had haar een afscheidskus gegeven en was terug naar zijn kamer geglipt nog voor de zon opkwam, maar Cornel was niet van gisteren. Dit was niet eens zijn roofvogelgezicht, het was erger, dit was zijn wrake-godsgezicht, het gezicht dat God waarschijnlijk trok toen hij erachter kwam wat een onderkruipsels Adam en Eva waren.

Afgezien van de pijn in haar rug, die erger was geworden, en wat lichte krampen, die nieuw waren, was Caddie in een bui om Cornels houding leuk te vinden. Ze stond op om nog wat zelfbedieningskoffie te nemen en toen ze terugliep, had zijn achterhoofd iets, de nog steeds jongensachtige vorm of misschien de kwetsbaar uitziende pezen in zijn magere nek, waardoor ze haar kopje neerzette en achter hem haar armen om zijn schouders sloeg om hem een verrassingskus te geven. Ze drukte haar lippen op zijn naar dennennaalden ruikende, pasgeschoren wang en gaf hem een kus.

Hij sputterde, bloosde en veegde met zijn servetje over zijn wang. 'Hé, schei uit. Wat krijgen we verdorie nou weer?'

Ze grijnsde naar Magill, die in zijn glas sinaasappelsap zat te gniffelen. 'Dat is om te laten zien dat ik niet discrimineer.' Als ze daarmee niet al haar kaarten op tafel legde, dan wist ze het niet meer. Cornel ritselde met zijn krant en bromde.

Magill steunde met zijn kin op zijn hand en glimlachte naar haar. Hij was net onder de douche vandaan, dat zag ze aan zijn achterovergekamde haar, glanzend en steil, het netste dat het de hele dag zou zitten. Ze stelde zich hem onder de douche voor. Zijn tanige lichaam. Hij had blauwe plekken op zijn schenen en ellebogen van het draaierig worden en tegen dingen aan lopen. Vannacht had ze er een spelletje van gemaakt; ze had de blauwe plekken opgezocht en ze beter gemaakt.

Na het ontbijt belde ze Ernest Holly, die zei dat haar auto klaar was. Het duurde niet lang om in te pakken en hun koffers in de terreinwagen van mevrouw Holly te gooien. Caddie liet Finney nog een laatste keer uit. Hij had niet zo veel trek, had weinig gegeten van het droogvoer dat ze voor hem meegenomen had. Ze zou een hamburger voor hem kopen zodra ze stopten voor de lunch.

Het was een winderige, grijze dag, met regen die in horizontale vlagen met zoveel kracht werd voortgejaagd, dat het pijn deed aan je huid. Jammer, nu zouden ze op de veerboot binnen moeten zitten, in plaats van op het dek staan en naar de baai kijken, en op Cape May rondslenteren zou een bezoeking zijn in plaats van lol. Maar het kostte moeite om zich er veel van aan te trekken. Terwijl ze zich uit het kantoortje van het motel terughaastte nadat ze haar rekening had betaald, zag ze Magill, die zich in haar richting haastte om hetzelfde te doen. Hij keek uit waar hij liep en zag haar nog niet. Toen hij haar zag, veranderde zijn gezicht van afwezigheid in blijdschap en haar hart sloeg over. Hij legde een hand voor zijn ene oog, voor een beter perspectief. De wind rukte aan zijn spijkerjasje en sloeg zijn broekspijpen om zijn benen als corduroy vlaggen. Ze kwamen midden op de weg bij elkaar en bleven er staan, stompzinnig grijnzend tot ze een vrachtwagen hoorden. Die dichterbij kwam. Ze streken met hun handen langs elkaar en gingen ieder hun eigen weg. Terwijl Caddie verder liep, voelde ze zich blij en tegelijkertijd verontrust over een wulpse aanval van lust.

Ze had het heerlijk gevonden om met hem te slapen, misschien had ze er nog wel meer van genoten dan van de seks. Nee. Nee, maar met hem slápen, naast hem of over al die punten en bobbels en uitsteeksels van hem liggen, had ongemakkelijk moeten zijn, alsof je met een vork of een paar dobbelstenen sliep – maar in plaats daarvan voelde ze zich een gelukkig klein bootje, lekker veilig in een kalme, rustige haven. Thuishaven. Ze was zo vaak wakker geworden om haar armen en benen in de vier hoeken van het bed te strekken, ahh, en ook om het oppervlaktegebied van haar huid op de zijne te vergroten, en steeds weer was ze terug in slaap gevallen, als een kiezel die omlaag gleed in diep, helder water.

'Geen groene routes meer.' In de achteruitkijkspiegel ving ze een glimp op van Cornel die zijn kaart ontvouwde boven een duttende Finney op zijn schoot. 'We gaan gewoon rechtdoor, Cornel, in oostelijke richting, geen omwegen en wanneer we –'

'We zouden Thea's huis kunnen gaan bekijken.'

'Thea's huis?'

'Moet dat raam open?' klaagde hij tegen Magill. 'De hond en ik worden nat.'

'Het kan niet omhoog,' legde Caddie voor de vijfde of zesde keer uit. 'Ik zal de verwarming hoger zetten. Schuif eens wat meer naar links op.'

In plaats daarvan zat hij voorover en duwde de kaart over de stoel. Hij kraakte irritant in haar oor en ze kon toch niet kijken, omdat ze reed. 'Ze woonde hier,' liet hij aan Magill zien terwijl hij met zijn vinger op de plek tikte. 'Hoe ver is dat van hier?'

'Ik weet het niet,' zei Caddie voor Magill iets kon zeggen, 'maar we zijn al een hele dag achter op schema.' En ze voelde zich niet goed. Waren die krampen normaal?

'Nou en? Wat hebben we te doen?'

Ze zei: 'Nou, ik –'

'Wanneer komen we ooit nog eens deze kant op? Dan ben ik allang dood.'

'We komen terug, Cornel, ik beloof het.'

'Wat een rotweer. Ik wil in dit weer toch niet op een veerboot zitten.'

Ze weerhield zich ervan om terug te snauwen dat ze ook niet zo'n zin had er in te rijden.

'We zouden naar Thea's huis kunnen gaan in plaats van naar Cape May,' betoogde Cornel. 'Persoonlijker. Ik zou mijn gedicht op de steiger in die kreek kunnen oplezen.'

Hij was opzettelijk onaangenaam, omdat Magill en zij vannacht het evenwicht verlegd hadden. Hij voelde zich buitengesloten en haar luchtige poging om hem weer in de kring op te nemen, was mislukt. O, haar rug deed pijn en ze was het beu om te discussiëren.

'Vanaf hier,' zei Magill mild, 'lijkt het zo'n vijfenzestig kilometer heen, en vijfenzestig kilometer terug. Honderddertig kilometer. Wat zeg je ervan als we vandaag de veerboot nemen en zien of we morgen zin hebben om Thea's huis te bekijken? Op de terugweg.'

'Prima,' zei Cornel.

'Prima,' zei Caddie. Ze glimlachte naar Magill. De diplomaat.

Cornel zag de glimlach. Toen ze in de spiegel naar hem keek, zat hij weer boos te kijken. Nu dacht hij dat ze tegen hem samenzwoeren.

Poeh. Ze had andere dingen om zich zorgen over te maken. 'Sanitaire stop. Sorry, jongens.' Ze parkeerde de auto bij een tankstation naast een winkel met aardewerk. 'Ik ben zo terug.' Ze holde door de regen naar het damestoilet – op slot; rende weer terug, haalde de sleutel aan een vies houtje bij de pompbediende, rende weer terug naar buiten.

Smerige wc. Geen tamponautomaat en ze vloeide een beetje, dat merkte ze. Wat nu? Ze trok haar broek uit en keek in haar onderbroek.

Bloed.

Ze gilde. Ze sloeg haar hand voor haar mond en maakte een geluid in haar keel, urrrr. Echt bloed, het was bloed, als ongesteldheid. Ze kreeg het ijskoud. Licht vloeien is normaal, zei de dokter; dan hoef je me niet te bellen, hoor. Maar dit was niet licht vloeien...

Of misschien wel. Alles in een keer in plaats van steeds een beetje. En de krampen dan? Nu ze van het bloed wist, waren de krampen ook erger. Dit was niet goed. Ze trok handenvol van het goedkope toiletpapier van de rol en maakte er maandverband van.

Misschien kwam het door de seks. Misschien gebeurde dit wanneer je dingen in beweging bracht door gemeenschap te hebben. Dan was het wél normaal, want getrouwde mensen hadden ook gewoon seks terwijl de vrouw zwanger was. O, laat het alsjeblieft normaal zijn.

Ze had het telefoonnummer van haar dokter. 'Heeft u een telefoon?' vroeg ze aan de man in het kantoor van het tankstation die een autoblad aan het lezen was. Hij wees uit het raam. 'Daar.'

Langs de kant van de weg. Ze zwaaide naar Magill en Cornel terwijl ze langs de auto rende en een gek gezicht trok, van 'Kijk eens wat ik vergeten ben' of zoiets. De glazen deur van de telefooncel wilde niet dicht; de regen tikte op het dak en waaide naar binnen. Had ze genoeg wisselgeld? Ze stopte er geld in en belde.

De antwoorddienst nam op. Natuurlijk: het was zondag. De vrouw zei dat ze Caddies boodschap aan dokter Anders zou doorgeven, wist de dokter haar nummer? Nee, want dat had ze niet! 'Ik zal moeten terugbellen – ik ben op reis. Kan ze u een boodschap geven en dat ik u terugbel?' Nou, nee, want ze kreeg waarschijnlijk niet eens dezelfde telefoniste. Het was allemaal heel ingewikkeld en toen kwam de andere telefoniste om te zeggen dat ze meer geld in de telefoon moest stoppen en ze had niet meer. 'Ik bel wel terug,' gilde Caddie nog naar de vrouw van de antwoorddienst voor de verbinding verbroken werd.

'Wie heb je gebeld?' moest Cornel weten zodra ze weer instapte.

Ze kon niet zeggen 'mijn dokter'. Als ze het eenmaal gezegd had, moest ze het accepteren. Dan was het echt.

'Brenda. Ik wilde even horen hoe het met oma ging. Daar gaat het prima mee.'

Ze geloofden haar.

'Waar zijn we, Cornel, hoe ver moeten we nog? Wanneer zijn we waar we moeten zijn?'

Demonstratief gekraak met de kaart. Je zou toch denken dat hij het nu allemaal wel uit zijn hoofd kende. 'Nou, we zijn over zo'n acht kilometer bij Georgetown en dan is het een, twee, vier, zes, negen... vijfentwintig kilometer naar Lewes. Ongeveer.'

Dertig kilometer. Dat hield ze wel vol.

Nog meer vlakke, bruine akkers, sommige half onder water naarmate de regen meer plassen vormde die de lage boomstammen in de bosjes omspoelden. Ze reden langs een huis met een bordje in de tuin: HANDLEZERES – ASTROLOGE. Midden in een wei stond een witte koe ineengedoken, helemaal in haar eentje. Een miljoen zwarte stipjes bleken spreeuwen te zijn die in de natte aarde pikten. POMPOENEN TE KOOP. Ze moest afremmen voor een vuilniswagen die zeventig reed.

'Mmm.' Het kwam er ongewild uit.

Magill keek naar haar. 'Wat is er?'

'Gek gevoel.' Ze voelde zich onmiddellijk beter. De helft van wat ons kwelt, zei oma altijd, komt omdat we het geheim houden.

'Hoezo gek?'

'Net een soort kramp. Heel zeurderig.'

'Heb je het al eerder gehad?'

Ze schudde haar hoofd. 'Ik bloed ook een beetje. Het is niets. Ik weet zeker dat het niets is.' Ze voelde dat hij naar haar keek, maar ze keek niet terug. Maar ze was blij dat hij het wist.

'Weet je wat ik vannacht dacht?' zei Cornel.

'Nou?'

'Terwijl ik helemaal alleen in mijn bed lag?'

Magill sloeg zijn arm over de rugleuning van zijn stoel en liet zijn kin er op rusten. 'Wat herinnerde je je vannacht, Cornel, toen je helemaal alleen in je bed lag?'

'Ik herinnerde me die keer dat ik Thea zag toen ze klein was.'

Caddie vergat haar buik en keek achterom.

'Het moet 1938 zijn geweest, want dat was het jaar dat mijn vader mijn broer en mij een baantje bezorgde als bagagesjouwers op het station. We waren geen echte kruiers, het was alleen op zaterdagen en na school, de gekleurde mannen helpen die de echte kruiers waren; we moesten hun de helft van onze fooien geven en verder kregen zij altijd de goede klanten, wij alleen de restjes.'

'Je zag Thea?' spoorde Caddie hem aan. 'Hoe oud was ze?'

'Klein. Vijf, zes, vier. Ze moest het wel zijn, want het was de hele familie Wake, op weg naar Chautauqua, New York, op vakantie, denk ik. Daar waren ze dan allemaal op die zaterdagochtend, gekleed als op foto's die je wel ziet van dat meisje dat met de koning van Engeland is getrouwd, hoe heet ze ook weer –'

'Ik weet wie je bedoelt,' zei Caddie.

'Wallis Simpson,' zei Magill.

'Juist, zij, tot in de puntjes gekleed en snel lopend, met alles erop en eraan, die oude Wake aan het hoofd van de stoet. Een vent met een brede borst en een gouden horlogeketting. Droeg een wit pak, herinner ik me. Een wit pak. Ik had nog nooit zoiets gezien. Tantes, neven en nichten, bedienden, er waren er zo veel, dat ik zelfs een paar van hun koffers moest dragen. Ik weet zeker dat dat kleine meisje Thea was, omdat ze in '38 de juiste leeftijd moet hebben gehad. Ik was twaalf.'

Zijn stem stierf weg. In de achteruitkijkspiegel zag Caddie hem Finney's kop zachtjes aaien, met een afwezige uitdrukking op zijn gezicht. 'Ik wou dat ik me dat eerder herinnerd had. Dan had ik het haar kunnen vertellen, dan hadden we erover kunnen praten. Zie je niet hoe ze gekeken zou hebben, hoe ze erom had moeten lachen?'

'Ja,' zei Caddie, 'inderdaad Cornel. Wat zou ze dat een leuk verhaal hebben gevonden.'

Ze kreeg een nieuwe kramp. Ze reden een stad binnen. 'Is dit Georgetown? Waar moet ik heen? Cornel, waar moet ik heen?' Ze minderde vaart bij een groen licht; de auto achter haar toeterde. 'Rechtsaf of rechtdoor? Waarom zijn er geen borden?'

'Rechts,' zei Magill, toen Cornel zweeg.

'Toe maar, ik denk dat dit het is.'

Eindelijk een bord, rondweg Route 9. 'Klopt dit? Wat is er met de borden naar de veerboot gebeurd?' Waren ze verdwaald? Ze reden dwars door de stad, dit was geen rondweg.

'Daar,' zei Magill, wijzend. '"Veerpont Lewes". We zitten goed.'

Pff. Nog meer vlakke, rechte snelweg. 'Hoe ver is het nog, denk je?'

'Niet zo ver, een kilometer of twintig.'

Maar ze was aan het bloeden, ze voelde het. En de krampen waren erger.

'Stop eens,' zei Magill.

'Nee, ik moet ergens heen. Dit is niet goed.'

'Wat is er?' vroeg Cornel, terwijl hij zijn hoofd tussen hen in stak.

'Caddie voelt zich niet goed.'

'Nou, ik ook niet. Ik heb maagkramp van die koffie.'

'Zet de auto aan de kant, Caddie. Je hoort niet te rijden.'

'Heb je iemand nodig die kan rijden? Ik kan rijden,' zei Cornel. 'Ik kan alleen niks zien.'

De kramp ging voorbij. 'Nee, ik kan prima rijden, maar ik moet ergens stoppen. Ik ben bang dat ik naar een dokter moet.'

Het kwartje viel eindelijk bij Cornel. 'Rijd maar door. Er staat een grote blauwe H bij Lewes –' Hij liet de kaart aan Magill zien – 'Rijd maar rechtdoor, er is hier een ziekenhuis in de stad.'

Maar ze kon niet door. De pijn was niet onhoudbaar, maar haar angst wel, want ze kon nu onmogelijk meer geloven dat dit normaal was. 'Luister, ik moet alleen –' Ze minderde vaart en reed de berm in, half op en half van de grasrand. 'En weer zitten we in niemandsland,' probeerde ze op luchtige toon. Ze trok de handrem aan, zette de auto in de parkeerstand en liet de motor draaien. Ze legde haar hoofd op het stuur.

Magills hand voelde koel aan in haar nek. 'Je ziet spierwit.'

'Het gaat niet goed. O God. Dit is niet goed.'

'Ik houd wel een auto aan,' zei Cornel.

Magill kwam aan zijn kant uit de auto. In plaats van een auto aan te houden, deed hij Caddies portier open. 'Kom,' zei hij en begon haar eruit te helpen. Ze zette haar voeten op de grond. Ze zagen tegelijk het bloed, een felrode vlek bij haar kruis en aan de binnenkant van haar dijen in haar bruine broek. Ze begon te huilen.

Magill tilde haar op. Hij schopte tegen de achterdeur. 'Doe het portier open, pak de hond, stap uit.' Cornel kwam uit een sprakeloze, starende trance en gehoorzaamde snel.

'Ik kan wel lopen,' protesteerde Caddie. Maar het enige dat ze wilde doen was zich tot een balletje oprollen.

'Nee, jij moet je niet bewegen.' Magill legde haar op de achterbank en legde zijn jasje over haar heen. 'Cornel, geef me je jas en ga voorin zitten met Finney. Houd hem goed vast!' Hij boog zich voorover en stopte Cornels jas ook om haar heen. Hij stak zijn hand in haar haar. 'Je hoeft alleen maar stil te blijven liggen, Caddie. Het komt allemaal goed.'

'Ik ben bang dat ik de baby verlies.'

'Nee, dat denk ik niet. We zijn binnen tien minuten in het ziekenhuis. Daar zorgen ze wel voor je.'

'Ik wil het niet verliezen.'

'Dat gebeurt ook niet.'

'Ik wil dat we – muzikale avondjes hebben, met z'n drieën, met jouw saxofoon.'

'Dat doen we ook.'

'Wie rijdt er?'

'Ik.'

Hij liet de banden op het natte wegdek piepen toen hij ging rijden. Expres? Ze deed haar ogen dicht en dacht er niet meer aan. De bank rook naar hond en motorolie en natte wol, maar ze drukte haar wang hard tegen het koude vinyl, omdat ze iedere sensatie behalve pijn wilde voelen. O, dit zou zo wreed zijn. Als ze haar baby verloor, dan zou dat een straf zijn omdat ze het in het begin niet had gewild. Kon het echt gebeuren? Maar het was zo gemeen.

Ze kwam overeind om te kijken waar ze waren. Magill hield zijn ene oog niet bedekt, hij reed alleen maar. Hij vloog – ze schrok van het getal op de snelheidsmeter. Hij hield beide handen om het stuur geklemd, zijn vogelverschrikkerschouders gespannen. 'Hoe gaat het?' vroeg hij, terwijl hij naar haar in de achteruitkijkspiegel keek. Ze knikte alleen maar. 'Ga maar weer liggen, Caddie, we zijn er bijna.'

Cornel keek grimmig. Finney probeerde van zijn schoot af te wriemelen en over de stoel te springen en hij moest hem bij zijn halsband vasthouden. 'Brave hond,' vleide hij terwijl hij hem aaide. 'Braaf, hoor, het gaat goed zo.'

'Lig,' zei Magill en zette de richtingaanwijzer aan. O Heer, hij ging de auto voor hen passeren. Ze ging weer liggen.

Regen, bomen, telefoonleidingen, rode en gele bladeren die door de windvlagen als confetti in het rond dwarrelden. Tegelijk met de krampen voelde ze zich misselijk. Waar moest ze in overgeven als het nodig was? O, baby. Hij kon nu al op zijn duim zuigen, had ze in een boek gelezen. Hij had een heel dunne huid, je kon de adertjes erdoorheen zien. Ze had hem nooit voelen bewegen – maar dat was normaal, dat hoorde pas over een week of twee, drie te gebeuren. Ze wreef zachtjes over haar buik. Het is goed, ik laat je niet gaan. Tot welke God moest ze bidden? De hare was zo vaag; oma was de enige met levendige goden. Maar ze was net zo kwaad als ze bang was. 'Niet eerlijk' zong het in haar achterhoofd, op het ritme van de banden op het wegdek. Niet eerlijk, niet eerlijk.

'Daar is het, daar, het ziekenhuis, aan de rechterkant. Spoedeisende hulp,' gaf Cornel aanwijzingen, 'daarheen.'

Met regen bespatte gele stenen en glazen deuren, vleugels, aanbouwen, parkeerniveaus. De auto stopte met een schok; Magill sprong eruit en verdween.

'Cornel, laat Finney niet los, hoor, anders is hij ervandoor,' instrueerde Caddie terwijl ze Magills jasje probeerde aan te trekken.

'Nee, hoor, ik heb hem aan zijn riem. Hoe voel je je? Maak je maar geen zorgen over de hond.' Zijn knorrige oude gezicht was gerimpeld van de zorgen. 'Is het erg?'

'Nee, niet meer zo. Ik ben alleen maar bang.'

Zijn lippen bewogen terwijl hij zat te bedenken wat hij kon zeggen, iets troostends. Toen de woorden niet kwamen, stak hij zijn hand naar achteren en klopte zachtjes op haar schouder.

Een man in blauwe ziekenhuiskleding trok haar portier met een ruk open. 'Hallo, hoe gaat het?' zei hij op meelevende toon en hielp haar uit de auto. 'Ik kan wel lopen,' zei ze, maar de man, de ziekenverzorger of wat hij ook was, klapte een rolstoel open en liet haar zitten.

'Ik kom zo,' riep Magill terwijl ze in de richting van de sissende automatische deuren reed. 'Ik moet de auto wegzetten!'

Schiet op, dacht ze, en zwaaide angstig naar hem.

De intakezuster had een piepklein kantoortje in de wachtkamer van de spoedeisende hulp, met niets anders dan een bureau en twee stoelen, een wastafel en een weegschaal. Caddie vond haar houding prima, bezorgd, maar toch zakelijk, en probeerde haar vragen op dezelfde manier te beantwoorden. Maar toen het gesprek voorbij was en de zuster haar vertelde dat ze zich met de gegevens van haar verzekering moest laten inschrijven bij de inschrijfbalie van de spoedeisend hulp ernaast, barstte ze uit: 'Maar raak ik de baby kwijt? Moet er niet nú iets gebeuren? Denkt u dat het een miskraam is?'

'Het zou kunnen, maar dat kan ik niet zeggen. De dienstdoende verloskundige komt u zo snel mogelijk opzoeken en hij zal absoluut een echo willen laten maken. Maar het spijt me, tot die tijd weten ze niets.' Ze stond op achter haar bureau. 'Zijn uw vrienden hier? Laten we eerst zorgen dat u ingeschreven bent, dan kunt u door naar de afdeling, waar u op de dokter kunt wachten. Heeft u maandverband nodig?'

Cornel kon zijn oren niet geloven. 'Je moet je laten inschrijven? Nu? Je hebt pijn, je bent – en ze willen je verzekeringspasje zien? Dat is er nu mis met dit land –'

Caddie luisterde niet naar hem. 'Wat zei de zuster?' vroeg Magill en ze vertelde het hem. Hij reed haar naar een vrouw achter een balie naast het intakekantoortje. Nog meer vragen. Magill had haar handtas; hij vond haar portefeuille en las de informatie op haar pas voor aan de inschrijfdame. Caddie kon niet meer denken, zich alleen maar zorgen maken, dus toen de vrouw die haar formulier invulde, zei: 'O, u bent van buiten de staat?' ontvouwde zich in haar gedachten een complete nachtmerrie: ze konden haar hier niet opvangen, mensen van buiten de staat werden niet toegelaten, en Magill moest haar helemaal terugbrengen naar Maryland.

Cornel zou hen laten verdwalen, ze zouden nooit een ander ziekenhuis vinden en op de stinkende, schimmelige achterbank van haar eigen auto zou ze haar geliefde baby verliezen.

'Goed, u kunt daar wachten, dan komt iemand u zo halen.' De inschrijfdame niette papieren aan elkaar en reikte ze aan.

'Waar?'

'Daar. Ze komen u zo halen.'

'Mag ik met haar mee?' vroeg Magill.

Ze schudde haar hoofd met een verontschuldigende glimlach. 'Maar de zuster zal u op de hoogte houden.'

Hij duwde de rolstoel naar een lege ruimte voor de dubbele deuren. Cornel kwam naar hen toe vanwaar hij zich ook had opgehouden. 'Dit is een schande,' begon hij – maar Magill wuifde hem weg. Hij sloeg zijn armen van achteren om haar schouders en ging met zijn lippen langs haar wang. Fluisterde bemoedigende woordjes die ze maar al te graag wilde geloven.

'Ik wou dat je met me mee mocht.'

'We zitten hier. We gaan nergens heen.'

'Vergeet Finney niet.'

'Ik zal Cornel vragen of hij hem uitlaat.'

Ze legde haar hand om zijn gezicht en drukte het tegen het hare. 'Je reed honderddertig. Ik zag het wel.' Ze liet haar kin op zijn onderarm rusten. 'Wat betekent dat?'

'Eén crisis tegelijk.' Hij bleef zo lange tijd staan, over haar heen gebogen, met zijn armen om haar borst. Toen gaf hij haar een kus op haar slaap en ging rechtop staan. Op het moment dat hij dat deed, zwaaiden de deuren open en kwam dezelfde man die haar het ziekenhuis binnengereden had, naar hen toe. 'Hallo. Bent u er klaar voor?' Volgens de badge die hij aan een kettinkje om zijn nek had, heette hij Albert Johnson.

'Ze is er klaar voor,' zei Cornel kribbig achter haar. Ze wist niet dat hij er stond.

'Tot straks,' zei Magill. 'Tot zo, Caddie. Wij zitten hier.' Hij was zo mager, bijna doorschijnend, zoals hij daar met zijn handen langs zijn zij stond en probeerde met vertrouwen te glimlachen. Ze had nog steeds zijn spijkerjasje aan, realiseerde ze zich, maar het was te laat om het terug te geven. 'Dag,' was het enige dat ze nog tegen hem en Cornel kon zeggen – voor Albert Johnson achter haar stapte, waarmee hij haar het zicht ontnam, en haar over de zwarte mat de eerstehulppost op reed.

De echoscopiste wilde haar niet vertellen wat er op de echo te zien was. Caddie vroeg slechts één keer: 'Is alles goed?' maar de echoscopiste, een blond meisje met een scherp gezicht dat te jong leek voor haar werk, mompelde alleen maar iets onverstaanbaars. Ze hield haar ogen op het scherm terwijl ze het apparaat vol gel over Caddies onderbuik bewoog en zo nu en dan met haar voet op een pedaal klikte. Toen ze klaar was, stond ze iets te snel op, vond Caddie, en pakte een papier. 'Goed, blijft u maar rustig liggen, ik ben zo terug.'

'Gaat u het aan de dokter laten zien?'

'Inderdaad. Blijft u rustig liggen.' Ze verdween achter het gordijn.

Meestal hield Caddie wel van ultrageluidsgolven. Het verduisterde kamertje was altijd warm en vochtig, een beetje als een baarmoeder zelf, en de echoscopiste kletste altijd met haar en wees van alles aan op het scherm: 'Dat is je baarmoeder, dat is je darm,' en vooral: 'Dat is je baby.' Mannen moesten hier toch ook wel komen, om dingen te laten nakijken, maar ze had er nooit een gezien; trouwens, ze had zelfs nooit een mannelijke laborant gezien. Het was een vrouwenplek en aangezien ze besloten had haar baby te houden, een plek om goed nieuws te horen.

Dit kamertje benauwde haar. Ze kon geen gemakkelijke houding vinden op het smalle bed. Flarden terloops, zacht gepraat achter de gordijnen klonken dreigend; ze luisterde als een dier, maar er kwam niet één duidelijk woord naar boven uit de zachte, onheilspellende ondertoon. Wat liet het apparaat zien? Ze strekte haar hals uit om op het scherm achter zich te kijken, maar de gewone korrelig grijze waaier was het enige dat te zien was.

Voetstappen. Een mannenstem die ze herkende – de dokter die haar had onderzocht vóór de echo. Ze sloeg haar handen voor haar gezicht.

'Caddie?'

'Ze is dood, ik wist het. O, God.' Ze hoorde de wieltjes van de stoel van de echoscopiste piepen, hoorde de dokter plaatsnemen. Hij heette dokter Bhutra. Uiteindelijk keek ze naar zijn gezicht.

Daar was alles op te lezen. 'Het spijt me. Je lichaam stoot je zwangerschap af, zoals we al dachten.'

'Is ze dood?'

'Je beëindigt je zwangerschap,' zei hij, zijn stem vriendelijk, maar afgemeten. 'Het is normaal om daarna nog wat te bloeden, als een menstruatie, maar in jouw geval vinden we je bloeding wat te zwaar voor dit stadium.'

Hij bleef praten over bloeding en weefsel, iets over haar baarmoederwand, de noodzaak van een curettage, maar de woorden liepen door elkaar heen en ze concentreerde zich op de halvemaanvormige zakken onder de ogen van de dokter en de vetophopinkjes aan weerszijden van zijn lippen. De ruimte tussen zijn neus en zijn bovenlip was heel lang, met verticale rimpels erdoorheen. Hoe heette die ruimte ook alweer? Het had een naam.

Er verscheen een andere verpleegster achter hem. 'Ik wil nog een keer een hematocrietonderzoek,' zei hij tegen haar, of iets dat erop leek. Nog meer woorden; ze hoorde 'OK' en 'incomplete AB'. De stoel kraakte toen hij opstond.

'Waarom?'

Hij bleef met zijn hand om het gordijn staan. 'Waarom het gebeurd is?' Hij kwam dichterbij. 'Er is waarschijnlijk geen reden. Soms gebeurt het gewoon, een spontane abortus. Het betekent niet dat u niet weer zwanger kunt worden.'

'Maar waarom is het gebeurd?'

Hij schudde zijn hoofd. 'Hormoongehalte, onvolkomenheden in de chromosomen, de vorm van de baarmoeder, een schildklierafwijking, een zwakke baarmoederhals. Je moet het zien als een manier van de natuur om te beschermen wat te zwak was om te overleven of gezond te zijn. Het is gewoon gebeurd. Zonder reden. En je had er niets aan kunnen veranderen,' zei hij en klopte op haar knie.

Ze lieten haar een tijdje alleen in de schemerige, warme kamer. Ze lag met haar handen op haar buik, over de lichte welving. De leegte begon nog maar net. Ze kon zich niet voorstellen hoe het erger zou kunnen zijn, maar het zou wel erger worden. 'Hier,' zei iemand en ze deed haar ogen open. De blonde echoscopiste stopte iets in haar hand. Een stapel papieren zakdoekjes. Ze keek er een tijdje naar voor ze zich herinnerde waarvoor ze waren. Ze veegde haar gezicht af.

'Ik kan die man wel gaan halen als u hem wilt zien.'

'Wat?'

'Die man op de gang. Uw vriend, met wie u kwam, ik kan hem wel even binnen laten komen, ook al is hij geen familie. Wilt u hem zien?'

'Nee.'

'Goed. U mag nu terug naar de onderzoekkamer.'

Caddie staarde haar wezenloos aan.

'Waar u eerder was. Daar mag u wachten tot de anesthesist naar beneden komt. Hij zal u een hoop vragen stellen over allergieën en zo.'

'Wat?'

Ze zei het allemaal opnieuw.

'Ik weet het niet. Ik weet niet wat ik moet doen.'

De echoscopiste gaf haar de doos met tissues. Ze rolde iets, het rook naar pepermunt, heen en weer in haar mond. Ze trok de stoel tevoorschijn en ging zitten.

Caddie zei: 'Zei u dat ik hier weg moet?'

'Alleen maar terug naar de onderzoekkamer.' Dat koude, felverlichte hokje waar ze haar van bloed doordrenkte kleren had uitgetrokken en op een met papier bedekte tafel had gelegen. 'Weet u zeker dat u uw vriend niet wil zien?'

Ze wist even niet eens meer wie ze bedoelde. Ze was ongebonden; ze had geen vriend, geen band. 'O.' Magill, die bedoelde ze. 'Nee, dank u. Ik wacht liever in mijn eentje.'

27

Dokter Anders, Caddies gynaecoloog, zei dat ze wellicht baat zou hebben bij wat therapie en gaf haar de naam van een therapeut. Ze meldde zich bij een groep aan. Ze had er niet veel in te vertellen. Ze kon niet begrijpen hoe goed sommige vrouwen, die een miskraam of een doodgeboren kindje hadden gehad of op een andere manier hun baby waren verloren, hun gevoelens onder woorden konden brengen. Ze konden ze precies beschrijven; ze hadden een hoop woorden voor hun emoties. Ze zeiden tegen haar dat ze geblokkeerd was of zich inhield, maar dat was niet zo. Ze had gewoon de woorden niet.

Praten was te moeilijk. Wanneer er leerlingen naar haar huis kwamen voor lessen, ging het in het begin goed, maar langzamerhand dwaalde ze af. De muziek die ze speelden, klonk gedempt alsof ze achter glas vandaan kwam; ze kreeg een gevoel alsof ze alleen in een verduisterd theater naar een toneelstuk zat te kijken. Ze hoefde niet te reageren; ze was toeschouwer. Ze was er niet echt.

Magill belde iedere dag. Ze luisterde, maar ze was geen geweldige gesprekspartner. Hij had zo veel voor haar gedaan, hij en Cornel, waaronder de eindeloze rit naar huis vanuit het ziekenhuis terwijl zij onderuitgezakt op de achterbank zat, blind voor het uitzicht vanuit het met regen bespatte raam, blind voor alles. En hij was twee dagen en nachten bij haar in huis gebleven, waar hij op de bank sliep, de hond uitliet, haar soep en tosti's bracht, terwijl zij met haar gezicht naar de muur lag, wachtend tot het bloeden stopte en de pijn verdween. Toen ze allebei voorbij waren, vroeg ze of hij alsjeblieft weg wilde gaan. Hij bleef maar proberen met haar te praten. 'Nee, ga nou maar,' had ze hem gesmeekt en ten slotte had hij haar een afscheidskus gegeven en gezegd dat hij zou bellen.

Ze had een hekel aan het geluid van de telefoon. Haatte het idee dat Magill scheen te denken, hoewel hij het niet zei, dat ze nu toch wel klaar zou zijn om te hervatten wat ze waren begonnen, wat dat ook was. Ze kon het zich amper herinneren. 'Wil je dat ik langskom?' vroeg hij dan. 'Zal ik je mee uitnemen? Of kom naar Wake House, Caddie, je oma mist je.'

Een keer vroeg hij haar of ze hem de schuld gaf. 'Waarom zou ik?' had ze gevraagd, op haar hoede, terwijl ze uit het raam naar oma's verwoeste tuin staarde. De kille regen maakte modder van de grond. Ze was van plan geweest om hem te harken en graszaad te strooien na het tochtje naar Cape May. Oktober was de beste tijd om gras te zaaien, zei men.

'Omdat we gevrijd hebben.' Zijn stem klonk te intiem door de telefoon, alsof hij haar kende. Ze had er moeite mee. 'De nacht ervoor,' voegde hij eraantoe, voor het geval ze niet precies wist over welke nacht hij het had.

'Ik heb het de dokter gevraagd. Ze zei dat het er niets mee te maken had.'

'Godzijdank, Caddie.'

Ze had ook moeite met zijn opluchting. Wat fijn voor hem dat het zijn schuld niet was. 'Maar ik ben in een bui om iedereen de schuld te geven. Jou, mezelf, God.'

Hij zei iets op een troostende toon, maar ze verstond het niet. Haar gedachten dwaalden. '... komen,' hoorde ze duidelijk.

'Wat?'

'Laat me naar je toekomen. We zouden een eindje kunnen gaan rijden, of naar een film of zo.'

'Nee.' Ze kon hem niet verhinderen te bellen, ze was te passief, en wat maakte het tenslotte uit. Maar hem zien, mensen zien die ze niet hoefde te zien, dat was wat anders. 'Ik kan het niet. Sorry.' Ze hing op.

Waarom zou hij haar trouwens willen zien? Ze had maar twee stemmingen, twee persoonlijkheden, geest en huilebalk. Ze had in de uitslaapkamer een afschuwelijke vergissing begaan: ze had dokter Bhutra naar het geslacht van de baby gevraagd. Een jongetje. Hij had het op norse toon gezegd alsof hij de vraag afkeurde en wist dat het antwoord slecht voor haar zou zijn. Hij had gelijk. De kwellendste vlagen van verdriet kwamen wanneer ze zich voorstelde hoe haar baby, haar jongetje, zou zijn geweest als hij was blijven leven. Ze zag hem zo duidelijk voor zich. Ze kende hem zo goed. De pijn was daarvoor iets draaglijker geweest, toen hij slechts een geslachtsloze 'foetus' was.

'Je moet rouwen,' adviseerde de therapeute. 'Je hormonen gieren door je lichaam. Verwacht geen begrip van anderen en laat niemand je haasten. Je hebt een kind verloren. Niemand anders dan jij kan die pijn begrijpen.'

Ze dacht nooit meer aan Christopher, maar één slapeloze nacht kwam het in haar op om hem te bellen. 'Ik heb goed nieuws en slecht nieuws,' zou ze zeggen. 'Goed voor jou, slecht voor mij.' Maar ze pakte de telefoon niet, ook al wist ze het nummer. Ze wilde Christophers stem niet horen. Het leek wel honderd jaar geleden dat ze dacht dat ze van hem hield.

Het regende bijna iedere dag in november. Magill bleef bellen. Ze kon hem niet tegenhouden. Ze dacht aan die oude muziekvideo waarin de man met de dode vrouw probeert te dansen, haar slappe lichaam meesleurend, haar hoofd bonkend op zijn schouder. 'Ik ga uit Wake House weg,' vertelde hij haar op een avond. Hij belde altijd laat, vaak wanneer ze al in bed lag. Het deed er niet toe; ze lag maar zelden te slapen. 'Ik heb een flatje in Tyler Street. Weet je waar dat is?'

'Ja, hmm.' In de buurt van zijn voetenfabriek. Vroeger had hij een huis, maar na het ongeluk had hij het verkocht. 'Ga je weer aan het werk?' vroeg ze.

'Proberen. Het gaat niet zo heel geweldig. Dat kan niemand helpen. Nou ja, ik wel natuurlijk, omdat ik er niet was. Ik heb fantastische mensen, degenen die zijn gebleven, maar ze konden de fabriek niet tot in het oneindige in hun eentje runnen. Leiderschapsvacuüm, noemen ze dat, geloof ik. Caddie? Ben je er nog?'

'Ja. Nou, het zal wel moeilijk worden,' erkende ze. 'Maar ik weet zeker dat het je gaat lukken.' Ze keek naar de cijfers op haar digitale wekker die oversprongen. Finney sliep nu iedere nacht bij haar, een slechte gewoonte waarvoor haar de moed ontbrak er een eind aan te maken. Hij lag graag tegen haar heup, onder de dekens. Ze vond het gezelschap fijn.

'Ik mis je, Caddie. Ik begin al te denken dat ik je verbeeld heb.'

Ze voelde met hem mee. Soms dacht ze dat ze zichzelf verbeeld had.

'Ik heb alle dingen gelezen die ik niet mag zeggen.'

'Wat?'

'Een lijst op een rouwsite op internet. Dingen die je niet moet zeggen tegen iemand die een kind heeft verloren. Ik mag zeggen dat ik het erg vind, maar dat is het wel zo'n beetje. En ik kan aanbieden om bij je te zijn. Is dat goed? We zouden gewoon kunnen zitten. Waar dan ook. En als we dat beu raken, kunnen we opstaan en de hond uitlaten.'

'Magill...' Het was gemakkelijker om meegaand of vrijblijvend te zijn – of net als rook, hem niets geven waar hij zich aan vast kon klampen, niets dat hij kon gebruiken om een doorbraak te forceren. Maar dat deed ze al weken. Ze bleef maar denken dat hij het wel zou opgeven. Aangezien hij het niet deed, moest ze ergens wilskracht vandaan sleuren en het zelf uitmaken. Ze had nog een klein beetje vriendelijkheid in zich.

'Het spijt me, maar ik kan het niet. Ik heb niets. Ik ben op.'

'Waarom laat je me niet helpen? Geef me een kans, Caddie. Ik wil niet dat je zo'n pijn hebt.'

'Je kunt niets doen. Ik wou dat je me geloofde. Het spijt me.' Ze vond het vreselijk om mensen teleur te stellen. 'Ik ben niet meer degene die ik was.'

'Ik wil graag wachten tot je het wel weer bent.'

'Nee, niet doen, dat zou – en bovendien – het is geen ziekte,' zei ze terwijl er een vreemde verbittering naar boven kwam borrelen, 'ik word niet beter. Hou alsjeblieft op, bel niet meer, het is beter als je niet meer belt. Ik ben blij dat het goed met je gaat, dat is geweldig, je kunt nu verder met je leven. Ik ben zo blij voor je, echt waar. Maar als je me belt, dan – ik weet dat het niet zo zou moeten zijn, maar dan wordt het erger.'

Er volgde een afschuwelijke stilte. Ze hield de telefoon van haar oor en huilde er voor het grootste deel doorheen.

'Oké, Caddie, ik geloof dat ik het begrijp.'

'Het spijt me zo.'

'Ja, dat zei je al.'

'Ben je kwaad?'

'Ben ik kwááď?' Hij maakte een geluid, een zucht of een lach. 'Ik wil het niet erger voor je maken, maar je hebt mijn hart gebroken. En ik vertel je dat alleen maar zodat je weet dat ik allesbehalve kwaad ben. Hier is mijn nieuwe nummer voor het geval je het ooit nodig hebt.'

Hij noemde het, maar ze had niets om het op te schrijven. 'Dank je.' Als ze nog een keer 'Het spijt me' zei, zou het de vierde keer zijn.

'Pas goed op jezelf, Caddie.'

Daarna hield hij op met bellen.

Oma ging op een koude, grauwe zondag weer thuis wonen, in een snijdende wind die dwars door kleding en huid tot op het bot drong. Ze had nooit de moeite genomen om het grootste deel van haar schilderbenodigdheden uit te pakken, dus de verhuizing terug ging sneller dan de verhuizing erheen een half jaar ervoor. Caddie vermeed het afscheid nemen door tegen mensen te zeggen dat ze terug zou komen, dat er nog een hoop gesjouwd moest worden, dat ze waarschijnlijk nooit van haar af zouden raken. Het was waar, er stond nog een aantal dozen met troep in de kelder waar ze op dit moment de moed nog niet voor op kon brengen. Maar wat ze voornamelijk niet kon opbrengen dat waren afscheidswoorden, zelfs met de toevoeging 'Maar ik kom jullie steeds opzoeken, hoor!' Misschien zou ze het doen, misschien ook niet, maar de emotionele kracht om afscheid te kunnen nemen, ook al was het voorlopig, zat gewoon niet in haar. Met het afscheid van Magill was haar hele voorraad opgeraakt.

Voor oma's eerste avond thuis had Caddie al haar favoriete gerechten klaargemaakt, maar ze hadden geen van tweeën zin om te eten. Het had geen zin om net te doen of ze iets aan het vieren waren. Oma had niet thuis willen komen, om redenen waar Caddie nog steeds niet honderd procent achter was, maar Brenda zei dat het tijd was. Haar geduld raakte op toen oma de privé-telefoon in het kantoortje gebruikte om voor meer dan 300 dollar aan 06-nummers van een tv-medium te bellen. Toen Brenda haar met de rekening confronteerde, ontkende oma alles, verontschuldigde zich en rende de kelder in om zich te verstoppen. Het kostte een halve dag om haar te vinden. Dankzij Thea's goedgeefsheid was Wake House aan het verbeteren, verfraaien, zelfs aan het uitbreiden, maar het doel was niet veranderd. Ouderenzorg en zorg voor langdurig zieken was nog steeds de missie en de ouderen voor wie ze zorgden moesten nog steeds gezond van geest zijn. Het was zo oneerlijk.

In sommige opzichten was het goed om haar grootmoeder terug te hebben, iemand om mee te praten en voor te zorgen, iemand die haar nodig had. Na het eten keken ze tv en het was prettig om naar oma te kijken en samen te lachen over de stomme grapjes in het programma en opmerkingen te maken over de producten in de reclame. Oma had Finney op schoot en Caddie had wat verstelwerk op de hare. Bij het idee van hoe ze eruitzagen, van wat een derde van hen zou maken, zouden, als ze er even over nadacht, de rillingen over haar rug lopen, dus dacht ze er maar niet aan. Was het zo erg dat ze terug waren waar ze afgelopen voorjaar begonnen waren, vóór oma haar been brak?

Maar dat was natuurlijk ook niet zo. Caddie had het gevoel dat ze sindsdien al een heel leven geleid had. Maar toch, als dat waar was, waarom was ze dan geen sterker, beter, wijzer, moediger mens? Een half jaar geleden twijfelde ze of ze wel wilde dat oma wegging, nu twijfelde ze of ze wil wilde dat ze thuiskwam. De tijd veranderde de meeste mensen, maar zelfs haar tweeslachtigheid was hetzelfde gebleven. Ze werd gekweld door een gevoel van gemiste kansen, verspilde tijd, iets kostbaars dat ze had laten glippen door vingers die te slap of te besluiteloos waren om naar elkaar te brengen en er een kommetje van te maken.

'Bedtijd?' opperde ze even na tienen. 'Het is een lange dag voor je geweest.'

Oma zat naar het journaal te kijken. Ze stond op van de bank en keek om zich heen. 'Welke kamer is van mij? Slaap ik hier?'

'Nee, je oude kamer, oma, je weet wel. Boven, waar je altijd slaapt.'

Ze moest haar helpen met uitkleden, haar eraan herinneren om haar tanden te poetsen, de spelden uit haar haar halen. Had Brenda of een van de medewerksters dit gedaan? O nee, dat zal toch wel niet – het was vast de nieuwigheid. Zodra oma de draad weer oppikte, zou alles weer als altijd zijn.

Caddie stopte haar in. 'Heerlijk om je weer thuis te hebben,' zei ze terwijl ze het haar achteroverstreek. Ze keek angstig en klaarwakker. 'Heb je nog iets nodig? Glas water?'

'Nee.'

'Nou, geef anders maar een brul, ik lig verderop.' Waarom voelde ze de behoefte om haar eraan te herinneren? Ze bleef even staan en zette dingen op het nachtkastje goed omdat ze eigenlijk het licht niet uit wilde doen. Toen sprong Finney op het bed, gaf oma's wang een lik en nestelde zich onder haar arm. Oma glimlachte en deed met een vermoeide glimlach haar ogen dicht. Ik wist wel dat hij ergens goed voor was, dacht Caddie, en kuste hen allebei welterusten.

De volgende dag kreeg ze een lange brief vol nieuwtjes van Dinah. 'Tante D', zo had ze hem zelf ondertekend. Caddie had haar als eerste geschreven, een kort briefje om haar te vertellen van de baby en Dinah had meteen gebeld om haar medeleven te tonen. Dit was haar eerste brief. Alles was goed, schreef ze, alleen had moeder een kou die maar niet over ging en op haar leeftijd kon zoiets, voor je het wist, overgaan in longontsteking. Carl was druk aan het werk met zijn tot nu toe grootste project, iemands huisvarken. En niet zo'n hangbuikzwijntje, hoor, maar een gewoon varken, zo groot als een bank. Ze moest de groeten hebben. (Van Carl.) Voor het eerst dit jaar zouden ze Sherry misschien vragen om op moeder te komen passen, terwijl zij met zijn tweetjes een paar dagen naar Atlantic City zouden gaan; ze waren er al meer dan een jaar niet meer met zijn tweeën uit geweest en dat was niet de juiste manier om het vuurtje brandend te houden, als Caddie wist wat ze bedoelde.

'Hoe is het met Cornel? En met Magill? Doe ze de groeten van me. En het belangrijkste, hoe is het met jou? Kind, ik hoop dat je je beter voelt dan de laatste keer dat we elkaar spraken. Mijn enige raad is dat de tijd alle wonden heelt. Niet dat dat nou zo'n grote troost is. Ik mis mijn lieve Bobby nog altijd, dus dat is een wond die niet geheeld is. Maar ik denk dat het wel littekens worden. Dat is het beste waar we op kunnen hopen, een dikke huid die tussen onze pijn en onze tere harten groeit. Caddie, bel me alsjeblieft wanneer je met me wilt praten en weet dat ik aan je denk. Het is nog steeds een wonder dat we je gevonden hebben, of liever dat je ons gevonden hebt. Een geluksdag! Knuffels en kussen en heel, heel veel liefs, tante D.'

Oma bleef de Miss Michaelstown-verkiezing maar verwarren met een concert van het stedelijk orkest van Caddie, omdat het in hetzelfde gebouw was. 'Moet je daar dan niet zitten?' vroeg ze een paar keer toen ze achterin het evenementengebouw zaten. Ze waren aan de late kant en de zaal zat al vol. Ze hadden de badpakcompetitie gemist, maar de talentenjacht begon net. Een meisje in een lange japon speelde de *Appassionata* en Caddie wrong haar handen. O, Angie, dacht ze, kijk eens waar je tegenop moest boksen! Maar de volgende kandidate jongleerde, dus misschien viel het mee. Toen een meisje dat *The Wind Beneath My Wings* zong. Een mooie, sierlijke ballerina. Een meisje dat moppen vertelde.

Toen Angie aan de beurt was, werd ze aangekondigd als 'Miss Angie Noonenberg', niet Angela Ann of Angela May. Ze zag er mooi uit. Ze had haar lange haar toch laten knippen en het was heel erg punk en stijlvol, afgeknipte pieken die alle kanten op schoten. Caddie durfde te zweren dat ze langer geworden was. Ze had een kort rokje en laarzen aan en een mouwloos topje met fonkelende kralen op de borst. Caddies hart ging tekeer. Ze moest oma's hand vastpakken toen Angie haar viool naar haar schouder hief.

Ze speelde niet *Man of Constant Sorrow*, ze speelde een onopgesmukte, rauwe ballade over de dood van een mijnwerker in Harlan County, Kentucky. Een verborgen gitarist begeleidde haar akoestisch terwijl ze de tekst met haar natuurlijke stem zong, niet die monotone, nasale zeurstem die ze voor het andere nummer had aangeleerd. Dit was veel beter; het was eerlijker. Ze speelde de meeslepende mineurmelodie met haar ogen halfdicht, haar lichaam recht en lang en heel erg alleen op het podium. Caddie kreeg tranen in haar ogen voor het afgelopen was en keek om zich heen of anderen net zo ontroerd waren als zij. Het was moeilijk te zeggen, maar het was doodstil in de zaal; niemand kuchte of schuifelde met de voeten. En toen het applaus kwam, klonk het serieus, geen gefluit of geroep. Dat moest een goed teken zijn.

Dat was het ook – Angie won! De talentenjacht, niet de schoonheidswedstrijd – het meisje dat jongleerde werd Miss Michaelstown. 'Wat had je dan verwacht?' zei oma toen de presentator het aankondigde en Caddie zachtjes kreunde. 'Ik wist wel dat ze zou winnen, want zij had de grootste tieten.'

Toen het licht aanging, kwamen alle kandidaten en hun familie en vrienden bijeen voor het podium. 'Oma, blijf hier zitten en verroer je niet, hè? Ik ga Angie even zoeken.'

'Waarom mag ik niet mee? Ik wil haar ook zien.'

'O, oké, kom dan maar mee. Ik dacht niet dat je wilde.'

'Waarom niet?'

'Ik weet het niet.' Omdat ze überhaupt niet naar de missverkiezing had willen gaan. Omdat ze onderweg niet meer precies wist wie Caddie was. Caddie gaf haar een arm en ze gingen op zoek naar Angie.

Ze zagen haar voor de voorste rij staan, te midden van een zee van schoonheidskoninginnen en mensen die haar wilden feliciteren. Het was niet gemakkelijk om dichterbij te komen. Oma porde een van de niet succesvolle kandidaten, een roodharig meisje dat klarinet had gespeeld en het publiek had verteld dat haar wens voor de wereld vrede en geluk door middel van Jezus Christus was. 'Je was heel goed,' zei oma tegen haar. 'Je had alleen grotere –'

'Ja, inderdaad,' zei Caddie, 'je was geweldig – kom, oma.'

Boven de hoofden van haar bewonderaars uit zag Angie Caddie en liet een vreugdekreet horen. 'Hé!' riep ze, terwijl ze wuifde en op en neer sprong op haar hoge hakken. 'Hé, Caddie!' Een ogenblik geleden was ze nog een elegante jongedame in een strakke witte japon, maar nu was ze weer een tienermeisje, de oude Angie. Ze duwde mensen aan de kant, Caddie deed hetzelfde en ze sloegen hun armen om elkaar. 'Je bent gekomen!'

'Jij – je was fantastisch!'

'O, ik ben zo blij dat je er bent.'

'Wat dacht je, dat ik niet zou komen? Angie, je hebt gewónnen, gewónnen –'

'Ja! Wat vond je van mijn nummer?'

'Je had alles moeten winnen, je bent bestolen.'

'Dat kan me niet schelen, ik wilde alleen de talentenjacht winnen. En dat is gebeurd!'

'Hoe is het met je moeder?' Ze zag haar tussen de familie Noonenberg staan, glimlachend en kletsend, ieder haartje op zijn plaats.

'Ze komt er wel overheen. Voor mij geen schoonheidswedstrijden meer – ik heb deze ene alleen voor haar gedaan. Vond je mijn nummer echt goed?'

'O, Angie, jij had gelijk en ik niet. De mensen hielden hun adem in! Omdat we wisten dat het echt was, het was jíj. Met heel je hart!'

Angie kreeg tranen in haar ogen, dus Caddie ook. 'Dan ben je zeker niet meer kwaad op me?'

'Dat ben ik nooit geweest – ik dacht dat jij kwaad op mij was!'

Ze lachten opgelucht.

'Ik weet dat ik absoluut niet de richting inga die jij wilde, Caddie, maar ik vind het heerlijk wat de band doet – hij heet Bitter Root, je moet eens komen kijken – en dankzij jou heb ik het aangedurfd.'

'Dat is niet waar.'

'Wel waar. Wees opgewonden over je muziek, dat heb je altijd tegen me gezegd. Weet je nog? Wees hartstochtelijk! Je hebt het duizend keer gezegd. Niets is belangrijk, behalve dat wat je het liefst doet.'

'Heb ik dat gezegd?'

'Dus het is eigenlijk allemaal jouw schuld. Als ik rijk en beroemd ben, draag ik een plaat aan je op!'

Het was alsof er sinds de afgelopen zomer geen tijd verstreken was; ze hadden net zo goed na een les cola in de keuken kunnen drinken. Caddie had zichzelf niet willen toegeven hoe erg ze Angie miste. Een vrouw met dezelfde hooghartige wenkbrauwen als mevrouw Noonenberg pakte Angie bij de schouders en draaide haar om. 'Tante Chrissie!' riep Angie uit en de vrouw kuste haar op beide wangen. Caddie glimlachte bij wijze van afscheid en wilde weglopen.

'Tot kijk, Caddie – en je moet naar Bitter Root komen kijken!'

Ze wierp Angie een kushand toe en draaide zich om.

Oma was weg.

Ze trof haar buiten aan, onder een gonzende lichtzuil op een heuveltje dood gras op het parkeerterrein. Er vielen al vederlichte sneeuwvlokken die haar zwarte baret en de schouders van haar loshangende jas bedekten. Ze zag er verloren uit.

'Oma!'

'Daar ben je,' zei ze op luchtige toon, maar haar gezicht was een en al opluchting. 'Waar bleef je zo lang?'

'Wat doe je hier? Waarom sta je hier?'

'Ik was – ik mag hier best staan, sla niet zo'n toon tegen me aan. Ik wilde in de auto wachten, is dat een misdaad?'

'De auto staat helemaal daar –!'

'Nou, dat weet ik wel, hoor. Natuurlijk weet ik waar de auto is. Jij maakt je te veel zorgen, dat is het probleem.' Ze stond toe dat Caddie haar een arm gaf.

'Loop nooit meer zomaar weg, ik ben me doodgeschrokken.' Ze was nog bibberig van paniek. In de vijf of zes minuten dat oma vermist was, had ze zich duizend gruwelijke dingen voorgesteld.

Oma lachte en veranderde behendig van onderwerp. 'Zullen we ijs gaan halen op de terugweg, dat hebben we al zo lang niet meer gedaan. Laten we bij Griffin stoppen en ijsjes halen.'

Caddie wreef over haar grootmoeders ijskoude handen terwijl ze over het volle parkeerterrein liepen; oma's handschoenen zaten nog steeds in haar jaszakken. 'Prima, dat klinkt goed.' Behalve dan dat Griffin al zes jaar niet meer bestond.

Thuisgekomen, liet Caddie een bad vollopen voor het geval ze onderkoeld was en daarna trok oma haar nachtjapon binnenstebuiten aan. Caddie zag haar voor de spiegel in de badkamer staan en hoorde haar die verdomde knopen vervloeken terwijl ze rood aanliep van frustratie. 'Nou, geen wonder,' zei Caddie en trok de nachtjapon over haar hoofd, trok hem weer aan en knoopte hem dicht. 'Zo, dat is beter.'

Oma poetste haar tanden in een mokkende stilte en later griste ze de borstel uit Caddies hand en haalde hem zelf door haar weerbarstige grijze haar. 'Dat kan ik wel. Ik kan nog wel íets.'

Vanuit haar eigen kamer hoorde Caddie haar in bed stappen en ging welterusten zeggen. Ze merkte dat oma niet luisterde naar haar prietpraat over Angie en hoe de avond verlopen was, hoe haar lesrooster er voor deze week uitzag, wat ze aan boodschappen nodig hadden.

'Dit is nu precies wat ik niet wilde dat er zou gebeuren. Jij en ik in dit oude huis, wachtend tot ik dood ben.'

'Wat?'

'Gek, bedoel ik, niet dood, gek. Het spoor bijster. Ook dood, maar eerst gek. Ik heb verdomme dat nachthemd achterstevoren aangetrokken.'

'O, oma.' Ze liet zich op het bed zakken.

'Moet je erom lachen? Vind je dat komisch? Het zit in de familie – jij lacht niet meer als het jou overkomt.'

'Ik lach niet.'

'Allebei mijn ooms aan vaderskant. Winger-bloed. Jij zou de volgende kunnen zijn.'

Ze had gelijk. Het was niet grappig.

'Ik vind dit zo erg. Ik wilde niet hier zijn wanneer het gebeurde,' mompelde oma terwijl ze een pluisje van de deken plukte. 'Je kunt het voelen aankomen, daarom wilde ik hier weg zijn.'

'Ik snap het niet. Ook al is het zo, waarom is het dan niet beter om in je eigen huis te zijn?'

Ze wendde haar gezicht af.

'Vind je het hier niet fijn? Het is waar, we hebben geen lift of een gemotoriseerde rolstoel. En meneer Lorton is er niet om de oudste te zijn, dus ben ik bang dat jij het zal moeten zijn.'

Ze glimlachte niet.

Caddie nam haar magere, gerimpelde hand in de hare. 'Als het weer voorjaar is, beginnen we een nieuwe beeldentuin in de voortuin. We beginnen helemaal opnieuw. Ik zal het spierwerk verrichten, dan hoef jij alleen maar met briljante ideeën te komen. Jij bent de schepper, je wijst gewoon naar dingen en je zegt: "Een beetje naar links".' Er viel een dikke druppel op de hand die Caddie vasthield. 'Waarom heb je zo'n verdriet, oma? Waarom?'

Ze fluisterde iets.

'Wat?' Caddie boog zich naar haar toe.

'Ik wil niet...' Haar lippen bewogen, maar er kwamen geen woorden uit.

Caddie fluisterde ook. 'Wat wil je niet?'

'Ik wil niet dat je me in de steek laat.'

Caddie kreeg een strak gevoel op de borst, alsof er een snoer omheen zat dat aangetrokken werd. Ze kon niet diep ademhalen. 'Oma.' Ze keek hoe hun verstrengelde vingers zachtjes spanden en ontspanden op de deken. 'Ik laat je nóóit in de steek.'

'Stt,' zei oma, terwijl de tranen over haar wangen rolden. 'Dat brengt ongeluk.'

'Nee, echt niet. Dat beloof ik. Weet je waarom? Omdat jij me nooit in de steek gelaten hebt. Ieder ander wel, maar jij niet. Mijn gekke oma.'

Oma snoof en veegde over haar ogen.

Caddie gaf haar een papieren zakdoekje. 'Ik heb je zelfs nooit bedankt.'

'Allemachtig. Waarvoor?'

'Dat je me gehouden hebt. Nadat mama me bij jou achterliet. Je met mij opzadelde.'

'O, kind.' Ze snoot haar neus luidruchtig in het zakdoekje.

'Jij was in de vijftig, het moet zo'n schok zijn geweest. Maar ik heb altijd geweten dat ik voor jou gewenst was. O, ik heb zo geboft.'

Oma veegde haar gezicht af en glimlachte, met waterige ogen. 'Natuurlijk was je gewenst. Je was mijn baby.' Haar gezicht vertrok weer. 'Maar verdomme, ik heb nooit de jouwe willen zijn!'

Caddie humde meelevend, maar verknoeide het door te lachen. Ze sloegen hun armen om elkaar heen en omhelsden elkaar, waarbij ze de tranen over elkaars gezicht uitsmeerden.

'Ik hou van je.'

'Ik hou van jou, oma.'

'Ik heb besloten dat je me niet meer hoeft dood te schieten.'

'O. Goed zo.'

'Wat wel komisch is, omdat het noodzakelijker is dan ooit. Maar de hoe-heet-het is altijd de laatste die het merkt.'

'De geschotene.' Ze gaf haar een kus. 'Heb je slaap? Zullen we nog eventjes lezen?'

Oma gleed omlaag en ging lekker liggen; ze deed haar ogen dicht en vouwde haar handen op haar maag. Ze was altijd dol op lezen, maar ze zei dat de woorden niet meer op hun plaats vielen. 'Waar waren we ook alweer gebleven?' vroeg ze geeuwend. 'Ik weet het niet meer.'

'Ik ook niet. Zullen we gewoon opnieuw beginnen?'

'Goed idee.'

Caddie sloeg het boek bij hoofdstuk een open. 'Het is een algemeen erkende waarheid,' begon ze, 'dat een ongetrouwde man in het bezit van een fortuin op zoek moet zijn naar een echtgenote.' Daar begonnen ze hun verhaal iedere avond.

28

Caddie belde haar tante op de avond voor Kerstmis.

'Je cadeautje is net aangekomen!' riep Dinah met schorre stem – ze was verkouden – uit. 'Wie heeft je verteld dat ik een zere kont kreeg van die schoolbus?'

'Jij,' zei Caddie lachend. Dinah bestuurde 's ochtends de schoolbus van de basisschool terwijl Carl op moeder paste. Caddie had een speciaal met schuim gevuld, vormvast, schokabsorberend zitkussen gekocht dat ze op tv had gezien. 'Laat me weten of het helpt, hè?'

'Hoe zou het niet kunnen helpen? Heb je mijn cadeautje al gekregen?'

'Ja, maar ik heb het niet opengemaakt. Ik heb wilskracht!'

'Nou, bel me zodra je het opengemaakt hebt, ik wil weten wat je ervan vindt.'

'Denk je dat ik er blij mee ben?'

'Zou kunnen, zou kunnen. Ik wou alleen dat je hier kon zijn wanneer je het openmaakt. Sherry en Phil en de kleinkinderen komen eten – ik heb het gevoel alsof ik al sinds vorige maand aan het koken ben. En Carl heeft zich weer helemaal uitgeleefd op het huis, ik heb tegen hem gezegd dat het eruitziet als Tsjernobyl. Ik wou alleen dat jij hier kon zijn!'

'Ik ook,' zei Caddie. 'Dat wou ik ook.'

Dinahs cadeau was een fotoalbum vol kopieën van alle foto's van Bobby die ze had kunnen vinden. Caddie zat er op kerstochtend mee op schoot en keek en keek; ze kon er niet genoeg van krijgen en wilde dat ze haar cadeau eerder opengemaakt had. Oma gaf alleen iets om de foto's van Bobby met Jane en daar waren er niet veel van. Maar toen ze hoorde dat er een bandje was – Dinah had ook een kopie van de demo van Red Sky gemaakt – stond ze erop dat Caddie het meteen draaide. 'Weet je het zeker?' vroeg Caddie bezorgd. 'Zul je er niet verdrietig van worden?' Oma trok een gezicht en zei 'Pff', en Caddie zette het bandje op.

Haar oma luisterde als gehypnotiseerd. 'Draai die tweede nog eens, Caddie, ik vind dat hoge, mooie stuk zo prachtig. O, wat had ze toch een mooie stem. Draai het nog eens.'

Caddie bleef het bandje maar voor haar draaien.

's Middags begon het te sneeuwen, grote vlokken die langs het keukenraam dwarrelden, maar al snel kon Caddie ze alleen nog maar onder de straatlantaarns zien. Het werd tegenwoordig zo snel donker. De geur van de kalkoen die ze in de oven had staan trok door het hele huis. Het zou veel te veel zijn voor twee mensen. Te veel van alles: boom, kousen, de krans aan de deur, kaarsen voor het raam, kerstmuziek op de radio, allemaal voor twee eenzame vrouwen. Het was benauwend. Oma voelde het ook; ze beweerde dat ze moe was en ging 's middags naar bed, zodat Caddie de hele te warme, te zwaar versierde begane grond voor zichzelf had.

Ze miste Thea. De hele dag al; ze was wakker geworden met het gevoel dat ze haar miste. Ze dacht erover om Cornel te bellen, gewoon om iemand te hebben met wie ze over haar kon praten. Hij had zijn gedicht voor haar niet meer op Cape May kunnen oplezen en ze zouden nu waarschijnlijk nooit meer teruggaan. O, Thea. Als zij er was geweest, had ze kunnen helpen die zeurende pijn weg te nemen, die zinloze eenzaamheid. Vannacht had Caddie gedroomd dat ze in een gevaarlijke wijk van de stad liep en in de rug werd geschoten. Het was een rustige droom; ze was niet bang of verbaasd. Ze zag zichzelf van achteren, een perfect, gapend gat middenin haar, net als een stripfiguurtje met een kanonskogel. Ze kon dwars door zichzelf heen kijken.

Ze zou Magill kunnen bellen. Dat was de enige manier waarop ze hem ooit weer zou kunnen spreken; hij zou haar zeker niet bellen. En toch, de hele dag bleef ze denken dat hij het misschien zou doen. Beide keren dat de telefoon ging, dacht ze dat hij het was. Maar de eerste keer was het Dinah en de tweede keer was het Morris, haar collega van het orkest, die haar uitnodigde voor een feestje de volgende avond. Op het laatste moment. Ze zei dat ze oma niet alleen kon laten en dat het te laat was om nog iemand te vragen op haar te komen passen.

Zo ging Kerstmis voorbij. Slechts een handjevol leerlingen wilde tijdens de kerstweek nog doorgaan met de lessen, dus de korte, grauwe dagen geeuwden haar saai en leeg tegemoet. Ze probeerde ze te vullen met ritjes naar het winkelcentrum met oma voor de uitverkoop, een nieuw stuk op de viool oefenen voor de voorjaarsrecital van het orkest, haar lessentabel opnieuw indelen voor het nieuwe jaar. Maar de periodes dat ze alleen met oma in de kamer zat en naar de tv staarde of trieste liedjes op de piano speelde, kwamen te vaak voor en deprimeerden haar. Zelfs Finney, die opgerold onder de piano lag met zijn kin op zijn pootjes, keek gedeprimeerd. Bij de gedachte aan oudejaarsavond alleen al wilde ze van huis weglopen. Toen, halverwege de week, belde Brenda.

'We geven een feest, kunnen Frances en jij komen? Het is voor oudejaar, maar het is ook een afscheidsfeestje voor Cornel.'

'Cornel! Waar gaat hij heen?'

'Zijn schoondochter heeft hem overgehaald om bij haar en zijn kleinzoon te komen wonen.'

'O, dat is geweldig,' zei Caddie blij, ook al had ze het gevoel dat weer een vriend haar in de steek liet. 'Ja, natuurlijk kunnen we komen.'

'Goed. Halfnegen en je hoeft niets mee te nemen, tenzij je champagne wilt. We hebben alleen punch.'

'Komt Magill ook?' vroeg ze tussen neus en lippen door.

'Ik heb hem nog niet gebeld, maar ik hoop van wel. Het is wel al snel, Cornel heeft gisteren pas zijn besluit genomen.'

Nadat ze opgehangen had, rende Caddie de trap op terwijl ze bedacht wat een zielenpoot ze was, opgewonden omdat ze voor oudejaarsavond in een bejaardentehuis uitgenodigd was. Maar zelfs de wetenschap dat ze een hopeloos geval was, kon haar er niet van weerhouden om direct door te lopen naar haar kast om te kijken wat ze kon aantrekken.

'Ik ga niet,' zei oma. 'Ik heb geen zin. Op oudejaarsavond ga ik nergens heen. Die tijd is geweest.' Caddie probeerde haar over te halen, maar ze hield voet bij stuk. Wat was de ware reden? Iedere keer dat Caddie een bezoek aan Wake House voorstelde, vond oma wel een excuus. Het was alsof ze een deur naar dat leven had dichtgedaan en niemand haar meer zover kon krijgen dat ze hem opendeed. 'Goed dan. Als jij niet gaat, dan ga ik ook niet,' dreigde Caddie, maar oma zei: 'Goed, dan kunnen we naar Guy Lombardo kijken.'

Caddie belde Rayanne Schmidt, de tiener uit de buurt die in ruil voor pianolessen op oma paste. Ze had oudejaarsavond niets. 'Jij, Rayanne? Heb jij geen feestje waar je naartoe moet?' In haar hart was ze dolgelukkig, maar ze begreep er niets van – Rayanne was knap, slim, een echte persoonlijkheid. Oma was dol op haar. 'Ja, dat wel,' zei Rayanne, 'maar ik heb huisarrest.' Waarom? 'Roken. Mam kwam binnen en betrapte me, ze had niet eens geklopt. Zíj is degene die huisarrest zou moeten krijgen.' Caddie vroeg er verder niet naar; ze kon alleen maar hopen dat Rayanne het over tabak had.

De smaakvolle witte lichtjes langs het dak van de voorgalerij en de kaarsen voor alle ramen van Wake House deden Caddie denken aan Dinah en Carl en hun bungalowtje in Clover, verlicht 'als Tsjernobyl'. Ze had zich altijd afgevraagd wat voor soort mensen dat met Kerstmis met hun huis deden en nu wist ze het. Mensen als Carl. Ze wou dat Dinah haar een foto stuurde.

Ze kon de muziek al horen voor ze nog maar bij de trap naar de veranda was. En gezang; Doré's stem, die atonale sopraan. Kon het – dat het karaokeapparaat al tevoorschijn was gehaald? Ze zag Cornel in de hal waar hij met Claudette stond te praten, maar hij liet haar in de steek en schoot onder de kroonluchter – en de mistletoe – zodra hij de voordeur open hoorde gaan. 'Gelukkig nieuwjaar,' zei hij werktuigelijk en kuste Caddie op de mond. In de roos; aan de lippenstiftvegen op zijn wangen te zien was zijn doelgerichtheid bij anderen minder dodelijk geweest.

'Gelukkig nieuwjaar. Je gaat weg?'

'Ze heeft me uitgeput, ik had geen zin meer om nee te blijven zeggen.'

'Ik vind het geweldig. Richmond is niet zo ver weg, ik kom je gewoon opzoeken.'

'Richmond.' Hij snoof. Hij had zijn bruine pak aan met een feestelijke rode stropdas. 'Bij het minste of geringste zwaaien ze met de vlag van de Confederatie, weet je. Precies wat ik –'

'Nee, hou op. Je gaat het vast heel leuk vinden, Cornel, bij je eigen familie, je eigen kleinzoon.'

Ze pakte hem bij zijn schouders en schudde hem door elkaar. 'Hou op.'

'Met wat?'

'Een ouwe mopperpot zijn.'

'Ik ben een ouwe mopperpot.'

Ze smolt bij het zien van zijn schildpaddenlippenglimlach. 'O, dat is ook zo.' Ze sloeg haar armen om hem heen en trok hem even tegen zich aan. 'Ik zal je zo missen.'

'Kom je me echt opzoeken?'

'Dat beloof ik. En Magill ook, durf ik te wedden.' Ze keek om zich heen. Overal mensen in beide salons en fonkelende kerstbomen, beide open haarden die brandden. 'Is hij er?'

'Hij zei dat hij wat later zou komen.'

Hij begon het te hebben over inpakken, wat een ellende dat zou zijn, en hoe hij zo veel spullen verzameld kon hebben terwijl hij maar een halve kamer bewoonde. Ze werd afgeleid door iets dat ze zag en kon het gesprek niet meer volgen. 'Edgie? O, allemachtig – kijk toch eens!'

Ze liep. Langzaam en naar een kant overhellend, met behulp van een wandelstok met drie pootjes voor het evenwicht, maar ze liep. 'Snelheidsduivel ben ik,' zei ze met een scheve grijns. 'Kijk jou eens! Zo mooi.'

Caddie ging naar haar toe en gaf haar een kus. 'O, je ziet er fantastisch uit.' Ze had pas een nieuw permanent dat haar gezicht omlijstte als zachte gele watten. 'Wat heerlijk om je te zien rondlopen!'

'Waar is Frances? Ben je helemaal alleen?'

'Ze zag er te erg tegenop. Waar is Bea?'

'Daar.' Ze maakte een schouderophalend gebaar in de richting van de Blauwe Salon. 'Met de nieuwe man!'

'De nieuwe man! Wat spannend.'

'Trek je jas uit en blijf een poosje. Bea!' Ze riep met niet veel kracht, maar boven de muziek en het geroezemoes uit hoorde haar zus haar. Haar gezicht lichtte op. Ze wendde zich even tot de nieuwe man – Caddie ving een glimp op van wit haar en brede schouders – liep bij hem vandaan en kwam met open armen op haar af.

'Eindelijk! We hebben je maanden niet gezien, maanden!'

'Een maand,' wierp Caddie tegen terwijl ze zich liet smoren in een stevige omhelzing. Ze was vergeten hoe sterk Bea was. Ze zag eruit als een nieuwe vrouw – of eigenlijk, zichzelf, sterk en knap en geen flauwekul.

'Nee, het is meer dan een maand geleden. Je zei dat je ons steeds zou komen opzoeken en – nou, laat maar, we vergeven het je.'

'Vanwege Kerstmis,' zei Edgie.

'Hoe gaat het met je?' Bea ging vol medeleven zachter praten. 'Is het zwaar geweest, kind? De feestdagen zullen wel geen lolletje zijn geweest.'

Caddie was bang voor medeleven. 'Och, het ging wel.' Ze trok haar jas uit en hing hem aan een haak achter de trap. 'Vertel me eens over die nieuwe man! En wie is die mevrouw daar met die hoed?'

'Goed.' Bea wreef zich in de handen.

'Tom Kowallis,' zei Edgie voor ze iets kon zeggen. 'Bea's vriend.'

'O, nietwaar.'

'Allemansvriend dan.'

'Dat lijkt er meer op,' zei Bea ironisch.

Caddie liep wat dichter naar Tom Kowallis toe, die met Doré Harris stond te praten. 'Knap.' Hij deed haar aan iemand denken, ze kon er niet goed de vinger op leggen. Gregory Peck? Hij was lang en recht, met dik, woest wit haar en zwarte wenkbrauwen, een brede borst, een imposante buik en geen achterste. 'Hoe is hij?'

'Denkt dat hij in de hemel is terechtgekomen. Moet je Doré zien. Zie je die pochet in zijn zak? Heeft zij voor hem gemaakt.'

'Doré heeft een pochet gemaakt?'

'Ze moest wel – Sara heeft pantoffels voor hem gemaakt.'

'Sara. Wie is Sara?'

'Mevrouw Sha... Shar...'

'Shallcroft,' zei Bea. 'Ik dacht dat je haar al had ontmoet, ze kwam meteen nadat Susan weggegaan was. Daar.' Ze knikte in de richting van een aantrekkelijke, slanke vrouw in een lange zwarte japon, die haar haar in een ingewikkelde knot droeg.

'O, mevrouw Shallcroft, ik weet het weer. Ze had pas haar man verloren.'

'En dat horen we zo'n beetje iedere dag.'

'Edgie,' zei Bea, gniffelend.

'Denkt dat ze de allereerste weduwe is. Draagt niks anders dan zwart sinds ze hier is.'

'Ze is een tragisch personage!' zei Bea met twinkelende ogen. 'Ondertussen is meneer Shallcroft al minstens drie jaar dood!'

'En –' Edgie leunde voorover op haar wandelstok en sprak op een luide fluistertoon. 'Maxine en Doré praten! Vertel het haar eens, Bea.'

'Niet te geloven! Met elkaar?'

'Het is echt waar,' bevestigde Bea. 'Niet veel, ze zijn geen vriendinnen, maar ze praten.'

'Omdat ze tegen Sara samenzweren,' zei Edgie. 'Om Toms liefde. Het is hier echt een soort Peyton Place.'

'Dat hoor ik. Wie is de nieuwe mevrouw?' Een klein, vogelachtig vrouwtje met een klein rond hoedje met een voile, zat op de bank in de Rode Salon naast een stevig gebouwde, kale man met een roze gezicht.

'Mevrouw Spinetti. Heel aardig. Ze is negentig.'

'Bea mag haar graag omdat ze ouder is dan zij.'

'Dat is haar zoon naast haar, die kale, op bezoek uit New Jersey. Hij is tweeënzestig en nog steeds vrijgezel.'

Ze bleven staan roddelen in de hal tot Bea zei: 'Nou, we kunnen de hele avond wel aan het kletsen blijven, maar waarschijnlijk kwam je voor iemand anders dan voor ons.' Maar Caddie dacht dat de ware reden dat ze hen uit elkaar dreef was omdat ze wist dat Edgie moe werd en moest gaan zitten. 'Begeef je onder de mensen,' zeiden de zussen tegen haar en verdwenen in de Rode Salon.

Wake House zag er prachtig uit en niet alleen vanwege de kerstversiering. De houten vloeren glansden omdat ze pas gepolitoerd waren, iedere spiegel glom, de kroonluchter fonkelde, zelfs de muren zagen er lichter uit, minder smoezelig of zo. Caddie had nooit eerder een vuur in een van de open haarden gezien, laat staan in allebei. Meneer Lorton was diep in slaap voor de open haard in de Blauwe Salon. Caddie gaf hem een kus op zijn kale hoofd en hij keek vol genegenheid en zonder verbazing naar haar op, alsof hij haar iedere dag zag.

Ze vond Brenda, feestelijk gekleed in een groene trui met een glitterkerstman op de borst en complimenteerde haar met het feit dat alles er zo mooi uitzag.

'Nou, we konden ons dit jaar iets meer veroorloven. De nalatenschap is nog niet geregeld, het zal ook nog wel even duren, maar ik kan je zeggen dat ze Wake House heel goed bedacht heeft.'

'Dat is geweldig nieuws.'

'Caddie, je hebt gewoon geen idee.' Ze schudde haar hoofd alsof het bijna fout gegaan was. 'Vorige zomer wist ik niet eens zeker of we het einde van het jaar wel zouden halen. En nu – is het niet geweldig? Zo hoort het eruit te zien! Ik heb een nieuw schoonmaakbedrijf dat gewoon doet wat ik zeg. Wat je ziet, is nog maar het topje van de ijsberg. We hebben plannen voor een nieuwe lift en een nieuw dak, stormramen op de derde verdieping, professionele wasmachines en drogers –'

'Maar eh, als het geld nog steeds vastzit...'

'O, ik weet het! Als het niet doorgaat, zitten we echt in de problemen!' Maar ze keek niet bezorgd. Ze wierp haar hoofd achterover en stootte haar enorme bulderende lach uit, en iedereen binnen gehoorsafstand glimlachte mee. 'Waar is Frances? Is ze niet met je meegekomen?'

'Ze zag er te erg tegenop. Iedereen heeft de groeten van haar.'

Brenda keek weer ernstig. 'Hoe is het, om haar thuis te hebben? Toch niet te vermoeiend, hoop ik?'

'Nee, het gaat goed. Ze is – er zijn een paar dingen die ik eigenlijk niet goed beseft had, maar tot dusver –'

'Zoals?'

'Nou, de vergeetachtigheid, ik wist niet hoe erg dat geworden was. We zijn bij de dokter geweest en hij heeft haar pillen gegeven, maar het is moeilijk te zeggen hoe goed ze helpen. Vooral bij oma – ik bedoel, bij haar is het toch moeilijk te zeggen, wat gewoon haar normale doen is en wat...'

'O, kind.' Brenda legde haar arm om haar schouders. 'Het is iets afschuwelijks, hè?'

'Bedankt dat je haar zo lang hebt willen houden,' zei Caddie langs een prop in haar keel. 'Ze vond het hier echt – heerlijk.'

'We missen haar.'

'Het ergste is dat ze het weet.'

Brenda kneep even bemoedigend in haar schouder. 'Ja, maar na verloop van tijd niet meer. Dat is het goede en het slechte nieuws.'

Caddie zag Magill voor hij haar zag. Hij droeg een smoking, een oranje vlinderdas en hoge sportschoenen. Iedereen omhelsde hem, dolgelukkig hem te zien, zelfs de treurende mevrouw Shallcroft. Caddie snapte waarom. Ze waren natuurlijk ook blij om haar te zien, maar ze was nog steeds een van hen. Magill niet. Hij hoorde hier niet meer. Hij was genezen en verdergegaan, terug naar de wereld van de gezonden en jongeren.

Alles aan hem zag er levendig uit, van het blauw van zijn ogen tot de glans van zijn haar. Zijn wangen waren niet langer mager of ingevallen, dus hij zag er ouder uit – hij zag eruit conform zijn leeftijd. Zelfs zijn stem kwam krachtiger op haar over. Geen wonder dat iedereen hem wilde aanraken, iets van zijn geestkracht wilde opvangen. Zij ook.

Ze knikte naar hem en glimlachte hem verwelkomend toe, maar ze was volop in gesprek met Dolores, de dochter van mevrouw Brill en ze kon zich niet losmaken. 'Mama heeft haar levensverhaal in haar kerstkaart naar al haar kinderen gestuurd, Caddie, al mijn ooms en tantes, en ze vonden het fantastisch! En moet je horen, Belinda heeft haar gebeld! Die twee hebben elkaar al eeuwen niet meer gesproken en nu wil mijn stiefzuster volgende zomer op bezoek komen, zodat haar jongste kind zijn oma kan leren kennen.'

'O, geweldig.'

'Mama zou jou wel willen bedanken, ik weet dat ze dankbaar is, maar je weet hoe vreemd ze doet over "familiezaken".'

'Maar ik heb niets gedaan,' protesteerde Caddie. 'Ik heb het alleen maar opgeschreven.' Ze voelde Magills ogen op zich vanaf de andere kant van het vertrek.

'Nou, dan bedank *ík* je. Het heeft zo veel betekend. Denk je dat je ermee door blijft gaan nu je oma hier niet meer zit?'

'Daar heb ik niet echt over nagedacht.'

'Het zou wel jammer zijn als je ermee stopte. Meneer Kowallis daar, hij zei net tegen mama dat hij wel belangstelling zou hebben. Hij zei dat hij journalist is geweest, dus ik denk dat hij wel wat interessante verhalen heeft. Caddie, naar wie sta je te kijken?'

Ze schrok. 'O – ik keek naar Henry. Magill.'

Dolores viel bijna om. 'Is dat Magill? Die man met die voetbalhelm?'

'Dolores – sorry, maar ik moet even gedag gaan zeggen.'

Hij had een glas punch in zijn ene hand, een stuk taart op een kartonnen bordje in de andere. Hij spreidde zijn armen en trok een hulpeloos gezicht, alsof hij haar zou omhelzen als hij kon. Caddie stapte naar hem toe en legde haar wang tegen de zijne terwijl ze een kus in de lucht naast zijn oor gaf.

'Gelukkig nieuwjaar.'

'Gelukkig nieuwjaar.'

'Je ziet er goed uit. Een smoking, wauw. Geeft je vlinderdas licht in het donker?'

'Dank je, jij ziet er ook deftig uit.'

'O, dit ouwe ding.' Dat was een grapje, maar ze was te zenuwachtig om het uit te leggen – dat ze de jurk die ze droeg die middag had gekocht. Ze voelde zich warm en aangenaam onrustig onder de intensiteit van zijn blik. Niemand had in lange tijd zo naar haar gekeken. 'Dus je bent weer aan het werk en zo?' vroeg ze. 'Hoe is het?'

'Als het lopen van de marathon een dag nadat je uit het ziekenhuis bent ontslagen.'

'Maar je geniet ervan,' raadde ze.

'Ja.' Hij glimlachte, het geheim met haar delend. 'Maar goed ook, want ik woon er nu bijna. Ik maak lange uren, om de klanten terug te krijgen die we hebben laten schieten toen ik weg was. Dus momenteel is het meer commercieel dan technisch, maar dat is tijdelijk. Hoop ik. Hoe gaat het met jou?'

Ze slenterden naar de schouw. 'O, gaat wel. Nou ja, je weet wel. Verdrietig. Het is een nogal stille tijd geweest.'

Ze hadden het over Cornel die wegging. Over hoe ze Thea misten. Het was net als vroeger.

'Ik heb gehoord dat Frances weer thuis is,' zei hij.

'Ja, dus dat is, eh – maar het gaat wel. Het is weer aanpassen. Maar het wordt steeds beter. Heb jij leuke kerstdagen gehad?'

'Ik ben naar Phoenix gevlogen om mijn moeder en stiefvader op te zoeken.'

'O! Hoe was dat?'

'Heet.' Hij propte het stuk taart in een keer in zijn mond, zoals mannen wel, maar vrouwen niet, in het openbaar mogen doen en likte het gele glazuur van zijn lip. Ze had hem nooit eerder zo van eten zien genieten. 'Heb je nog iets van Dinah gehoord?' vroeg hij.

'We hebben op de avond voor Kerstmis nog met elkaar gepraat. En we schrijven met elkaar. Ze maakt het goed; Carl ook. En moeder. Dinah vraagt soms naar je.'

'Wat zeg je dan?'

'Dan zeg ik – dat ik je al een tijdje niet meer gezien heb.' Ze stopte met friemelen aan het stukje kaarsvet op de schoorsteenmantel en keek hem recht in de ogen. Ze wist niet goed wat ze hem wilde geven of wat ze terug verwachtte, maar het was tijd om contact te leggen. 'Ik heb je gemist.'

'Hé,' zei hij zachtjes. 'Wil je hier weg?'

'Wat?'

Hij raakte de zijkant van haar hand met de zijne aan. 'Ik weet een veel leuker feestje.' Hij glimlachte hoopvol. 'Ga met me mee.'

'O.' Hij ging te snel. Te snel. Ze was nog zo gevoelig. Bovendien bedoelde hij geen feestje – hij maakte een dubbelzinnige opmerking, deed een voorstel. Dat dacht ze tenminste. 'Dat denk ik niet, nee.' Hij was zíjn oude zelf geworden, dus hij dacht dat zij het ook was. Haar schuld; ze had oneerlijke signalen afgegeven. Het kwam door die jurk. 'Maar bedankt voor het vragen.'

'Kom op, Caddie, ga mee. Je zult het naar je zin hebben.'

Ze schudde haar hoofd. 'Dit feestje is trouwens meer mijn snelheid. Ik denk dat ik ben waar ik thuishoor. Het sp –'

'Nee. Zeg alsjeblieft niet dat het je spijt.' De laatste keer was hij niet kwaad op haar, maar dit keer wel. Of deed zijn best het niet te laten merken. 'Laat maar, slecht idee.' Hij zette zijn bekertje op de schoorsteenmantel en liep zonder iets te zeggen bij haar vandaan.

Ze staarde met niets ziende blik in het vrolijke vuur. Een houtblok plofte achter het scherm en er vlogen blauwe vonken in het rond. Toen ze een paar stappen naar achteren deed, zag ze haar spiegelbeeld in een ronde gouden bal in de kerstboom. Ze zag eruit als een peer, gedrongen en met een klein hoofdje. Bizar.

Wees hartstochtelijk. Angie beweerde dat dat Caddies advies was. Het klonk niet als zijnde van haar; ze had het zeker abstract bedoeld. Doe wat ik zeg, niet wat ik doe – dat had ze tegen Angie moeten zeggen.

Ze deed mechanisch alsof ze het naar haar zin had, pratend en lachend, etend en drinkend. Susan Cohen kwam nog laat met Stan, haar vriend, en ze kondigden aan dat ze gingen trouwen. Caddie feliciteerde ze lang en hartelijk, maar in haar hart voelde ze zich een huichelaar. Wat wist zij van romantiek? Waarom veinzen dat ze blij was voor Susan en Stan terwijl ze niet eens wist waar het om ging? Maar dat was niet waar, ze wist wel waar het om ging en het was niet eerlijk dat Magill haar opgegeven had. Ze was nog in de rouw en iedereen om haar heen riep: 'Gelukkig nieuwjaar!' Waarom kon het leven niet even voor haar stoppen of inhouden? Ze moest uitrusten en over dingen nadenken, terug op de rails komen, ze was een heel doelgericht mens, maar niemand wilde op haar wachten.

'Aankondiging!' riep Brenda vanuit de hal op weg naar de eetkamer. 'Mensen? Kan iedereen even in de Blauwe Salon komen? Heel eventjes. Ik heb een speciale aankondiging, mensen! Allemachtig, alsof je probeert katten bijeen te drijven.'

Caddie slenterde naar de hal. Op weg naar de andere kant bleef ze staan toen ze Magill in zijn overjas naar haar toe zag komen. 'Ik moet weg,' zei hij terwijl hij met sleutels of kleingeld in zijn zak rammelde. 'Leuk je gezien te hebben. Gelukkig nieuwjaar.'

'Ga je al? Het is nog geen twaalf uur.'

'Ja, ik heb nog een feestje, dat zei ik toch?'

Had hij echt een feestje? 'O, ga nog niet. Het is nog zo vroeg. En – Brenda heeft een aankondiging.'

'Tot kijk, Caddie.'

'Wacht even. Zullen we karaoke gaan doen? Ken je *Indian Love Call*?'

Hij keek fronsend naar haar terwijl hij zijn das om zijn nek wikkelde. Hij dacht dat ze dronken was.

'Nelson Eddy en Jeanette McDonald. Je kent dat nummer wel.'

Zijn gezicht was een compleet raadsel, een gesloten boek. Ze kon zelfs niets in zijn ogen lezen; hij hield ze uitdrukkingloos zodat ze niet naar binnen kon kijken. 'Er zijn een paar mensen die me verwachten. Welterusten, Caddie,' zei hij en liep naar buiten.

'Kom op, mensen! Caddie,' riep Brenda, 'ik weet dat je dit wilt horen!'

Haar speciale aankondiging was alleen voor Caddie een verrassing, niet voor de anderen. Iedereen had het nieuws al gehoord dat Thea, onafhankelijk van haar testament, Wake House een nieuwe piano had geschonken en dat vanavond de officiële onthulling was. Caddie was het grote geval, duidelijk een piano, afgedekt met groen vilt en een gouden strik, achterin het vertrek niet opgevallen, of als het haar al opgevallen was, dan had ze aangenomen dat het een of andere onafgemaakte kerstversiering was, een tafel voor een elektrische trein of zo – ze wist niet wat ze had gedacht. Ze dacht nu ook niet al te helder na. Maar het was een piano en na een kort toespraakje trok Brenda met een zwierige zwaai het kleed weg en zei: 'Voilà!'

Een klassieke Ellington-vleugel, gepolitoerd mahonie, magnifiek. Overweldigd klapte en juichte Caddie mee tot Cornel voor het instrument ging staan en om stilte riep.

'Ik heb iets te zeggen. Wees maar niet bang, het duurt niet lang.' Hij trok een gezicht en stak zijn hoofd naar voren, op de manier van een roofvogel. 'Ik heb hier drieënhalf jaar gewoond. Het was een echt thuis, dat is het beste dat ik ervan kan zeggen. Nu moet ik ergens anders heen en we zullen wel zien wat dat wordt. Sommige mensen zal ik missen. Anderen, zoals Bernie… ha, ha.' Gelukkig kenden ze Cornel goed genoeg om met hem mee te lachen, zelfs de treurig kijkende Bernie, die hem waarschijnlijk het meest zou missen.

'Ik wil twee keer een toost uitbrengen,' hervatte Cornel. 'De eerste op Brenda. Je hebt een hoop te verduren en niet alleen van mij. Bedankt voor alles. Je bent een goed mens en ik wens je het allerbeste.'

'Bravo!' Iedereen die een drankje had, nam een slok.

'En…' Hij aarzelde. 'Jullie nieuwe mensen, jullie moeten me op mijn woord geloven dat er iemand die zeer geliefd was, hier vanavond niet is. We hebben haar afgelopen zomer verloren en we zijn nog steeds… nou, we zullen haar niet vergeten. Ze heeft ons een hoop geluk gebracht. Ze verwarmde ons allemaal. Als er een hemel is, wat ik betwijfel maar je weet maar nooit, dan is ze daarboven en kijkt ze op ons neer.' Hij kuchte. 'Op Thea.'

'Op Thea.'

Brenda gaf Cornel een arm en leunde tegen hem aan. 'Ik weet iets dat Thea vanavond heel erg gelukkig zou hebben gemaakt. Als Caddie een paar kerstliedjes op de gloednieuwe piano voor ons zou willen spelen. Wil je dat doen, Caddie?'

'Natuurlijk. Heel graag.'

Het was waar. Ze was niet verlegen of nerveus, alleen maar verwachtingsvol. Ze speelde alle geijkte liedjes en toen iemand om *Little Drummer Boy* vroeg, een nummer dat ze nooit van haar leven had gespeeld, improviseerde ze het geroffel met levendige bastonen waarbij de mensen meeklapten. Goh, dacht ze, ik kan dit goed. Toen dat tot haar doordrong, voelde ze zich gelukkig, maar de twee mensen die ze wilde bedanken waren er niet meer, Thea voorgoed. Magill waarschijnlijk ook, want Caddie had zijn hart gebroken. Tweemaal.

29

Om elf uur begon ze een leugen te vertellen: dat oma's jeugdige oppas voor middernacht thuis moest zijn, dus dat ze over niet al te lange tijd weg moest. 'O, blijf toch,' zeiden ze, haar lieve vrienden – degenen die niet al zelf naar bed waren gegaan – maar Caddie kon de gedachte aan al die vrolijkheid die om twaalf uur van haar verwacht werd niet verdragen. Zodra het twaalf uur sloeg, wilde ze thuis zijn.

Ze hield Cornel te lang vast toen ze bij de deur afscheid van hem nam; hij maakte zich los uit haar armen en kuchte opgelaten over haar genegenheid. Ze had vanavond pas gemerkt hoeveel hij op Finney leek. 'Pas goed op jezelf, Cornel, en wees gelukkig.' Hij keek sceptisch. 'Probeer niet al te ongelukkig te zijn,' verbeterde ze zich. 'Beloof me dat je zult proberen niet ongelukkig te zijn.'

'Oké. Maar wat ik maar niet snap is waarom ze me daar eigenlijk willen hebben.'

'Omdat je familie bent.'

'Ja, vast.'

'Onverbeterlijk.'

'Probeer jij niet ongelukkig te zijn. En vergeet me niet op te komen zoeken. Ik heb je gehoord, je kunt niet meer terugkrabbelen.'

'Dan zal ik je wel moeten opzoeken.' Ze gaf hem snel een kus op zijn stoppelige wang. 'Goede reis. Ik hou van je, Cornel.'

Misschien hoorde hij het, misschien ook niet. Hij bracht haar een stijve militaire groet en draaide zich met een ruk om. Voor ze de trap van de veranda af ging, keek ze achterom en zag zijn gebogen, hongerige-vogelgestalte in de hal staan, turend naar de foto van Thea toen ze klein was.

Er was niet veel verkeer op de weg. De meeste mensen waren nu al op de plek waar ze om twaalf uur wilden zijn. Een auto vol aangeschoten jonge mensen stopte bij een verkeerslicht naast haar; een meisje draaide haar raampje achter naar beneden. Caddie verwachtte alles, inclusief overgeven, maar het meisje stak haar arm uit en bood haar een ongeopend blikje bier aan. 'Nee, dank je,' zei ze geluidloos. Het meisje haalde haar schouders op terwijl haar vrienden uitbundig lachten. Het licht sprong op groen en ze brulden weg. Wees voorzichtig! wilde ze hen naroepen, als een moeder.

Ze reed de stad door, en zonder er echt bij stil te staan, sloeg ze op Antietam rechtsaf in plaats van rechtdoor te rijden. Ze was al een paar keer langs Kinesthetics, Inc. gereden sinds die dag met Thea – niet met opzet, maar omdat ze toevallig in de buurt was – en het kleine parkeerterrein had nog nooit zo vol met auto's gestaan. Afgezien van restaurants en clubs als de Elks of de vereniging van oud-strijders, was het hele centrum donker en verlaten, maar alle lichten waren aan in Magills voetenfabriek, en toen ze stopte en haar raampje naar beneden deed, kon ze het basgedreun van dansmuziek horen. Kantoorfeestje.

Ze parkeerde de auto voor het gebouw, op een plek waar je niet mocht parkeren, en zette de motor uit. In het donker vond ze een kam in haar tas. Ze deed, meer op de tast dan op het zicht, nog wat nieuwe lippenstift op. Het was maar beter om de details niet te weten, was haar conclusie.

Hoe verder ze het betonnen pad op liep, hoe harder de muziek klonk. Ze was op een missie, een experiment in persoonlijke moed, maar het zou niet laf zijn om eerst door de moderne glazen deuren te gluren, om te zien hoe alles eruitzag. Dat zou gewoon voorzichtig zijn. Jammer dat het zwarte glas niet doorschijnend was. Als de deuren nu op slot zaten? Nou, dat zou dan het lot zijn. Om maar te zwijgen van symbolisch. Ze legde haar hand op een van de koperen knoppen en trok.

Ze stond in een kleine receptie, felverlicht maar leeg. Geen zin om 'Hallo?' te roepen, want de muziek die uit een gang aan de linkerkant kwam, bulderde in haar oren als haar eigen hartslag maar dan versterkt. De gang was ook felverlicht en ze wilde zo graag een donkere plek waar ze zichzelf onder controle kon krijgen, waar ze kon zien voordat ze gezien werd.

Vanhier uit zag ze het feest in volle gang in een groot vertrek aan het eind van de gang. Een man en een vrouw dansten langs de deuropening met hun armen in de lucht en achter hen wervelden andere mensen in paren, groepjes en in hun eentje op een oud nummer van Tom Petty. Ze had verwacht namaakvoeten te zien, Topsnelheid Voeten, in een of ander verband, realiseerde ze zich, misschien op een productieband, maar de feestzaal was gewoon een kantoor met bureaus die aan de kant waren geschoven. Er stonden borden met eten en hapjes op een lange vergadertafel met kaarsen achterin; eronder stond een koperen wasteil vol ijs en flessen. Afgezien van het kaarslicht kwam de enige andere verlichting van een kerstboom en een snoer flikkerende witte lichtjes boven het lange achterraam.

Magill was nergens te bekennen.

Een man zag haar, een Aziatische man van haar leeftijd, met een glanzende paardenstaart en een gouden knopje in zijn neusvleugel. Hij wipte de dopjes van twee bierflesjes en zigzagde behendig tussen de dansers door naar waar zij stond, half in, half buiten de deuropening. 'Gelukkig nieuwjaar,' schreeuwde hij boven de muziek uit en gaf haar een biertje.

'Gelukkig nieuwjaar.'

'Ik ben Otis.'

Ze had van Otis gehoord. Hij was biomechanisch ingenieur, net als Magill, en hij was 'briljant'. In zijn vrije tijd ontwierp hij elektrische treintjes. 'Hoi, ik ben – op zoek naar Magill,' zei ze in plaats van haar naam. 'Is hij er?'

'Hij is net weg. Maar hij komt zo terug, hij is met Minnie nog meer champagne aan het halen.'

'O.'

'Jij bent Caddie.'

'Nee.' Het flapte er zomaar uit.

Otis' zwarte wenkbrauwen kwamen bij elkaar. 'Echt niet? Sorry – ik dacht dat ik je een keer in Wake House had gezien.'

'Waar?' Ze was doodsbang. Ze loog nooit en het ging haar zo goed af.

'O, niks.' Otis keek verbluft. 'Kom binnen. Ze zullen zo terug zijn, want het is tien over halftwaalf.' Hij ging aan de kant om haar langs te laten. De mensen achter hem, dansend en boven de bluesachtige muziek uit naar elkaar schreeuwend, zagen er net zo uit als ze zich had voorgesteld dat mensen die bij Magill voeten maakten eruit zouden zien, grappig en serieus, jong, een beetje *nerd*-achtig, een beetje alto. Niemand droeg een smoking, maar een vrouw met golvend rood haar tot aan haar middel, droeg een strakke zilverkleurige avondjurk en een tiara. Andere mensen droegen een spijkerbroek en sportschoenen of een cocktailjurk of een pak.

'Is er een damestoilet?' vroeg Caddie.

'Ja, je bent er net langsgelopen.'

'Fijn, ik ben zo terug.'

'Wil je je jas –'

'Nee, laat maar. Ik ben zo terug.'

Toen ze bij de wc's aankwam, had Otis zich alweer in het feestgedruis gestort; hij zag niet dat ze doorliep, haar bier op de receptiebalie zette en het gebouw uit liep.

Nou, in ieder geval hoefde ze zich niet te schamen. Eenzaam, ongelukkig, ongewenst, stom, maar niet beschaamd. Ze had kunnen wachten op Magill en Minnie en iedereen in verlegenheid kunnen brengen in plaats van alleen zichzelf, maar ze zag niet hoe dat dapper kon zijn geweest. Dat zou stom zijn geweest. En ze had Otis kunnen vertellen wie ze was, maar wat maakte dat uit? Magill zou er toch wel achterkomen. Bovendien was het liegen tegen Otis nog het beste deel geweest. Ze had een regel overtreden.

'Nu al thuis? Het is nog niet eens twaalf uur.' Rayanne kwam van de bank en rekte zich uit. Uit de tv blèrde popmuziek, maar ze leek half te slapen.

'Hoe is het met oma?' vroeg Caddie, terwijl ze haar handschoenen uittrok.

'Ze is naar bed gegaan. Ze wilde opblijven om de bal te zien zakken, maar ze is een uur geleden ingestort. Hé, nu je toch terug bent – weet je, ik denk dat ik er meteen vandoor ga. Mijn ouders hebben een feestje en als ik opschiet, kan ik er nog voor twaalf uur zijn.'

'Ja, natuurlijk, ga maar – nee, wacht, ik rijd je wel.' Het was vijf voor twaalf, maar Rayanne woonde in de volgende straat.

'Nee, ik ren wel, dat is sneller.' Ze griste haar jas van de trapleuning. 'Tot volgende week. Gelukkig nieuwjaar en zo.'

'Dag – dank je – gelukkig nieuwjaar!'

Op tv stond Dick Clark ergens buiten boven Times Square in zijn overjas; hij vertelde hoeveel mensen er beneden stonden en hoeveel minuten het nog waren tot dit jaar voorbij was en het nieuwe begon. Waarom vonden mensen dat iets om te vieren? Het kwam op Caddie zo geforceerd over, net zo als Secretaressendag. De tweede wijzer springt op de twaalf, dus het is tijd om op en neer te springen en te toeteren en elkaar een kus te geven?

'Allemaal onzin,' zei ze tegen Finney terwijl ze de trap op liepen om bij oma te kijken. Er zouden treurliederen gezongen moeten worden om twaalf uur, priesters zouden plechtige missen moeten opdragen, mensen zouden in hun huis moeten blijven en stil zijn. Het verstrijken van de tijd betekende maar één ding, als het eropaan kwam, en ieder moment dat dat aangaf was het tegenovergestelde van een vreugdevolle gebeurtenis.

Oma bewoog toen Finney op het bed sprong. 'Heb jij die voor me meegenomen?' mompelde ze. De hond snuffelde aan haar wang en ze deed haar ogen open. 'O, hé. Je bent thuis.'

'Ik ben thuis.' Caddie ging op de rand van het bed zitten. 'Sorry dat we je wakker gemaakt hebben. Lag je te dromen?'

'Je was nog klein en je gaf me een boeket paardebloemen. Je dacht dat het bloemen voor in een vaas waren.'

Caddie glimlachte. Het licht uit de gang verlichtte de helft van het gezicht van haar grootmoeder en liet de rest in de schaduw. Ze zag er dromerig en ijl uit. 'Was het gezellig vanavond, met Rayanne?'

'Wie? O.' Ze geeuwde. 'We hebben naar een oude film gekeken, iets met een schip. Claude Rains. Waar ben je geweest?'

'Wake House.'

'Was het leuk?'

'Ja. Iedereen vroeg naar je.'

'Dat is leuk.' Ze deed haar ogen dicht. Caddie dacht dat ze in slaap gevallen was, maar een ogenblik later mompelde ze: 'Gelukkig nieuwjaar. Heb je nog goede voornemens?'

Caddie dacht na. 'Ja. Ik ga weer in het orkest. Ik ga er meer uit.'

'Dat is een goeie,' zei oma. 'Ik ook, dan.'

'En ik blijf de levensverhalen van mensen in Wake House opschrijven. Dat heb ik net besloten.'

'Goed zo.'

'Gelukkig nieuwjaar, oma.'

'Het wordt een uitstekend jaar.'

'Ja?'

'Jazeker.'

'Hoe weet je dat?'

'We hebben er weer eens recht op.'

'Dat klopt. Welterusten,' fluisterde Caddie en liep op haar tenen met de hond onder haar arm de deur uit.

Ze liet hem uit. Het was na twaalven, maar ze hield de riem kort voor het geval iemand rotjes afstak. Afgezien van donder waren rotjes het enige waar Finney bang voor was. Auto's stonden bumper aan bumper aan weerszijden van de straat, geen lege plekken. Een lusteloze sneeuwbui had het gras wit gemaakt, maar was op het trottoir gesmolten. Het was ijzig koud. Geen van de feestvierders was naar buiten gegaan, maar ze hoorde ze door ramen en muren, het geschreeuw en gelach en de gedempte, dreunende muziek. Ik zou gedeprimeerder moeten zijn, dacht Caddie. Ze was wel gedeprimeerd, maar het voelde meer actief dan passief aan, dus het was niet zo erg. Ze had een stimulerend gevoel van mislukking.

Het was stiller in Early Street; áls iemand een feestje had, dan was het een rustig feestje. Wat ze wel veel in Early Street hadden was kerstversiering. Haar buren hadden dat gemeen met Dinah en Carl. Ik heb een tante en een oom, dacht ze, om zichzelf op te vrolijken. En een tweede grootmoeder aan wie ze niet zo vaak dacht. Waarschijnlijk omdat oma grootmoeder genoeg was voor meerdere mensen.

'Doe eens wat, Finney, doe eens wat.' Hij had haar al twee keer het blok om getrokken, maar hij had nog niets gedaan. Ze nam de riem in haar andere hand om de ene die ijskoud was in haar zak te kunnen opwarmen. Voor het huis van mevrouw Tourneau begon hij hard aan de riem te trekken, als een paard in het zicht van de stal. 'O nee. Eerst moet je plassen. Hé –'

Er was iemand in de tuin. Iemand zat op de onderste tree van de veranda. Het enige dat ze kon zien was een donker silhouet, groot en stil en roerloos. Ze was doodsbang. Maar Finney blafte niet – dat had haar iets moeten zeggen. Haar achter zich aan slepend als een sledehond, nam hij een kortere weg door de bevroren modder naar het huis. Caddie liet de riem los en nam de langere weg, het besneeuwde pad.

Magill ging staan voor de hond hem kon bespringen. Hij had zijn jas aan, maar geen hoed of muts, geen handschoenen. Finney sprong jankend tegen zijn benen op, smekend om opgetild te worden, en hij bukte zich en tilde hem op. Arme zwarte jas, dacht Caddie. Al die witte haartjes, vastgeplakt als lijm.

Ze bleef anderhalve meter bij Magill vandaan staan. 'Hij mocht Christopher ook,' zei ze. 'Hij heeft echt een slechte smaak.'

'Het is niet zozeer slechte smaak dan wel superieure verdraagzaamheid.' Hij moest zijn hoofd achterover houden om te voorkomen dat hij over zijn mond werd gelikt. 'Ik moest denken aan *Indian Love Call.* Zullen we het zingen?'

'Wat zei Otis?' vroeg Caddie.

'*I'll be calling yooouuu...*'

'Wat zei hij, hoe bracht hij het?'

'Otis?'

Hij wist niet waar ze het over had. Echt niet. Uit blijdschap om zijn volkomen onbegrip sloeg ze haar armen om zich heen. 'Je hebt niet met hem gepraat.'

Hij haalde diep adem en grinnikte. 'Pardon?'
'Je weet niet eens dat ik er geweest ben.'
'Waar?'
Ze had nog maar één vraag. 'Je bent toch niet verliefd op Minnie, hè?'
'Minnie!'
Dat was het juiste antwoord. 'Het is hier steenkoud. Kom je mee naar binnen?'
'Caddie, wat vanavond betreft.'
'Gezellig, hè? Vind jij oudejaarsavond ook niet gezellig?'
Finney krabde aan de stormdeur, verlangend naar de snack die hij altijd na een wandeling kreeg.
'Nee, ik heb een hekel aan oudejaarsavond,' zei Magill, terwijl hij achter haar aan de trap op liep. 'Iedereen doet alsof. Het is de ergste avond van het jaar.'
'O nee. We moeten de tijd markeren. We zijn mensen, we hebben het ritueel nodig. Kijk – we zijn dat oude jaar doorgekomen, nu krijgen we een nieuw. Het is een geschenk.'
'Denk je?'
'Absoluut.'
En zo niet, dan toch maar.